Huber, Alfons

Geschichte der Vereinigung Tirols mit Oesterreich und der vorbereitendere Ereignisse

Huber, Alfons

Geschichte der Vereinigung Tirols mit Oesterreich und der vorbereitendere Ereignisse

Inktank publishing, 2018

www.inktank-publishing.com

ISBN/EAN: 9783750102705

All rights reserved

GESCHICHTE

DER

VEREINIGUNG

TIROLS MIT OESTERREICH

UND

DER VORBEREITENDEN EREIGNISSE

VON

Dr. ALFONS HUBER,

O. Ö. PROFESSOR AN DER K. K. UNIVERSITÄT ZU INNSBRUCK.

INNSBRUCK,
VERLAG DER WAGNER'SCHEN UNIVERSITÄTS-BUCHHANDLUNG.
1864.

Vorrede.

Die Ereignisse, welche Gegenstand vorliegender Arbeit sind, haben erst vor einigen Jahren durch Professor Dr. J. Ficker („Wie Tirol an Oesterreich gekommen." Vorlesungen, gehalten im Ferdinandeum zu Innsbruck am 29. December 1855, am 5. und 12. Jänner 1856 — abgedruckt in der Volks- und Schützenzeitung 1856 Beilage 7–11 —) eine Darstellung gefunden, die sich ebenso sehr durch umfassende Benützung der einschlägigen Quellen als durch eine reiche Fülle neuer Gesichtspunkte und treffender Gedanken auszeichnet.

Wenn ich dessenungeachtet eine Bearbeitung desselben Gegenstandes der Oeffentlichkeit übergebe, so liegt der Grund theils in der Unzugänglichkeit der Vorlesungen Ficker's, die in einer Provinzialzeitung vergraben sind, theils in dem speciellen Anlass, dass eben die Feier der fünfhundertjährigen Vereinigung Tirols mit Oesterreich eintrat, die wohl eine geschichtliche Darstellung dieses folgenreichen Ereignisses wünschenswerth erscheinen liess. Günstige Umstände machten es mir zudem möglich, wenigstens in einzelnen Partien einiges Neue zu bieten.

*

Das k. k. g. Haus-, Hof- und Staats-Archiv in Wien, die königlich-bairischen Archive in München, nämlich das Hausarchiv, Staatsarchiv und Reichsarchiv, das Statthaltereiarchiv in Innsbruck, die mir alle mit grösster Liberalität geöffnet wurden, das Haller Stadtarchiv, die handschriftlichen Sammlungen des hiesigen Ferdinandeum's, gütige Mittheilungen von Seite einzelner Freunde lieferten immerhin nicht unbedeutendes Material und gewährten die Möglichkeit, frühere Darstellungen in einzelnen Punkten zu ergänzen oder zu berichtigen, oder auch, was früher blosse Vermuthung war, als wirklich nachzuweisen. Ich bemerke dabei nur, dass sich für die Darstellung der Beziehungen zwischen den Wittelsbachern und Luxemburgern von 1342 bis 1354 im Wiener Staats-Archive sicher manche weitere Notizen finden würden, indem ich dieselben erst nach meinem Aufenthalte in Wien in meine Arbeit aufzunehmen beschlossen habe.

Ich weiss nicht, ob ich mich nicht irre, allein mir schien es dem Charakter einer Festschrift über ein Ereigniss, das schwerlich sobald wieder eine specielle Bearbeitung erfahren wird, zu entsprechen, das einschlägige Material möglichst vollständig mitzutheilen. Ich habe daher einmal die bezüglichen ungedruckten Urkunden theils vollständig, mit Zugrundelegung der in neuerer Zeit immer allgemeiner zur Geltung kommenden Grundsätze von Böhmer und Pertz, theils im Auszuge mitgetheilt, dann aber auch Auszüge der schon gedruckten Urkunden eingeschaltet, da der Raum, den letztere einnehmen, verhältnissmässig doch nicht so bedeutend ist und theilweise durch die Möglichkeit einer kürzern Art zu citiren im Texte eingebracht wurde. Ebenso habe ich im Anhange nicht bloss einige ungedruckte Bruchstücke aus Goswin's Chronik von Marienberg mitgetheilt, sondern auch die schon bei Eichhorn, episcopatus Cur. cod. prob. p. 124 ff. abgedruckten, da dieser Abdruck so unbekannt zu sein scheint, dass er sogar in einem so vortrefflichen Werke wie Potthast's bibliotheca histor. medii aevi nicht erwähnt ist; zudem ist der Text bei Eichhorn durch manche sehr grobe Fehler entstellt. Dass ich die Haupt-vermächtnissbriefe, obwohl sie schon vielfach gedruckt sind, noch einmal nach den Originalien vollständig mit-theilte, wird man wohl bei einer Festschrift begreiflich finden. Dagegen weiss ich nicht, ob man es billigen wird, dass ich auch einige Urkunden mittheilte, die mit dem be-arbeiteten Gegenstande in gar keinem oder nur sehr ent-ferntem Zusammenhange stehen. Allein ich denke, dass man sie hier immerhin eher suchen und finden wird, als wenn ich sie einzeln in irgend eine Zeitschrift gegeben hätte. —

Bezüglich eines Punktes glaube ich mich noch recht-fertigen zu müssen, wegen der Nichtbenützung von Beda Weber's „Oswald von Wolkenstein und Friedrich mit der leeren Tasche." Weber behandelt S. 69–96 die Geschichte Tirols von der ersten Verbindung Johanns von Böhmen mit Heinrich von Kärnthen bis zum Tod Rudolfs IV. von Oesterreich und theilt manche eigenthümliche Nachrichten mit unter häufiger Berufung auf das Archiv zu Trostburg und die dort befindlichen Urkunden und „gleichzeitigen Notate." Ich wagte nicht sie zu benützen und möchte jeden warnen, Beda Weber zu folgen, am allerwenigsten dann, wenn er sich auf Urkunden beruft. Ich weiss nicht, war es eine überwuchernde, jede Regel des Denkens über-springende Phantasie oder war es bewusste Täuschung, her-vorgegangen aus dem Streben, überall Neues, Interessantes

zu sagen, überall den geheimen Zusammenhang an den
Tag zu fördern, was Weber auf Abwege führte, sicher
ist, dass sich in seinem erwähnten Werke die unglaub-
lichsten Irrthümer und grundlosesten Behauptungen finden.
Was sich in seiner Darstellung der Geschichte des vier-
zehnten Jahrhunderts wie ein rother Faden hindurchzieht,
ist der „Adelsbund von 1323", von dem in neuester Zeit
P. Justinian Ladurner in überzeugendster Weise nachge-
wiesen hat, dass er in das Jahr 1423 gehört. Das hin-
dert aber Weber nicht, im 14. Jahrhundert den „Adelsbund" wiederholt „ausdrücklich" anerkannt werden zu lassen
und z. B. mit Berufung auf das Archiv in Trostburg zu
behaupten, dass Ludwig der Brandenburger 1340 den
Häuptern des tirolischen Adels die „vorläufige Erklärung"
gab, „„die Grundsätze des Adelsbundes in seiner ganzen
Ausdehnung anzuerkennen."" Oder man lese die Darstellung des Rachekrieges gegen die tirolischen Adeligen,
welche sich 1347 an Karl IV. angeschlossen hatten:
„Herzog Konrad von Teck und sein treuer Geselle Konrad von Freiberg brachen nach Burgstall auf, warfen die
Burg nieder, und Volkmar, ihr Besitzer, hatte
vom Glück zu reden, dass er nach dem unzu-
gänglicheren Nonsthale entwischte (Volkmar
war schon mehr als fünf Jahre todt!). Am folgenden
Tage fiel Greifenstein" (im April 1350, Burgstall
Dec. 1348). Aus Schrecken über die Hinrichtung Engelmars von Villanders lässt er neben „vielen andern einflussreichen Herren des Landes feierlich unter Bestürzung
der Ihrigen" auch den spätestens Anfangs 1346 verstorbenen Tegen von Villanders seinen letzten Willen auf-
setzen und aus dem Lande fliehen! Was Weber unter
„gleichzeitig" versteht, sieht man unter anderm daraus,

dass er (S. 66) den Marx Sittich von Wolkenstein, der nach Webers eigenen Angaben 1613 eine Chronik von Tirol vollendete und 1620 starb, für die erste Hälfte des 14. Jahrhunderts einen „gleichzeitigen Schriftsteller" nennt. Für genauere Kenner der Tiroler Geschichte mochten diese Bemerkungen überflüssig sein, wie denn z. B. einer der gründlichsten Forscher, P. Justinian Ladurner in seinem Urtheile über Weber mit mir übereinstimmt, für Fernerstehende kaum, da Weber leider oft als Quelle für sonst gründliche Werke benützt wird.

Schliesslich sage allen jenen, welche mich bei meiner Arbeit irgendwie unterstützt und gefördert haben, meinen herzlichsten, verbindlichsten Dank, besonders dem Herrn Hofrath Ritter v. Erh, Direktor und den Herrn Dr. von Meiller und Wocher, Archivaren des k. k. g. Archivs in Wien, dem Herrn Dr. Birk, Custos der Wiener Hofbibliothek, dem Herrn Professor Dr. Söltl, Vorstand des königl. Hausarchivs, dem Herrn Geheimregistrator Pflüger im k. Staatsarchiv und dem Herrn Dr. Häutle, Sekretär im allgemeinen Reichsarchiv in München, dem Herrn kaiserlichen Rath Dr. Wörz, Direktor und dem Herrn Schenach, Officialen im Innsbrucker Statthaltereiarchiv, weiter dem Hochw. P. Justinian Ladurner und meinem werthen Freunde J. Durig für die mir aus ihren urkundlichen Sammlungen gemachten Mittheilungen,[1]) endlich dem Herrn Professor Dr. Zahn, Archivar des

---

1) Bei Benützung der Sammlungen Ladurner's ist mir leider ein zu spät bemerkter Verstoss begegnet, dass ich das Datum einer in Innsbruck „Erchtag nach Maria Schidung" ausgestellten Urkunde auf das Jahr 1363 bezog, in dem die vorausgehende datirt ist, während sie ohne Jahr und von H. Leopold ausgestellt ist. Dadurch ist Reg. n. 325 ausgefallen und es muss die Angabe S. 92 Anm. 2 darnach berichtigt werden. Dass übrigens Rudolf um die Mitte des August 1363 nach Tirol kam, scheint mir dessenungeachtet sicher.

Johanneums in Graz., der mir in zuvorkommendster Weise reichhaltige Mittheilungen über die im Johanneum befindlichen Urkunden Rudolfs IV. machte.

Schliesslich erfülle ich eine Pflicht der Dankbarkeit, indem ich erwähne, dass der der deutschen Wissenschaft leider noch immer viel zu früh entrissene Dr. J. Fr. Böhmer mir zu den wissenschaftlichen Reisen nach Wien und München die Mittel gewährt und sie dadurch allein ermöglicht hat. Wenn diese Arbeit einiges Verdienst hat, so gehört der grössere Theil ihm. Böhmer hätte bei Lebzeiten nie erlaubt, diese grossmüthige Unterstützung zu erwähnen, durch sein Hinscheiden glaube ich der Verpflichtung zu schweigen enthoben zu sein. Wie viele mag der edle Mann in ähnlicher Weise unterstützt haben, ohne dass etwas davon bekannt geworden ist!

Innsbruck im Februar 1864.

A. Huber.

Inhalts - Uebersicht.

Excurse.

Regesten und Urkunden S. 129.

I.

Es hat viele Jahrhunderte gedauert, bis die Höhen und Thäler, welche jetzt unter dem Namen Tirol zusammengefasst werden, zu einer staatsrechtlichen Individualität, zu einer politischen Einheit vereinigt wurden, und vollständig zum Abschlusse gekommen ist der lange Entwicklungsprocess erst im Beginne dieses Jahrhunderts.

Als das römische Weltreich von deutschen Völkerschaften gestürzt wurde, theilte auch Tirol das Schicksal der übrigen Provinzen des Westens und wurde von den Deutschen in Besitz genommen. Aber während der Süden bis in die Gegend von Deutschmetz im Jahre 568 in die Gewalt der Longobarden kam, die hier das Herzogthum Trient gründeten, waren in die nördlicheren Thäler kurz vorher Baiern eingedrungen und zwei Jahrhunderte lang zog sich die Gränze beider Völker mitten durch Tirol. Zwar traf am Ende des achten Jahrhunderts beide Staaten dasselbe Loos, nämlich Unterwerfung durch Karl den Grossen und Einverleibung in das Reich der Franken. Als aber das Reich des grossen Karl unter dessen schwachen Nachfolgern zerfiel, kamen auch die Thäler Tirols wieder an verschiedene Staaten, die Grafschaft Trient an das Königreich Italien, die nördlichen Grafschaften an das Reich der Ostfranken. Auch als Otto I., der zuerst wieder mit Kraft und Erfolg in die Verhältnisse Italiens eingriff, im Jahre 952 Trient vom italienischen Reiche losriss und mit Deutschland vereinigte, blieb es nicht lange bei Baiern, unter dessen Herzoge die übrigen Grafschaften standen, sondern wurde schon 976 zugleich mit der Mark Verona, die wesentlich mit dem heutigen österreichischen Theile von Italien zusammenfiel, dem neuerrichteten Herzogthume Kärnthen zugetheilt.

2

Eine vollständige Aenderung der Verhältnisse trat im eilften Jahrhunderte ein.

Seit der Vereinigung des Königreichs Italien mit Deutschland war Tirol für die Kaiser von doppelter Wichtigkeit, weil es den kürzesten Weg nach Italien bildete, und es musste denselben sehr viel daran liegen, dass die Alpenpässe in verlässlichen Händen wären. Niemanden hielten aber die spätern sächsischen und die ersten fränkischen Kaiser für treuer, ihren Interessen ergebener als die Bischöfe, in diesen suchten sie eine Hauptstütze gegen die weltlichen Grossen und sie verliehen ihnen daher ausgedehnte Güter und Besitzungen, ja selbst ganze Grafschaften.

So verlieh Konrad II. im Jahre 1027 dem Bischofe von Trient drei Grafschaften auf einmal, die Grafschaft Trient, weiter die Grafschaft Bozen, welche an jene angränzend längs der Eisack bis Klausen, längs der Etsch bis zum Gargazoner Bach unterhalb Meran reichte, endlich die Grafschaft Vintschgau, die sich vom Gargazoner Bach bis Pontalt in Engedein erstreckte. Ueber diese Grafschaften erhielten die Bischöfe von Trient auch die Gewalt eines Herzogs, die Zölle, Bergwerke und das Münzrecht, und nicht selten bezeichnen sie ihr ganzes Gebiet als Herzogthum. [1])

Gleichzeitig sprach Kaiser Konrad II. auch dem Grafen Welf, der an einer Empörung in Deutschland theilgenommen hatte, alle seine Lehen ab und verlieh seine Grafschaft, die sich von der Gränze des Bisthums Trient durch das Eisackthal bis in das Innthal (gegen Nordosten vielleicht soweit dieses zum Bisthum Brixen gehörte, d. h. bis zum Ziller) erstreckte, dem Bischofe von Brixen, der 1091 von Heinrich IV. auch noch die Grafschaft im Pusterthal erhielt.

So schien die Trennung Tirols für immer besiegelt. Aller Voraussicht nach mussten sich hier zwei selbständige geistliche Fürstenthümer bilden, Trient im Süden und Westen, Brixen im Nordosten. Dass dieses wider Erwarten nicht geschah, dass trotzdem eine einheitliche Macht sich bildete, stark genug, selbst die Gewalt der Bi-

---

1) Ueber diese und die folgenden Verhältnisse hat erst Licht verbreitet Durig, Beiträge zur Geschichte Tirols in der Zeit Bischof Egno's von Brixen (1240—1250) und Trient (1250—1273). Aus der Zeitschrift des Ferdinandeums für Tirol und Vorarlberg. 3. Folge. 9. Heft 1860 besonders abgedruckt.

schöfe von sich abhängig zu machen und endlich zu absorbiren, hat seinen Grund in der verfehlten Politik der Bischöfe und in der Einsicht und rücksichtslos durchgreifenden Energie der Grafen Albert von Tirol und seines Enkels Meinhards II. von Görz.

Die Bischöfe gaben die meisten der ihnen verliehenen Grafschaften als Lehen an weltliche Herren und boten dadurch selbst Anlass zur Schwächung ihrer Macht.

Der Bischof von Trient behielt nur die gleichnamige Grafschaft unmittelbar in seinen Händen, während er mit der Grafschaft Vintschgau die Grafen von Tirol, die auch Schirmvögte des Bisthums waren, belehnte und von der Grafschaft Bozen in einem Theile die gräflichen Rechte den Eppanern übertrug, im andern sie gemeinschaftlich mit dem Grafen von Tirol ausübte. Eine noch weniger ausgebildete Gewalt behauptete der Bischof von Brixen in seinem Gebiete, da er unkluger Weise fast alle seine Grafschaften an ein einziges Geschlecht verlieh, das dadurch nothwendig ihm nach und nach entschieden überlegen werden musste.

Es war dies das Haus der Grafen von Andechs, welche sehr ausgedehnte Besitzungen in Baiern, Franken und Tirol, besonders im Innthale, hatten und von Brixen noch mit den Grafschaften im Pusterthal, Eisackthal und Innthal, seit 1170 auch mit der Stiftsvogtei belehnt waren. Im Jahr 1173 erhielten die Andechser noch die Markgrafschaft Istrien, 1180 erbten sie von den Dachauern grosse Besitzungen und den Titel Herzoge von Croatien und Dalmatien oder von Meranien, wie der südlich von Istrien sich hinziehende Küstenstrich hiess, und fortan gehörten die Meraner unstreitig zu den mächtigsten deutschen Fürstengeschlechtern. Zwar bot die Aechtung des Markgrafen Heinrich von Istrien wegen Theilnahme am Morde König Philipps auch dem Bischofe von Brixen Gelegenheit zur Einziehung der andechsischen Lehen; allein es gelang ihm nicht den Besitz derselben auf die Dauer zu behaupten. Die Grafschaft im Eisackthale kam an den Grafen Albert von Tirol, den der Bischof 1214 auch zum Schirmvogt seines Stiftes erwählt hatte; auf die noch nicht vergabten Lehen machte später der Bruder Heinrichs von Istrien, Herzog Otto I. von Meran, im Namen seines Hauses Anspruch und er setzte es durch, dass ihm 1232 vom Bischofe die Grafschaften Pusterthal und Unterinnthal wieder übertragen wurden.

1 *

4.

So waren die meisten Grafschaften beider Bisthümer in den Händen zweier Geschlechter, der Tiroler und der Andechser, jene vorzüglich Lehensträger von Trient, diese von Brixen. Der Dualismus des „Landes im Gebirge" schien neuerdings begründet zu sein.

Dass diese Spaltung beseitigt wurde und einer einheitlichen politischen Gestaltung Platz machte, ist in erster Linie das Verdienst des Grafen Albert von Tirol, dessen Stammsitz daher mit Recht dem ganzen Lande den Namen gegeben hat. Er zuerst suchte die Vereinigung der bedeutendsten Lehen im ganzen Lande anzubahnen und Verhandlungen und Waffengewalt waren die Mittel, die ihn endlich glücklich zu diesem nie aus den Augen gelassenen Ziele führten. Da Albert keine Söhne, sondern nur Töchter hatte, von denen Elisabeth an den Herzog Otto II. von Meran, Adelheid an den Grafen Meinhard von Görz vermählt war, so gieng sein Streben zunächst dahin, seine Lehen auch seinen Töchtern und Schwiegersöhnen zu sichern. Die Bischöfe von Chur und Trient mussten dieser Forderung nachgeben. Der Bischof von Brixen wurde gezwungen, dem Grafen Albert von Tirol und dessen Schwiegersohne Otto von Meran die Stiftslehen, die jeder von ihnen besass, gemeinschaftlich zu übertragen, so dass, als 1248 mit Otto II. das Haus der Meraner erlosch, alle Brixner Lehen, namentlich die Grafschaften Unterinnthal, Eisackthal und Pusterthal, in die Hände des Grafen Albert kamen und mit Vintschgau und einem Theile der Grafschaft Bozen in seiner Person vereinigt wurden. Als 1253 Albert, der letzte männliche Sprosse des Grafengeschlechtes von Tirol, aus dem Leben schied, kamen alle seine Güter und Lehen von den Stiftern Brixen, Trient und Chur an seine Schwiegersöhne, Meinhard von Görz und Gebhard Grafen von Hirschberg, Gemahl der Witwe Ottos II. von Meran.

Doch schon im folgenden Jahre theilten diese ihr Erbe; Gebhard von Hirschberg und seine Gemahlin erhielten die Besitzungen im Innthal und Wippthal bis unterhalb Mittewald unweit von Brixen, Meinhard von Görz das Uebrige, besonders die Grafschaft Vintschgau mit den übrigen Trientner Lehen und das Pusterthal. Wieder schien Tirol in zwei Theile, einen nördlichen und einen südlichen, zerfallen zu müssen. Da starb Elisabeth, die Gemahlin des Grafen von Hirschberg, ohne Kinder zu hinterlassen, und nun beanspruchten die Grafen Meinhard und Albert von Görz, Meinhards I. Söhne, als Abkömmlinge der einzigen noch lebenden Tochter Alberts von Tirol, dessen gesammtes Erbe; Gebhard von Hirschberg musste ihnen 1263 die ehemals tirolischen Besitzungen abtreten, wenige Schlösser ausgenommen, die er endlich 1284 ebenfalls an die Görzer verkaufte. Meinhard I. hatte ausserdem den von Ezzelino da Romano schwer bedrängten, lange aus seiner Hauptstadt vertriebenen Bischof Egno von Trient genöthigt, ihm die Lehen zu übertragen, welche die kurz zuvor ausgestorbenen Grafen von Eppan und die mit diesen verwandten Grafen von Ulten von seiner Kirche zu Lehen gehabt hatten, und so waren in kurzer Zeit fast alle Lehen und Besitzungen der drei mächtigsten Geschlechter Tirols, der Andechser, Tiroler und Eppaner, in den Händen der Grafen von Görz vereinigt, die daher an wirklicher Macht ihren Lehensherren, den Bischöfen, weit überlegen waren.

Theilten nun auch die beiden Brüder 1271 ihre Besitzungen, so erhielt Albert zu den alten görzischen Gebieten nur das östliche Pusterthal bis zur Mühlbacher Clause, so dass Meinhard II. fast das ganze Erbe des Grafen Albert von Tirol in seiner Gewalt hatte.

Diese tirolischen Besitzungen abzurunden und zu einem geschlossenen Gebiete zu machen, zugleich aber die Macht des bedeutendsten seiner Lehensherren, des Bischofs von Trient, noch mehr zu schwächen, ja diesen völlig von sich abhängig zu machen, darauf war Meinhards II. ganzes Streben gerichtet, das betrachtete er als das Ziel seines Lebens, als die Hauptaufgabe seiner Regierungsthätigkeit.

Der letztere Zweck, die Schwächung des Bischofs von Trient, wurde ihm besonders erleichtert durch den aufrührerischen Sinn des Stiftsadels und der Bürger von Trient, wie durch die Einfälle der Herren della Scala in Verona, wodurch die Bischöfe oft in die grösste Bedrängniss kamen und Meinhard Gelegenheit erhielt sich einzumischen. Den grössten Theil seiner Regierung hatte er allein oder mit dem Bischofe gemeinschaftlich das ganze Stift in seinen Händen, so dass die Bürger sich nach und nach gewöhnten, den Grafen von Tirol als ihren eigentlichen, obersten Herrn anzusehen, und die Schirmvogtei des Grafen immer mehr zu einer Schutzhoheit, zu einer oberherrschaftlichen Gewalt über das Gebiet des Bischofs wurde. In dieser Zeit wurden die Verhältnisse begründet, welche im Laufe der Zeit fast nothwendig zur Mediatisirung des Stiftes führten.

Zur Erreichung seines zweiten Zweckes, Gründung eines geschlossenen Territoriums, gebrauchte Meinhard nicht weniger durchgreifende, aber im Ganzen durchaus rechtliche Mittel. Theils suchte er die Belehnung mit den erledigten bischöflichen und Reichslehen zu erhalten, theils brachte er die Besitzungen der noch im Lande begüterten Grafen und Herren käuflich an sich. In allen Gegenden des Landes, namentlich im Oberinnthal, erwarb er zahlreiche Herrschaften und Gebiete, Schlösser und Ortschaften, Güter und Einkünfte, und er wurde dadurch auch der reichste Privatmann im Lande, so dass seine gräfliche Gewalt eine sehr sichere materielle Grundlage erhielt.

Als Meinhard II. 1295 starb, sah er das Ziel, das er ins Auge gefasst, das er, nicht selten ohne durch rechtliche Bedenken sich aufhalten zu lassen, angestrebt hatte, im Wesentlichen erreicht, den Gedanken seines Grossvaters Albert von Tirol realisirt: die Macht der Bischöfe von Trient und Brixen war gebrochen, die Spaltung des „Landes im Gebirge" unter zwei geistliche Fürstenthümer aufgehoben und ein diesen weit überlegenes, mehr oder weniger geschlossenes Gebiet begründet, das schon 1271 als „Grafschaft und Herrschaft Tirol" bezeichnet wird. Da Meinhard 1286 vom Könige Rudolf von Habsburg, mit dessen ältestem Sohne Albrecht er seine Tochter Elisabeth vermählt hatte, zum Lohne für seine treuen Dienste, namentlich im Kriege gegen Otakar II. von Böhmen, auch das Herzogthum Kärnthen erhalten hatte, so hinterliess er seinen drei Söhnen Otto, Ludwig und Heinrich eines der mächtigsten deutschen Fürstenthümer.

Diese drei Brüder, welche die Regierung gemeinschaftlich führten, traten in den Richtungen ihrer Politik ganz in die Fusstapfen ihres Vaters; sie waren ebenso ergeben dem Hause Habsburg, ebenso gewaltthätig gegen das Stift Trient, dem erst 1314 die letzten ihm entzogenen Besitzungen zurückgegeben wurden. Indess starben die beiden ältern Brüder schon früh, Ludwig 1305, Otto 1310, und nur der jüngste und untüchtigste, Heinrich, blieb allein noch übrig.

Heinrich war als Gemahl der böhmischen Prinzessin Anna, der ältesten Schwester König Wenzels III., mit dem das Haus der Přemysliden erlosch, von den böhmischen Ständen 1307 zum Könige gewählt worden. Allein Mangel an Kraft, Einsicht und Thätigkeit, wie seine schlechte Wirthschaft, die ihn oft so in Noth brachte, dass er kaum die dringendsten Bedürfnisse seiner Tafel decken konnte, raubten ihm bald alles Ansehen; Parteiungen und offener Kampf zerrütteten das

Land; fast von allen Anhängern verlassen musste Heinrich schon im December 1310 vor Johann von Luxemburg, dem Sohne Heinrichs VII. aus dem Lande weichen und ruhmlos nach Tirol zurückkehren, wo er sich durch Fortführung des Königstitels über den Verlust des Königreiches zu trösten suchte.

König Heinrich bewies seine Unfähigkeit zum Regieren in Tirol ebenso glänzend wie früher in Böhmen. Durch und durch Gefühlsmensch, religiös und ausschweifend zugleich, verschleuderte er seine Güter und Einkünfte theils an die Kirchen und Klöster, theils an die Schönen des Landes und die mit ihnen gezeugten Kinder[1]), und die Folge war, dass der König sich stets in Geldverlegenheit befand und oft nicht einmal die nothwendigsten Bedürfnisse befriedigen konnte. Dies wie seine Apathie und Gutmüthigkeit brachte ihn ganz in Abhängigkeit von dem ihn umgebenden Adel, der seine Schwäche auf jede Weise für sein eigenes Interesse ausbeutete und fast alle Aemter und Einkünfte des Landes in seine Hände brachte. Heinrich ist auch der erste, der in seiner landesherrlichen Gewalt bedeutend beschränkt wurde, der seine Verfügungen „nach seines Rathes Rath" oder „nach dem Rathe der edeln Leute und Dienstmannen des Landes" erliess, unter dem also die Grundlagen der tirolischen Verfassung gelegt worden sind, wenn auch erst ein Stand politischen Einfluss besass, nämlich der Adel.

II.

Trotz der geringen Fähigkeiten König Heinrichs erhielt er plötzlich eine grosse Bedeutung, ja er wurde für eine Reihe von Jahren der Mittelpunkt des lebhaftesten politischen Getriebes, der diplomatischen Schachzüge von Seite der mächtigsten Höfe Deutschlands.

Der Grund dieser Wichtigkeit, welche der Exkönig von Böhmen auf einmal erlangte, lag in dem einzigen Umstande, dass Heinrich

---

1) In den Urkunden und Rechnungsbüchern König Heinrichs kommen die *filii* und *filie naturales*, die *pueri domini*, später bei Margaretha die *fratres putativi* häufig vor. Einzelne Stellen sind abgedruckt in der „Berichtigung einer Stelle in des Kaisers Karls IV. Selbstbiographie in Beziehung auf die Herzogin Margaretha Maultasch." Beiträge zur Geschichte etc. von Tirol 7, 180 u. 11; 193 ff n. 24 bis 26, 28, 29 (von Freiherrn v. Dipauli).

8

der letzte noch lebende männliche Sprosse des Hauses Görz-Tirol war und hier sich also die Aussicht bot zur Erwerbung schöner und wichtiger Länder.

Heinrich's erste Gemahlin, die böhmische Prinzessin Anna, war 1313, ohne ihm Kinder zu hinterlassen, gestorben; [1] seine zweite, Adelheid von Braunschweig, mit der er im Jänner 1315 seine Hochzeit feierte, [2] die ihm aber ebenfalls schon am 18. August 1320 der Tod entriss, [3] überlebten zwei Töchter, Adelheid, geboren 1317, und Margaretha, geboren 1318. [4] Starb Heinrich ohne Söhne, so waren diese Töchter die Erbinnen aller seiner Eigengüter und Weiberlehen, und zu letztern gehörten in Tirol auch die meisten bischöflichen Lehen, d. h. fast alle Grafschaften des Landes.

Es ist leicht begreiflich, dass Heinrichs Töchter bald die Augen der fürstlichen Freier auf sich zogen, und dadurch auch ihr Vater, der mit ihrer Hand den Besitz eines wichtigen Landes zu vergeben hatte, der allgemeinsten Aufmerksamkeit gewürdigt wurde. Seine Haltung konnte geradezu für die ganze Entwicklung der deutschen Verhältnisse entscheidend werden.

Seit dem Sturze der Staufer gab es in Deutschland kein Geschlecht mehr, das im sichern Besitze der Krone und gestützt auf

---

1) *A. domini 1313. III. Nonas Sept. obiit domina Anna, regina Bohemiae prima conthoralis regis Heinrici.* Chron. Stams. ap. Pez, S. R. A. 2, 458. Dass Anna kinderlos war, beweist vita Karoli IV. imper. ap. Böhmer, F. R. G. 1, 233 und Urkunde Heinrichs v. 1315, Beiträge 7, 200.

2) Im Jänner 1315 schreibt König Heinrich eine Steuer aus, da, wie er sagt, *wir von grozzer zerung wegen, die wir ietzu zu unserer hochzeit zu Inzprucke gehabt haben, in grozze gulte und schaden chomen sein und davon nicht wol chomen mügen an unserer undertan hülfe und steur.* Abschrift aus dem Originalconcept in der Bibliotheca Tirol. 413, 42. Rückwärts: *Hec est stiura precaria imposita pro subsidio domini H. regis Bohemie, quando celebravit nupcias cum domina ducissa de Brunsweck. Anno domini 1315 in mense Januario.*

3) Chron. Stams. ap. Pez 2, 458: *A. domini 1320 in die Agapiti martyris obiit domina Adelheidis ducissa de Braunsweig, secunda conthoralis praefati regis Heinrici.*

4)(Dipauli) Beiträge 7, 182—184 n. 14. 15. Dass Adelheid die ältere Tochter war, zeigen die von Dipauli n. 12 angeführten Stellen der Rechnungsbücher, wo nach dem Zusammenhange die *senior domina* nicht wohl Margaretha sein kann; dazu in einer Rechnung von 1355 eine Ausgabe *Katharine sorori domine marcam 1 — domine seniori lib. III.* k. k. g. A. Diplomatar No. 1014 f. 79 a. — Die Zweifel Dipauli's bezüglich des Namens der Schwester Margaretha's werden jetzt beseitigt durch den vollständigen Abdruck der früher nur im Auszuge bekannten Urkunde K. Heinrichs für dieselbe. Regesten und Urkunden n. 39.

ausgedehnte eigene Güter die Geschicke des Reiches hätte bestimmen
können. Noch war es keinem Könige geglückt, die Krone seinem
Hause zu erhalten, höchstens das konnte er erreichen, dass er seinem
Geschlechte eines der erledigten Reichsländer verschaffte und es dadurch in die Reihe der ersten Fürstenfamilien emporhob. So waren
durch Rudolf die Habsburger in den Besitz der Herzogthümer Oesterreich und Steiermark gekommen, die ihnen in Verbindung mit den
ausgedehnten Besitzungen ihres Hauses in den Vorlanden im Süden
des Reiches ein entschiedenes Uebergewicht verschafften. Ebenso
hatte Heinrich VII. aus dem Hause Luxemburg seine Stellung als
deutscher König benützt, um seinem Sohne Johann das Königreich
Böhmen mit Mähren zu verschaffen, das an räumlicher Ausdehnung
alle deutschen Fürstenthümer übertraf. Von den ältern Fürsten-
häusern konnten sich mit diesen neu emporgekommenen Geschlech-
tern höchstens die Wittelsbacher messen, die aber ihre schönen Besitzungen, das Herzogthum Baiern und die Pfalzgrafschaft am Rhein,
durch wiederholte Theilungen zersplittert hatten und durch stete
Uneinigkeit ihrer Glieder geschwächt waren. Allein Ludwig von
Oberbaiern war von einem Theile der Kurfürsten gegen Friedrich den
Schönen von Oesterreich zum deutschen Könige gewählt worden,
und wurde nach der für Oesterreich so verhängnissvollen Schlacht
bei Mühldorf seinem Gegner bald so überlegen, dass er wenigstens
das Gewicht und den Einfluss für sich hatte, welchen die Würde des
Reichsoberhauptes trotz aller Schwächung der Königsgewalt dem
Träger der Krone noch immer verlieh. An Ludwig hatte sich im
Thronstreite auch Johann von Böhmen angeschlossen, er war die
bedeutendste Stütze der wittelsbachischen Partei; allein er diente derselben doch nur so lange, als sein eigenes Interesse dadurch gefördert
wurde, und wollte namentlich Ludwig nie so mächtig werden lassen,
dass dieser im Stande gewesen wäre, ein kräftiges Königthum in
Deutschland wieder herzustellen. So herrschte trotz des Sieges
Ludwigs ein gewisses Gleichgewicht unter den drei mächtigsten Ge-
schlechtern und ein neuer Machtzuwachs für eines von ihnen konnte
demselben unter günstigen Verhältnissen das Uebergewicht verschaffen und dadurch für Deutschlands Zukunft von höchster Bedeutung
werden. Gerade desshalb wendeten auch alle diese dem Herzoge
Heinrich von Kärnthen ihre Aufmerksamkeit zu, indem sie wohl

fühlten, welches Gewicht die Erwerbung seiner Länder bei den damaligen Kämpfen um die erste Stellung in Deutschland in die Waagschale der Entscheidung werfen müsste.

Heinrich selbst war zwar keineswegs gesonnen, den Rest seines Lebens als Witwer zuzubringen. Kaum hatte sich das Grab über der Leiche seiner zweiten Gemahlin geschlossen, so dachte er schon an eine neue Ehe. Seltsamer Weise bot sich ihm gerade sein alter Gegner und Rivale, König Johann von Böhmen, vor dem er einst so schmählich aus seinem Königreiche hatte weichen müssen, zum Vermittler an. Dem Könige Johann, der sich stets mit den weitgreifendsten Entwürfen trug, war es nicht entgangen, dass sich hier vielleicht die beste Gelegenheit biete, seinem Hause ein neues Land zu erwerben. Ohne lange Bedenken liess er dem Könige Heinrich die Hand seiner schönen Schwester Maria mit einer Mitgift von 20000 Mark Silber antragen, wenn dagegen eine Tochter Heinrichs mit seinem ältesten Sohne Wenzel oder, wie er später genannt wurde, Karl vermählt würde, beauftragte im April 1321 den König Ludwig mit der Führung der Verhandlungen und veranstaltete bald darauf selbst eine Zusammenkunft mit Heinrich in Passau, wo ihr alter Zwist ausgeglichen wurde. [1] — Allein leider hatte die junge Prinzessin nicht Lust, ihre Neigung der Politik ihres Bruders zu opfern und einem bejahrten Manne die Hand zu reichen; sie erklärte, sie sei durch ein Gelübde gezwungen, den Antrag auszuschlagen, [2] obwohl sie dies keineswegs hinderte, im nächsten Jahre dem Könige Karl von Frankreich ihre Hand zu reichen. [3]

Johann gab indess seine Pläne nicht so bald auf. 1324 bot er ihm unter derselben Bedingung, dass eine von ihm zu bestimmende Tochter Heinrichs einen seiner Söhne heirathe, die Hand seiner

---

1) Johanns Vollmacht Reg. u. 1. Die Zusammenkunft in Passau erwähnt Joh. Victor. ap. Böhmer F. 1. 390. Stögmann über die Vereinigung Kärnthens mit Oesterreich (Sitzungsber. der kais. Akademie 19, 221) lässt diese Zusammenkunft der Ausstellung der Vollmacht 1321 Apr. 12 vorausgehen, und mit Bestimmtheit lässt sich das Gegentheil auch nicht behaupten, da nach dem Itinerar Johanns wie nach der Reihenfolge der Ereignisse bei Joh. Victor. das eine so gut möglich ist, wie das andere.

2) Joh. Victor. ap. Böhmer 1, 390: *Puella reclamante et tuum assensum nullatenus tribuente, quia religionis votum asseritur habuisse.*

3) Chron. aulae regiae ap. Dobner, monum. 5, 383.

Muhme Beatrix, Tochter des Herrn von Löwen und Gaesbecke von einer Schwester Heinrichs VII., an. Um Heinrich auch für diese Combination zu gewinnen, versprach er ihm 30000 Mark Silber, nämlich 10000 Mark als Mitgift für seine Muhme, 20000 für die Aussteuer der ersten Gemahlin Heinrichs, der böhmischen Prinzessin; eine weitere Entschädigung für dessen Ansprüche auf Böhmen wurde in Aussicht gestellt. Auch mit diesem Vorschlage war Heinrich zufrieden, und noch im nämlichen Jahre schloss er mit Johanns Bevollmächtigten auf dieser Grundlage einen Vertrag ab.

Heinrich liess sich sogar dazu herbei, jener Tochter, die Johanns Sohn heirathen würde, Kärnthen, Krain und die Mark abzutreten, sie sollte diese Gebiete, falls er ohne Söhne mit Tod abgienge, vor andern Töchtern voraushaben, und ausserdem mit diesen gleiche Rechte an der Grafschaft Tirol behalten. Bis Mitte des Octobers verpflichtete sich Johann seine Muhme und seinen Sohn nach Innsbruck zu bringen. [1] Heinrich glaubte seiner Sache so gewiss zu sein, dass er auf den Feldern von Wilten bei Innsbruck schon die Gezelte für die Hochzeitsfeierlichkeiten aufschlagen liess. [2]

Aber wieder scheiterten diese Pläne an dem Widerspruche derjenigen, welche dabei das gewichtigste Wort mitzureden hatte, an Johanns „lieber Muhme von Brabant." Sie erklärte den Brautwerbern, sie sei die einzige Stütze ihrer Eltern und wolle überhaupt in keinem Falle ihr reiches Geburtsland verlassen, um in eine fremde Gegend zu ziehen. [3]

Dass Johann gerade sehr entschieden sie zur Heirath gedrängt habe, ist allerdings nicht wahrscheinlich; denn je länger Heinrichs Vermählung sich hinausschob, um so mehr schwand dessen Aussicht auf männliche Nachkommenschaft, um so grösser wurde die Hoffnung für seinen eigenen Sohn, einst dessen Länder in seine Gewalt zu bekommen. Heinrich freilich musste ein solcher Plan verborgen bleiben und König Johann begab sich daher im Mai des folgenden Jahres selbst zu ihm nach Innsbruck und versprach neuerdings, seine Muhme Beatrix und seinen zweiten Sohn Johann, den er unterdessen zum künftigen Herrn von Kärnthen und Tirol bestimmt hatte, bis nächsten

---

1) Reg. n. 3—5; vgl. damit Joh. Victor. p. 390 mit **Böhmers** Anm. 3
2) Reg. n. 8.
3) Joh. Victor. p. 390.

Bartholomäustag nach Innsbruck zu schicken. Zugleich wurde jetzt die früher in Aussicht gestellte Entschädigungssumme für Heinrichs Ansprüche auf Böhmen auf 10000 Mark festgesetzt. [1])

Allein der Bartholomäustag vergieng, ohne dass Heinrichs lang ersehnte Braut eintraf. Schon das zweite Jahr bedeckten die für die Hochzeitsgäste bestimmten Gezelte die Felder von Wilten und ihr Anblick musste dazu beitragen, Heinrichs nach und nach erwachenden Unmuth noch zu steigern. Nicht mit Unrecht hielt er sich für getäuscht und er beschloss, sich um eine neue Braut und einen andern Vermittler umzusehen.

Einen solchen fand er am Herzoge Albrecht von Oesterreich. Es konnte den Habsburgern unmöglich entgehen, welche Gefahr für sie erwachsen würde, wenn die Luxemburger, ihre natürlichen Gegner und Nebenbuhler, auch Kärnthen und Tirol in ihre Hände bekämen und die österreichischen Herzogthümer von Süden wie von Norden bedrohten. Herzog Albrecht, der klarste Kopf und einsichtsvollste Staatsmann unter allen seinen Brüdern, benützte rasch die Verstimmung Heinrichs von Kärnthen gegen Johann von Böhmen zu einem Versuche, die beginnende Entfremdung zwischen beiden vollständig zu machen, und warb für jenen um die Hand der Prinzessin Beatrix von Savoyen, deren Schwester mit dem eben verstorbenen Herzoge Leopold von Oesterreich vermählt gewesen war. Nachdem er sich der Zustimmung ihrer Mutter, der Gräfin Maria, und ihrer Brüder versichert hatte, begab er sich selbst nach Innsbruck, wo am 23. Dezember 1326 der Ehevertrag abgeschlossen und die Mitgift der Braut auf 5000 Mark festgesetzt wurde. [2])

So drohten alle schönen Pläne Johanns von Böhmen in nichts zu zerfliessen. Allein mit meisterhafter Gewandtheit wusste dieser die Gefahr abzuwenden und die ganzen Verhältnisse zu seinen Gunsten zu wenden. Kaum hatte er von der bevorstehenden Vermählung Heinrichs gehört, so schrieb er ihm am 28. Jänner 1327 im Tone vollständiger Unkenntniss alles dessen, was seither vorgegangen, wie gern er ihm seine liebe Muhme von Gaesbecke zur Frau gegeben und

---

1) Reg. 6. 7.
2) Reg. 9–11; vgl. n. 13. 14 und Joh. Victor. p. 391, wo aber irrthümlich der schon im Febr. 1326 verstorbene Herzog Leopold als Vermittler angegeben wird.

wie eifrig er sich für ihn verwendet habe; allein trotz aller seiner Zureden habe sie stets erklärt, dass sie keinen Mann auf aller Welt nehmen wolle, obwohl sie ihm früher das Gegentheil gelobt habe. Da er aber jetzt gehört habe, dass Heinrich gerne seine Muhme von Savoyen zur Frau nehmen wollte, so freue er sich von Herzen, weil sie nun in aller Freundschaft bei einander bleiben könnten, und er habe auch auf der Stelle Boten nach Savoyen gesendet, um die Heirath zu Stande zu bringen; Heinrich möge daher auf den 8. März Gesandte zu ihm nach Nürnberg schicken, um die Sache in's Reine zu bringen, namentlich wegen des Geldes, das er ihm geben wolle. [1] Durch letztern Beisatz hatte er den stets geldbedürftigen König Heinrich an der rechten Seite zu fassen gewusst. Da Johann die Zahlung der jenem früher in Aussicht gestellten 40000 Mark auch für die Zukunft versprach und seiner Muhme von Savoyen dieselbe Mitgift zu geben gelobte, wie der Beatrix von Gaesbecke, so hielt auch Heinrich wenigstens die Vermählung einer seiner Töchter mit Johanns gleichnamigem Sohne aufrecht, wenn auch von einer Abtretung Kärnthens an sie keine Rede mehr war. Noch im Oktober dieses Jahres wurde dieser Prinz, damals ein Knabe von fünf Jahren, in Begleitung des Bischofs von Olmütz und der vornehmsten böhmischen Landherren nach Tirol gebracht, um der Sitte jener Zeit gemäss am Hofe seiner Braut erzogen zu werden. Hier wurde dem Könige Heinrich neuerdings die Zahlung von 40000 Mark zugesichert und zugleich bestimmt, dass, wenn Heinrich oder Johann vor der Volljährigkeit ihrer Kinder sterben würden, der Ueberlebende über die Kinder des andern während ihrer Minderjährigkeit die Vormundschaft führen sollte. [2] Im Februar des nächsten Jahres 1328 feierte endlich König Heinrich in Wilten mit Beatrix von Savoyen seine Hochzeit. [3]

---

1) Reg. n. 12.

2) Reg. n. 14—18, 21—24; die u. 15 genannten Herren hatten doch wohl den jungen Johann nach Tirol gebracht? Vgl. chron. aulae regiae ap. Dobner 5,420: *Item hoc anno (1327) in die beati Galli Johannes quinquennis infantulus Johannis regis Bohemie filius secundo genitus de Praga versus Carinthiam deducitur, ut sibi filia Heinrici ducis ipsius Carinthie quondam regis Bohemie, matrimonialiter copuletur . . . Iste itaque dux Carinthie, quia masculino herede tunc caruit, hunc Johannis regis filium constituit heredem universorum, ipsum filium sibi faciens adoptatum.* Die letzte Angabe ist für diese Zeit nicht ganz richtig.

. 3) Reg. n. 19, 20; die erstere Urkunde bestimmt wohl auch ungefähr die

Doch Heinrichs Hoffnungen auf männliche Nachkommenschaft verwirklichten sich nicht; seine Ehe blieb kinderlos und schon nach wenigen Jahren, am 19. December 1331, entriss ihm der Tod auch seine dritte Gemahlin. [1)]

König Heinrich hatte sich die Möglichkeit, ja Wahrscheinlichkeit, dass er ohne Hinterlassung von Söhnen mit Tod abgienge, seit langem nicht mehr verhehlen können und hatte für diesen Fall seinen Töchtern die Nachfolge in allen seinen Gebieten zu sichern gesucht. Dieselben hatten Erbrechte wohl auf seine Eigengüter und die Weiberlehen, nicht aber auf die Reichslehen, zu denen namentlich das Herzogthum Kärnthen gehörte, und sein Streben gieng daher dahin, vom deutschen Könige die besondere Begünstigung zu erlangen, dass ihm seine Töchter auch in den Reichslehen folgen könnten. Als im Beginn des Jahres 1327 König Ludwig nach Tirol kam und bei einer Zusammenkunft mit den italienischen Grossen in Trient sich von diesen bewegen liess, nach Italien zu ziehen, um sich die Kaiserkrone zu holen und den deutschen Einfluss auf der Halbinsel wieder herzustellen, benützte König Heinrich diese Gelegenheit, um an den König das Ansuchen zu stellen, auch seinen Töchtern die Nachfolge in seinen Ländern zu gestatten. Ludwig war nicht in der Lage, Heinrich eine solche Bitte abzuschlagen, da dieser die Pässe Tirols und damit den kürzesten und bequemsten Verbindungsweg zwischen Italien und Deutschland, namentlich Baiern, in den Händen hatte, also seine Freundschaft für Ludwig von höchstem Werthe war.[2)]

Zeit der Vermählung; am 8. Februar ist Heinrich noch auf Tirol. Chmel, Geschichtsforscher 2,175.

1) Chron. Stams. ap. Pez 2,458; vgl. Coronini, tentamen p. 273, der aber die *praevigilia s. Thomae apostoli* fälschlich für gleichbedeutend mit dem Vorabende nimmt.

2) Joh. Victor. ap. Böhmer 1,403: *Anno domini m. ccc. xx. viii.* (richtiger 1327) *Ludewicus per vallem Tridentinam Italiam introivit. Et dum Heinrici ducis Karinthie terminos, scilicet comitatum Tyrolis subintrasset, sibi ac suis heredibus utriusque sexus Karinthiam et comitatum Tyrolis literis regalitus postea imperialibus, dicitur confirmasse.* Ich sehe keinen Grund, dieser bisher nie der Beachtung gewürdigten Angabe des sonst so gut unterrichteten Verfassers nicht Glauben zu schenken; jedenfalls kann nicht von einer Verwechslung mit dem Privileg von 1330 Februar 6 die Rede sein, da er beide Urkunden, die von Ludwig noch als König und die später von ihm als Kaiser ausgestellte, deutlich unterscheidet.

Nach einem fast dreijährigen Aufenthalte in Italien langte Kaiser Ludwig im December 1329 wieder auf deutschem Boden an, ohne dass es ihm gelungen wäre, die Anfangs errungenen Erfolge festzuhalten. Indessen war er weit davon entfernt, Italien fahren zu lassen: er war vielmehr fest entschlossen, in kürzester Zeit mit frischen Kräften dorthin zurückzukehren und das kaiserliche Ansehen zur Geltung zu bringen.[1] König Heinrich erklärte sich bereit, dem Kaiser im nächsten Frühling gegen die della Scala, Herren von Verona, ein bedeutendes Hilfscorps zu stellen[2] und konnte mit Recht dafür auf Begünstigungen von Seite des Kaisers rechnen. Dieser stellte ihm auch am 6. Febr. 1330 neuerdings das Privilegium aus, dass ihm, falls er keine Söhne oder Sohneskinder hinterliesse, seine Töchter oder seines Bruders Töchter oder auch ein Gemahl derselben in den Reichslehen folgen könnten; freilich fügte er die Clausel hinzu, dass diese Erbeinsetzung eines Gemahls geschehen sollte mit seinem Rath und Wissen, eine Bestimmung, die ihm jederzeit die Möglichkeit gewährte, diese Begünstigung mit einem gewissen Rechte zu widerrufen.[3]

Die Betheiligten dachten freilich schwerlich an die Möglichkeit oder Wahrscheinlichkeit eines solchen Widerrufes. Noch im September dieses Jahres begab sich König Johann von Böhmen nach Innsbruck, um endlich diese Angelegenheiten definitiv zu ordnen.

Jetzt wurde die Heirath zwischen dem noch nicht neunjährigen[4] Prinzen Johann und Heinrichs zweiter Tochter, der zwölfjährigen Margaretha, die unterdessen zur Gemahlin bestimmt worden war, vollzogen, die frühern Verträge erneuert, und nachdem Johann neuerdings dem Könige Heinrich die baldige Auszahlung der ihm versprochenen 40000 Mark zugesagt und durch alle möglichen Bürgschaften garantirt hatte, empfieng er schon jetzt für den Fall der Nothwendigkeit einer vormundschaftlichen Regierung nach Heinrichs Tode die Huldigung der Einwohner, denen er dafür versprach, ihre Rechte und Freiheiten aufrecht zu erhalten und keinen Fremden als Beamten in

---

1) Ueber diese Absichten siehe Buchner 5,421 f. und die Briefe Ludwigs des Baiern ap. Böhmer, F. 1,206 ff.

2) Oefele, SS. 1,759.

3) Reg. n. 25.

4) Johann war 1322 Februar 12 geboren. Chron. aulae regiae ap. Dobner 5,382.

das Land zu bringen.[1]) Johann schien endlich am Ziele seiner Wünsche angelangt zu sein.

Allein plötzlich erhoben sich neue Schwierigkeiten, besonders von Seite der Herzoge von Oesterreich.

Die Habsburger änderten um diese Zeit vollständig ihre frühere Politik. Hatten sie bisher gestrebt, mit dem Aufgebote aller Kräfte die Königskrone ihrer Familie zu erhalten und dadurch die Macht und das Ansehen, welches sie in Deutschland erlangt hatten, zu behaupten und zu vermehren, so gaben sie diesen Gedanken seit dem Tode Friedrichs des Schönen (1330 Jan. 13) völlig auf. Für die nächste Zeit hatte die Realisirung solcher Pläne wenig Aussicht auf Erfolg und bald hatte die königliche Gewalt für einen Fürsten wenig Verlockendes mehr, da ausser den nächsten Nachbarn bloss die schwachen Reichsstände sich noch um das Reichsoberhaupt kümmerten, wogegen die mächtigern Fürsten, durch den Einfluss des Königs kaum berührt, ruhig aber unaufhaltsam ihre Rechte und Besitzungen vergrösserten und ihre landesherrliche Gewalt immer weiter ausbildeten. Unter solchen Verhältnissen hielten es auch die Habsburger für vortheilhafter, nach dem Beispiele anderer Fürsten eine möglichst selbständige Herrschaft zu gründen und in erster Linie für ihre eigenen Interessen zu sorgen.

Die Herzoge von Oesterreich hatten die Gefahr schon früher erkannt, die ihnen drohte, wenn es den Luxemburgern, welche sich seit Jahrzehnten als ihre natürlichen Gegner gezeigt hatten, gelang, sich auch im Südwesten ihrer Länder festzusetzen und sie von zwei Seiten zu umklammern. Dazu kam, dass sie selbst auf Kärnthen nicht unbegründete Ansprüche machen zu können glaubten. Mit diesem Herzogthum war nämlich schon ihr Vater belehnt gewesen und nur freiwillig hatte er es zu Gunsten Meinhards von Tirol aufgegeben. Wenn also das Land durch das Aussterben des görz-tirolischen Mannsstammes erledigt wurde, so hatten die Habsburger zwar kein Recht darauf, da ein Vorbehalt des Rückfalls nicht gemacht worden war und Reichslehen sich nur in gerader Linie vererbten, sie also auch als Söhne einer

---

1) Reg. n. 27—33. Chron. aulae regine p. 447. Joh. Victor. 419. — Von den Heinrich versprochenen 40000 Mark war freilich Ende 1333 noch nichts bezahlt (Reg. n. 37, 38) und es ist daher wohl mehr als zweifelhaft, ob Heinrich bis zu seinem Tode überhaupt etwas davon erhalten hat.

Tochter Meinhards II. oder Heinrichs Neffen keine Erbansprüche erheben konnten;[1] allein die Billigkeit sprach jedenfalls dafür, dass man mit dem erledigten Herzogthum die Habsburger belehne, in deren Besitz dasselbe ja schon einmal gewesen war.

Zum Glück für sie bereitete sich gerade um diese Zeit auch eine Aenderung in der Stellung des Kaisers gegenüber den Luxemburgern vor.[2] Eine Festsetzung derselben in Tirol und Kärnthen war für Baiern nicht weniger gefährlich als für Oesterreich und der Kaiser wäre dadurch ganz von ihnen abhängig geworden. Hatte Ludwig der Baier früher um jeden Preis vermeiden müssen, den Wünschen Johanns von Böhmen, der im Kampfe gegen die Habsburger sein wichtigster Bundesgenosse war, entschieden entgegenzutreten, so hatte er durch die Aussöhnung mit den Herzogen von Oesterreich im Sommer des Jahres 1330 in dieser Beziehung freie Hand erhalten.

Unter solchen Verhältnissen fand in Augsburg eine Zusammenkunft zwischen Kaiser Ludwig und dem Herzoge Otto von Oesterreich statt. In wenigen Tagen war man über einen Vertrag einig, der direkt gegen Johann von Böhmen und dessen Pläne gerichtet war. Der Kaiser gab den Forderungen der Habsburger vollständig nach und versprach, nach dem Tode des Königs Heinrich Kärnthen den Herzogen von Oesterreich zu verleihen, wogegen diese dem Kaiser behilflich sein sollten zur Erlangung des Landes Tirol; wollte ihnen der König von Böhmen oder sonst jemand entgegentreten, so sollten sie sich gegenseitig Beistand leisten.[3]

---

1) Ueber die Rechtsfrage bei der Erledigung Kärnthens vgl. die schon erwähnte Abhandlung des leider so früh verstorbenen Stägmann, über die Vereinigung Kärnthens mit Oesterreich (Sitzungsber. d. kais. Ak. 19. B. bes. S. 203—220). Seine Ansicht ist durch Chmel, das Recht des Hauses Habsburg auf Kärnthen (Sitzungsber. 20,169—184) ohne genügende Gründe bekämpft worden.

2) Vgl. hierüber besonders Fr. v. Weech, Kaiser Ludwig der Baier und König Johann von Böhmen. München 1860.

3) Reg. n. 34—36. Auf diesen Augsburger Vertrag bezieht Stägmann S. 232 f. die Bemerkung in der vita Karoli ap. Böhmer, Fontes 1,248: *Et cum frater noster debuisset accipere possessionem ducatus Karinthie et comitatus Tyrolis post mortem ipsius (ducis Karinthie): tunc fecerat occulte ligam Ludovicus, qui se gerebat pro imperatore, cum ducibus Austrie, Alberto videlicet et Ottone, ad dividendum dominium fratris nostri occulte et false, volens idem Ludovicus habere comitatum Tyrolis, duces vero ducatum Karinthie.* Karl erzählt dies zwar erst nach dem Tode Heinrichs

Durch diesen Vertrag brach der Kaiser allerdings auf die treuloseste Weise sein dem Herzoge Heinrich vor wenigen Monaten gegebenes Wort, indem er den weiblichen Nachkommen unbedingt das Recht der Nachfolge in dessen Ländern ertheilt und nur für den Fall einen Vorbehalt gemacht hatte, dass auch dem Gemahle einer seiner Töchter oder Nichten Regierungsrechte verliehen werden sollten. Indess kam es in dieser Zeit bereits nicht selten vor, dass man Verträge, mochten sie noch so feierlich geschlossen worden sein, nur so lange für bindend hielt, als die Verhältnisse dauerten, unter denen sie zu Stande gekommen waren, sonst aber sie brach, ohne sich ein Gewissen daraus zu machen.

Obwohl dieser Vertrag, der am 26. November geschlossen wurde, geheim blieb, so trat doch die veränderte Stellung des Kaisers zum Könige von Böhmen bald offen hervor.

In den letzten Tagen des Jahres 1330 trat König Johann, einer Einladung der Brescianer folgend, von Trient aus einen Zug nach dem von Parteikämpfen zerrissenen Italien an, der von den glänzendsten Erfolgen begleitet war. [1] In zwei Monaten war Johann Herr fast der ganzen Lombardei und der Städte und Gebiete südlich vom Po bis einschliesslich Lucca; es bot sich ihm die lockende Aussicht, für seinen ältesten Sohn Karl, den er zu sich kommen liess, ein oberitalisches Königreich zu gründen, das durch die Erwerbung Tirols einen sichern Rückhalt hatte.

Der Kaiser konnte unmöglich diese Fortschritte Johanns, welche die ganze Stellung des Reichsoberhauptes gefährdeten, mit gleichgiltigen Augen ansehen und that ernstliche Schritte, um der drohenden Uebermacht des luxemburgischen Hauses einen Damm entgegenzusetzen. Auf dem Reichstage in Nürnberg beklagte er sich bei den

---

von Kärnthen, und es liegt nahe, es auf die Linzer Verträge von 1335 zu beziehen; allein für erstere Ansicht spricht das *occulte*, was 1335 nicht mehr der Fall war, und vor allem der Inhalt der Verträge. Wenn übrigens Stögmann S. 231 f. die Einsetzung eines Schiedsgerichtes nur für eine „Spiegelfechterei" erklärt, so kann ich mich damit nicht einverstanden erklären; hatte ja nach Stögmann selbst (S. 227 ff.) der Kaiser früher die Forderung der Herzoge von Oesterreich, sie mit dem zunächst ledig werdenden Reichslehen zu belehnen, zurückgewiesen.

1) Ueber diesen Zug Johanns vgl. L. Pöppelmann, de Italico itinere Johannis Lucimburgensis Bohemiae regis. Diss. inaugur. Vratislaviae 1858.

Fürsten bitter über den König Johann, welcher die zum Reiche gehörigen Gebiete der Lombardei an sich reisse. Von den meisten Fürsten erhielt er den Rath, wenn der König von Böhmen ohne Recht an sich ziehe, was dem Reiche jenseits der Berge gehört, so könne er sich mit vollem Rechte schadlos halten an dessen Besitzungen diesseits der Berge. Der Herzog Otto von Oesterreich übernahm es, mit den Königen von Ungarn und Polen ein Bündniss gegen Böhmen zu Stande zu bringen. [1])

Sobald König Johann von der von allen Seiten gegen ihn sich aufthürmenden Gefahr Nachricht erhielt, eilte er im Juli aus Italien nach Deutschland, um durch eine persönliche Zusammenkunft mit dem Kaiser den Sturm zu beschwören. Zwei und zwanzig Tage lang unterhandelte er in Regensburg auf einer Insel der Donau mit dem Kaiser nur unter Beiziehung der vertrautesten Räthe und es gelang ihm nicht bloss wegen der italienischen Angelegenheiten eine Ausgleichung herbeizuführen, sondern überhaupt wieder die engsten Beziehungen mit Ludwig anzuknüpfen. [2]) Nicht unwahrscheinlich ist es, dass damals auch die kärnthnerische Erbschaftsangelegenheit zu Sprache kam und bei dieser Gelegenheit ein Austausch Kärnthens und Tirols gegen die Mark Brandenburg, welche des Kaisers Sohn Ludwig besass, verabredet wurde. [3]) Jedenfalls musste sich Johann seiner Sache sicher fühlen, da er mit dem Kaiser jetzt völlig ausgesöhnt war.

Auch sonst gestalteten sich die Verhältnisse für die Pläne des Böhmenkönigs immer günstiger.

1) Die besten Nachrichten über diesen Reichstag giebt ein Brief des Notars K. Johanns an den Abt von Königssaal, chron. aulae regiae ap. Dobner 5,454 f.; vgl. damit Palacky 2 b, 187. Stögmann S. 233 f. Weech S. 36.

2) Ueber diese Zusammenkunft bringt verlässliche, wenn auch nicht ausreichende Angaben bloss chron. aulae regiae p. 450. Ich glaube auch, dass dessen Angabe, Johann sei am 21. Juli in Regensburg angekommen, vollkommen bestehen kann, um so mehr, da auf diesen Tag auch die Dauer der Verhandlungen zusammengehalten mit Johanns Ankunft in Tauss am 16. August hinweist; nur kann er den Kaiser noch nicht vorgefunden haben (vgl. Böhmer, Reg. Ludwigs n. 1338, 2745, 2746). Ueber den Gang der Verhandlungen vgl. Buchner 5,438 f. Stögmann S. 234 f. Weech 37.

3) So vermuthet Stögmann S. 235; einen andern Zeitpunkt für die Verhandlungen, welche nach dem 1335 verbreiteten Gerüchte *vor etlichen iaren* sollten stattgefunden haben (Reg. n. 54), wüsste ich ebenfalls nicht anzugeben. Das Gerücht ist übrigens durchaus nicht unwahrscheinlich, jedenfalls war es allgemein verbreitet; vgl. Joh. Victor. ap. Böhmer 1,424.

2*

Im December 1331 starb Heinrichs von Kärnthen dritte Gemahlin und damit schwand jede Hoffnung desselben auf einen männlichen Erben, der den Aussichten der Luxemburger auf Kärnthen und Tirol im Wege gestanden hätte. Wenn nach den letzten Heirathsverträgen Heinrichs älterer Tochter Adelheid gleiche Rechte mit Margaretha, der Gemahlin des böhmischen Prinzen, zugesichert waren und Heinrichs Absicht zuletzt immer dahin gegangen war, dass seine beiden Töchter gemeinsam die Regierung aller seiner Länder führen, also Johann von Luxemburg gar kein Vorrecht haben sollte,[1] so wurde bald auch dieser Plan unmöglich. Die ältere Prinzessin Adelheid wurde nämlich von einem so „grossen Siechthum" befallen, dass obiger Gedanke sich ganz unausführbar zeigte und ihr Vater, um ihr wenigstens nach seinem Tode ein anständiges und den Bedürfnissen ihrer Krankheit entsprechendes Auskommen zu sichern, derselben im Jahre 1334 das Schloss St. Zenoberg, die Gerichte Passeier und Ulten und andere Besitzungen verschrieb, im Falle sie nicht von ihrer Krankheit befreit würde.[2] Man hat indess dieses Vermächtniss nach ihres Vaters Tode umgestossen. Die ihr verschriebenen Einkünfte wurden ihr nie eingeräumt und Adelheid lebte am tirolischen Hofe[3] bis ihre

---

1) Anders kann ich die bezüglichen Verträge nicht auffassen, obwohl alle meine Vorgänger in dieser Beziehung eine andere Ansicht gehabt zu haben scheinen. Im ersten Vertrage von 1324 (Reg. n. 5) hatte Heinrich der künftigen Gemahlin des böhmischen Prinzen allerdings Kärnthen vorauszugeben versprochen, aber auf Tirol ihr nur dieselben Rechte wie einer andern Tochter zugesichert. Nach den Verträgen von 1327 hörte jedes Vorrecht der erstern auf und sollte dieselbe nur „alles das erben, das eine andere unser Tochter durch Recht erben soll" (Reg. n. 17). Dieselbe Bestimmung wurde 1330 einfach wiederholt (Reg. n. 30). Damit stimmt nicht bloss das, wahrscheinlich noch vor die letzten Heirathsverträge fallende Concept eines Testaments König Heinrichs, das, wenn es auch ohne Zweifel nie ausgefertigt wurde, für unsere Zwecke Beweis genug ist (Reg. n. 26), sondern auch Heinrichs Urkunde für seine Tochter Adelheid von 1334 (Reg. n. 39), worin für den Fall, dass sie wieder gesund würde, ihr und eventuell ihren Erben *geleicher erbentayl alles unsers guts und herschaft, die wir haben,* wie Heinrichs andern Erben zugesichert wurde.

2) Reg. n. 39.

3) Nach Ausweis der Rechnungsbücher (excerpt. Primisser Bibl. Tirol 613, 225 ff.) wurden schon unmittelbar nach Heinrichs Tode, in den Jahren 1335, 1336, 1337 die Einkünfte aus den Gerichten Ulten und Passeier zu andern Zwecken verwendet. Auch die von Dipauli. Beiträge 7,181 n. 12 angeführten Stellen aus den Rechnungsbüchern scheinen zu beweisen, dass die Ausgaben der Adelheid aus den allgemeinen Einkünften bestritten wurden; Reg. n. 236 zeigt.

Schwester nach Abtretung des Landes an die Herzoge von Oesterreich nach Wien zog, worauf man ihr aus den Einkünften des Landes eine für ihre Bedürfnisse genügende Summe anwies. [1] Sie überlebte noch ihre Schwester und starb ungefähr acht und fünfzig Jahre alt am 25. Mai 1375; ihr Leichnam wurde im Frauenkloster Steinach bei Meran beigesetzt. [2]

III.

Nach mehrjährigen diplomatischen Schachzügen schien alles, was den luxemburgischen Interessen entgegen gestanden hatte, beseitigt. als am 2. April 1335 auf dem Schlosse Tirol König Heinrich, der letzte männliche Sprössling des Hauses Görz-Tirol aus dem Leben schied. [3] Allein sein Tod wurde das Zeichen zu einem Kampfe um seine Länder, der erst nach einem Menschenalter damit endete, dass alle seine Besitzungen in den Händen der Habsburger vereinigt wurden.

Kaum hatte sich die Nachricht von Heinrichs Tode verbreitet, so veranstalteten die Herzoge Albrecht und Otto von Oesterreich eine Zusammenkunft mit dem Kaiser in Linz. [4] Den vor fünf Jahren mit

wenn der Markgraf Ludwig mit „Schwester" seine Schwägerin bezeichnet, Adelheid im Gefolge der markgräflichen Familie.

1) Wenn Adelheid vom Zoll an der Tell wöchentlich 30, also jährlich 1560 Pfund Berner erhielt (Reg. n. 499), so war das für eine kränkliche Prinzessin jedenfalls ausreichend.

2) Die Aufschrift des von Beda Weber 1845 entdeckten Grabsteines im Kloster Steinach bei Meran ist mitgetheilt von Staffler, Tirol 2,665 und besser von P. Justinian Ladurner, urkundliche Beiträge zur Geschichte des deutschen Ordens in Tirol (Zeitschrift des Ferdinandeums 3. Folge 10, 39 Anm.): *Anno domini milesimo drecentesimo septuacesimo quinto, indicione tredecima, die veneris vicesimo quinto mensit May in die St. Urbani obiit regina Alhaidis Tirolensis.* Der Titel *regina* erklärt sich aus dem Königstitel ihres Vaters.

3) Als Todestag Heinrichs geben das Chron. Stams. ap. Pez 2,457 und Goswin v. Marienberg ap. Eichhorn, episcop. Curiensis, cod. probat. p. 124 den Tag des hl. Ambrosius (Apr. 4). Dagegen Joh. Victor. ap. Böhmer 1,415 den Sonntag *Judica* (Apr. 2) und letzteres scheint das Richtige zu sein, da auch in einer Rechnung Volkmars von Burgstall *expensae ab obitu domini Heinrici regis videlicet a dominica Judica sub anno domini* 1335 erwähnt werden. Bibl. Tirol. 613, 227b.

4) Die Zeit des Zusammentreffens fällt wohl in die letzten Tage des April, lässt sich aber genau nicht bestimmen, da vom Kaiser aus dem Monate April keine Urkunden bekannt sind; die Herzoge von Oesterreich sind am 19. April in Enns, am 27. in Linz. Lichnowsky, Reg. n. 1015, 1017.

ihnen abgeschlossenen Verträgen gemäss verlangten sie von ihm die Belehnung mit dem Herzogthum Kärnthen, da dieses beim Mangel männlicher Nachkommen Heinrichs dem Reiche heimgefallen sei. Der Kaiser war jetzt mehr als je entschlossen, einer so gefährlichen Vergrösserung der luxemburgischen Macht entgegenzutreten, da er gerade in letzter Zeit mehrfach Erfahrungen gemacht hatte, wie wenig aufrichtig Johanns scheinbares Wohlwollen für ihn sei und wie dieser eigentlich nur darauf hin arbeite, ihn vom Throne zu verdrängen. [1] Nicht bloss Kärnthen, über welches er wirklich, da es dem Reiche heimgefallen war, frei verfügen konnte, wollte er dem Sohne König Johanns nicht übertragen, sondern auch Tirol, auf welches Heinrichs Tochter Margaretha doch unbestreitbare Erbrechte hatte, derselben entreissen und diese Gelegenheit zugleich zur Vergrösserung seiner eigenen Hausmacht benützen. Um dieses Ziel um so sicherer zu erreichen, liess er sich herbei, auch die Habsburger am Raube theilnehmen zu lassen.

Am 2. Mai belehnte der Kaiser die Herzoge von Oesterreich nicht bloss mit dem Herzogthum Kärnthen, sondern auch mit dem südlichen Theil von Tirol und der Schirmvogtei über die Bisthümer Brixen und Trient; dagegen sollte der nördliche Theil von Tirol an die Söhne des Kaisers fallen. Als Gränze zwischen dem österreichischen und bairischen Antheil Tirols wurde die Finstermünz, der Jaufen und die Gegend der heutigen Franzensfeste nördlich von Brixen bestimmt. Die Strasse über die Finstermünz und den Arlberg sollte den Oesterreichern für ihre Durchmärsche nach Schwaben, die Strasse durch Südtirol den Baiern für ihre Züge nach der Lombardei stets offen stehen. Beide Theile sagten sich Hilfe zu gegen den König von Böhmen und seine Söhne, gegen dessen Schwiegersohn Herzog Heinrich von Niederbaiern und alle Bundesgenossen derselben und gegen die Landherren in Tirol und Kärnthen. Die Herzoge von Oesterreich übernahmen zugleich die Verpflichtung, wenn sie in den Besitz Tirols kämen, alle, welche ein Recht auf diese Grafschaft hätten, von den dort gelegenen landesherrlichen Eigengütern auf eine billige Weise zu entschädigen. [2]

1) S. hierüber bes. v. Weech S. 45—51.
2) Die Verträge sind verzeichnet Reg. n. 42—52. Vgl. damit chron. aulae regiae ap. Dobner 3.487, wo namentlich die Rechtsfrage sehr richtig dargestellt

Die Herzoge von Oesterreich beeilten sich nun, das ihnen verliehene Kürnthen in Besitz zu nehmen. Der dortige Landeshauptmann und Marschall, Konrad von Auffenstein, war bereits für sie gewonnen;[1] als an die Herren und Städte des Landes die Aufforderung des Kaisers kam, den Herzogen von Oesterreich zu huldigen,[2] erbaten sie sich einen Termin, nach dessen Ablauf sie sich freiwillig zu unterwerfen versprachen, wenn ihnen bis dahin keine Hilfe käme.[3]

Unter solchen Verhältnissen wäre es für die Luxemburger dringend geboten gewesen, möglichst rasch alle Kräfte zu sammeln, um den Verlust dieses Landes, dem bald der von Tirol folgen konnte, zu verhüten. Allein die Vertheidigung desselben lag in den schwachen Händen zweier Kinder, der jungen Margaretha und ihres dreizehnjährigen Gemahls. Ihr Vater und Vormund, König Johann, lag in Paris an den Wunden, die er bei einem Turnier erhalten hatte, krank darnieder und entliess die Eilboten, die seine Kinder aus Tirol an ihn geschickt hatten, mit dem schwachen Troste, er werde, sobald es seine Kräfte erlaubten, kommen und für ihre Länder sorgen.[4] Auch des-

---

ist: *Albertus et Otto Duces Austriae ... accedentes ad Ludovicum Habarum ab eo ducatum Carinthie in feodo receperunt, asserentes, quod idem ducatus de jure esset ad imperium devolutus, eo quod esset a duce predicto (Carinthie) tantum filia sed non aliquis heres masculinus derelictus; ipsi quoque prefati duces Austrie quedam privilegia produxerunt, per que se habere ad ducatum Carynthie ius ostenderunt* (ohne Zweifel die Vertragsurkunden von 1330). Weniger genau bezüglich der Rechtsfrage ist Joh. Victor. p. 415 ff., indem er bemerkt: *duces Austrie ... Karinthiam petunt ratione sanguinis materni, que filia Meinhardi ducis Karinthie fuerat*; indessen können die Herzoge von Oesterreich immerhin auch darauf hingewiesen haben. Im Allgemeinen legt doch auch Joh. Victor. das Hauptgewicht darauf, dass Kärnthen dem Reiche heimgefallen war und die Herzoge vom Kaiser damit belehnt wurden (Näheres bei Stögmann, Sitzungsb. 19,210 ff.). Vgl. noch Vita Karoli ap. Böhmer 1,245. Albert. Argentin. ap. Urstis. 2,125.

1) Urk. v. 1335 Apr. 27 ap. Steyerer p. 83 und Mai 10 bei Stögmann 260; vita Karoli p. 248.

2) Reg. n. 51; an Konrad von Auffenstein erliess der Kaiser am 1. Mai eine eigene Aufforderung. Stögmann 260.

3) Joh. Victor. p. 417.

4) Joh. Victor. p. 416. Ob übrigens K. Johann damals noch in Paris war, möchte nach seinem Itinerar bei Böhmer, Regesten fast zweifelhaft sein; indess möglich ist es wohl, dass er nach Mrz 17, wo er in Brüssel war (Reg. n. 421), wieder nach Paris zurückgekehrt war, das er einige Monate früher verlassen hatte.

sen älterer Sohn, Markgraf Karl von Mähren, hatte für seine Schwägerin nichts als leere Worte des Trostes. [1])

In dieser schwierigen Lage nahmen die Tiroler ihre Zuflucht zu Unterhandlungen und Bitten und schickten den Abt Johann von Viktring in Kärnthen an die Herzoge von Oesterreich, um die Verwaisten ihrem Schutze zu empfehlen. Doch die Stimme des Herzens musste diesmal dem Wohle des Staates gegenüber schweigen. Herzog Albrecht antwortete dem Abte, wie uns dieser selbst erzählt, er und sein ganzes Haus bedauerten den Tod ihres Oheims und er werde dessen Tochter, wenn sie sich seines Rathes bedienen wolle, gewiss mit aller Liebe und Treue beschützen; allein Kärnthen, das ihm schon der Kaiser verliehen habe, könne er nicht aufgeben; er bedauere, für den Augenblick keine andere Antwort geben zu können. Von ihm begab sich der Abt zum Kaiser, den er mit beredten Worten an die Dienste erinnerte, welche ihm der verstorbene Herzog erwiesen hatte; allein auch von diesem erhielt er nur die diplomatische Antwort, er wolle sich die Sache gnädigst bedenken. Ebenso wenig richteten der Markgraf Karl von Mähren und der Herzog Heinrich von Niederbaiern beim Kaiser aus.

Ohne alle Unterstützung gelassen unterwarfen sich die Stände von Kärnthen, als Herzog Otto von Oesterreich nach Ablauf der ihnen bewilligten Frist Anfangs Juni mit einem Heere ins Land rückte, ohne Widerstand dem neuen Herrn und damit war die Hälfte der Besitzungen für Margaretha und ihren Gemahl verloren. [2])

Dagegen behaupteten sie sich mit Erfolg in Tirol, obwohl auch dieses Land von Böhmen aus ohne Unterstützung blieb und ganz auf sich angewiesen war. „Damals zum erstenmale, seit aus der kleinen Grafschaft an der Etsch ein Land Tirol erwachsen war, zeigte es sich, dass vielleicht kein Land mehr in der Lage sei, bei der Gestaltung seiner Geschicke ein gewichtiges Wort mitzureden. Und was damals

---

1) Reg. n. 41.

2) Die ganze Darstellung nach Joh. Victor. p. 417, der hier als Mitbetheiligter am besten unterrichtet ist; dazu die kürzere Darstellung des chron. aulae regiae p. 487 und der vita Karoli p. 248. — II. Otto urkundet bereits am 10. Juni in St. Veit als Landesherr von Kärnthen (Lichnowsky n. 1034, 1035, doch erstere Urk. fälschlich zu Juni 3, da sie nach Ankershofen in den Schriften des hist. Vereins für Innerösterreich 1,128 n. 48 am Samstag in der Pfingstwoche gegeben ist).

zum erstenmale geschah, das wiederholte sich, wie wir sehen werden,
zum zweiten und drittenmale; in den ganzen langen Nachfolgestreitigkeiten verblieb der Sieg jedesmal demjenigen, für den das Land selbst
eintrat. Und dieses Eintreten des Landes war wieder jedesmal vor-
zugsweise bestimmt durch die Anhänglichkeit an das alte Herrscherhaus; in der Tochter ihres Fürsten sahen die Tiroler die rechtmässige
Besitzerin des Landes und diejenige, die über das Geschick desselben
zu entscheiden hatte; daraus allein erklärt sich der entscheidende und
fortdauernde Einfluss, den Margareta Maultasch auf die Geschicke
des Landes in einer Zeit üben konnte, wo es nur selten einer fürstlichen Erbtochter wirklich gelang, dass ihre Hand dem Lande den
neuen Herrscher gab, dann aber auch um so gewisser von einer weitern Berücksichtigung ihrer Rechte nicht mehr die Rede war." [1])

Allein so treu die Tiroler an ihrem Herrschergeschlechte hingen,
so wollten sie doch durchaus nicht bloss als Material für böhmische
Vergrösserungsgelüste dienen. Als das Gerücht sich verbreitete, König Johann wolle Tirol gegen Brandenburg vertauschen, rief das einen
solchen Unwillen im Lande hervor, dass derselbe sich beeilte, es öffentlich für unbegründet zu erklären und das Versprechen abzugeben,
nach Kräften die Behauptung und Wiedereroberung Tirols und Kärnthens zu versuchen und sie nie zu vertauschen. [2])

König Johann war endlich am 30. Juli nach Prag zurückgekom-
men und schon am folgenden Tag erliess er ein Aufgebot gegen Ludwig den Baiern und die Herzoge von Oesterreich. Um aber Zeit zu
gewinnen, seine Rüstungen zu vollenden und die Verhältnisse mit seinen übrigen Nachbarn zu ordnen, schloss er mit seinen Gegnern am
16. September einen Waffenstillstand bis zum 24. Juni des folgenden
Jahres, der zu Friedensverhandlungen benützt werden sollte. [3]) Doch
alle Unterhandlungen scheiterten an den unvereinbaren Ansprüchen
der verschiedenen Parteien. Johann eröffnete schon im Februar 1336,

---

1) Ficker, wie Tirol an Oesterreich gekommen.

2) Reg. n. 54; vgl. Joh. Victor. 424: *Fuit tamen inter imperatorem et
regem Bohemie pro rei convenientia tractatus, ut fieret permutatio de mar-
chionatu Brandenburgensi ad comitatum Tirolensem. Sed filius et nurus regis
omnino obsistere et nobilium inductions admittere noluerunt.*

3) Chron. aulae regiae 485. Die Waffenstillstandsurkunde ist jetzt vollständig mitgetheilt von Weech S. 119.

noch ehe der Waffenstillstand abgelaufen war, den Krieg mit einem
verheerenden Einfalle in Oesterreich, wo sich ihm die verbündeten
Ungarn anschlossen. Entscheidende Erfolge wurden übrigens weder
von Seite der Böhmen und Ungarn noch durch den Kaiser und die
Oesterreicher errungen und der Krieg bestand wesentlich in Verwüstung der feindlichen Gebiete, wobei Oesterreich und Niederbaiern,
dessen Herzog auf Seite des Königs von Böhmen, seines Schwieger-
vaters, stand, besonders hart mitgenommen wurden. [1]

Während in den Donaugegenden die Hauptheere einander gegen-
überstanden, war auch Tirol, dessen Eroberung für den Gang des
ganzen Krieges hätte entscheidend werden müssen, von allen Seiten
angegriffen worden. In den letzten Tagen des Jahres 1335 war endlich der Markgraf Karl von Mähren hier eingetroffen und hatte mit
Zustimmung der Landherren die Zügel der Regierung in seine Hände
genommen. Im Norden durch die Baiern und Schwaben, im Osten
durch die mit Oesterreich verbündeten Grafen von Görz, im Süden
besonders durch den mächtigen Mastino della Scala, Herrn von Verona und einem grossen Theile von Oberitalien, bedroht, war das
Land in einer sehr bedenklichen Lage! Karl suchte die gefährdeten
Gränzen nach Kräften zu decken und wo möglich durch eine erfolg-
reiche Offensivbewegung eine entscheidende Diversion zu machen. —
Am ersten April brach er mit einem in Tirol gesammelten Heere gegen die Grafen von Görz auf, eroberte das Schloss St. Lambrechts-
burg bei Bruneck und verwüstete drei Wochen lang die görzischen
Besitzungen im Pusterthal bis zur Lienzer Clause. Als dann im
August der Krieg sich von Oesterreich herauf nach Niederbaiern gezogen hatte, versuchte Karl von Tirol aus die Verbindung mit seinem
Vater herzustellen; doch hatte des Kaisers Sohn Kufstein so stark
besetzt, dass er nicht durchzudringen vermochte und sich begnügen
musste, diese Festung zu belagern, wodurch wenigstens ein Theil der
feindlichen Kräfte hier gebunden wurde. [2] Das Etschthal suchte er

---

[1] Ueber diesen Krieg und die zusammenhängenden Verhältnisse vgl. die
neuern Darstellungen bei Kurz, Albrecht d. Lahme S. 86—105. Buchner
5,459—464. Palacky 2b,220—227. Stügmann 242—246. Weech 55—62.

[2] Die Hauptquelle hiefür ist Karl selbst in seiner vita bei Böhmer, F. 1.
251 f. Dass er schon im December 1335 nach Tirol kam, sagt chron. Veron.
ap. Muratori 8, 649. Das Bündniss mit Görz Reg. n. 53. Vgl. die kürzern
Notizen im chron. aulae regiae.

für die Zukunft dadurch zu decken, dass er, als am 9. Oktober der Bischof Heinrich von Trient starb, die Wahl eines den Luxemburgern ganz ergebenen Mannes, seines frühern Kanzlers Nikolaus von Brünn, Domherrn in Olmütz, durchsetzte. [1]

Unterdessen war aber ein Umschwung der Verhältnisse eingetreten, der das Ende des Krieges herbeiführte. Der Kaiser, missmuthig darüber, dass die Herzoge von Oesterreich so rasch in den Besitz Kärnthens gekommen waren, während es ihm bisher noch nicht gelungen war, das ihm zugewiesene Nordtirol in seine Hände zu bringen, verlangte von denselben die Abtretung von vier Städten in Oberösterreich. Als die Herzoge diese Forderung zurückwiesen, trennte er sich missmuthig von den Oesterreichern und zog mit seinem Heere nach Hause.[2] Die Habsburger allein konnten unmöglich hoffen, den Luxemburgern auch Tirol oder andere Gebiete zu entreissen und waren für Beendigung eines Krieges, der ihnen keine Vortheile mehr bringen konnte. Andererseits war König Johann von Böhmen ebenso zum Frieden geneigt. Auch für ihn war die Aussicht sehr gering, das verlorne Kärnthen wiederzugewinnen und namentlich fehlte es ihm zur Fortsetzung eines langwierigen Krieges an Geld. Er knüpfte daher mit den Herzogen von Oesterreich zuerst in Linz, dann in dem nördlich davon gelegenen Freistadt Unterhandlungen an, die schon am 4. September 1336 zu einem Präliminarfrieden führten, [3] dem am 9. Oktober der definitive Friede von Enns folgte.

In diesem Frieden verzichteten die Herzoge von Oesterreich auf Tirol, wogegen König Johann für sich und seinen Sohn Johann wie für dessen Gemahlin und deren Schwester zu Gunsten der Herzoge von Oesterreich allen Ansprüchen auf Kärnthen, einige Bezirke an der Drau ausgenommen, entsagte und denselben bis nächsten Dreifaltigkeitssonntag auch die verbriefte Zustimmung seines Sohnes Johann von Tirol, Margarethas und ihrer Schwester beizubringen versprach; als Entschädigung hiefür sollten die Herzoge an Böhmen eine

---

1) Den Todestag des Bischofs Heinrich giebt Bonelli, monum. eccl. Trident. p. 94: schon fünf Tage später, Okt. 14, urkundet Karl in Trient (C. d. Moraviae 7, 98); Karl selbst sagt geradezu *fecimus Nicolaum natione Brunensem cancellarium nostrum episcopum Tridentinum*. Vita Karoli p. 252.

2) Chron. aulae regiae p. 493. Joh. Victor. p. 422.

3) Chron. aulae regiae l. c. Joh. Victor. l. c.

28

Summe von 10000 Mark Prager Groschen (etwa 32000 Dukaten) zahlen, als Pfand für dieselben die Städte Laa und Weidhofen abtreten,
und ausserdem noch die Stadt Znaim an Böhmen zurückgeben, welche
dem Herzog Otto für die Mitgift seiner Gemahlin Anna, einer Tochter
König Johanns, um 10000 Mark Silber verpfändet war.[1]) Allein Johanns
Söhne weigerten sich entschieden, diesen Frieden anzuerkennen. Sie
erklärten die Verträge ihres Vaters mit Oesterreich für ungiltig und
schwuren mit dem Adel Tirols einen feierlichen Eid, nicht ruhen zu
wollen, bis Kärnthen wieder erobert wäre. Doch alle Versuche, von
Tirol aus die Wiedergewinnung dieses Landes zu versuchen, scheiterten an dem Wiederstande der mit Oesterreich verbündeten Grafen
von Görz, welche das östliche Pusterthal und damit die Strasse nach
Kärnthen in Besitz hatten.[2]) Die Weigerung, den Frieden mit Oesterreich zu bestätigen, hatte nur die Folge, dass auch die Herzoge weder
die für die Verzichtleistung der Luxemburger auf Kärnthen festge-
setzte Summe zahlten, noch die als Pfand hiefür bestimmten Städte
an Böhmen auslieferten;[3]) eine wirkliche Gefahr für Kärnthen war
nicht zu fürchten.

Im Jahre 1339 erkannte auch der Kaiser in einem Vertrage mit

1) Die in Enns ausgestellten Urkunden, soweit sie hier von Bedeutung
sind, Reg. n. 53—60. Indessen scheinen noch nicht alle bekannt geworden zu
sein; von der Vorpfändung von Laa und Weidhofen für 10000 Mark erfährt
man erst etwas aus Urkunden von 1341 (Reg. n. 69, 79, 80). Von einer Geld-
entschädigung wissen auch Joh. Victor. p. 422 und vita Karoli p. 252; letztere
erwähnt auch die Zurückgabe von Znaim, das dem Herzoge Otto für die Mitgift seiner Gemahlin Anna im vorigen Jahre um 10000 Mark verpfändet worden
war (Lichnowsky n. 1006, 1008).

2) Joh. Victor. p. 424; vgl. 429. Damit hängt ohne Zweifel das (auch
von König Johann bestätigte) erneuerte Gelöbniss zusammen, dass Tirol nie
vertauscht oder verkauft werden sollte (Reg. n. 61). Das Bündniss mit den
Grafen von Görz von 1335 (Reg. n. 63) wurde in fast wörtlich gleichlautender
Weise 1339 (Reg. n. 67) und wieder 1345 (Reg. n. 95) erneuert.

3) Reg. n. 69, 79, 80. Karl von Mähren bestätigte den Frieden von Enns
erst 1341 Dec. 15, als sein Bruder auch Tirol schon verloren hatte (Reg. n. 78).
Coronini, tentamen p. 368 erwähnt zwar aus Steyerer, collect. ms. 5, 965 eine
Bestätigung dieses Friedens durch denselben schon zum J. 1337. Allein wie
mir Herr Archivar Dr. v. Moiller gütigst mitgetheilt hat, befindet sich dort zu
1337 nur die Bestätigung des Friedens durch König Karl von Ungarn, die bei
Steyerer, add. p. 117 gedruckt ist. Einen Versuch des Herzogs Albrecht von
Oesterreich, auch mit den Söhnen König Johanns von Böhmen eine definitive
Ausgleichung herbeizuführen, sehe ich in der Urk. Reg. n. 65.

Johann von Böhmen dessen jüngern Sohn als Herrn von Tirol an und
versprach, wenn dieser ohne Erben sterben würde, das Land seinem
Vater und Bruder auf Lebenszeit zu übertragen, worauf es an das
Reich zurückfallen sollte. Karl von Mähren wollte freilich auch davon nichts wissen; aber die Luxemburger durften wenigstens zunächst
nicht fürchten, vom Kaiser in Tirol angegriffen zu werden. [1]

IV.

Mit dem Frieden von Enns waren die tirolisch-kärnthnerischen
Erbstreitigkeiten zu einem ersten Abschlusse gekommen; Kärnthen
schien den Habsburgern, Tirol den Luxemburgern gesichert und die
Wittelsbacher, welche ohne jeden Gewinn aus dem Kampfe hervor-
gegangen waren, liessen ebenfalls, den Verhältnissen sich fügend, die
Waffen ruhen. Allein schon nach wenigen Jahren verloren die Luxem-
burger auch die zweite Provinz und zwar war es Johanns Gemahlin
Margaretha, welche die Ursache dieser neuen Krisis war.

Sagen und spätere Geschichtschreiber schildern Margaretha kör-
perlich und geistig im allerungünstigsten Lichte. Jedes Reizes bar
war sie diesen Zeugen zufolge unersättlich im Liebesgenuss und gar
vieles weiss die Sage zu erzählen von ihren Buhlschaften mit ihren
Rittern und mit den Bauern von Passeier und in andern Gegenden des
Etschthales, und wie die begünstigten Liebhaber nicht selten, von ihr
erwürgt, spurlos verschwanden. [2] Die unparteiische Geschichte wird
aber ein solches Urtheil nur mit sehr grossen Einschränkungen unter-
schreiben können. Den Preis der Schönheit wird man ihr allerdings
trotz der gegentheiligen Versicherung des Mönchs Johann von Win-
terthur [3] nicht zuerkennen können, da nach den glaubwürdigsten Angaben ihr grosser, weiter Mund, oder, wie ein tirolischer Geschicht-

---

1) Reg. n. 62—64; vgl. vita Karoli p. 256.

2) Ich verweise in dieser Beziehung nur auf die schmutzige Geschichte,
welche Steyerer p. 373 aus Faber angeführt hat; einige Angaben der Sagen
über Margaretha giebt Klöden, diplomatische Gesch. des Markgrafen Waldemar
von Brandenburg 3,55 f. Eine vollständige Sammlung der Sagen sowohl aus
den Schriftstellern wie aus dem Volksmunde und eine Zurückführung derselben
auf ihre wahren, theilweiss mythischen, Gründe erscheint eben von Professor
J. Zingerle, Margaretha Maultasch. Nach der deutschen Sage.

3) Joh. Vitodur. ed. Wyss p. 167 nennt sie *pulcra nimis*.

schreiber des siebzehnten Jahrhunderts sich etwas unzart ausdrückt,
ihr „überworfenes Maul" [1] ihr Gesicht entstellte, so dass sie allgemein den Beinamen der „Maultasch" erhielt. [2] Dagegen sind ihre
moralischen Fehler von der Sage sicher ausserordentlich übertrieben
worden. Für ihre Ausschweifungen fehlt es an jedem Beweise; die
verlässlichsten Schriftsteller ihrer Zeit, selbst ihre Gegner, machen
ihr in dieser Beziehung nicht den leisesten Vorwurf [3] und ihre Ehe

---

1) Freiherr von Brandis, Geschichte der Landeshauptleute von Tirol S. 51.

2) Der Beiname M a u l t a s c h findet sich schon in der vita Ludovici quarti
imper. ap. Böhmer, F. 1, 158, die ohne Zweifel gleichzeitig ist (Böhmer, Vor-
rede p. XVIII); sollte übrigens, was mir nach der Stelle selbst nicht wahrscheinlich ist, derselbe nicht in der Urschrift gestanden haben, sondern späterer Zusatz sein, so dürfte Hagen ap. Pez, S. R. Austr. 1, 1149, der den
Beinamen Maultasch ebenfalls anführt, genügen, um ihn als von den Zeitge-
nossen herrührend nachzuweisen. Eine drastische Erklärung desselben giebt
Arenpekh chron. Bajoar. ap. Pez, thesaurus 3 c., 345: (*Margaretha*) *Maultasch vocabatur eo quod magnum os haberet et maxillas
dependentes neque turpis habebatur in facie.* Gleichlautend Arenpekh.
chron. Austriac. ap. Pez, S. R. A. 1, 1243. Aehnlich Ebendorffer de Haselbach, chron. Austr. ap. Pez, SS. 2, 808: *Margaretha distorta facie mu-
lier ob ipsius distortiam et praecipue ejus insuetam latitu-
dinem Maultasch vocitata.* Die andern Erklärungen des Beinamens
(erwähnt bei Kink, Gesch. Tirols S. 437 f.), namentlich die vom Schlosse Maultasch, müssen als verfehlt bezeichnet werden.

3) Der einzige faktische Beweis für ihre Ausschweifungen, der *Albertus
filius naturalis* Margarethas in der vita Karoli hat sich jetzt, wie wohl Niemand
mehr bezweifelt, in einen *frater naturalis* verwandelt (Böhmer, F. 1, 261 mit
der dortigen Anm. 4). Von den deutschen Geschichtschreibern jener Zeit macht
ihr in diesem Punkte nicht einer den geringsten Vorwurf, weder der über die
tirolischen Verhältnisse so genau unterrichtete Abt Johann von Viktring, noch
ihr Schwager Kaiser Karl IV., der gerade nicht Ursache hatte, sie zu schonen,
noch die sonst zur Mittheilung von Anekdoten so geneigten Johann von Win-
terthur und Albert von Strassburg. Man wird kaum dagegen geltend machen
können das Schreiben des kaiserlichen Kanzlers von 1362, der Margaretha
schamlose Unbeständigkeit — *dicta meretricis inconstantia pudi-
bunda* — vorwirft (Dobner, monum. Boh. 4, 337), da sich diese Ausdrücke
vom böhmischen Standpunkte hinreichend aus der Verjagung Johanns und der
Heirath eines andern erklären. Von den italienischen Geschichtschreibern
stimmt allerdings, wenigstens was ihr späteres Benehmen betrifft, Filippo Villani, cronica lib. 11, cap. 78 mit der ungünstigeren Auffassung der spätern
Schriftsteller überein: *Perseverando il matrimonio (con Lodovico) la contessa
per soverchia lussuria trascorse in errore di disonesta vita e in singolarita
con messer . . . di Fraunberghe, che in latino suona dal Colle delle donne,
ed era si venuto il giuoco in palese, che ogni uomo si maravigliava, come
il marchese la comportasse, stimando molti, che per forza di malia lo facesse.*
Allein gerade was Villani über Margaretha Maultasch berichtet, trägt einen so

mit ihrem zweiten Gemahle Ludwig dem Brandenburger, welche fast zwanzig Jahre gedauert hat, scheint eine recht glückliche gewesen zu sein. [1] Ein Ideal von Weiblichkeit war sie allerdings nicht, und dass ihre Sinnlichkeit über das natürliche Anstandsgefühl weit überwog, wird hinreichend dadurch erwiesen, dass sie ihren ersten Gemahl, bei dem jener Zug ihres Charakters nicht hinreichende Befriedigung fand, so leicht mit einem zweiten zu vertauschen vermochte.

Die Ehe der Margaretha Maultasch mit Johann von Böhmen war eine in jeder Beziehung unglückliche. War schon Margarethas Stolz dadurch verletzt, dass sie, die Erbin des Landes, von allem Einflusse auf die Regierung desselben ausgeschlossen war, so kamen andere Gründe hinzu, um ihre Missstimmung über ihre gegenwärtige Lage zu steigern. Johann zeigte sich bald als einen rohen Jüngling, der seine Gemahlin hart behandelte, ja dieselbe sogar oft zu beissen pflegte. [2] Ein anderer Umstand steigerte endlich die Abneigung der jungen, lebenslustigen Fürstin so weit, dass sie daran dachte, sich seiner zu entledigen und sich einen andern Gatten zu suchen. Obwohl Johann von Böhmen, den sie als achtjährigen Knaben geheirathet hatte, in den zehn Jahren ihrer Ehe zum Jüngling herangereift war,

---

sagenhaften Charakter, dass seine Aussage allein zu ihrer Verurtheilung nicht ausreicht. Man wird daher mit Ficker (Wie Tirol an Oesterreich gekommen) übereinstimmen müssen, wenn er sagt, „der gewissenhafte Forscher werde nicht umhin können, die Margaretha von den schwersten gegen ihre Tugend erhobenen Anklagen wegen unzulänglicher Beweisgründe wenigstens ab instantia freizusprechen.“

1) Einen positiven Beweis kann ich freilich für diese Ansicht nicht beibringen. Allein wenn man nach Ausweis der Urkunden und Rechnungsbücher sieht, wie Ludwig in Tirol fast auf allen Reisen von Margaretha begleitet wird, wenn man ins Auge fasst, wie oft er seiner Gemahlin Schlösser und ausgedehnte Herrschaften vermacht (Reg. n. 129, 157, 158, 179, 190, 202, 204), so drängt sich dieses Gefühl unwillkürlich auf.

2) Von dieser Rohheit sprechen zwei gleichzeitige Geschichtschreiber, Joh. Vitod. ed. Wyss p. 167: *(Johannes) XVI annis in comitatu Tirol sibi cohabitans* (das J. 1342, zu welchem die Vertreibung erzählt wird, war das 16. seit seiner Ankunft in Tirol) *in tantum ea secundum fama testimonium abusus fuisse dicitur, quod kapitella uberum suorum dentibus suis truncaverit* und Alb. Argent. ap. Uratis. 2, 129: *cum Joannes comes Tyrolis, filius Bohemi impotens, uxorem suam semifatuam plurimum molestaret, inter alia ejus mordendo mamillas, illa cum Baronibus suis habitis occultis tractatibus, ejecto Bohemo de comitatu Ludovicum marchionem de facto in maritum accepit.*

blieb die Ehe noch immer kinderlos und Margaretha hielt sich zur Erklärung berechtigt, dass von diesem Manne das Land nie einen Erben zu hoffen habe. [1])

Die unglückliche Fürstin klagte endlich ihr Leid einigen von ihren Vertrauten unter den Landherren und diese stimmten vollständig mit ihr in der Unzufriedenheit gegen Johann überein. Auch der Adel Tirols musste sich zurückgesetzt fühlen durch den Einfluss, welchen, ganz abgesehen von der Regentschaft Karls von Mähren, Ausländer, wie der Bischof Nikolaus von Trient und andere, auf die Angelegenheiten Tirols ausübten, obwohl die Luxemburger feierlich versprochen hatten, keine fremden Beamten ins Land zu bringen. [2]) Was die Landherren aber besonders gegen die luxemburgische Herrschaft aufbringen mochte, war die nach den schönen Tagen König Heinrichs doppelt empfindliche Sparsamkeit, die Karl von Mähren als Regent einführte, die strenge Aufsicht, welche über die Verwaltung der Ein-

---

1) Joh. Victor. p. 442: *Johanne filio Bohemorum regis de partibus Athesis eliminato, fama percrebuit, quod causa fuerit impotentia coeundi, ipsaque sua conjunx Margaretha, cupiens esse mater, hoc sepe familiaribus patefecerit, quod heredem ardenter desideravit, quod per ejus consortium penitus fieri desperavit.* Diese *impotantia coeundi* Johanns wird fast von allen Schriftstellern als Hauptgrund seiner Vertreibung angegeben: H. Rebdorf ap. Freher-Struve, R. German. S. 1, 619: *Ipsa accusat eum, quod sit frigidus, impotens ad carnalem copulam, et asserit se virginem, licet cohabitaverit eidem per decem annos vel circa;* vgl. noch Goswin v. Marienberg ap. Eichhorn, cod. prob. p. 124; vita Ludovici ap. Böhmer, F. 1, 158; Joh. Vitod. ed. Wyss p. 167; Franc. Prag. ap. Pelzel et Dobrowsky, S. R. Bohem. 2, 195; Villani lib, 11 cap. 78; hist. Cortus. ap. Muratori, S. R. Ital. 12, 907; chron. Modoet. ibid. p. 1177; namentlich die Ehescheidungsakten (Reg. n. 122, 134—137), wo Johann selbst das als Motiv angiebt. Es ist daher mehr als unwahrscheinlich, wenn Beness v. Weitmil ap. Pelzel et Dobrowsky 2, 276 ff. die Initiative vom Kaiser ausgehen lässt.

2) Vgl. z. B. in einer Rechnung des Richters von Passeier für 1336 und 1337. Bibl. Tirol, 613, 228: *Item sub anno 1337 . . . emit ad ordinationem domini Stephani, lantscribe terre Bohemie, qui tunc procurabat omnia pro dominio.* 1340 wurde der Bischof Nikolaus von Trient während der Abwesenheit Karls und Johanns zum Hauptmann von Tirol ernannt. Vita Karoli p. 261. Der Revers K. Johanns, die Tiroler mit keinem „Gast zu übersetzen", Reg. n. 29. — Der Hofmeister Heinrich von Rottenburg hatte einen speciellen Grund zur Unzufriedenheit, da Herzog Johann und der Bischof von Trient ihm 1339 sein Schloss Lalmburg südlich von Bozen zerstörten (Bozner Chronik M. S. in der Bibl. Tirol.).

künfte geübt wurde, die nachträgliche Bestrafung von Unterschleifen, welche unter der Regierung Heinrichs vorgekommen waren. [1])

Da über das Ziel, die Vertreibung des Herzogs Johann, der Adel mit Margaretha vollkommen einig war, so schritt man zur Ausführung des Planes.

Vor allem musste man suchen, sich einen Rückhalt gegen die Macht Böhmens zu schaffen, der Tirol allein nicht leicht gewachsen war. Hiebei kam in erster Linie Kaiser Ludwig in Betracht, der das Scheitern seiner Pläne auf Tirol noch nie verschmerzt hatte und an dessen Wichtigkeit gerade in letzter Zeit wieder recht auffallend gemahnt worden war, indem er an einem beabsichtigten Zuge nach Italien dadurch gehindert wurde, dass Johann von Luxemburg, der Herr dieses Landes, alle Pässe besetzt hielt und durch nichts sich bewegen liess, den Truppen des Kaisers den Durchzug zu gestatten. [2]) Es traf sich gerade günstig, dass seinem ältesten Sohne, dem Markgrafen Ludwig von Brandenburg, einem stattlichen Manne von etwa fünfundzwanzig Jahren, Anfangs 1340 seine erste Gemahlin, eine dänische Prinzessin, starb, und diesen erkoren nun Margaretha und die Landherren zum künftigen Grafen von Tirol. [3])

Im Jahre 1340 kam die Verschwörung zur Reife. Die Verhältnisse schienen günstig. Johann von Luxemburg verliess Ende April Tirol, [4]) wo er während seiner Abwesenheit den Bischof von Trient

---

1) Darauf hat Ficker sicher mit Recht Gewicht gelegt. So musste der Pfarrer von Matrei wegen Veruntreuung bei den Salzrechnungen in Hall an Karl 1336 nicht weniger als 984 Mark zahlen. Reg. Boica 7, 156. C. d. Moraviae 7, 87 extr.

2) Joh. Victor. p. 424. Die Zeit wüsste ich nicht genau zu bestimmen. Joh. Victor., der die Thatsachen überhaupt hie und da durch einander wirft, erzählt obiges Factum schon zum J. 1336, sicher zu früh; der vereitelte Zug nach Italien dürfte kaum in das Jahr 1338, wo Ludwig zwar einen solchen Zug beabsichtigte (Weech S. 68), aber sich bis in den Oktober in Mitteldeutschland aufhielt, wahrscheinlicher in das J. 1339 fallen, worauf die Verträge vom 20. März hindeuten würden, schwerlich aber erst auf 1340 (so dass, wie Buchner 5,502 annimmt, Johanns Auftreten gegen den Kaiser Folge des päbstlichen Schreibens von 1340 Febr. 4 ap. Raynald ad a. 1340 n. 67 gewesen wäre), da Johann in diesem Jahre früh das Land verliess.

3) Nach Klöden, Markgraf Waldemar 3, 10 starb Ludwigs Gemahlin am Anfang des J. 1340.

4) Johann urkundet noch Apr. 21 in Hall (Orig. Haller Stadtarchiv), sein Bruder Karl Mai 19 schon in Brünn (Cod. dipl. Moraviae 7, 198).

zum Hauptmann des Landes ernannte, und reiste mit seinem Bruder
Karl nach Böhmen und von da nach Polen und Ungarn. Ihre lange
Abwesenheit wollten die Unzufriedenen, als deren Häupter Albert, ein
natürlicher Sohn König Heinrichs, und der Landeshofmeister Heinrich
von Rottenburg erscheinen, zum Versuche benützen, die Herrschaft
der Luxemburger zu stürzen. Allein diese erhielten frühzeitig genug
von diesen Plänen Nachricht, um sie noch im Keime zu ersticken.
Johann eilte nach Tirol zurück, bald folgte ihm auch Karl, der nun
rasch energische Massregeln ergriff, um namentlich die Haupträdels-
führer in seine Hände zu bringen. Er erreichte vollkommen seinen
Zweck. Albert, Margarethas natürlicher Bruder, fiel in den ihm ge-
legten Hinterhalt, wurde in dem Schlosse Sonnenburg südlich von
Innsbruck gefangen gesetzt und bekannte unter den Qualen der Folter
die Pläne der Verschwornen. Dem Heinrich von Rottenburg gelang
es Anfangs zu entkommen; aber sein Schloss Laimburg bei Kaltern
wurde von Karl erobert und dem Erdboden gleich gemacht, bald auch
er selbst von denen, bei welchen er Schutz gesucht, an Karl ausgeliefert und von diesem gefangen gehalten. Margaretha selbst wurde auf
dem Schlosse Tirol durch eine böhmische Besatzung streng bewacht.
Im Herbste glaubte Karl Tirol bereits genügend gesichert, um das
Land wieder verlassen zu können. [1]

Doch der erste missglückte Versuch hielt die Unzufriedenen nicht

---

[1] Einzige Quelle ist die vita Karoli ap. Böhmer, F. 1, 261, wo der *Busco
nunior*, der mit Albert zugleich gefangen wird, wahrscheinlich ein Botsch von
Bozen ist. Wahrscheinlich beziehen sich auf den ersten Aufstandsversuch auch
folgende, mitten in die Erzählung von Johanns Vertreibung im J. 1341 hinein-
geschobene Sätze des Joh. Victor. p. 440 f.: *Hoc* (Johanns Vertreibung) *cum
imperatore, cuius consiliarii ad provinciam venientes, cum uxore eua, filia
Heinrici ducis Karinthie, cum secretariis quibusdam clam mittentibus ac seri-
bentibus literas, praluserunt (sc. nobiles terre). Ex quibus tamen aliquos interravit, aliquos rerum direptione et munitionum
dissipatione aeriter castigavit;* der letzte Satz hat sonst gar keinen
Sinn. Das von Karl nach seiner vita p. 262 zerstörte Schloss Heinrichs von
Rottenburg war nach der Bozner Chronik das wieder aufgebaute Schloss Laimburg. Dass Ludwig der Baier schon bei diesem Aufstandsversuche die Hand
im Spiele hatte, ist nach der bestimmten Behauptung Karls, selbst wenn der
erste der aus Joh. Victor. angeführten Sätze sich auf das J. 1341 beziehen
sollte, doch kaum zu bezweifeln. Ich weiss nicht auf welche Autorität sich
die, ganz unglaubwürdige, Behauptung Klödens 3, 12 stützt, Ludwig der Brandenburger selbst sei 1340 Aug. 17 auf Tirol gewesen.

ab, einen zweiten zu machen. Während des nächsten Jahres wurde für einen neuen Aufstand alles vorbereitet. Wiederholt giengen Gesandte im Auftrage Margarethas zum Kaiser, um vor allem mit diesem ins Reine zu kommen.[1]) Dessen Sohn Ludwig der Brandenburger weigerte sich zwar Anfangs entschieden, einer Fürstin die Hand zu reichen, die schon mit einem andern Manne vermählt war. Allein endlich liess er sich doch von seinem Vater, der meinte, ein Land wie Tirol sei doch ein Bissen, den man nicht zurückweisen dürfe, umstimmen und gab seine Einwilligung.[2])

Von all diesen Umtrieben hatte Johann von Luxemburg nicht die leiseste Ahnung. Am 2. November 1341 ritt er mit geringer Begleitung vom Schlosse Tirol aus auf die Jagd. Als er Abends zurückkam, fand er die Thore verschlossen, sein böhmisches Gefolge vertrieben, ihm selbst wurde erklärt, er möge sich eine andere Herberge suchen. Auf allen seinen Burgen, in denen er Einlass begehrte, erhielt er dieselbe Antwort. Tägen von Villanders gestattete ihm einige Tage auf einem seiner Schlösser sich aufzuhalten; bald aber sah er sich auch hier die Thüre gewiesen, musste sich das nöthige Geld zur Weiterreise durch Verpfändung der gerade in seinen Händen befindlichen Kostbarkeiten verschaffen und erst bei dem ihm befreundeten

---

1) In der Rechnung, welche der Schenk von Metz 1341 Nov. 29 für die zwei letztverflossenen Monate legt (Excerpte G. Primissers Bibl. Tirol. 613, 232), kommen folgende Ausgaben vor: *Dedi per unam literam domino nuncio misso ad imperatorem libras X. — Item domino Friderico de Paumchirchen misso ad imperatorem, et dicto Zukswert misso ad imperatorem etc.* Diese Gesandtschaften sind sicher im Oktober und nicht erst nach Johanns Vertreibung an den Kaiser geschickt worden, da dann ja die grosse aus den vornehmsten Landherren bestehende abgeht. Buchner 5, 507 hat daher wohl mit Recht vermuthet, dass die Reise des Kaisers nach Kufstein, wo er Okt. 3 urkundet (Böhmer. Reg. n. 2204), mit diesen geheimen Verhandlungen zusammenhänge.

2) Fil. Villani l. 11 cap. 78: *Costui (Lodovico marchese di Brandisborgo) la contessa al padre segretamente fè domandare in marito, e il Bavaro vi diè l'orecchie, e volendo 'l figliuolo la prendesse, egli con orrore d'animo la ricusava, dicendo al padre, che ella avea altro marito, come noto era a tutta la Magna, e che secondo i decreti di santa chiesa ella non potea avere altro marito: il padre lo sgridò, e gli osò dire ch' egli era un ribaldo, e che 'l contado di Tirolo non era boccone da rifiutare, il perchè per riverenza del padre Lodovico la prese per donna, volendo il matrimonio con colore, che il primo era impotente a generare.* Ohne Andeutung der Motive Joh. Victor. p. 442: *Qui (marchio) dum reniteretur totis viribus, sermo patris prevaluit.*

3 *

Patriarchen von Aquileja fand er endlich Schutz und gastliche Auf-
nahme. [1] Auf eine so schmähliche Weise fand die luxemburgische
Herrschaft über Tirol ein Ende.

V.

Die Luxemburger unterliessen nichts, was ihnen wieder zum Besitze von Tirol hätte verhelfen können. Vor allem wendeten sie sich
an den Papst, von welchem sie bei dem fast unheilbar gewordenen
Zerwürfnisse mit dem Kaiser das energischeste Vorgehen erwarten
konnten. Allein Benedikt XII. konnte vorläufig nichts thun, als dass
er den Patriarchen von Aquileja beauftragte, Margaretha zu ermahnen, ihrem Gatten treu zu bleiben, und ihr mit dem Kirchenbanne zu
drohen, wenn sie, ohne dass ihre Ehe kirchlich geschieden wäre, mit
Ludwig dem Brandenburger sich vermählte. [2]

Darauf suchten sie die Habsburger, welche durch den grossen
Machtzuwachs des bairischen Hauses ebenfalls bedroht waren, zu
einem Bündniss gegen den Kaiser zu bewegen. Karl von Mähren
reiste selbst nach Wien, um auf den Herzog Albrecht persönlich ein-

---

1) Die Hauptquellen sind Beness von Weitmil ap. Polzel et Dobrowsky
2, 277, der wahrscheinlich schon dafür die uns in den letzten Theilen nur noch
in einer Ueberarbeitung erhaltene vita Karoli benütztes (Weech S. 85 ff.), das
chron. Modoetiense ap. Muratori SS. 12, 1177, die in der Hauptsache vollkommen übereinstimmen, und Joh. Victor. p. 440 f. Den Tag, *in die anima-
rum*, geben Beness und die, wenn auch erst im 16. Jahrhunderte geschriebene
doch nach dem Charakter ihrer Nachrichten sicher auf gleichzeitige Aufzeichnungen zurückgehende schon erwähnte Bozner Chronik ap. Steyerer p. 641 f.
(Mehrere Abschriften wohl aus dem 16. Jahrhundert in der Bibl. Tirol.) Auch
Goswin v. Marienberg ap. Eichhorn p. 124, der die Vertreibung *feria sexta
in die omnium sanctorum* stattfinden lässt, stimmt damit theilweise überein,
indem 1341 Freitag auf den 2. November fiel. Die übrigen Quellen (aufgeführt
S. 32 Anm. 1) berichten bloss das einfache Factum. Wie nicht selten hat auch
hier trotz der vollen Uebereinstimmung ganz verschiedener Quellen D a m b e r g e r
14, 630 ff. Phantastereien von eigener Erfindung an die Stelle der Geschichte
gesetzt.

2) Reg. n. 70. Es ist sehr zu bedauern, dass dieses päbstliche Schreiben
nur im Auszuge bekannt ist. Nach diesem könnte man fast meinen, als habe
der Pabst von der Vertreibung Johanns noch nichts gewusst. Aber wer hatte
ihn dann von Margarethas Plänen benachrichtigt? Sollte wirklich, wie manche
Schriftsteller angenommen haben (z. B. auch Kink S. 463), Margaretha sich
schon früher wegen Auflösung ihrer ersten und Eingehung einer zweiten Ehe
an den Pabst gewendet haben? oder hatte sie es unmittelbar nach Johanns
Vertreibung gethan?

zuwirken, und liess sich zu manchen Zugeständnissen gegen denselben herbei. Er bestätigte endlich den Frieden von Enns, wodurch die Habsburger im Besitze von Kärnthen anerkannt wurden, und verzichtete nach dem Vorgange seines Vaters auf die von Oesterreich zu zahlenden 10000 Mark, bis der Ennser Friede von allen Betheiligten anerkannt wäre. Allein der besonnene Herzog Albrecht, der jetzt nach dem Tode aller seiner Brüder allein die Regierung führte, liess sich trotz alledem zu keinem weitergehenden Schritte bewegen und versprach nur in dem Falle dem Markgrafen seinen Beistand, wenn er oder sein Vater in den Ländern, welche jetzt oder künftig in ihrem Besitze sein würden, vom Kaiser angegriffen würde. Bezüglich Tirols übernahm er nicht die geringste Verpflichtung. [1]

Durch diese Schritte der Luxemburger liessen sich weder die Tiroler noch der Kaiser in ihrem Vorgehen aufhalten.

Bald nach der Vertreibung Herzog Johanns begab sich eine Gesandtschaft, bestehend aus den vornehmsten Landherren, Volkmar von Burgstall, Engelmar und Tägen von Villanders, Eckehard von Trostburg und Konrad von Schenna, zum Kaiser nach München, um alle Dinge ins Reine zu bringen. [2]

In erster Linie dachten die Herren an die Befriedigung ihrer eigenen Interessen. Engelmar von Villanders z. B. liess sich nicht weniger als die zuletzt von ihm verwalteten Aemter und Gerichte Gufidaun, Mühlbach und Rodeneck, weiter das Thal Cadore mit der Feste Pieve auf Lebenszeit verschreiben, endlich aber, was besonders charakteristisch ist, von der Verpflichtung lossprechen, von der bisherigen Verwaltung der Aemter und Gerichte Rodeneck mit Mühlbach, Gufidaun und Gries Rechnung zu legen. Markgraf Ludwig ward bereits mit Bestimmtheit als künftiger Gemahl der Margaretha Maultasch und Herr von Tirol angesehen. [3]

---

1) Reg. n. 69, 78—81: andere bei dieser Gelegenheit abgeschlossene Verträge, die hier nicht von Bedeutung sind, bei Lichnowsky, Reg. n. 1292, 1293.

2) In einer 1342 Febr. 21 für Zölle abgelegten Rechnung (Excerpt. Primisser in Bibl. Tirol. 613, 233) kommt vor: *Dominis Volchmaro de Purchstal, Chwarado de Schennan, Engelmaro et Taegnone de Vilanders, Ekkehardo de Trostperch et eorum familie euntibus in legacione domine ad imperatorem in Monacum marcas lxx libras vi.* Die Zeit wird durch die Urkunden der folgenden Anmerkung bestimmt.

3) Reg. 68, 71—76.

Ausser der Erlangung einer bedeutenden Belohnung für die Haupt-
urheber der tirolischen Revolution war die eigentliche Aufgabe dieser
Gesandten Wahrung der Interessen und Rechte Tirols. Ehe Markgraf Ludwig das ihm übertragene Land betrat, musste er feierlich versprechen, alle Tiroler, Geistliche und Weltliche, Edle und Unedle,
Städte und Dörfer, bei ihren hergebrachten Rechten zu lassen, namentlich keine ausserordentliche Steuer aufzulegen ohne Zustimmung
der Landleute, die tirolischen Festungen nicht mit Ausländern zu besetzen und überhaupt die Regierung nur nach Rath der Besten, die in
Tirol ansässig sind, zu führen. Durch den Kaiser wurden diese Versprechungen bestätigt. [1])

Nach Lichtmessen des Jahres 1342 trat der Kaiser mit dem Markgrafen Ludwig die Reise nach Tirol an, um die Vermählung mit Margaretha Maultasch zu feiern. Ludwigs jüngerer Bruder Stephan, die
Bischöfe von Freising, Regensburg und Augsburg, zwei Herzoge von
Teck, mehrere Grafen und viele Herren waren in ihrem Gefolge. Der
Bischof von Freising, Ludwig von Chamstein, hatte sich herbeigelassen,
die Scheidung zwischen Margaretha und ihrem früheren Gemahle vorzunehmen. Allein beim Uebergange über den Jaufen am 8. Februar
strauchelte sein Pferd und der Bischof verlor durch einen unglücklichen Sturz das Leben. Dieser Unfall, der von sehr vielen als ein
Gottesgericht angesehen wurde, erschreckte die beiden andern Bischöfe so sehr, dass sie trotz aller Bitten des Kaisers sich entschieden
weigerten, die Ehe zwischen der Herzogin Margaretha und Johann
von Luxemburg zu trennen.

Dazu kam noch ein anderes Hinderniss. Ludwig der Brandenburger und Margaretha Maultasch waren im dritten Grade verwandt,
da Margarethas Grossmutter Elisabeth eine Schwester Ludwigs des
Strengen, des Grossvaters des Markgrafen war. Nur der Papst hätte
von einem solchen Ehehindernisse dispensiren können. Aber dieser
hatte auf die Nachricht von der beabsichtigten Vermählung beider
mit einer Aufforderung an Margaretha, ihrem ersten Gemahle treu
zu bleiben, und mit der Androhung des Kirchenbannes im Falle der

---

1) Reg. n. 83, 84. In Hormayr's Abdruck (Archiv f. Süddeutschland 1,139
und darnach auch bei Sinnacher 5,265.267) ist eine, ich weiss nicht ob ab-
sichtliche oder unabsichtliche Lücke, so dass sich der Freiheitsbrief nur auf
Kirchen und Edelleute bezogen hätte.

Widerspänstigkeit geantwortet und eine andere Entscheidung war bei den damaligen Verhältnissen nicht zu erwarten.

Es schien unmöglich, über alle diese Schwierigkeiten hinwegzukommen. Da entschloss sich endlich der Kaiser, dem die Erwerbung eines Landes wie Tirol um keinen Preis zu theuer erkauft schien, trotz alledem die Vermählung vor sich gehen zu lassen, indem man sich darauf stützte, dass die Ehe zwischen Johann von Luxemburg und Margaretha gar nicht vollzogen worden und somit als ungiltig zu betrachten sei. Ohne dass die erste Ehe Margarethas von jemanden gelöst worden wäre, wurde zum grossen Aergernisse des ganzen Landes am Faschingssonntag, 10. Februar, auf dem Schlosse Tirol die Vermählung des Markgrafen Ludwig mit der Herzogin Margaretha vollzogen. [1]

1) Ueber diese Vermählung und die damit zusammenhängenden Verhältnisse s. Joh. Victor. p. 442. Joh. Vitodur. ed Wyss p. 167, Goswin ap. Eichhorn p. 125, chron. Modoet. ap. Muratori 12,1177, hist. Cortus. ibid. 907, Bozner Chronik ap. Steyerer p. 641.584. Dieser, welche auch von Brandis S. 55 f., Burglehner u. a. tirolischen Chronisten benützt wurde, glaube ich namentlich auch die Begleitung des Kaisers, den Ort, wo der Bischof von Freising verunglückte, und anderes Detail, welches weder den Charakter der Sage, noch willkürlicher Erfindung trägt, entnehmen zu können. Die Bozner Chronik gibt als Hochzeitstag Febr. 10, dagegen Franc. Prag. ap. Pelzel et Dobrowsky 2,196 den 12. Febr. (in carniaprivio). Todestag und Namen des Bischofs von Freising gibt dessen Grabschrift ap. Meichelbeck, hist. Frising. 2ᵃ,149: 1342 VI. idus Febr. h. e. in die Pauli episcopi dominus Ludovicus de Chamstein, electus episcopus, Frisingensis canonicus, iurium doctor. Ein interessantes Beispiel von Pseudokritik und willkürlicher Geschichtsmacherei, namentlich was die gleich zu besprechende Ehescheidungsfrage betrifft, gibt auch hier wieder Damberger 14,634 ff.

Die Frage, ob die erste Ehe der Margaretha Maultasch durch den Kaiser gelöst worden sei oder nicht, ist noch immer nicht ganz entschieden. Die beiden bezüglichen Urkunden K. Ludwigs (Reg. n. 85, 86) hat Böhmer, Reg. S. 139 f. u. 345 für unrecht und nebst den von Wilhelm von Ockam und Marsilius von Padua zu Vertheidigung dieser kaiserlichen Schritte angeblich geschriebenen Abhandlungen für Fabrikate Goldasts erklärt, und dass diese Urkunden in dieser Form damals nicht ausgestellt worden sind, darüber dürfte wohl ein Zweifel kaum mehr obwalten. Allein die Frage ist die, ob nicht trotzdem der Kaiser die Ehe aus eigener Machtvollkommenheit getrennt habe, ohne dass eine Urkunde ausgestellt oder erhalten worden ist. Es würde diese Annahme wenigstens, wie schon Palacky 2ᵇ,248 Anm. 312 darauf Gewicht gelegt hatte, eine Stütze finden an Beness de Weitmil ap. Pelzel et Dobrowsky 2,286, nach welchem der Pabst 1343 die Kurfürsten zur Wahl eines neuen Königs auffordert und sie erinnert, quomodo et qualiter Ludwicus creaverat antipapam et matrimonii vinculum inter Johannem, comitem Tyrolis, filium regis Johannis, et suam

Am folgenden Tage belehnte der Kaiser in Meran seinen Sohn und dessen Gemahlin feierlich mit Tirol und dem allerdings erst zu erobernden Herzogthum Kärnthen [1]) und damit kam ein neuer Akt in diesem weltgeschichtlichen Drama zum Abschlusse.

Was Ludwig der Baier so lange und auf so verschiedenen Wegen erstrebt hatte, das hatte er endlich erreicht, das wichtige Alpenland war in den Händen seines Hauses. Die wittelsbachische Macht hatte einen nie gesehenen Aufschwung erlebt. In Süddeutschland mächtig

---

coniugem legitimam disolverat propria autoritate, und theilweise an hist. Cortus. ap. Muratori 12,907: *qui ... tanquam imperator dictum matrimonium* (zwischen Ludwig und Margaretha) *confirmavit*. Die entgegenstehenden Angaben (Joh. Vitodur. 167: *matrimonii divorcio inter eum et eam minime celebrato* — Goswin ap. Eichhorn p. 125: *nullo divorcio celebrato)* liessen sich immerhin dadurch erklären, dass diese eine kirchliche Scheidung im Auge hatten und nur eine solche leugneten, auf welche Auffassung Heinr. Rebdorf ap. Freher-Struve 1,619: *non facto divorcio per ecclesiam,* Alb. Argent. ap. Urstis. 2,130; *non separatam ab ullo judice ecclesie,* theilweise auch Joh. Victor. p. 442: *ecclesiastica iuris formula postergata* und contin. Martini Poloni ap. Eccard, corp. hist. 1,1457: *ecclesiastico iure penitus omisso* hinleiten würden. Allein dessenungeachtet scheint eine Ehescheidung durch den Kaiser sehr unwahrscheinlich. Es spricht dagegen schon das Schweigen des Joh. Vitod., der, wenn er von der Zurückweisung der Bitten des Kaisers durch die Bischöfe spricht, fast nothwendig hätte erwähnen müssen, der Kaiser habe dann selbst die Ehe getrennt, wäre dieses wirklich der Fall gewesen. Am entscheidendsten dürfte aber sein, dass ihm von Seite der Päbste dieses nie zum Vorwurfe gemacht wird, während gerade ein Eingriff in die kirchliche Gerichtsbarkeit in den Augen derselben eines seiner grössten Vergehen hätte bilden müssen, nicht durch Clemens VI., der doch in seiner Bulle von 1343 Apr. 12 (Raynald ad a. 1343 n. 43, Olenschlager, Staatsgesch, Urk. S. 224) ausdrücklich von dieser Ehe spricht, ebensowenig durch Innocenz VI. bei der Lossprechung Ludwigs und Margarethas im J. 1359.

1) Bozner Chronik ap. Steyerer 584. Nach Buchner 5,509 erfolgte die Belehnung mit Kärnthen und Tirol am 26. Febr. in Innsbruck. Allein im bairischen Reichsarchive, wo nach ihm die bezüglichen Urkunden liegen sollen. findet sich eine solche nicht, sondern nur die durch v. Weech bekannt gewordene Urkunde der Belehnung mit allen Reichslehen überhaupt (Reg. n. 87). Dessenungeachtet glaube ich, dass der Kaiser seinen Sohn wirklich nicht bloss mit Tirol, sondern auch mit Kärnthen belehnt habe, da dieses, ausser von der Bozner Chronik, mit Anführung aller Einzelnheiten bei der Ceremonie auch von hist. Cortus. ap. Muratori 12,907 berichtet wird. Ich glaube, dass die Belehnung unmittelbar nach der Vermählung in Meran stattfand, die bezügliche Urkunde aber erst später, am 26. Febr. in Innsbruck ausgefertigt wurde, und zwar ohne dass darin die einzelnen Länder aufgezählt wurden, was der Kaiser aus Rücksicht auf Oesterreich unterlassen mochte.

durch den Besitz des kurz vorher vereinigten Baiern und des neu er-
worbenen Tirol hatten die Wittelsbacher zugleich durch Brandenburg
und die Anwartschaft der Kaiserin auf die Provinzen Holland, Seeland, Friesland und Hennegau im Norden und Westen von Deutschland eine festere Stellung als irgend ein deutscher Fürst und das zer-
rissene Italien schien dem Kaiser, der die Höhen der Alpen beherrschte,
vollständig preisgegeben zu sein.

Allein gerade die Erwerbung Tirols, welche die Grösse des wittelsbachischen Hauses und dessen überwiegenden Einfluss auf die Geschicke Deutschlands und Italiens auf immer zu begründen schien,
trug zugleich den Wurm in sich, der diese glänzendste Frucht der Politik Ludwigs des Baiern dem Tode entgegenreifen liess.

Dass der Kaiser die Eifersucht Oesterreichs wachrief, war noch
das geringste. Denn obwohl König Johann von Böhmen im Februar
1342 sich selbst nach Wien begab und sich bei Albrecht dem Lahmen
bitter über die Behandlung seines Sohnes beklagte, liess sich doch der
besonnene Herzog, der nur für grosse Zwecke das Schwert aus der
Scheide zog, zu keiner entschiedenern Parteinahme bewegen; ohne
dass der König ihn dazu vermocht hätte, über das im December des
vorigen Jahres geschlossene Defensivbündniss hinauszugehen, musste
er Wien wieder verlassen. [1] Selbst als Ludwig der Baier seinen Sohn
und dessen Gemahlin nicht bloss mit Tirol, sondern auch mit Kärnthen belehnte, als der Markgraf durch die Annahme des Herzogstitels
von Kärnthen offen Ansprüche auf dieses Land erhob, beides um so
unbesonnener, als die Wittelsbacher doch kaum hoffen konnten, dieser Rechtsverletzung [2] auch Folge zu geben und den Oesterreichern

---

1) Joh. Victor. p. 443. Die Erfolglosigkeit der Bestrebungen Johanns von
Böhmen zeigt sich in dem Fehlen jeder Vertragsurkunde.

2) Man hat freilich das Vorgehen des Kaisers in dieser Angelegenheit
auch vom Standpunkte des Rechts zu vertheidigen gesucht. Buchner 5,509
rechtfertigt den Kaiser dadurch, dass Margaretha auf Kärnthen nie verzichtet
habe. Allein das konnte ein Grund für Margaretha, allenfalls auch für ihren
Gemahl sein, die Ansprüche auf Kärnthen nicht fallen zu lassen, aber nicht
für den Kaiser, der dieses Herzogthum selbst für ein erledigtes Reichslehen
erklärt und den Herzogen von Oesterreich übertragen hatte, seine eigene Verfügung zu verletzen. Wenn J. Berchtold in seiner sonst vortrefflichen Schrift
über „die Landeshoheit Oesterreichs nach den echten und unechten Freiheits-
briefen" S. 106 Anm. 33 den Kaiser deswegen im Rechte glaubt, „weil die
frühere Belehnung der Habsburger nur dann bindend für den Kaiser gewesen

Kärnthen zu entreissen, bewahrte Herzog Albrecht die gleiche Haltung gegenüber dem Kaiser und suchte sogar dessen Aussöhnung mit der Kirche zu vermitteln.[1])

Allein um so grosser traten die Folgen auf andern Gebieten hervor.

Die Luxemburger, welche dem Kaiser bisher im Ganzen doch nicht gerade als entschiedene Gegner gegenüber gestanden hatten, wurden jetzt natürlich seine geschwornen Feinde. Obwohl Ludwig wiederholt versuchte, dieselben zu versöhnen, obwohl er ihnen für den Verlust von Tirol bedeutende Entschädigungen anbot, ist es doch nie mehr gelungen, den Riss auszufüllen. Fortan begannen die Luxemburger offen an dem Sturze des Kaisers zu arbeiten.[2]) Dies war um so wichtiger, als 1342 der kräftige Clemens VI. den päpstlichen Stuhl bestieg, der, ganz der französischen Politik ergeben und daher entschiedener Gegner des deutschen Reiches, als einstiger Erzieher Karls von Mähren diesem auch persönlich befreundet war und, da er ihm einst die Erhebung auf den römischen Königsthron geweissagt hatte,[3]) schon im Interesse seines Prophetenruhmes für die Erfüllung seiner Weissagung wirken musste.

Durch die skandalöse Vermählung seines Sohnes mit der angetrauten Gattin eines andern hatte der Kaiser auch die Achtung und Zuneigung der meisten Fürsten verloren. Wenn jetzt, wo Ludwig die Schranken des göttlichen und menschlichen Gesetzes frevelhaft durchbrochen hatte, der Pabst gegen ihn einschritt, so musste das eine ganz

wäre, wenn dieselben auch ihrerseits dem Kaiser die versprochene Hilfe zur Besitznahme von Nordtirol geleistet hätten", so muss dagegen geltend gemacht werden, dass nach der Belehnungsurkunde selbst von einem solchen Causalnexus durchaus keine Spur sich zeigt und dass es nicht Schuld der Habsburger war, wenn gegen ihr eigenes Interesse jeder Versuch, die Gränzen Tirols zu überschreiten, scheiterte, um so weniger, als ja nicht die Habsburger den Kaiser, sondern dieser die Habsburger im Stiche gelassen hat.

1) Raynald ad a. 1344 n. 12; andererseits gibt Ludwig der Brandenburger 1344 Nov. 22 Sicherheit und Geleit allen Kaufleuten, *von wan sy durch unser lieben oheyms des herzog von Osterreich lant und herschaft varent in unser gepiet und herschaft*, besonders allen Kaufleuten, die dem Herzoge angehören oder in seiner Herrschaft gesessen sind. Rauch, S. R. A. 3,65.

2) Ueber diese Verhandlungen s. v. Weech S. 87—101, der auch die Bedeutung der tirolischen Frage gut hervorhebt.

3) Vita Karoli ap. Böhmer 1,261.

andere Wirkung auf dieselben hervorbringen als früher, wo die Päbste zunächst aus vorherschend politischen Gründen ihn angefeindet hatten. [1] So brachten der Pabst und die Luxemburger nach mehrjährigen Umtrieben und Verhandlungen es wirklich dahin, dass im Juli 1346 die Mehrzahl der Kurfürsten Ludwig den Baiern des Reiches entsetzte und an seine Stelle den Markgrafen Karl von Mähren zum Könige wählte.

Tirol wurde zunächst der Schauplatz des Krieges zwischen Ludwig und seinem Gegenkönige. Die Eroberung dieses Landes wäre für Karl unter den damaligen Verhältnissen von um so grösserem Vortheile gewesen, weil er von hier aus Baiern auch im Süden bedrohte und namentlich einen Zug Ludwigs nach Italien, den vor allem der Pabst fürchtete, zu hindern im Stande war. Die Fäden, welche Karl auf allen Seiten anzuknüpfen wusste, schienen ihm bei einem Versuche, Tirol den Wittelsbachern wieder zu entreissen, einen glücklichen Ausgang zu verbürgen.

Von grösster Bedeutung für das ganze Unternehmen war die Stimmung eines Theils der Landherren Tirols. Die Vortheile, welche die Häupter des tirolischen Adels von der Revolution des Jahres 1341 und von dem Herrscherwechsel für sich erwartet hatten, waren ihnen nicht zu Theil geworden. Ludwig der Brandenburger hatte gleich nach seinem Regierungsantritte mit grossem Missvergnügen bemerkt, dass alle Burgen und Einkünfte des Landes in den Händen des Adels waren und dass Tirol zwar ein berühmtes aber sehr wenig einträgliches Land sei. Den Rath, welchen ihm auf seine Klagen sein Vater gegeben hatte, man müsse einen zu langen Rock unten abschneiden und ein zu weites Wams enger machen, hatte er sich wohl zu Herzen genommen und war entschlossen, die Macht des tirolischen Adels wenigstens nicht mehr grösser werden zu lassen. Eine strenge Controlle der Verwaltung machte den Uebergriffen der Vornehmen ein Ende und schon im ersten Jahre der Regierung des Markgrafen wurde der hervorragendste unter den tirolischen Adeligen, Volkmar von Burgstall, mit seinen Söhnen verhaftet, sein Vermögen eingezogen, er selbst in den Kerker geworfen, in welchem er bald ein, vielleicht gewaltsames

---

1) Joh. Victor. p. 445: *Imperatoris fama odorifera pro re gesta in Johanne filio regis Bohemie cepit in maribus principum fetere, qui dixerunt, eum ab imperio ob enormes excessus exfuscatum.*

Ende fand. [1]) Der Schrecken und die Unzufriedenheit der angesehensten Landherren war so gross, dass der Kaiser selbst es unternahm, die bedenkliche Missstimmung und Aufregung zu beruhigen. [2]) Die Unzufriedenheit musste noch steigen, als der Markgraf nicht bloss an seinem Hofe Ausländern grossen Einfluss einräunte, sondern selbst das Amt eines Landeshauptmannes, der des Regenten Stelle namentlich in Abwesenheit desselben zu vertreten hatte, gegen die bei seinem Regierungsantritte gegebene feierliche Versicherung Fremden übertrug. [3]) Wie früher der Wittelsbacher gegen die Luxemburger, so wollten sich jetzt die Unzufriedenen zur Verdrängung der Wittelsbacher wieder der Luxemburger bedienen und als der Bruch zwischen beiden Häusern entschieden war, wendeten sie sich an Karl IV. und versprachen ihm mit Brief und Siegel ihre Unterstützung zur Eroberung des Landes. Selbst der damalige Landeshauptmann, Engelmar von Villanders, obwohl vielfach vom Markgrafen Ludwig begünstigt, war bei diesen verrätherischen Umtrieben betheiligt. An der Spitze der Verschwornen aber standen die Bischöfe Nikolaus von Trient und Ulrich von Chur, ersterer ein Böhme und durch Karls Verwendung zum Bischofe gewählt, beide als Kirchenfürsten naturgemäss Gegner des gebannten Ludwigs von Baiern und Anhänger des durch die päbstliche Partei erhobenen Gegenkönigs Karl von Böhmen. [4])

1) Joh. Victor. p. 442 f. Vgl. damit Primissers Excerpte aus tirolischen Rechnungsbüchern in Bibl. Tirol. tom. 613: Rechnung des Tagen von Villanders, Richters in Enn 1342 Dec. 28 für das J. 1342: *Dedit ad expensas domini et armatorum custodiencium Volchmarum in sua captivitate in novo foro* (Neumarkt) p. 234: Rechnung Konrads von Schenna, Burggrafen auf Tirol: *de omnibus receptis de bonis domini Volchmari de Purchstal* in anno 1342. p. 234 b; in Rechnung für 1342—1343 Okt. 16 heisst Volkmar bereits *quondam* p. 235 b.

2) Einen andern Grund für die Zusammenkunft des Kaisers mit den vornehmsten tirolischen Landherrn in Rattenberg und für die hier 1343 März 6 von beiden Seiten ausgestellten Reverse wüsste ich mir nach dem Inhalte derselben nicht zu denken: Urk. des Kaisers für Eckehard von Villanders bei Sinnacher 5,274 und Brandis, Landeshauptleute S. 56; für Engelmar von Villanders Bibl. Tirol. 904 f. 2; für Konrad von Schenna im Meraner Stadtarchiv (Mittheilung des P. Justinian Ladurner); Revers Heinrichs von Rottenburg im Sammler 4,391; Engelmars von Villanders reg. Boica 7,361.

3) Vgl. das Verzeichniss der Hofmeister Ludwigs und der Landeshauptleute von Tirol unter der Herrschaft des Hauses Wittelsbach im Excurs I.

4) Goswin v. Marienberg im Anhang.

Auch die Herren der oberitalischen Städte, die Visconti von Mailand, della Scala von Verona, Carrara von Padua, Gonzaga von Mantua versprachen Karl ihre Unterstützung.

Auf die Hilfe so vieler Bundesgenossen bauend reiste Karl mit nur drei Begleitern, alle als Kaufleute verkleidet, durch Ungarn nach Oberitalien und gelangte glücklich um die Mitte des März 1347 nach Trient. Hieher berief er seine Anhänger; rasch sammelten sich um ihn die Söldner der Herren von Mailand, Verona, Padua und Mantua und des Bischofs von Trient, zahlreich genug, um, wie er hoffte, Tirol im Fluge den Baiern zu entreissen und dadurch die einst seinem Bruder zugefügte Schmach zu rächen.

Die Verhältnisse schienen ausserordentlich günstig. Niemand ausser den Gegnern der bairischen Herrschaft hatte einen solchen Angriff erwartet, nichts war geschehen, um den Feind abzuwehren, der Landesherr selbst, Markgraf Ludwig, war während des Winters fern in Brandenburg und Preussen, wo er im Kampfe gegen die Heiden sich Ruhm erworben hatte.

Ohne Widerstand zu finden rückte Karl Anfangs April durch das Etschthal herauf, bemächtigte sich der Städte Bozen und Meran, zog den Bischof von Chur mit seinen Schaaren und die ihm ergebenen Adeligen Tirols an sich und belagerte die Markgräfin Margaretha selbst im festen Schlosse Tirol.

Allein sehr bald nahmen die Geschicke eine andere Wendung.

Bei den Tirolern selbst fand Karl nicht die gehoffte Unterstützung. Selbst von jenen, die ihn gerufen hatten, sollen viele ihn unwillig verlassen haben, als sie von dem Plane hörten, das Land dem Visconti von Mailand abzutreten. Auf dem Schlosse Tirol vertheidigte sich Margaretha Maultasch mit dem Muthe eines Mannes und schlug alle Angriffe der Feinde mit Erfolg zurück. Unterdessen eilte der Markgraf Ludwig aus dem Norden herbei und erschien schon bald nach Beginn des April zum grössten Schrecken seiner Feinde mitten im Lande. Der Landeshauptmann Engelmar von Villanders, der sich zum Glücke noch nicht offen den Böhmen angeschlossen hatte, suchte und erhielt Verzeihung. Der Markgraf, dem bald auch sein Vater mit Truppen folgte, sammelte um sich ein zahlreiches Heer und wendete sich nun wider seine Gegner.

König Karl wartete den Angriff nicht ab. Um nicht für den Fall einer Niederlage von Italien abgeschnitten zu werden, hob er die Belagerung Tirols auf und trat den Rückzug nach Süden an. Rachedürstend für seine missglückte Unternehmung bezeichnete er jeden seiner Schritte mit Raub, Brand und Verwüstung; Meran sank in Asche, das ganze Etschland, die Gegend um Bozen, wurden auf das furchtbarste verheert. Allein der Markgraf holte ihn noch ein, schlug seine Truppen in die Flucht und zwang ihn zu einem ruhmlosen Rückzuge nach Trient, das er vor wenigen Wochen von Siegeshoffnungen voll verlassen hatte.

Hier kam der Krieg einige Zeit zum Stehen. Noch immer an der Spitze eines bedeutenden Heeres, bald auch durch neue Hilfstruppen aus Oberitalien verstärkt war Karl stark genug, um den Baiern einen Angriff auf seine Stellung nicht räthlich erscheinen zu lassen. Es gelang ihm sogar in der ersten Hälfte des Mai mit Unterstützung des Patriarchen von Aquileja dem Markgrafen Feltre und Belluno mit Cadore zu entreissen, die Karl selbst vor zehn Jahren von Tirol aus erobert hatte.

Desto glücklicher war Ludwig in Tirol selbst, wo er seine Waffen gegen die Burgen der abgefallenen Adeligen und des Bischofs von Chur wendete. Als dieser mit einer Schaar von 1500 Mann aus dem Heere Karls den Versuch machte, dieselben zu unterstützen, wurde er auf seinem Zuge durch das Etschthal, unweit Tramin, am 24. Juni bei Nachtszeit, während seine Truppen in Schlaf versunken waren, vom Markgrafen mit überlegener Macht überfallen, ein Theil der Seinigen niedergehauen, die Mehrzahl mit dem Bischofe selbst gefangen. Sechs Monate musste der Bischof in strenger Haft auf dem Schlosse Tirol zubringen und erhielt erst um Weihnachten gegen die Uebergabe mehrerer Burgen seine Freiheit wieder.

Karl konnte sich nicht verhehlen, dass sein eigentlicher Zweck, die Eroberung Tirols, da sie im ersten günstigsten Zeitpunkte nicht gelungen war, jetzt unmöglich zu erreichen sei. Ein längeres Verweilen war völlig nutzlos und da Mangel an Lebensmitteln immer fühlbarer wurde und die Verhältnisse Böhmens und die Kämpfe in Deutschland seine Gegenwart erforderten, so verliess er im Juli Trient und reiste durch Oberitalien und Kärnthen nach Böhmen, wo er um die Mitte des August wieder eintraf. [1]

----

1) Ueber diesen Krieg in Tirol s. Excurs II.

Die Ruhe kehrte mit Karls Abzug freilich noch lange nicht in die Thäler Tirols zurück. Karl sah klar genug, wie sehr die Macht der Wittelsbacher durch eine ernstliche Gefährdung ihrer südlichen Gebietstheile gelähmt, wie sehr ihm der Angriff von Böhmen aus dadurch erleichtert werden müsse, als dass er nicht alles hätte versuchen sollen, die hier entzündete Flamme zu nähren. Auf seiner Heimreise wusste er die Grafen von Görz zum Kriege gegen Ludwig zu bewegen, indem er zu ihren Gunsten allen Ansprüchen entsagte, die er und sein Bruder Johann auf Tirol hatten. [1] Bei dem Hereinreichen der görzischen Besitzungen bis tief in das Pusterthal, wo auch die unzuverlässigen Herren von Villanders ihre meisten Besitzungen hatten, waren die Grafen besonders geeignet, in Tirol Unruhen zu erregen. Auch die mächtigsten tiroler Landherren, besonders die Villanders und die Greifensteiner suchte er durch alle möglichen Mittel für sich zu gewinnen, namentlich durch Verleihung von tirolischen Besitzungen, mit denen er um so verschwenderischer umgieng, als sie ihm nicht gehörten. [2]

Alles diess war nicht im Stande, das Strafgericht, welches nun über Karls Anhänger hereinbrach, abzuwenden, sondern bewirkte nur, dass es einen um so grössern Umfang annahm. Die Vollstreckung desselben übernahm der Herzog Konrad von Teck, dem der Markgraf Ludwig die Stelle eines Hauptmanns von Tirol übertrug. Der erste, welcher die schwere Hand dieses Mannes fühlte, war der frühere Landeshauptmann Engelmar von Villanders. Herzog Konrad nahm ihn gefangen, liess ihm wegen Einverständnisses mit den Böhmen und wegen seiner Härte und Habsucht als früherer Hauptmann in Feltre und Belluno, deren Bürger dadurch Karl in die Arme getrieben worden sein sollten, als Hochverräther den Process machen und verlangte von ihm die Uebergabe aller seiner Burgen. Als sein Bruder, der eine davon besetzt hatte, die Auslieferung verweigerte, liess er Engelmar im Februar 1348 unter den Mauern derselben enthaupten. Seine Güter wurden eingezogen. [3] Die Grafen von Görz sahen sich schon im

---

1) Reg. n. 102.
2) Reg. n. 115, 117, 123—128.
3) Hist. Cortus. ap. Muratori 12,928: *Hengelmarius de Villandres . . . , qui etiam auctor fuit captionis principis Joannis, filii regis Boemiae, mariti Tyrolis comitissae, quam indebito marchio Brandeburgensis duxit uxorem,*

Mai genöthigt, mit dem Markgrafen Waffenstillstand zu schliessen,[1]) da sich mit diesem auch der Bischof von Brixen verbündet hatte, [2]) und schlossen im J. 1349 mit demselben sogar einen Vertrag zur Theilung der Besitzungen der Villanders. [3]) Von allen Seiten preisgegeben und durch die ungeheuerste Uebermacht bedroht sahen diese nur in schneller Unterwerfung unter die Gewalt des Markgrafen Rettung. Die Glieder dieses Hauses, welche sich an der Bewegungbet heiligt hatten, verloren einen bedeutenden Theil ihrer Besitzungen. [1]) Die Greifensteiner setzten den Kampf noch längere Zeit fort. Allein Konrad von Teck eroberte im December 1348 ihre Feste Burgstall und machte sie dem Erdboden gleich; im Frühling des Jahres 1350 sahen sie sich genöthigt, auch ihr Stammschloss Greifenstein und die Haselburg bei Bozen zu übergeben und als Verbannte, arm und elend, das Land zu ver-

---

qui etiam tractavit adventum regis Caroli, licet fuerit affidatus a marchione praedicto fuit carceratus, inculpatus, quod vellet prodere marchionem in manibus regis Caroli, item quod spoliasset cives in Feltre et Civie, qua de causa domino Carolo se dederunt: nec ejus fratres voluerunt se et castra sua libere dare in manibus marchionis, qui propter hoc et alia multa delicta sibi apposita fuit publice decollatus in MCCCXLVIII mense Februarii. (Dass das nicht etwa Febr. 1349 ist, worauf die Ordnung der Thatsachen bei Alb. Argent. hinführen würde, beweist eine Urk. Ludwigs des Brandenburgers von 1348 Juli 6 im Innsbrucker Statthalterei-Archive, nach der Engelmar als verstorben erscheint. Indessen muss die Hinrichtung erst Ende Februars stattgefunden haben, da 1348 März 3 seine nächsten Augehörigen davon noch nichts wissen, nach Urk. bei Sinnacher 5,279. Brandis S. 65), Ziemlich übereinstimmend berichtet Alb. Argent. ap. Urstis. 2,144: *Engelmarus miles, qui comitatum Tirolis tradidit marchioni Brandenburgensi, cum uxore* (? dagegen scheint die eben erwähnte Urkunde zu sprechen) *ex quadam suspicione per marchionem capitur et ante castrum suum forte, quod tenuit frater ejus, decollatur et successive omnia sua per marchionem mediante duce Conrado de Teck sibi fidelissimo occupantur.* Dass die Hinrichtung auf Befehl des Herzogs Konrad geschah, sagt bestimmt und wiederholt Goswin im Anhang: *Hic dux dominum Engelmarum . . . captivavit et ejus caput precidit.* und (ap. Eichhorn p. 125): *successit dominus Engelmarus, quem dominus dux de Takke fecerat decollari.*

1) Reg. n. 113.
2) Sinnacher 5,281.
3) Reg. n. 130—132.
4) Reg. n. 138. Damals oder noch früher muss die Belagerung der Feste Rodeneck stattgefunden haben, von der Reg. n. 147 und in andern Urkunden die Rede ist. Die Villanders verloren damals jedenfalls Mühlbach und Rodeneck, wahrscheinlich auch Stein auf dem Ritten, die mit andern an den Herzog Konrad von Teck kamen (Reg. n. 132 vgl. mit 148). — Anfangs scheinen die Villanders nicht ohne Erfolg gekämpft zu haben. Reg. n. 114.

lassen. Erst nach sieben Jahren erlaubte ihnen der Markgraf wieder nach Tirol zurückzukehren. [1] Ein ähnliches Schicksal hatten die von Tarant oder Dornsberg und andere Adelige; Verlust ihrer Güter oder wenigstens längere Gefangenschaft war die Strafe für ihre Hinneigung zu den Böhmen. [2]

Auch der Kirche von Trient wurde die Hinneigung ihres Bischofs zu Karl IV. verhängnissvoll. In seinem Kampfe mit der päbstlichen Partei in Deutschland musste es Ludwig der Brandenburger als eine Lebensfrage ansehen, dass der Bischof von Trient verhindert würde, mit allen Mitteln, die ihm sein Fürstenthum und das nahe Italien boten, in jedem Augenblicke das Herz Tirols zu bedrohen. Als daher Ende des Jahres 1347 der Bischof Nikolaus starb, verlangte der Herzog Konrad, dass man dem Markgrafen als Schirmvogte des Stiftes das Besatzungsrecht in Trient und dem dortigen Castell einräume. Das Capitel suchte sich gegen diese Forderung dadurch zu schützen, dass es den Jakob von Carrara, Herrn von Padua, um Hilfe bat und Truppen desselben in die Stadt und das Schloss aufnahm. Allein der Schlosskommandant verrieth die Festung dem Markgrafen und mit der Hauptstadt fiel auch der grössere Theil des Stiftes in die Hände desselben. Nur Val Sugana kam fast ganz in die Gewalt des Carrara, ein anderer Theil, Riva, Arco, Cavedine und das Ledro-Thal wurde vom Capitel behauptet, aber im Jahre 1349 vom Bischofe Johann von Trient, der durch seine vergeblichen Versuche, wieder in den Besitz seines Bisthums zu kommen, sich eine grosse Schuldenlast aufgebürdet hatte, um 4000 Dukaten an Mastino della Scala verpfändet. [3] Den grössten Theil des Stiftsgebietes, namentlich Trient, den Nonsberg

---

1) Reg. n. 119—121, 144, 193. Vgl. Goswin im Anhang: *Sed de dicto duce de Tekke dicere oportet, qualis expugnator urbium et castrorum fuerit; nam castrum dictum Purchstal obsessum funditus destruxit, castrum Grifenstain dilapidavit et plura alia castra sibi subjugavit.*

2) Brandis S. 67 ff. Ihrer Güter beraubt wurden unter andern die von Matz (Sammler 4,289) und die von Tarant oder Dornsberg (Reg. n. 145, 194).

3) Verci, marca 12, doc. p. 107, 136. Im J. 1352 wurde Mastino auch durch den Markgrafen Ludwig im Besitz dieser Pfandschaft anerkannt (Brandis S. 70). Dagegen scheint die Angabe des Alb. Argent. p. 139: *Bohemus quoque ... aliquas munitiones per se victus Mediolanensi pro multa pecunia obligavit,* irrig; nur das Schloss Tenno war vorübergehend, aber nicht von Karl, an Visconti verpfändet worden. Verci ibid. p. 136.

und Judicarien behauptete der Markgraf und liess es durch Hauptleute in seinem Namen verwalten. [1])

So hatte dieser letzte Versuch der Luxemburger, die Wittelsbacher aus Tirol zu verdrängen, nur dazu beigetragen die Herrschaft derselben zu erweitern und noch fester zu begründen. Der grösste Theil des Fürstenthums Trient war in der Gewalt des Markgrafen, in Tirol die Macht der ersten Adelsgeschlechter gebrochen, die übrigen eingeschüchtert. Ausländische Familien, die Freiberg, die Häl, vor allem Herzog Konrad von Teck, wurden mit den Schlössern und Besitzungen ausgestattet, die jenen entrissen worden waren. Gestützt auf solche Fremdlinge, besonders Baiern und Schwaben, die ihm alles verdankten und ihm unbedingt ergeben waren, übte Herzog Konrad fast fünf Jahre ein Schreckensregiment in Tirol, bis 1352 der von ihm beleidigte Swiker von Gundelfingen ihn in München meuchlerisch ermordete.[2]) Allein auch nach seinem Tode dauerte der überwiegende

---

1) Joh. Vitod. ed. Wyss p. 242. Judicarien musste er freilich erst einlösen. Urk. v. 1367 Dec. 27 Reg. n. 455. — Als Hauptleute von Trient findet man zuerst Walter von Hochschliz *(capitaneus generalis civitatis et totius districtus Tridentini pro illustri et magnifico principe D. Ludovico etc.)* von 1349 Febr. 18 (Mittheilung von Durig) bis 1353 (Primisser im Sammler 4,291); 1354 (wohl Anfangs) ist Albert von Wolfstein *capitaneus et vices gerens in toto dominio Tirolensi et districtu Tridentino pro illustri . . . Lodoyeo Brandenb.* (Sammler 4,290); 1354 Apr. 19 ernennt Markgraf Ludwig den Heinrich, Pfarrer zu Tirol, zum Pfleger der Stadt und des Bisthums Trient zunächst auf drei Jahre (Reg. n. 161), aber er kommt noch 1358 Juni 23 als *generalis vicarius, protector et defensor civitatis Tridenti et totius episcopatus pro . . . Ludovico etc.* vor (Sammler 4,292). Später wurde Konrad von Frauenberg an seine Stelle gesetzt, indem 1360 Febr. 26 Tridenti in *episcopali palatio* ein Rechtsspruch gefällt wird durch einen *judex delegatus per venerabilem D. Henricum plebanum Tirolensem vicarium generalem et vicesgerentem in toto episcopatu Tridentino et dominio Tirolensi . . . Ludovici marchionis, nec non D. Conradum de Franberch capitaneum generalem in dicto episcopatu et dominio praefati marchionis* (Sammler 4,292; nach dieser Einleitung könnte es scheinen, als wären beide nebeneinander Hauptleute gewesen; allein nach der vollständigen Urkunde, die abschriftlich in Bibl. Tirol. 614,23 ist, ist die Delegation nacheinander, zuerst durch den Pfarrer von Tirol, dann nach dessen Abberufung durch seinen Nachfolger Konrad von Frauenberg erfolgt, der ausdrücklich als *successor prelibati domini plebani Tyrolensis* bezeichnet ist).

2) Vgl. über Konrad von Teck besonders die aus Goswin im Anhang angeführten Stellen. Wenn auch Goswin unter den Nachwirkungen des Volkshasses ihn etwas zu schwarz geschildert haben sollte, so bleibt die Hauptsache gewiss wahr und ist durch die geschichtlichen Ereignisse und durch die unge-

Einfluss der Fremden in Tirol noch fort und selbst das Amt eines Landeshauptmanns wurde fast ausnahmslos nur Ausländern anvertraut. [1]

Weniger glücklich für die Wittelsbacher endete der Kampf um das Reich. Zwar so lange Kaiser Ludwig lebte, der namentlich an den Städten gegen den „Pfaffenkönig", wie man Karl IV. nannte, eine feste Stütze fand, richtete sein Gegner wenig aus. Als aber Ludwig am 11. Oktober 1347 unweit München auf einer Bärenjagd durch einen Schlaganfall den Tod gefunden hatte, da begann der Stern des Wittelsbachischen Hauses zu erbleichen. Die bairische Partei suchte zwar Karl zuerst in der Person des Königs Eduard III. von England, dann des Markgrafen von Meissen, endlich des tapfern Grafen Günther von Schwarzburg einen Gegenkönig entgegenzustellen; allein theils durch Verhandlungen, theils durch Geld brachte Karl es dahin, dass alle von dieser wenig lockenden Würde zurücktraten und er nach zwei Jahren als einziger römischer König ohne Nebenbuhler dastand.

Für die bairische Partei war damit jede Aussicht, Karl zu stürzen und einen König aus ihrer Mitte an die Spitze Deutschlands zu bringen, verschwunden, eine Fortsetzung des Kampfes schien völlig zwecklos. Andererseits durfte auch Karl nicht mehr hoffen, die Ansprüche seines Bruders auf Tirol geltend machen zu können, da sein letzter, unter den günstigsten Verhältnissen unternommener Angriff so vollständig gescheitert war, und es kam jetzt vor allem darauf an, Ruhe und Ordnung in Deutschland herzustellen. So allgemein aber auch der Wunsch nach Frieden war, so schwer war es, die widersprechenden Interessen und Ansprüche beider Parteien zu befriedigen. Die ersten Verhandlungen, welche schon 1348 unter Vermittlung des Herzogs Albrecht von Oesterreich geführt wurden, blieben ohne Erfolg. [2] Ein nicht viel besseres Resultat hatten die Unterhandlungen im nächsten Jahre, indem trotz des abgeschlossenen Präliminarfriedens [3] Karl sich neuerdings feindselige Handlungen gegen den Mark-

heure Zahl der Besitzungen, die er an sich zu bringen wusste (Reg. n. 148, 149, 159) sicher gestellt. Verleihungen tirolischer Gerichte und Burgen an andere Ausländer s. Reg. 111, 112, 145.

1) S. Excurs I.
2) Alb. Argent. ap. Urstis. 2,146.
3) Die Urkunden über den Präliminarfrieden zu Eltvil sind gesammelt bei Riedel. nov. cod. dipl. Brandenb. II. 2,251—254; vgl. 257 und Reg. n. 133.

4 *

grafen Ludwig erlaubte. [1]) Erst im Februar 1350 kam ein dauernder Friede zwischen Karl IV. und Ludwig dem Brandenburger und seinen Brüdern zu Stande. Die Wittelsbacher erkannten Karl als deutschen König an, lieferten ihm die Reichsinsignien aus und leisteten ihm die Huldigung. Dagegen verzichtete Karl wie sein Bruder Johann auf alle Ansprüche auf Tirol und Kärnthen, ertheilte dem Markgrafen Ludwig die Belehnung mit diesen Ländern und versprach ihm eidlich, die Aussöhnung der Wittelsbacher mit dem Pabste und ihre Lossprechung vom Banne zu erwirken. [2])

Es gab freilich noch manche Fragen, die einer Erledigung harrten. Der Markgraf beklagte sich, dass Karl in der Herbeiführung einer Sühne mit dem Pabste zu lässig sei, und verlangte namentlich die Wiedereinräumung vieler Gebiete im Süden von Tirol, die ihm bei Gelegenheit des Einfalls Karls im Jahre 1347 entrissen worden waren. Dagegen forderte der König die Restitution seiner Anhänger, besonders der Bischöfe von Trient und Chur und mehrerer Tiroler Adeliger wie der Greifensteiner. Erst nach mehreren Jahren, 1354, gelang es dem Herzoge Albrecht von Oesterreich, den beide Theile als Schiedsrichter anerkannt hatten, die streitenden Fürsten zu versöhnen und in den meisten Fragen eine Verständigung herbeizuführen. [3])

Durch diese Verträge war endlich die wittelsbachische Herrschaft über Tirol von allen Seiten anerkannt, das bairische Herzogshaus schien im Besitze des wichtigen Alpenlandes für immer gesichert.

---

1) S. Karls Schreiben zu Gunsten des falschen Waldemars bei Riedel l. c. 261 f.

2) Die Urkunden über den Frieden von Bauzen, soweit sie bisher bekannt geworden, bei Riedel p. 267—287; vgl. 293 ff. 313; eine dort fehlende Belehnungsurkunde mit Tirol Reg. n. 141.

3) Die Beschwerden Ludwigs lernt man aus dem Verzeichniss derselben bei Kurz. Albrecht der Lahme S. 363 ff. kennen, die unmöglich in das J. 1348, wohin sie allgemein gesetzt werden, gehören können, da der Markgraf sich hier schon auf einen „Spruchbrief des von Oesterreiche" und auf mehrere urkundliche Versprechungen des Königs beruft, sondern wahrscheinlich in das Jahr 1353; die Forderungen des Königs aus H. Albrechts von Oesterreich Schiedspruch dat. Passau 1353 Juli 19 bei Riedel l. c. p. 348 (doch sind hier die Namen sehr verderbt und aus reg. Boica 8,273 zu verbessern) und aus dem Entwurf zu einem solchen bei Kurz S. 366. Die endliche Ausgleichung erfolgte zu Sulzbach 1354 Aug. 1. Pelzel Karl IV. 1, U. B. p. 152 ff. Reg. B. 8,300. Freyberg Ludwig d. Brand. S. 117 f. 228. Reg. n. 163. Nach einer Notiz im bair. R. A. tom. privil. 25 fol. 353 (1354 *feria II. post Margar. tempore guerre cum rege Karulo*) scheint es fast zu Feindseligkeiten gekommen zu sein.

VI.

Trotz der Befestigung ihrer Herrschaft mochten Ludwig und Margaretha manchmal nicht ohne trübe Ahnungen in die Zukunft blicken. Zu ihrem vollständigen Glücke fehlte ihnen vor allem eine Schaar blühender Kinder, die ihnen eine sichere Gewähr geboten hätten, dass ihr Stamm in ferne Zeiten fortbestehen würde.

Margaretha hatte ihrem Gemahl allerdings mehrere Söhne und Töchter geboren, [1] allein der Tod raffte sie in zartem Alter hinweg bis auf einen einzigen Prinzen, der nach seinem Urgrossvater den Namen Meinhard erhalten hatte. Selbst Meinhard, der um das Jahr 1343 geboren war, [2] scheint sich keiner festen Gesundheit erfreut zu

---

[1] Bei der Ehescheidung zwischen Margaretha und ihrem ersten Gemahle Johann erklärt der Bevollmächtigte der erstern, dass sie *cum eodem domino Ludwico ut cum suo marito per plures annos cohabitans plures ex eo et per eum filios et filias procreavit.* Reg. n. 137: vgl. n. 177, 201, 210, 225. H. Rebdorf ap. Freher-Struve 1.637 meldet bei derselben Gelegenheit: *Ludwicus . . . duos pueros suscepit ex ipsa.* Ob damals schon die meisten oder alle bis auf Meinhard verstorben waren, wissen wir nicht; in einer Rechnung von den Salinen in Hall von 1347 März 7 bis 1348 Okt. 4 kommen noch Ausgaben vor *ad expensas domine marchionisse et regis de Tonnemarckt pluribus vicibus in Hall et in Inspruka pro vestibus emptis domine et sorori sue et pueris suis,* k. k. g. A. Diplomatar 1014 fol. 42ᵇ. Dagegen ist die *filia domini marchionis* die sich 1345 in Brandenburg befindet, wie schon Kläden (Waldemar 3,54 f.) bemerkt hat, sicher aus Ludwigs erster Ehe gewesen, da sich unter dem von ihr Verzehrten auch Bier befindet (Freyberg, Ludwig d. Brand. S. 213 n. 55, 56).

[2] Das Geburtsjahr Meinhards lässt sich nicht genau bestimmen. Die allgemeine Annahme späterer Schriftsteller, dass Meinhard beim Tode seines Vaters noch ein Kind oder wenigstens noch minderjährig war, hat Westenrieder, Berichtigungen der Regierungsgesch. des H. Mainhard S. 5 ff. vollständig widerlegt. Da nun für seine Volljährigkeit wahrscheinlich ein Alter von fünfzehn Jahren festgesetzt war (Reg. n. 231, 232, wo die bezügliche Bestimmung wohl nicht von der Ausfertigung dieser Urkunde abhängig war), so musste er spätestens im Herbst 1346 geboren sein. Allein schon seit 1359 Juni 18 erscheint Meinhard als Zeuge in Urkunden (Hueber, Austria p. 83), und da er, um als Zeuge auftreten zu können, doch wohl wenigstens vierzehn Jahre alt sein musste, so würden wir spätestens auf Sommer 1345 geführt, was indess weniger sicher ist, da das Jahr für die Zeugenfähigkeit in Urkunden schwankt. Westenrieder S. 12 hält als Jahr seiner Geburt 1342—1343 für feststehend, weil Margaretha Maultasch in einer Urkunde von 1363 Febr. 7 (Steyerer p. 586, Brandis S. 100) Meinhard *primogenitus noster* nennt.

haben, [1]) so dass die Befürchtung nicht ungegründet war, der in Tirol
regierende Zweig der Wittelsbacher könnte einem frühen Absterben
entgegenwelken.

In diesem Falle musste die tirolische Erbfolgefrage neuerdings,
wie in den letzten Zeiten König Heinrichs, in den Vordergrund treten,
nur war diesmal die Lösung um so schwieriger, als die Rechtsfrage
verwickelter war.

Am tirolischen Hofe verhehlte man sich keineswegs die Möglichkeit, dass nicht bloss Ludwig, sondern auch Meinhard vor Margaretha
sterben würde. Man scheint für den Fall, dass ein solches Unglück
eintrete, ernstlich die Vereinigung Tirols mit Baiern, die Uebertragung
auch jenes Landes an Ludwigs Brüder beabsichtigt zu haben, [2]) ein
Gedanke, der um so näher lag, weil Ludwig auch die Regierung Tirols
fast durchaus in eigenem Namen, unabhängig von seiner Gemahlin
führte, obwohl diese die Erbin und eigentliche Herrin des Landes war.
Allein einen genügenden rechtlichen Ausdruck hat diese Absicht nie
gefunden, namentlich hat Margaretha nie förmlich zu Gunsten der
Verwandten ihres Gemahls auf Tirol verzichtet. [3]) Ihre Rechte auf

---

Wäre aber auch diese Angabe richtig, was der so bestimmt ausgesprochenen
entgegengesetzten Behauptung des Joh. Victor. ap. Böhmer 1,442 (*Que [Mar-
garetha] concepit: sed prevaricatio in primogenito est multata, quia
natus celeriter est sublatus*) gegenüber immerhin zweifelhaft ist, so
wäre Westenrieders Annahme noch immer sehr unsicher, da das *primogenitus*
ausschliesslich in Beziehung auf die Söhne gesagt sein dürfte, so dass dieser
Ausdruck die Geburt mehrerer Töchter vor Meinhard nicht ausschliessen würde.
Für ungefähr 1348 spricht indessen doch der, freilich in den Zahlen nicht selten
ungenaue, Goswin von Marienberg ap. Eichhorn p. 125, der Meinhard beim Tode
seines Vaters (1363!?) *adolescens circiter XVIII. annorum* nennt.

1) Wir können das wohl aus dem Tode aller seiner Geschwister in frühen
Jahren und aus seinem eigenen vorzeitigen Hinscheiden schliessen.

2) Mit Bestimmtheit folgt diese Absicht aus der Urk. Ludwigs 1353 Dec. 19
(Reg. n. 158), wornach die der Margaretha Maultasch als Wittbum verschriebenen Städte und Burgen in Tirol auch für den Fall, dass Ludwig bei ihrem
Tode ohne leibliche Erben wäre, nicht an ihre, sondern an seine Erben fallen
sollten, die natürlich nur die Herzoge von Baiern waren. Dagegen ist in den
spätern Vergabungsurkunden Ludwigs für seine Gemahlin, welche tirolische
Güter betreffen (Reg. n. 202, 235), obiger Fall gar nie mehr ins Auge gefasst.

3) Es ist zwar von Fesamaier, Stephan d. ä. S. 26 ff. und in neuester
Zeit von Berchtold, Landeshoheit Oesterreichs S. 111 behauptet worden,
Margaretha habe schon bei ihrer Vermählung mit Ludwig dem Brandenburger
durch einen förmlichen Vertrag für den Fall, dass sie von ihm keine Kinder
erhielte, die Vereinigung Tirols mit Baiern, den Anfall des Landes an Ludwigs

diese Grafschaft lebten von selbst wieder auf, wenn ihr Gatte wie ihre Kinder alle vor ihr aus dem Leben schieden.

Es entstand also die weitere Frage, wer für diesen Fall als Erbe Margarethas anzusehen wäre.

Auf die Eigengüter derselben hatten natürlich ihre nächsten Verwandten vor allem Anspruch. Ihre nächsten Verwandten aber waren unbestreitbar die Herzoge von Oesterreich, da Albrechts II. Mutter Elisabeth und Margarethas Vater, König Heinrich, Geschwister waren. Allein dem Erbrechte der Habsburger gegenüber standen die vertragsmässig anerkannten Ansprüche der Grafen von Görz, indem im Jahre 1271, als Meinhard II. und sein Bruder Albrecht die görzisch-tirolischen Besitzungen theilten, ausdrücklich bestimmt worden war, es sollten, wenn der eine von ihnen ohne Erben stürbe, alle seine Güter an den andern oder die Erben desselben fallen. [1]

Standen sich so schon drei Prätendenten, die Wittelsbacher, die Habsburger und die Görzer, mit ihren Erbansprüchen gegenüber, so

---

Agnaten zugesichert. Allein diese Annahme stützt sich bloss auf eine Behauptung Aettenkhofers (kurzgefasste Geschichte von Baiern S. 44), die um so mehr als blosse Vermuthung bezeichnet werden muss, als er sonst immer auf eine bestimmte Urkunde sich beruft, gerade hier aber dieses unterlässt. Bis als eine solche Urkunde aufgefunden wird (und eine solche befindet sich im bairischen Reichs-, Staats- oder im Hausarchiv nicht!), wird man obige Behauptung als ungegründet bezeichnen müssen. Was Fessmaier sonst dafür anführt, beweist abgesehen von der in der vorhergehenden Anm. gewürdigten Urk. v. 1353 Dec. 19 nur, dass die Regierung Tirols nach Ludwigs Tode nicht wieder an Margaretha, sondern an ihre Kinder fallen sollte. Dass übrigens alle Urkunden über Regierungshandlungen in Tirol von Ludwig allein ausgestellt worden seien, wie Fessmaier S. 28 behauptet, ist irrig. Nicht selten erscheint in (ungedruckten) Urkunden Margaretha als Mitausstellerin (z. B. auch Reg. n. 194), oder sie bestätigt auch wohl Ludwigs Lehenbriefe u. dgl. Gegen eine 1342 geschehene Abtretung Tirols an die Wittelsbacher spricht auch der Theilbrief von 1351 (Quellen 6,416), nach welchem für den Fall, dass Ludwig der Brandenburger ohne Erben stürbe, zwar Oberbaiern an seine Brüder fallen sollte, aber von Tirol nicht die Rede ist.

1) *Item ipsi domini comites inter se concorditer statuerunt quod si alter eorum, quod absit, decesserit sine herede, ad alium ipsorum, qui superstes fuerit, vel eius heredes, bona defuncti universa, feuda seu allodia, non obstante divisione predicta libere devolvantur ac integraliter revertantur.* Sammler 4,39—50 (49), Hormayr, Beiträge 2,236. Das galt wahrscheinlich doch nicht für die erste Generation allein, sondern für den Fall des Absterbens einer Linie überhaupt, was offenbar auch die Meinung König Heinrichs gewesen war (Reg. n. 40).

wurde eine Entscheidung dadurch noch schwieriger, dass Tirol grösstentheils nicht Alod des regierenden Hauses war, sondern meist aus Lehen bestand, welche nach Margarethas Tode an ihre Herrn, den Kaiser und die Bischöfe zurückfielen, wenn diese nicht etwa die Ansprüche der Görzer anerkennen wollten, welche auf den Bestimmungen des Theilungsvertrages von 1271 beruhten. Allein um die Sache noch verwickelter zu machen, waren jetzt die eigentlichen Rechtsverhältnisse theilweise vergessen, man wusste nicht mehr, was Alod, was Kirchen- und was Reichslehen sei, ja seit einiger Zeit war sogar die ungegründete Anschauung zu allgemeiner Anerkennung gelangt, dass Tirol als Ganzes Lehen des Reiches sei. [1]

Bei solcher Unklarheit der Rechtsfrage, bei den sich kreuzenden Ansprüchen dreier Häuser liess sich eine Lösung auf gütlichem Wege kaum erwarten. Es musste wesentlich darauf ankommen, wer schliesslich am raschesten und kräftigsten seine Ansprüche zur Geltung zu bringen im Stande war. Das war aber voraussichtlich derjenige, welcher mit dem regierenden Hause und mit den wichtigsten Lehensherren die engsten Beziehungen unterhielt, um im entscheidenden Augenblicke von ihnen, wenn nicht gefördert, doch nicht gehemmt zu werden, welcher es dahin brachte, im Lande selbst festen Fuss zu fassen und die Interessen möglichst vieler an sich zu ketten, welcher es verstand, die

---

1) Während noch 1305 in richtiger Erkenntniss des wahren Verhältnisses Albrecht I. die Herzoge von Kärnthen bloss mit den Zöllen am Lueg, an der Thöll und zu Bozen belehnt hatte (Hormayr, Beiträge 2,381. Sammler 4,61), ja selbst 1330 Ludwig der Baier bloss allgemein von Reichslehen in Tirol spricht (Reg. n. 25), wird 1335 auf einmal die „Grafschaft zu Tirol", ja sogar die Vogtei über die Bisthümer als Reichslehen angesehen (Reg. n. 42, 44, 45), ohne Zweifel aus dem Grunde, weil man sonst kein Recht oder besser keinen Vorwand gehabt hätte, die Hände auch gegen Tirol auszustrecken. Fortan findet sich diese Vorstellung fast ausnahmslos in allen Lehenbriefen, 1339 (Reg. n. 63), 1350 (Reg. n. 141); vgl. Urk. v. 1349 Febr. 10, wo Karl IV. den Markgrafen Wilhelm von Jülich mit dem ersten heimfallenden Fürstenthum oder Lande zu belehnen verspricht, Oesterreich, Staier, Kärnthen, Baiern, Meissen, Brandenburg, Sachsen und Tirol ausgenommen, (Lacomblet, UB. zur Gesch. des Niederrheins 3,378) und Urk. v. 1360 Reg. n. 233. (Wohl absichtlich, um Kärnthen nicht ausdrücklich erwähnen zu müssen, allgemein gehalten ist der Lehenbrief von 1342 Reg. n. 87.) Erst 1364 wusste Rudolf IV. von Oesterreich die Ansicht, dass bloss Einzelnes in Tirol vom Reiche zu Lehen gebe, wieder zur Geltung zu bringen (Reg. n. 400), weil er die Vereinigung Tirols mit Oesterreich nicht von der Zustimmung des Kaisers abhängig machen wollte.

übrigen Nebenbuhler selbst von sich abhängig zu machen und ein kräftiges Auftreten derselben zu erschweren.

Der einzige, welcher diese Lage mit voller Klarheit überschaute, war Herzog Albrecht von Oesterreich. Schon früh legte er mit meisterhafter Umsicht nach allen Seiten die Netze aus, welche Tirol mit tausend Fäden an Oesterreich knüpften und endlich die Erwerbung dieses Landes ermöglichten. Nicht zwar, dass Albrecht von vorne herein eine Erwerbung Tirols schon in nächster Zeit ins Auge fasste; eine so baldige Erledigung liess sich ja durchaus nicht mit Bestimmtheit voraussehen. Allein das eben ist das Zeichen des echten Staatsmannes, dass er nicht bloss die nächsten Jahre, sondern die ferne Zukunft ins Auge fasst und auch dort den Samen auszustreuen nicht unterlässt, wo er selbst die reife Frucht nicht mehr erleben wird. So hat auch Albrecht wenigstens gesucht, die engsten Beziehungen zu Tirol, seinem Herrscherhause und seinen Bewohnern herbeizuführen, sich einen massgebenden Einfluss auf alle Kreise und alle Verhältnisse zu sichern, möglichst viele Interessen an die Oesterreichs zu knüpfen, so dass im entscheidenden Augenblicke die Habsburger bei ihren Bestrebungen einen fast ganz geebneten Boden fanden. Mit Recht hat man daher in neuerer Zeit darauf hingewiesen, dass das Gelingen der habsburgischen Pläne nicht Folge der augenblicklichen Laune eines unbeständigen, wankelmüthigen Weibes, sondern das nothwendige Produkt der einsichtigen, mit seltener Klugheit und Folgerichtigkeit durchgeführten Politik des Herzogs Albrecht und seines ebenbürtigen Sohnes Rudolf gewesen ist. [1]

Vor allem suchte Herzog Albrecht freundschaftliche Verbindungen mit Ludwig dem Brandenburger herbeizuführen.

Es hätte zwar nicht an Anlässen zu Reibungen zwischen beiden Fürsten gefehlt. Ludwig hatte noch immer seinen Ansprüchen auf Kärnthen nicht entsagt, führte noch immer von diesem Herzogthume den Titel und versäumte keine Gelegenheit, wo er diese Ansprüche zur Anerkennung bringen konnte. [2] Da er aber doch jeden Schritt,

---

[1] In der scharfsinnigen Blosslegung dieser früher nie beachteten Fäden liegt ein Hauptverdienst Fickers. (Wie Tirol an Oesterreich gekommen.)

[2] Dahin gehört, wenn Ludwig der Brandenburger 1347 als Herzog von Kärnthen den Auffensteinern ihre väterlichen Lehen ertheilt (Reg. n. 107), oder wenn er von Karl IV. bei allen Verträgen die Verzichtleistung auf Kärnthen und die Belehnung mit diesem Herzogthume verlangt (Reg. n. 133, 141, 163).

welcher die Habsburger wirklich im Besitze von Kärnthen hätte bedrohen können, vermied, so war Albrecht klug genug, nicht leerer Ansprüche wegen seine wirklichen Interessen zu gefährden, die ihm sonst
in jeder Beziehung ein engeres Anschliessen an den Markgrafen wünschenswerth machten.

Neben den drei Herzogthümern Oesterreich, Steier und Kärnthen,
dem eigentlichen Schwerpunkte der österreichischen Macht, besassen
nämlich die Habsburger noch ausgedehnte Gebiete in den Vorlanden,
in Schwaben und der Schweiz, in denen ihre Herrschaft durch den von
den Waldstätten aus sich verbreitenden Geist der Unabhängigkeit
immer mehr bedroht wurde. Eine ungehinderte und schnelle Verbindung der Herzogthümer mit den Vorlanden war zu ihrer Behauptung
durchaus nothwendig, allein sie war nur möglich durch Tirol oder Baiern.
Gerade Ludwig der Brandenburger war es aber, welcher bei den verschiedenen Ländertheilungen mit seinen Brüdern endlich 1351 gegen
Verzichtleistung auf die Mark Brandenburg zu Tirol Oberbaiern allein
bekommen hatte. [1]

War Albrecht von Oesterreich schon durch die Lage seiner Län-
dergruppen, deren Verbindung vom guten Willen Ludwigs abhängig
war, genöthigt, jede Feindseligkeit gegen diesen zu vermeiden, so
scheint dieses rein politische Interesse bald einer wirklichen Freundschaft Platz gemacht zu haben. Es ist dies um so begreiflicher, da
die persönlichen Eigenschaften beider Fürsten Ruhe, Leidenschafts-
losigkeit und Mässigung, gepaart mit seltener Einsicht und richtiger
Beurtheilung aller Verhältnisse auf Seite Albrechts, Tapferkeit, Ritter-
lichkeit und eine freilich nicht selten leidenschaftlich aufbrausende Of-
fenheit auf Seite Ludwigs, durchaus geeignet waren, gegenseitige Achtung hervorzurufen.

So sehen wir denn das Verhältniss zwischen beiden Fürsten immer

---

[1] Der erste Theilbrief v. 1349, durch welchen die wittelsbachischen Besitzungen in zwei Gruppen getheilt wurden — Oberbaiern mit Tirol und Brandenburg für Ludwig den Brandenburger, Ludwig den Römer und Otto, Niederbaiern mit Holland, Seeland, Friesland und Hennegau für Stephan, Wilhelm
und Albrecht — ist am besten gedruckt in den Quellen zur bairischen Gesch.
6,407. 1351 Dec. 24 überliess dann Ludwig der Brandenburger die Mark
Brandenburg seinen beiden Brüdern allein, wogegen sie auf Oberbaiern verzichteten. Quellen 6,418.

vertrauter und enger werden, ohne dass es bis zu ihrem Lebensende irgendwie getrübt worden wäre.

Wie Albrecht Ludwigs Vater trotz aller Bannflüche des Pabstes bis auf den letzten Augenblick seines Lebens als Kaiser anerkannt und seinem Gegner erst nach dessen Tode gehuldigt hatte, so verweigerte er Karl IV. auch nach dieser Huldigung jede Hilfe gegen die Wittelsbacher und strebte stets aufrichtig eine Versöhnung an, bis endlich im Jahre 1354 die letzten streitigen Punkte ausgeglichen waren.

Als andererseits Oesterreich mit den Zürichern und den übrigen Eidgenossen in einen Krieg verwickelt wurde, zog im Sommer 1352 auch der Markgraf seinem Freunde, dem Herzog Albrecht, zu Hilfe und vermittelte einen Frieden zwischen ihm und den Eidgenossen.

Dieser gemeinsame Feldzug führte auch eine noch engere, persönliche Verbindung zwischen beiden Fürsten und ihren Familien herbei. Zu Baden in Aargau verlobten sie Ludwigs einzigen Sohn Meinhard mit einer Tochter Herzog Albrechts; der Markgraf versprach zugleich seine Ansprüche auf Kärnthen die nächsten zehn Jahre ruhen zu lassen, wogegen Albrecht die Beilegung seiner noch nie beendigten Streitigkeiten mit den Grafen von Görz übernahm. [1])

Auch im Jahre 1354, als der Krieg mit Zürich neuerdings ausbrach, zog Ludwig der Brandenburger persönlich mit seiner Hilfsschaar in das Feld, [2]) während später, in den ersten Tagen des Decembers, Herzog Albrecht ihm einen Besuch in Innsbruck abstattete. Auch dies gab Gelegenheit, die Bande, welche sie beide verknüpfte, noch enger zu ziehen. Die beiden Fürsten erneuerten ihr früheres Bündniss und die Verlobung ihrer Kinder und schon jetzt wurde der junge Meinhard dem Herzoge Albrecht übergeben, um am Hofe seiner künftigen Gemahlin ritterliche Zucht und Lebensweise zu lernen. [3])

---

1) Reg. n. 150, 151.

2) Dass unter den Fürsten, die mit ir selbs lib vor Zürich gelegen sind, auch Markgraf Ludwig war, sagt der sehr zuverlässige Zürcher Ritter Eberhard Müller bei Henne, Klingenberger Chronik S. 94; doch ist er wahrscheinlich nur in der letzten Periode der Belagerung der Stadt, die von Mitte August bis 14. Sept. dauerte (ibid. S. 93. 95). persönlich anwesend gewesen, da er von Aug. 14 bis Sept. 6 fast täglich in München urkundet (tom. privil. 23 fol. 289 ff. in bair. R. A.) und erst von da bis Sept. 20 in seinem Itinerar eine grössere Lücke ist.

3) Reg n. 164—166. Der Markgraf war übrigens am 17. Oktober, von welchem Tage seine Urkunde datirt ist, nicht mehr am Ausstellungsorte, Bruck

Gleichzeitig that Ludwig einen weitern Schritt, der ihn für längere Zeit ganz in Abhängigkeit vom Herzoge von Oesterreich bringen musste und der fast nur in grosser finanzieller Bedrängniss des Markgrafen seine Erklärung findet.

Die Geldverhältnisse der Herzoge von Baiern waren überhaupt nichts weniger als glänzend. Ihr Vater, der Kaiser, hatte, um die Habsucht der Kurfürsten zu befriedigen und den langen und harten Kampf mit seinen Gegnern bestehen zu können, die Kräfte seines Landes erschöpft und einen bedeutenden Theil seiner Güter und Einkünfte verpfändet. Dieser Verschuldung konnte um so weniger auf einmal abgeholfen werden, als nach dem Tode des Kaisers die Kämpfe mit den Luxemburgern neue bedeutende Auslagen nothwendig machten und dann noch die Länder unter die zahlreichen Söhne vertheilt wurden, was jedem einzelnen Landestheile die Kosten einer eigenen Hofhaltung aufbürdete.

Nicht viel besser sah es in Tirol aus, wo die Landesherren noch lange an den Folgen der elenden Wirthschaft König Heinrichs zu tragen hatten. So ist es begreiflich, dass Ludwig der Brandenburger sich nicht selten in der grössten Geldverlegenheit befand, aus der ihn nur neue Anleihen und neue Schuldverschreibungen retten konnten.[1]

Es lag nahe, sich an seinen Freund Herzog Albrecht von Oesterreich zu wenden, der in ganz andern finanziellen Verhältnissen war.

---

im Aargau, sondern schon in Tirol. Er urkundet am 2. u. 3. Okt. noch in München (Registratur Ludwigs im k. k. g. A. Diplomatar Nr. 968 n. 191, 203, 216); am 7. Okt. ist er in Mittewald, eben auf der Reise nach Tirol begriffen und stellt hier dem Johann Ligsalz, Bürger in München, einen Schuldbrief für mehrere Summen Geldes aus, darunter auch 31 Mark, 2 Pfund Berner und 9 Zwanziger *darumb er uns und unsrer lieben gemaheln und unsern sun herzogen Maynhard durch unsrer vleizzig bet kost ze Mittenwald an der invart in das gepirg ausgewunnen hat* (a. a. O. n. 182); am 13. Okt. urkundet er in Innsbruck (Orig. im Statth.-Archiv), von wo er gleich nach Trient abreist (Reg. n. 167. Sinnacher 5.347). — Dieselbe Eigenthümlichkeit zeigen die vom Herzoge Albrecht am 25. und 26. Nov. mit Datum Innsbruck ausgestellten Urkunden (Reg. n. 168, 171), da auch er Nov. 21 in Diessenhofen, Nov. 24 in Walsee, Nov. 25 in Lentkirch, Nov. 27 in Kempten und Nesselwang urkundet (Lichnowsky, Reg. n. 1741—1749), also vor Nov. 29 nicht in Innsbruck gewesen sein kann.

1) Belege für Ludwigs gedrückte finanzielle Lage um diese Zeit liefern Reg. n. 154, 155, 159, 160, 162, 167, Freyberg, Ludwig d. Brand. S. 202 bis 206, 226.

Durch seine kluge Friedenspolitik, eine umsichtige Verwaltung und weise Sparsamkeit war es ihm gelungen, die Wunden, welche namentlich die Thronkämpfe mit Ludwig dem Baiern den österreichischen Finanzen geschlagen hatten, zu heilen und seine Geldkräfte in so guten Stand zu setzen, dass er dem Kaiser, welcher ihm rieth, auf einige von den Eidgenossen ihm entrissene Ortschaften gegen eine Summe Geldes zu verzichten, mit Entrüstung entgegnen konnte, er habe Geld genug, alle Besitzungen des Kaisers zu kaufen. 1) Von Knauserei war Albrecht freilich trotz seiner Sparsamkeit weit entfernt; im Gegentheile war er die grössten Summen aufzuwenden bereit, wenn es galt, einen bedeutenden Zweck zu erreichen. Gerade dadurch hat Oesterreich den Wittelsbachern gegenüber oft grosse Erfolge erzielt.

Es ist immerhin am wahrscheinlichsten, dass drückende Schulden der Grund waren, dass Ludwig jetzt dem Herzoge Albrecht zugleich mit der Erziehung seines Sohnes Meinhard auch die Verwaltung von Oberbaiern auf drei Jahre übertrug. Das ganze Land mit allen Beamten musste dem Herzoge Albrecht huldigen, der Landeshauptmann und die übrigen Beamten wurden von ihm oder wenigstens nur mit seiner Zustimmung eingesetzt, auf die Ernennung des Rathes übte er einen massgebenden Einfluss; dem Markgrafen sollte nur jährlich eine den Erträgnissen entsprechende Summe in Uebereinstimmung mit den Ständen angewiesen werden. 2)

War Albrecht auf diese Weise Gelegenheit geboten, seinen Ein-

---

1) Alb. Argent. ap. Urstis. 2,162.
2) Aufschluss über diese Verhältnisse und die Rechte Albrechts des Lahmen geben Reg. n. 166, 168—173, 185, 186, 214. Dagegen ist die Ursache dieses auffallenden Schrittes vollständig zweifelhaft, da es an jeder verlässlichen Angabe hierüber mangelt. Dass nicht blosse Freundschaft der Grund hievon sein kann, wie es wohl in den hierüber gewechselten Urkunden heisst, ist klar, da, wie Ficker treffend bemerkt, „aus blosser Freundschaft nicht leicht ein Fürst einem andern die Regierung seines Landes zu übergeben pflegt." Am wahrscheinlichsten dürfte immerhin die finanzielle Lage Ludwigs die Veranlassung gewesen sein. Ob freilich, wie Ficker vermuthet, Ludwig dem Herzoge grössere Geldsummen schuldete, zu deren Tilgung ihm die Einkünfte Oberbaierns überwiesen wurden, dürfte zu bezweifeln sein, da sich hievon doch nicht die geringste Spur zeigt; aber Schulden an seine Beamten, z. B. den Hauptmann Hilpold vom Stein, könnten Ludwig bewogen haben, die Verwaltung Baierns in erprobte Hände zu übergeben, welche vielleicht besser als er zu wirthschaften verstanden. Eine genauere Erforschung dieser Verhältnisse wäre Aufgabe eines bairischen Historikers.

fluss in Baiern in ausgedehntem Masse zu begründen, so gelang es ihm gleichzeitig in Tirol förmlich festen Fuss zu fassen. Ludwig der Brandenburger und Margaretha verpfändeten ihm nämlich für 28000 Goldgulden die Burgen Ehrenberg, Rodeneck und Stein auf dem Ritten, so dass die wichtigsten Punkte im Norden, Osten und in der Mitte des Landes in Oesterreichs Hände kamen; nur die einzige Bedingung war hinzugefügt, dass die Commandanten aus den Räthen des Markgrafen genommen werden sollten. [1]

Wie Ludwig der Brandenburger, so kam auch dessen Bruder Albrecht, welcher bei der Theilung mit seinen Brüdern gemeinsam mit Wilhelm (der aber bald wahnsinnig wurde) das nordöstliche Niederbaiern (Straubing) und die niederländischen Provinzen erhalten hatte, in finanzielle Abhängigkeit von Oesterreich; 1356 verpfändete er dem Herzoge Albrecht von Oesterreich um 66000 Goldgulden Schärding am untern Inn. [2] Den Herzogen von Baiern war dadurch bei einem etwaigen Streite um die Nachfolge in Tirol ein kräftiges Auftreten gegen Oesterreich sehr erschwert und sie waren dadurch von vorneherein bedeutend im Nachtheil.

Ob Herzog Albrecht auch schon Schritte gethan habe, die übrigen Prätendenten, die Grafen von Görz, zu gewinnen und sich derselben so weit zu versichern, dass sie seinen Plänen bezüglich Tirols nicht feindlich entgegenträten, ist zweifelhaft; sicher ist, dass die Grafen mit Oesterreich, dem sie lange verbündet gewesen, in freundschaftlichen Beziehungen standen. [3]

Als seine Hauptaufgabe musste es aber Albrecht ansehen, die einflussreichsten Männer des Landes selbst in sein Interesse zu ziehen, da die Ereignisse der letzten Jahrzehnte hinreichend bewiesen hatten, dass bei einer Entscheidung der Frage, wer Herr von Tirol sein sollte, das gewichtigste Wort das Land selbst zu sprechen hatte. Wir finden denn auch, dass bereits 1356 Herzog Albrecht mit einem der mächtigsten Tiroler Landherrn, dem Vogte Ulrich dem jüngern von Matsch, Verbindungen angeknüpft und dieser gegen einen Sold von 500 Du-

---

1) Reg. n. 174—176; vgl. 159, 178, 180, 206, 220. Andere Verpfändungen n. 183, 184.

2) Reg. n. 187, 188, 191, 195—198; jedoch muss der ersten Urk. wenigstens eine bisher nicht bekannt gewordene vorausgehen.

3) Reg. n. 95, 150, 151; vgl. Lichnowsky 3, Reg. n. 2096.

katen mit allen Festungen, die ihm und seinem Vater gehörten, dem Herzoge für längere Zeit zu dienen versprochen hatte. [1]

Noch wichtiger vielleicht musste die Stellung werden, welche die Bischöfe von Trient, Brixen und Chur bei einer etwaigen Erledigung Tirols einnahmen. Selbst wenn man den Einfluss, den sie vermöge ihrer kirchlichen Stellung auf die ganze Geistlichkeit des Landes und das gläubige Volk naturgemäss ausüben mussten, ganz ausser Acht lässt, so waren sie die Lehensherrn über den grössten Theil des Landes und von ihnen hieng es ab, wem sie die heimfallenden Lehen wieder verleihen wollten.

Die Besitzungen des Stiftes Trient waren seit dem Jahre 1348 noch immer in den Händen Ludwigs des Brandenburgers, der jedem vom Pabste ernannten Bischofe mit bewaffneter Hand die Besitznahme verwehrte. Obwohl unter solchen Verhältnissen die Stelle eines Bischofs von Trient gerade nichts Verlockendes hatte, so liess sich doch 1357 der Graf Albrecht von Ortenburg in Kärnthen zu den grössten Versprechungen herbei, wenn er durch die Vermittlung des Herzogs Albrecht von Oesterreich vom Pabste zu dieser Würde befördert würde; er gelobte an Eides statt, dafür mit dem Bisthum und allen Festen und Städten desselben dem Herzoge von Oesterreich zu Diensten zu stehen, und damit nur nach des Herzogs Befehl und Willen zu handeln.[2] Albrecht von Ortenburg sah wirklich später seinen Wunsch erfüllt und auf die Unterstützung des Bischofs von Trient, der durch die bestimmtesten Versprechungen gebunden war, konnte Oesterreich mit Sicherheit rechnen.

Aehnliche Verhältnisse traten gegenüber dem Bisthum Chur ein. Das Verfahren des Markgrafen Ludwig gegen den Bischof Ulrich hatte dessen Nachfolger Peter die Nothwendigkeit eines mächtigen Rückhaltes gegen denselben nahe genug gelegt und es war klar, dass für das Bisthum nichts vortheilhafter sein konnte, als ein enger Anschluss an den mit dem Markgrafen innig befreundeten Herzog von Oesterreich. Bischof Peter schloss daher im März 1358 mit dem jungen Herzoge Rudolf, der damals die Verwaltung der Vorlande führte, einen Vertrag, der das intimste Verhältniss mit Oesterreich herbei-

---

1) Reg. n. 189.
2) Reg. n. 200.

führte. Der Herzog nahm den Bischof in seinen Rath auf und versprach das Bisthum und dessen Leute und Güter vor Gewalt und Unrecht zu schützen; dagegen gelobte der Bischof eidlich, so lange er lebe, Oesterreich mit seiner gesammten Macht zu Ross und zu Fuss beistehen und helfen zu wollen.[1] Noch weiter gieng der Bischof im Jahre 1360. Er übertrug auf acht Jahre die ganze Verwaltung seines Stiftes mit allen Festen, Städten und Gerichten, nur die Burg Fürstenberg in Vintschgau, die er sich selbst vorbehielt, ausgenommen, den Herzogen von Oesterreich, welche dafür ihn mit zwölf Pferden an ihrem Hof halten und verköstigen und ihm jährlich 1000 Dukaten oder nach ihrer Gnade auch mehr zahlen sollten.[2] Der Bischof von Chur war damit völlig in Oesterreichs Händen und, wenigstens wenn er eine Erhöhung seines Jahresgehaltes wollte, ganz von der Gnade der Herzoge abhängig.

Von so bestimmten Verpflichtungen ist beim Bischofe Matthäus von Brixen allerdings nichts bekannt. Allein wenigstens ein Mitglied des dortigen Domkapitels, den Probst Johann von Lichtenwerth, wusste später Herzog Rudolf in sein Interesse zu ziehen, indem er ihn zu seinem Hofkaplan ernannte,[3] und der Bischof selbst hat jedenfalls die Vereinigung Tirols mit Oesterreich auf jede Weise unterstützt.

Wie sehr nun aber auch alle diese Beziehungen zu den Wittelsbachern und Görzern wie zu den Bischöfen und Adeligen des Landes im entscheidenden Augenblicke von Bedeutung sein mussten, den eigentlichen Ausschlag hat doch das innige Verhältniss gegeben, in welchem die Herzoge von Oesterreich zu der Markgräfin Margaretha und ihrem Gemahle Ludwig standen.

War schon durch die frühern Dienste, welche beide Theile einander geleistet hatten, ein eigentliches Freundschaftsverhältniss herbeigeführt worden, so wurde das Band, das Ludwig und Margaretha an die Habsburger knüpfte, noch enger gezogen durch die von den Herzogen von Oesterreich bewirkte Aussöhnung derselben mit der Kirche.

---

1) Reg. n. 207, 208.
2) Reg. n. 234.
3) Wann Johann von Lichtenwerth, der 1359 Sept. 22 als Hofkaplan des Markgrafen Ludwig erscheint (Reg. Boica 8,425) von Rudolf zu seinem Hofkaplan ernannt wurde, ist mir unbekannt, er erscheint aber als solcher 1362 Sept. 9 (Reg. n. 243).

Ludwig der Brandenburger und seine Gemahlin lebten noch immer im Kirchenbanne. Schon dass Ludwig seinen Vater, der mit dem Fluche der Kirche belastet und seiner Würde vom Pabste verlustig erklärt worden war, trotzdem als Kaiser anerkannte und unterstützte, hatte auch seine Ausschliessung aus dem kirchlichen Verbande veranlasst. Die skandalöse Heirath Ludwigs mit Margaretha Maultasch, seiner nahen Verwandten und angetrauten Gattin eines andern, hatte neue Bannbullen über sie und das Interdikt über ihre Länder herabgerufen. Dass Ludwig trotz alledem in seinen Gebieten Gottesdienst halten liess und sich auch gegen Chur Uebergriffe erlaubte, waren neue Frevel, die eine Aussöhnung mit der Kirche erschwerten. [1]

Ludwig und Margaretha hatten schon lange die Lossprechung vom Banne und die kirchliche Anerkennung ihrer Ehe, die bisher nur als Concubinat betrachtet werden konnte, sehnlichst gewünscht, und es wurde ihnen die Erreichung dieses Zieles einigermassen dadurch erleichtert, dass Margarethas erster Gemahl Johann, der erzwungenen Ehelosigkeit müde, selbst um die Auflösung seiner Ehe beim Pabste gebeten und sie auch im Juli 1349 erwirkt hatte. [2]

Da bei den engen Beziehungen Karls IV. zum päbstlichen Hofe zu erwarten war, dass dieser am leichtesten die Erfüllung ihrer Wünsche bewirken könnte, so suchten sie zuerst durch seine Vermittlung zum Ziele zu kommen. Schon bei den ersten Friedensverhandlungen im Jahre 1349 musste Karl eidlich versprechen, die Lossprechung Ludwigs und Margarethas und die Anerkennung ihrer Ehe beim Pabste zu erwirken, und diese Bestimmung wurde fast in jeden neuen Vertrag wieder aufgenommen. [3] Allein sei es, dass Karl sich die Sache zu wenig angelegen sein liess, sei es, dass der Pabst wirklich sich unversöhnlich zeigte, Ludwig und seine Gemahlin sahen sich nach sechs Jahren eben so weit von dem ersehnten Ziele entfernt als beim Beginne der Verhandlungen. Da beschloss Ludwig die Sache selbst in die Hände zu nehmen und schickte Gesandte nach Avignon an

---

1) Die angeführten Vergehen finden sich aufgezählt in den auf die Lossprechung bezüglichen Urkunden (Reg. n. 222, 223).

2) Reg. n. 122, 134—137.

3) Im Vertrage v. 1349 Urk. bei Riedel II. 2,253; v. 1350 ibid. 275, 284, 285; v. 1853 ibid. 348.

den Pabst mit der Vollmacht, jede Genugthuung, welche dieser fordern würde, zu gewähren;[1] allein dieser Schritt blieb ebenso erfolglos wie die frühern.

Endlich suchte er die Vermittlung Albrechts von Oesterreich nach. Dieser nahm sich auch der Sache mit um so grösserem Eifer an, als sein eigenes Interesse an die Aussöhnung Ludwigs mit dem Pabste geknüpft war; denn so lange die Ehe desselben mit Margaretha Maultasch von der Kirche nicht anerkannt war, also deren Sohn Meinhard als Bastard galt, konnte auch die Ehe zwischen diesem und Albrechts Tochter nicht leicht vollzogen werden.

Gegen Ende des Jahres 1357 begaben sich der Bischof Paul von Gurk und Graf Friedrich von Cilly mit Vollmachten beider Fürsten versehen an den päbstlichen Hof nach Avignon.[2] Diesmal waren die Gesandten glücklicher. Pabst Innocenz VI. ertheilte dem Erzbischofe von Salzburg, dem Bischofe von Gurk und dem Abte von St. Lambrecht Vollmacht, den Markgrafen Ludwig und seine Gemahlin, wenn sie alle ihnen auferlegten Bedingungen erfüllen wollten und der Herzog von Oesterreich sich dafür verbürgen würde, wieder in den Schooss der Kirche aufzunehmen, sie wegen naher Verwandtschaft zu dispensiren, ihre Ehe kirchlich einzusegnen, ihre Kinder zu legitimiren, endlich auch für die Ehe Meinhards mit Albrechts von Oesterreich Tochter, die im dritten Grade verwandt waren, Dispens zu ertheilen.[3]

So erlebte Herzog Albrecht noch die Freude, im Juni 1358 in Passau die Vermählung seiner Tochter Margaretha mit dem jungen Meinhard feiern zu können und dadurch ein neues Band um beide Häuser zu schlingen,[4] welches den Verlust der drei tirolischen

---

1) Reg. n. 177.
2) Reg. n. 201, 203.
3) Reg. n. 209—211.
4) Dass die Hochzeit Meinhards und Margarethas schon im Juni 1358 in Passau gefeiert wurde, berichten bestimmt die annal. Matacenses M. G. 11,831: 1358 *reconciliati sunt episcopi et duces Wawarie in Patavia ante diem sancti Viti, ubi convenerunt dux Austrie et marchio celebrantes nuptias cum pueris suis; quibus interfuerunt infiniti domini et populi hastiludentes;* damit stimmen die contin. Zwetl. M. G. 11,687 *(dux Albertus per se Bavariam ascendit filiam suam in ipso itinere de Branburch duci Bavarie volens copulare)* und H. Rebdorf ap. Freher-Struve 1,642 überein. Die Anweisung einer Morgengabe für Margaretha Reg. n. 212. Ich sehe keinen

Schlösser, die nun neben anderen zu Margarethas Mitgift bestimmt wurden, [1] vielleicht mehr als aufwog.

Der Abschluss dieser ganzen Angelegenheit wurde einigermassen verzögert durch den Tod des Herzogs Albrecht von Oesterreich am 20. Juli 1358. Allein sein Sohn Rudolf nahm sich nicht weniger eifrig der Sache an und hatte die Freude, innerhalb eines Jahres alles ins Reine gebracht zu sehen. Herzog Rudolf begab sich selbst im August 1359 nach München, um an dem allgemeinen Versöhnungsfeste theilzunehmen.

Hier legte zuerst Markgraf Ludwig vor den päbstlichen Bevollmächtigten, dem unterdessen von Gurk nach Freising übersetzten Bischofe Paul und dem Abte von St. Lambrecht, ein vollständiges Bekenntniss seiner Vergehungen gegen die Kirche ab, gelobte jede Busse, die man ihm auferlegen würde, auf sich zu nehmen und alles zu erfüllen, was seine Gesandten versprochen hatten, der Kirche alles Entrissene zurückzustellen und sie für alle Verluste zu entschädigen, endlich bezüglich der Ehe den Geboten des Pabstes zu gehorchen.

Als dann auch Herzog Rudolf von Oesterreich sich für die Erfüllung aller von Ludwig und Margaretha gemachten Versprechungen verbürgt hatte, nahmen die päbstlichen Bevollmächtigten sie wieder in den Schooss der Kirche auf, dispensirten sie wegen zu naher Verwandtschaft, segneten endlich am 2. September die Ehe, nachdem sie am Tage zuvor dieselbe formell geschieden und den beiden Gatten befohlen hatten, bis anders bestimmt würde, getrennt zu leben, wieder ein und legitimirten die schon gebornen Kinder. Auch das Interdikt wurde jetzt endlich von ihren Ländern genommen. Gleichzeitig wurde auch Dispens für die Ehe Meinhards mit Rudolfs Schwester Margaretha ertheilt. [2]

So war zur frühern Freundschaft bei Ludwig und Margaretha auch noch das Gefühl der Dankbarkeit gegen die Herzoge von Oesterreich gekommen, welche endlich von ihnen und ihren Unterthanen die

---

genügenden Grund, das bloss als feierliche Verlobung zu betrachten und die Heirath in das nächste Jahr zu verlegen, wo die Quellen nichts davon wissen.

1) Reg. n. 220; vgl. n. 175, 176.

2) Alle darauf bezüglichen Urkunden sind verzeichnet Reg. n. 215—217, 221—225, 227; vgl. Rebdorf p. 633; Sinnacher 5,299 ff.; Freyberg, Ludwig d. Brand. S. 134 Anm. 13.

drückende Gewissenslast hinweggewälzt und ihnen die lang ersehnte
Seelenruhe wieder verschafft hatten. Sie unterliessen es nicht, diesem Gefühle den sprechendsten Ausdruck zu geben. Der Markgraf
schloss mit Rudolf ein Bündniss gegen jeden, der einen von ihnen angreifen würde, selbst gegen den Kaiser, mit welchem Herzog Rudolf
damals auf sehr gespanntem Fusse lebte. [1])

Noch weiter gieng Margaretha.

Am nämlichen Tage, an welchem der Akt ihrer Aussöhnung mit
der Kirche zum Abschlusse kam, am 2. September 1359 vermachte
sie für den Fall, dass sie und ihr Gemahl Ludwig der Brandenburger
und ihr Sohn Meinhard ohne Leibeserben abgiengen, das Land Tirol
den Herzogen von Oesterreich als ihren nächsten Verwandten und
Erben. [2]) Dadurch war für die Bestrebungen der Habsburger endlich
eine feste Grundlage gewonnen, es lag eine bindende Erklärung vor,
von welcher Margaretha ohne Verletzung bestimmter Rechte in Zukunft nicht mehr abweichen konnte.

VII.

Herzog Rudolf liess Tirol fortan nie mehr aus den Augen und
suchte seine Stellung nach allen Seiten zu befestigen.

Die beiden einflussreichsten Hofbeamten und Räthe Ludwigs des
Brandenburgers, dessen Hofmeister Konrad von Frauenberg und den
Jägermeister Konrad den Kummersbrucker, der zugleich das Amt
eines Hofmeisters der Margaretha Maultasch bekleidete, suchte er
durch Verleihung einträglicher Stellen in Oesterreich an das habsburgische Interesse zu ketten. [3]) Um seinen Einfluss beim Bischofe
von Brixen zu sichern, ernannte er den dortigen Domprobst, Johann
von Lichtenwerth, zu seinem Hofkaplan. [4])

Namentlich aber suchte er die Grafen von Görz, deren Ansprüche
auf Tirol seinen Plänen im Wege stehen konnten, auf seine Seite zu
ziehen. Vom Stamme der Grafen von Görz lebten damals drei Brü-

---

1) Reg. n. 218, 219.
2) Reg. n. 226. Zur Frage über die Echtheit dieser Vermächtnissurkunde
wie der Urkunde vom 5. Sept. (Reg. n. 228) s. Excurs III.
3) Reg. n. 229, 230.
4) S. o. S. 64 Anm. 3.

der, Albrecht, Meinhard und Heinrich. Schon 1342 hatten dieselben ihre Besitzungen getheilt; Albrecht hatte die görzischen Gebiete in Istrien und der March, Meinhard mit Heinrich die Grafschaft Görz, und was ihr Haus in Friaul, Kärnthen und Pusterthal besass, erhalten. [1]) Diese drei Grafen suchte Rudolf an seinen Hof zu ziehen und dadurch an sich zu ketten, [2]) und da zwei von ihnen kinderlos waren und nur Meinhard Töchter hatte, so gelang es ihm um so leichter, die Grafen für sich zu gewinnen. Er versprach nämlich Meinhards jüngste Tochter Katharina mit seinem Bruder Leopold zu vermählen und gelobte, auch dessen übrige Töchter anständig zu verheirathen und auszusteuern; dagegen vermachte Meinhard am 22. September 1361 für den Fall, dass er ohne Söhne aus dem Leben schiede, alle seine Besitzungen den Herzogen von Oesterreich. [3]) Um so mehr mochte Rudolf hoffen, dass er ihm in der tirolischen Frage nicht hindernd in den Weg treten würde.

Wenige Tage vor dem Abschlusse dieser Verträge, am 17. September 1361, war Markgraf Ludwig der Brandenburger im kräftigsten Mannesalter zu Zorngolting unweit München eines plötzlichen Todes gestorben. [4])

Sein ungefähr achtzehnjähriger Sohn Meinhard folgte ihm in der Regierung von Oberbaiern und Tirol. Jung, schwach, unerfahren und

1) Die vollständige Theilungsurkunde Reg. n. 90: vgl. die darauf bezüglichen Nummern 86, 88, 89, 96.

2) In den Jahren 1359--1362 erscheinen alle drei Grafen sehr oft als Zeugen in Urkunden Rudolfs IV.

3) Die darauf bezüglichen Urkunden verzeichnet, soweit sie bisher bekannt geworden sind, was leider gerade bei einigen der wichtigsten nicht der Fall ist, Lichnowsky, Reg. n. 300—302, 300 b, 301 b, 324 b, 326; vgl. Coronini, tentamen p. 386 f.; Kurz, Rudolf IV. S. 147 ff. Als jüngste Tochter wird Katharina bezeichnet Reg. n. 428.

4) Die Angaben über den Todestag Ludwigs sind etwas abweichend; den Tag des h. Lambert (Sept. 17) geben Goswin v. Marienberg ap. Eichhorn p. 125 und ein Nekrolog in Graz ap. Steyerer p. 652; dagegen gibt den 18. Sept. das Nekrologium des Klosters Seligenthal, wo Ludwig begraben wurde, ap. Steyerer p. 651 (Steyerer glaubt beide Angaben dadurch in Uebereinstimmung bringen zu können, dass er annimmt, Ludwig sei in der Nacht vom 17. auf den 18. gestorben cf. p. 192): die contin. Zwetl. M. G. 11,688 gibt *circa festum s. Dyonisii* (Sept. 20, möglicher Weise aber auch Okt. 9, da auch andere Ludwigs Tod fälschlich in den Oktober verlegen); andere Angaben ap. Steyerer 652 f.

den Vergnügungen ergeben, gerieth er ganz in Abhängigheit vom bairischen Adel. Unter dem Scheine, eine Gesellschaft zur regelmässigen Abhaltung von Turnieren und andern geselligen Unterhaltungen gründen zu wollen, vereinigten sich schon am 28. Sept., wenige Tage nachdem Ludwigs Leichnam der Erde übergeben worden war, fünf und fünfzig bairische Adelige, unter denen Ulrich von Abensberg, Ulrich von Laber und Hilpold vom Stein die einflussreichsten waren, mit Meinhard und dem jungen Herzoge Friedrich von Niederbaiern zu einem Bunde, dessen eigentlicher Zweck von Seite der leitenden Personen dahin gieng, den unerfahrenen Meinhard von sich abhängig zu machen und dadurch die ganze Regierung in ihre Hände zu bringen. [1] Es kam so weit, dass sie sich selbst dessen Siegel verschafften. [2]

Indessen waren doch zu viele Interessen dabei gefährdet, als dass ein solches Treiben lange hätte fortdauern können. Gleich am Beginn seiner Regierung gerieth Meinhard mit seiner Mutter wegen des Besitzes von Tirol oder wohl eher wegen der ihr dort vom verstorbenen Markgrafen vermachten Besitzungen in einen ernstlichen Streit, so dass Margaretha Maultasch sich sowohl an die Wittelsbacher als auch an den Kaiser wandte und um ihre Hilfe gegen ihren Sohn nachsuchte. [3]

---

1) Reg. n. 239. Vgl. damit Goswin im Anhang, Andreas Ratisbonensis ed. Freher p. 84 f. und in der deutschen Bearbeitung in Freyberg's Sammlung hist. Schriften u. Urkunden 2,438; erst in zweiter Linie kommen die fast ausschliesslich auf Andr. Ratisb. fussenden bairischen Chronisten des spätern 15. und 16. Jahrhunderts in Betracht, wie Joh. Ebran v. Wildenberg ap. Oefele 1,308; Onsorg ibid. 366; Arenpekh, chron. Bajoar. ap. Pez, thesaurus 3ᶜ, 352; Aventin l. 8. c. 21 u. a., die jedoch schon manche Ausschmückungen und Unrichtigkeiten enthalten und namentlich, wie schon H. Rebdorf ap. Freher-Struve 1,644, theilweise fälschlich glauben, dass es sich um die Vormundschaft über Meinhard gehandelt habe.

2) Ein Missbrauch des Siegels ist vorausgesetzt Reg. n. 246—248.

3) H. Rebdorf ap. Freher-Struve 1,643: *cum quo (Meinhardo) mater sua pro terra Carinthiae et comitatu Tyrolis incepit litigare.* Ebenso Goswin: *pendente quadam lite et controversia inter ipsum dominum Meinhardum et matrem suam Margaretham pro terra Athasi.* Indessen ist doch nicht wahrscheinlich, dass Margaretha die Regierung von Tirol ihrem Sohne streitig machte. was, wenn es wirklich der Fall war, noch mehr die Irrigkeit der Ansicht beweisen würde, dass sie auf Tirol zu Gunsten der Wittelsbacher verzichtet habe. Nach Gemeiner, Regensburg. Chronik fand (etwa in der ersten Hälfte des Jänners 1362) in Regensburg eine Unterredung Margarethas mit dem Herzoge Stephan und dem Pfalzgrafen Ruprecht statt, die gegen Meinhard und seine Landstände, d. h. wohl seine Rathgeber, gerichtet war. Vorher oder nachher kam sie zum Kaiser Schutz suchend nach Nürnberg. S. hierüber den Brief

Vor allem waren die bairischen Städte nicht geneigt, sich von einer eigennützigen Adelscoterie ausbeuten zu lassen, und auch der übrige Theil des Adels war unzufrieden, dass er von jedem Einflusse auf die Regierung ausgeschlossen sein sollte. Endlich wollten auch die übrigen Glieder des Hauses Wittelsbach, der Herzog Stephan von Niederbaiern und dessen Söhne Stephan und Johann und die Pfalzgrafen am Rhein, einen solchen Zustand, der nur mit völliger Verschuldung Meinhards und seines Landes und mit Vergeudung der Domänen enden konnte, nicht länger dulden und traten in Verbindung mit Meinhards Unterthanen.

Am 5. Mai 1362 verbanden sich obige Fürsten mit den oberbairischen Städten und einem Theile des Adels, um Meinhard der Schmach zu entreissen, in welche ihn jene gestürzt hätten, die ihn seinen Landen entfremdet hatten, und dahin zu wirken, dass er seine fürstliche Gewalt besser handhabe; seinen Räthen und Pflegern wurde förmlich der Gehorsam aufgekündet. [1]

Nun fühlten sich die Adeligen, welche Meinhard ganz beherrschten, nicht mehr sicher. Aber eben so wenig dachten sie daran, ihren Einfluss gutwillig aufzugeben und zogen sich mit ihm an die Nordgränze seines Gebietes, an die Donau, und als Herzog Stephan mit einem Heere gegen sie heranrückte, auf die Nordseite dieses Flusses in das Gebiet des Bischofs von Eichstädt zurück. Dieser wollte, wie es heisst, den jungen Meinhard heimlich nach Tirol führen; allein schon in Vohburg wurde er trotz seiner Verkleidung von den Bauern erkannt, am 16. Juni mit dem Bischofe gefangen, nach Ingolstadt geführt und in die Hände des Herzogs Stephan ausgeliefert, der, wohl im Einverständnisse mit den oberbairischen Ständen, ihm München als künftigen Aufenthaltsort anwies und sich einen entscheidenden Einfluss auf dessen Regierung sicherte. [2]

---

des kaiserlichen Kanzlers an den Erzbischof von Magdeburg ap. Dobner. monum. 4.337 (fälschlich zu 1351) und das von Böhmer in Haupt's Zeitschrift 6.28 mitgetheilte Schreiben desselben *de Marchionissa M.* an einen Herzog, dem er meldet, *das Crimholt ze hofe varen welle.*

1) Reg. n. 146—149.

2) Diese Ereignisse sind in ihren Einzelnheiten und ihrer chronologischen Reihenfolge, namentlich aber in ihrem innern Zusammenhange, noch vielfach dunkel, weil die Chronisten, welche hievon Nachricht geben (angeführt S. 70 Anm. 1) theils zu dürftig, theils zu unzuverlässig sind, auch in manchen Punkten sich widersprechen; auch die Urkunden geben nicht genügenden Aufschluss

Da griff noch ein dritter in die bairischen Angelegenheiten ein, Herzog Rudolf von Oesterreich.

Konnte es diesem schon wegen seiner Ansprüche auf Tirol nicht gleichgiltig sein, dass sein Schwager Meinhard ganz in Abhängigkeit von den niederbairischen Herzogen gerieth, indem das auch auf die Nachfolge in Tirol einst von Einfluss sein konnte, so hatte er noch besondere Gründe, den baierischen Verhältnissen nicht länger fern zu bleiben. Rudolf IV., fast immer mit dem Kaiser in gespannten Verhältnissen, hatte sich gegen denselben am 31. December 1361 mit dem Könige Ludwig von Ungarn verbündet, der eine seiner Mutter durch ein unbesonnenes Wort des Kaisers zugefügte schwere Beleidigung nur durch Blut glaubte rächen zu können. Rudolf hatte dieses

---

und bedürfen noch selbst der Erläuterung. Meinhard hielt sich, wie es scheint, den ganzen Jänner in Ingolstadt auf — er urkundet hier Jan. 3 (Mon. B. 10,511), 4 (k. k. g. A. Diplomatar Nr. 971 n. 32), 6 (k. k. g. A. l. c. n. 18), 22 (ibid. n. 43), 23 (M. B. 16,431), 25 (k. k. g. A. l. c. n. 24), 28 (R. B. 9,54) — ebenso März 6—13 (k. k. g. A. l. c. n. 28): nur Febr. 14 urkundet er dazwischen in Landsberg (M. B. 8,74). Am 1. Apr. ist Meinhard in Wien Zeuge Rudolfs IV. F. R. Austr. Diplom. 16,266 (Wenn eine Urk. Meinhards im Diplomatar No. 971 n. 17 Apr. 3 München datirt ist, so kann sie nur in seiner Abwesenheit ausgestellt sein). — Am 5. Mai findet nun der Abschluss des Bündnisses der Wittelsbacher mit den oberbairischen Städten und Adeligen statt zum Zweck der Befreiung Meinhards. Fortan urkundet dieser in Neuburg: Mai 8, 9, 11, 12, 24 (Reg. B. 9, 62, 64) und noch Juni 1 (Reg. n. 250, 251), dann Juni 8 in Ingolstadt (k. k. g. A. Diplom. 971 n. 26). Um diese Zeit mag die in ihren Zwecken ganz unbekannte Belagerung des Schlosses Werth durch die Herzoge Meinhard und Friedrich fallen, zu dessen Entsatz Herzog Stephan mit seinem gleichnamigen Sohne heranzieht (So Andr. Ratisb. und noch Onsorg und Arpekh, während die spätern wie Wildenberg und Aventin und nach ihnen neuere wie Buchner 6,55 Meinhard durch Stephan in Werth eingeschlossen und durch Herzog Friedrich befreit werden lassen). Beide ergreifen die Flucht *usque in Nunberg trans pontem Danubii* (Nunberg, d. h. Neuburg an der Donau und nicht wie die Ausgaben des lateinischen Textes *Nuremberg* lese ich nach der deutschen Bearbeitung des Andr. Ratisb., da wegen des *usque* und des folgenden Beisatzes Nürnberg unmöglich scheint). Sie suchten sich zunächst wohl durch den Fluss zu schützen, jedenfalls sagt niemand, dass sie, wie Buchner a. a. O. angiebt, zum Kaiser wollten, der auch damals nicht in Nürnberg, welches er schon im April verlassen hatte, sondern in Böhmen sich befand und mit Abwehr der in Mähren eingefallenen Ungarn beschäftigt war (Pelzel, Karl IV. 2,715). Auch wohin der Bischof von Eichstädt Meinhard führen wollte, ist ungewiss. Andr. Ratisb. sagt bloss *volens clam praedictum Meinhardum educere — haimlich von dan furn — :* erst Arpekh und nach ihm Wildenberg u. a. geben als Ziel „das Gebirg" an, obwohl der Weg über Vohburg auffallend genug ist. Ueber die Urheber der Gefangennehmung weicht Goswin ab: *tandem illi de Ingelstet ipsum de*

Bündniss zugleich im Namen seines Schwagers Meinhard geschlossen[1]) und diesen brieflich gegen Karl IV. aufzureizen gesucht, indem er ihm vorstellte, wie dieser ihnen beiden zu schaden suche. Dieser Brief war unerwarteter Weise in die Hände des Kaisers gekommen, der ihn der Versammlung der Kurfürsten vorlegte und durch diese Rudolf zur Rechenschaft auffordern liess.[2]) Rudolf konnte die Schuld dieser Indiscretion nur den allmächtigen Ministern Meinhards zuschreiben, gleichgiltig, ob sie oder der ganz von ihnen abhängige Herzog, den Karl IV. auf jede Weise für sich zu gewinnen suchte,[3]) sein vertrauliches Schreiben dem Kaiser überliefert hatten.

Wenn indessen der Sturz der Räthe Meinhards vor allem in Rudolfs Interesse lag, so war dieser, als er Anfangs August nach München kam,[4]) bereits vollzogen. Auch sein weiterer Zweck, die Erneuerung des Bündnisses mit Baiern, wurde vollständig erreicht; in Passau, wo er auf der Reise nach München mit dem Herzoge Stephan von Baiern zusammenkam, schloss er am 31. Juli mit diesem und seinen Söhnen einen Bund, der deutlich genug gegen den Kaiser gerichtet war.[5]) Wenn auch derselbe fast ohne Folgen blieb, da der Krieg mit dem Kaiser ohne eigentlichen Friedensschluss so gut wie aufhörte, so hatte er doch die Folge, dass Rudolf einen Angriff des Kaisers auf seine Länder weniger zu fürchten hatte.

manibus circumducentium eripuerunt et episcopum de Aystein cum pluribus aliis captivaverunt et plures occiderunt. — Als Tag der Gefangennehmung gibt Rebdorf Juni 16, und ich sehe keinen genügenden Grund, seine Angabe zu bezweifeln; jedenfalls kann sie nach den vorausgehenden urkundlichen Daten nicht früher oder gar, wie Buchner 6,56 annimmt, in den Jänner fallen. Vom 6. Juni an fehlen von Meinhard alle urkundlichen Daten bis Juli 15, wo er (und zwar, wenn meine hier ungenaue Notiz mich nicht täuscht, von Ingolstadt aus) an den Dogen von Venedig, Laurenzo Celsi schreibt und Sicherheit für die Kaufleute verspricht (Commemoriali 6, f. 479 k. k. g. A.) und von da an bis Aug. 25, wo er in München urkundet (Westenrieder, Beil. 13); eben daselbst Sept. 4 (Orig. Statth.-A., Parteibriefe).

1) Steyerer p. 333. Lünig, C. G. D. 2,514.

2) S. das Schreiben des Erzbischofs Boemund von Trier an H. Rudolf von Oesterreich v. 1362 März 23 ap. Hontheim, hist. Trevir. dipl. 2.223.

3) Reg. n. 240—242. Die letzte Urkunde konnte übrigens direkt gegen einen bestimmten Fürsten. z. B. gegen Herzog Stephan, Friedrichs Vater. gerichtet sein, wie andererseits Karl IV förmlich sagt, dass er sich Meinhards „nach seines Vaters Tode unterwunden" habe.

4) H. Rudolf urkundet in München Aug. 5 M. B. 35 b, 109.

5) Reg. n. 252, 253.

Herzog Meinhard sass unterdessen in München, wo er abgesehen von den nach seiner Gefangennehmung getroffenen Verabredungen der Natur der Dinge nach in Abhängigkeit von seinem Oheime, dem Herzoge Stephan, gerathen musste. Je mehr er das Drückende seiner Lage fühlen mochte, um so mehr musste die Sehnsucht nach einer freieren und selbständigeren Stellung in ihm lebendig werden. Er richtete nun seine Augen nach dem Lande, wo er von dem Einflusse seiner Vettern am wenigsten abhängig zu sein hoffen durfte, nach Tirol.

Seit dem Antritte seiner Regierung war Meinhard noch nie nach Tirol gekommen.[1]) Die Verwaltung dieses Landes war Anfangs in

---

1) Damit steht freilich in Widerspruch, dass, wie Brandis, Landeshauptleute 83 ff.; Burglehner u a. melden, im Oktober 1361 in Meran ein tirolischer Landtag getagt habe, bei dem auch Meinhard mit seiner Mutter und Gemahlin erschienen sei. Dass von einem regelmässigen Landtag mit Vertretern aller vier Stände in jener Zeit nicht die Rede sein kann, hat schon Kink S. 508 ff. dargethan. Mit Kink eine blosse Adelsversammlung anzunehmen, dazu fehlt jeder Grund, und dass Meinhard in den letzten Monaten des Jahres 1361 bei einer solchen oder überhaupt in Tirol nicht gewesen sein kann, beweist sein Itinerar. Er urkundet

Sept. 29 Wasserburg. Steyerer 654.
Okt. 4 Weilheim. k. k. g, A. Diplomatar No. 971 n. 10.
Okt. 11 Ingolstadt. Westenrieder Beil. 1.
Okt. 12 Ingolstadt. Westenrieder Beil. 2.
Okt. 14 Weilheim. Reg. B. 9.46.
Okt. 16 Mittewald. k. k. g. A. Diplomatar 971 n. 6.
Okt. 17 Mittewald. ibid. n. 7, 11, 15.
Okt. 29 Ingolstadt. ibid. n. 16.
Nov. 8 München. Westenrieder Beil. 3.
Nov. 11 München. Diplomatar 971 n. 19.
Nov. 13 München. Reg. B. 9,47.
Nov. 14 München. Diplomatar 971 n 20.
Nov. 15 München. ibid. n. 22.
Nov. 27 München. Steyerer 655.
Nov. 28 München. Orig. Haller Stadtarchiv.
Dec. 6 Wasserburg. Diplomatar 971 n. 38, 41.
Dec. 10 Wasserburg. ibid. n. 39.
Dec. 22 Wasserburg. ibid. n. 12, 17, 31.

Wenn etwa jemand an eine Reise Meinhards nach Tirol zwischen Okt. 17 und 29 oder Dec. 10—22 denken sollte, so bemerken wir nur, dass es doch geradezu undenkbar ist, dass er in Tirol keine einzige Urkunde ausgestellt, kein Privileg, (beim Antritt seiner Regierung!) bestätigt hätte, ja dass die Tiroler, z. B. die Bürger von Innsbruck und Hall, sich mit der Bitte um Bestätigung ihrer Freiheiten nach Baiern gewendet hätten.

den Händen des Vogtes Ulrich des jüngern von Matsch und zweier Ausländer, des Diepold Häl und des Pfarrers Heinrich von Tirol,[1]) die schon unter Ludwig dem Brandenburger sehr grossen Einfluss ausgeübt hatten, bis Meinhard Anfangs Juni 1362 auf Bitten der Tiroler den Vogt Ulrich zum Landeshauptmann ernannte und ihm den Landeshofmeister Heinrich von Rottenburg an die Seite gab.[2])

Als die Wirren in Baiern immer grösser wurden, zogen auch die Tiroler die Lage des Landes in Berathung und es fand zu diesem Zwecke eine Versammlung in Bozen statt. Es war das erstemal, dass neben dem früher allein in die allgemeinen Verhältnisse des Landes eingreifenden Adel auch die Städte tagten und dadurch als zweiter politisch berechtigter Stand hervortraten, wozu die längere Verbindung mit Baiern, wo die Städte schon längst an den Landtagen theilnahmen, vielleicht am meisten beigetragen haben mag. Das Resultat dieser Zusammenkunft war ein Schreiben, welches an den Landesherrn geschickt und von sieben hervorragenden Mitgliedern des Adels, dem Vogte Ulrich dem ältern von Matsch, dem Hofmeister Heinrich von Rottenburg, Petermann von Schenna, Ekehard von Trostburg, Berchtold von Gufidaun, Ludwig von Reichenstein (Reifenstein?), dem Botsch von Bozen und von den Städten Bozen, Meran, Innsbruck und Hall im Namen der übrigen besiegelt wurde:

„Dem edeln hochgebornen Fürsten, unserm lieben gnädigen Herrn, dem edeln Markgrafen Meinhard zu Brandenburg, Herzog in Baiern und Kärnthen u. s. w. entbieten wir, Eure Dienstleute, Ritter und Knechte, Städte und Märkte und alle Gemeinschaft, reich und arm in dem Gebirg und in Eurer Herrschaft zu Tirol, bei der Etsch und in dem Innthal unsere willigen, unterthänigen Dienste mit Treuen!

„Lieber gnädiger Herr!“ fahren sie in ebenso offener als traulicher Sprache fort, „wir thun Euer Gnaden zu wissen, dass wir zu Bozen bei einander gewesen und übereingekommen sind, Euch zu bitten, dass Ihr zu Euerer wie zu des Landes Ehre und Nutzen hereinkommen möchtet zu uns, weil wir Euch schon lange gern gesehen hätten, wie ganz billig ist; denn Ihr seid ja unser lieber, rechtmässiger Herr. Auch werdet Ihr bei uns besser gerichtet und gewürdiget wer-

---

1) S. Excurs I.
2) Reg. a. 250, 251.

den und unverdorbener bleiben, als draussen in Baiern, wie man uns sagt, geschehen ist, und auch Euer Land und Leut da herinnen werden dann von den Drangsalen, welche draussen sind, frei bleiben. Bei uns hier in dem Gebirge steht durch Gottes Segen alles richtig und freundlich, so gut als es je bei Eures Vaters seligen Zeiten gestanden hat; auch herrscht Friede im Lande und an der Gränze. Gnädiger Herr! wir bitten auf uns zu vertrauen, wir meinen es gut mit Euch. Traut es uns zu, wir opfern Gut und Blut für Euch, vertraut Euch sonst Niemanden." [1)

Diese treuherzigen Worte mussten auf Meinhard einen um so grössern Eindruck machen, als sie nur einen Gedanken anregten, den er selbst oft gehegt haben mochte. Ob er in diesen Ideen auch von seiner Mutter, welche sich damals in München aufhielt, [2]) bestärkt wurde, ist unbekannt, jedenfalls konnte Margaretha auf ihren Sohn und die Regierung seiner Länder leichter Einfluss auszuüben hoffen, wenn er in Tirol war, als wenn er unter Herzog Stephans Obhut in München lebte. Vor allem aber entsprach ein solcher Plan dem Interesse des Herzogs Rudolf von Oesterreich, der seine Absichten auf Tirol ausserordentlich gefährdet sehen musste, wenn Meinhand in dauernde Abhängigkeit von den Herzogen von Niederbaiern gerieth. Ob die Reise, die Rudolf in der zweiten Hälfte des Septembers nach München unternahm, schon durch ähnliche Gedanken Rudolfs veranlasst wurde, ist zweifelhaft; wenigstens in den Vordergrund gestellt wurde ein Vertrag Rudolfs mit Herzog Stephan und seinen Söhnen und den Unterthauen Meinhards, dass dieser, wenn er etwa wieder seinen Landen entführt würde, von ihnen gemeinsam befreit werden sollte. [3]) Allein sicher ist, dass Meinhard nach seiner Flucht gerade in Rudolfs Interesse thätig war.

1) Gemeiner, Regensb. Chron. 2,129 Anm. theilt dieses Schreiben aus einem Copialbuch mit (mit Weglassung des Anfangs und Schlusses in modernisirter Fassung auch Buchner 6,57), für dessen Echtheit, abgesehen davon, dass bei einer blossen Stylübung viel mehr Phrasenwerk vorauszusetzen wäre, der Umstand spricht, dass die Siegler fast ausnahmslos auch sonst im Vordergrunde stehende Landherrn sind.

2) Margaretha Maultasch urkundet in München Aug. 7 (Bibl. Tirol. 614,31) und Sept. 29 (Orig. Statth.-A. Parteibriefe); Okt. 30, also nach Meinhards Flucht, urkundet sie in Kitzbühel. Fessmaier S. 37 n. 67.

3) Reg. n. 256, 257. — Uebrigens ist in diesen ganzen Wirren vieles ausserordentlich unklar und ein vielleicht nie zu lösendes Räthsel. Wie kam

Um die Mitte des folgenden Monats wurde Meinhards Flucht ins Werk gesetzt, ohne dass die niederbairischen Herzoge das Geringste davon geahnt hätten,[1] und am 21. Oktober kam derselbe glücklich auf dem Schlosse Tirol an.[2]

Eine der ersten Handlungen Meinhards war nun, dass er dem Domprobste Johann von Brixen, einem entschiedenen Anhänger Oesterreichs und Hofkaplan des Herzogs Rudolf, sein Siegel übergab,[3] das

Herzog Friedrich dazu, seinem Vater gegenüber eine so selbständige Rolle zu spielen? Liegt der Schlüssel zur Lösung dieser wie der weitern Frage über den Grund seines Zwistes mit seinem Vater in der Urkunde von 1362 Sept 5 (Reg. n. 254)? Wie ist die Urkunde von 1362 Okt. 17 (Reg. n. 259) zu erklären, wornach Herzog Friedrich mit seinem Vater und seinen Brüdern und zugleich mit Meinhard verfeindet ist? Welchen Zweck hatte Meinhards Reise nach Wien zum Herzoge Rudolf im Frühling dieses Jahres (Zeuge Rudolfs in Urk. v. 1362 Apr. 1 F. P. A. Diplom. 16,266)? Wodurch endlich wurde die Gefangensetzung des Konrad Frauenberger und Konrad Kummersbrucker durch Konrad von Freiberg im Namen Meinhards und ihre Auslieferung an H. Rudolf von Oesterreich veranlasst (Reg. n. 260, 309)? Hätten diese auch zu den einflussreichen Günstlingen Meinhards in seiner ersten Regierungszeit gehört, so läge es nahe, an die Auslieferung des von Rudolf an Meinhard gerichteten Schreibens an den Kaiser zu denken, da Rudolf dann einen Grund hatte, ihre Verhaftung zu fordern, und sogar ihre Auslieferung erreicht haben könnte. Allein, obwohl Buchner 6,54 und Kink 514 ohne weiters annehmen, dass diese an der Spitze der Partei sich befanden, welche die bekannte Vereinigung von 1361 Sept. 28 schlossen, so scheint doch gerade das Gegentheil der Fall zu sein. Weder in den Chroniken werden sie erwähnt, noch erscheinen sie unter den fünf und fünfzig Adeligen, welche die erwähnte Verbindung 1361 Sept. 28 schlossen, und das ist um so auffallender, als gerade diese beiden unter Meinhards Vater die einflussreichsten Personen waren; daher wird es wohl erlaubt sein, sie zur Gegenpartei zu rechnen, die nach Meinhards Gefangennehmung mit Unterstützung des Herzogs Stephan ans Ruder kam und bei Meinhard ohne Zweifel wenig beliebt war. Es ist nun sehr möglich, dass obige zwei dieser Stimmung Meinhards vielleicht auf einen speciellen Anlass hin zum Opfer fielen und diese Annahme würde darin eine Stütze finden, dass derjenige, der sie gefangen nahm, Konrad von Freiberg war, von den Fünf und fünfzig einer der hervorragendsten.

1) Dies sagen Herzog Stephan und seine Söhne selbst Reg. n. 258.

2) Meinhard rechnet am 9. Dec. 1362 auf Tirol mit Heinrich von Iseningen (Isny?), Kellner auf Tirol, ab für die Zeit seit dem *Freytag nach sand Gallentag* (Okt. 21), *do wir des reytens von München herein chomen auf Tyrol.* k. k. g. A. Diplomatar No. 971 n. 63. Er kann also nicht viel vor Mitte Oktobers von München abgereist sein, wenn auch die letzten von ihm dort ausgestellten Urkunden von Sept. 29, 30 und Okt. 1 sind (M. B. 35ᵇ, 110. Westenrieder, Beilage 14, 15).

3) Reg. n. 259; gerade vorher hatte Herzog Rudolf dem Brixner Domprobste die Verwaltung von Veldes, das der Brixner Kirche gehörte, verschafft. Reg. n. 255.

heisst die Leitung der Regierung anvertraute, Beweis genug, dass Meinhard mit Rudolf im besten Einverständnisse lebte und dass seine Flucht nach Tirol wenigstens nicht gegen Oesterreichs Interesse unternommen worden war. Neben dem Domprobste waren es jetzt fast ausschliesslich Tiroler, besonders der Landeshauptmann Ulrich von Matsch, der Hofmeister Heinrich von Rottenburg, Petermann von Schenna, Burggraf auf Tirol, Friedrich von Greifenstein und andere, welche als Meinhards Räthe auf die Regierung des Landes Einfluss erhielten. [1]

Indessen erfreute sich Meinhard seiner gesicherten Stellung in Tirols Thälern nicht lange. Schon am 13. Jänner 1363 raffte ihn in einem Alter von kaum zwanzig Jahren in Meran der Tod hinweg. [2] Obwohl er schon in der letzten Zeit vor seinem Tode nur noch geringen Antheil an der Regierung genommen hatte, wovon die Ursache vielleicht Apathie, vielleicht aber auch Kränklichkeit [3] sein mochte, so erfolgte doch sein Tod plötzlich und unvermuthet. [4]

Schon damals wurden in Tirol wie ausserhalb des Landes Stimmen laut, welche Margaretha Maultasch beschuldigten, dass sie ihren

1) Im December 1362 finden z. B. Abrechnungen statt *ex iussu domini in presencia capitanei advocati de Matsch, Diepoldi dicti Hal, domini Rudolf de Amcz, magistri curie Friderici de Greyffenstein* (k. k. g. A. Diplomatar 971 n. 60, 61); vgl. Reg. n. 259 und die Anm. 3 abgedruckte Stelle.

2) 1363 *in octava epiphanie obiit dominus Meynardus . . . in Merano.* Goswin ap. Eichhorn p. 125. *Den achtoden tag des obristen, daz waz des tags, da er sein leben von diser welt pegab*, sagt Margaretha selbst in einer Abrechnung mit dem Kellner von Tirol. k. k. g. A. Diplomatar No. 970 vor f. 6. auch ap. Coronini p. 287 Anm.

3) Aus Dec. 1362 und Anfang des Jan. 1363 ist zu einer Reihe von (im Diplomatar 970 n. 101—115 verzeichneten) Urkunden Meinhards nicht mehr, wie früher gewöhnlich, bemerkt *ex iussu domini* sondern *ex iussu capitanei advocati de Matsch, domini Heinrici magistri curie, Petermanni de Schenna et aliorum consiliariorum.*

4) Dass eine schwere Krankheit seinem Tode nicht vorherging, beweist, selbst wenn man auf die von Meinhard noch am 6. und 7. Jänner auf Tirol (Steyerer 668. Bibl. Tirol. 614,34) am 9., 10., 11. und 12. in Meran (9. und 10. für Heinrich von Rottenburg — Orig. Statth.-A. — am 11. zwei Urkk. für Friedrich von Greifenstein — Orig. bair. R. A. — am 12. für die Stadt Meran — Mittheilung des P. Justinian Ladurner) ausgestellten Urkunden nach dem in der vorigen Anm. Gesagten kein Gewicht legen wollte, die jedenfalls zwischen Jan. 7 und 9 erfolgte Uebersiedlung vom Schloss Tirol nach Meran wie das Gerücht von seiner Vergiftung.

Sohn, wie früher ihren zweiten Gemahl, durch Gift aus dem Wege geräumt habe. Der Florentiner Geschichtschreiber Filippo Villani erzählt, Margaretha habe im Einverständniss mit ihrem Buhlen Konrad dem Frauenberger schon ihren Gemahl vergiftet, als dieser sie wegen ihrer Ausschweifungen zu strafen drohte. Später habe ihr auch ihr Sohn wegen ihres Lebenswandels Vorwürfe gemacht und in der Hitze des Streites die Worte hingeworfen, er wisse schon, was sie seinem Vater gethan habe. Da habe die grausame Mutter auch auf seinen Tod gedacht, und als er bald darauf bei einem Tanze mit vornehmen Jünglingen seines Alters zu trinken verlangte, habe ihm Margaretha einen vergifteten Trank gereicht, der ihm und vier andern das Leben kostete. [1] Dass man aber nicht bloss in fernen Gegenden von einem gewaltsamen Tode des Markgrafen Ludwig und seines Sohnes sprach, sondern im Lande selbst vielfach daran glaubte, beweist die Angabe des gleichzeitig lebenden Goswin von Marienberg, spätern Abtes dieses Klosters, dass nach der gewöhnlichen Meinung beide vergiftet worden seien; [2] wenn er keinen Schuldigen nennt, so lässt sich das begreifen.

Trotz dieser bestimmten Angaben wird man an der Wahrheit des Gerüchtes zweifeln dürfen. Wie jede Zeit ihre bestimmten Krankheiten hat, so auch ihre eigenthümlichen Vorstellungen und Vermuthungen, die sich fast unwiderstehlich dem Menschen aufdrängen, in ihm zur festen Ueberzeugung werden und nun bei jeder Gelegenheit zum Vorschein kommen. Dahin gehörte in jener Zeit die Annahme von Vergiftungen, und es hat damals fast keine hervorragende Person gegeben, welche nicht durch Gift um das Leben gekommen sein sollte. [3]

1) Filippo Villani l. 11. c. 78.

2) Goswin ap. Eichhorn p. 125: *Dominus Ludwicus . . . ut dicitur, intoxicatus obiit . . . Dominus Meinardus . . ., ut vulgariter dicebatur, ut eius pater morte preoccupatus fuit.*

3) Schon Ficker macht darauf aufmerksam, dass damals die Annahme einer Vergiftung bei plötzlichen Todesfällen oder Erkrankungen „gleichsam zur Modesache" geworden sei. „Ausser Meinhard und seinem Vater soll auch sein Grossvater Kaiser Ludwig vergiftet worden sein; den Kaiser Heinrich VII. erwähnte ich schon; Kaiser Karl soll von seinem Bruder Gift erhalten, er selbst den König Günther vergiftet haben; Albrecht I. von Habsburg verlor durch Vergiftung sein Auge; auch Albrecht II. soll Gift erhalten haben, sein Bruder Friedrich und seine Schwägerin Elisabeth sollen daran gestorben sein. Dasselbe wird von Rudolf von Oesterreich, von Margarethen selbst behauptet. Und so liesse sich noch eine Reihe von Beispielen anführen."

Dass über Margaretha Maultasch, die nun einmal mit Recht oder Unrecht nicht im besten Rufe stand und Gemahl und Sohn so schnell
nach einander verlor, ähnliche Gerüchte in Umlauf kamen und Glauben fanden, wird man demnach vollkommen begreifen, auch wenn sie
thatsächlich nicht begründet waren; sicher ist wenigstens, dass gleichzeitige Schriftsteller, welche keinen Grund gehabt hätten, eine solche
That der Margaretha zu verhehlen, wenn sie dieselbe für wahr gehalten hätten, sie mit Stillschweigen übergehen.[1]

Nach Meinhards Tode übernahm Margaretha Maultasch wieder
die Regierung von Tirol. Ein schwaches Weib ohne jede äussere
Stütze gerieth sie augenblicklich in völlige Abhängigkeit von den
hervorragendsten Adeligen, welche die Schwäche der Regentin auf
das gewissenloseste ausbeuteten.

Schon am 17. Jänner wurde ein Rath eingesetzt, bestehend aus
neun Mitgliedern, nämlich dem Landeshauptmann Ulrich von Matsch,
dem Grafen Egon von Tübingen, Landescomthur des deutschen Ordens in Bozen, dem Vogte Ulrich von Matsch dem ältern, dem Hofmeister Heinrich von Rottenburg, dem Burggrafen Petermann von
Schenna, Diepold Häl, Hans von Freundsberg, Friedrich von Greifenstein und Berchtold von Gufidaun, fast alles Männer, die schon unter
Meinhards Regierung eine hervorragende Stellung eingenommen hatten. Diesem Rathe überliess Margaretha die ganzen Regierungsge-
schäfte und verpflichtete sich, ohne dessen Zustimmung gar nichts,
was die Regierung des Landes beträfe, zu thun, niemanden ein Amt
zu verleihen oder zu entziehen, ja nicht einmal mit einem auswärtigen
Fürsten zu verhandeln oder Bündnisse und Verträge zu schliessen;
namentlich musste sie versprechen, nach ihrem Ableben ihr Land niemanden zu vermachen ohne Genehmigung von Seite des Landeshauptmannes und des Rathes. Durch die weitere Bestimmung, dass ohne
Zustimmung derselben Margaretha weder den Landeshauptmann noch

---

1) Ich rechne dazu z. B. Andreas Ratisbon. ed. Freher p. 85 H. Rebdorf
ap. Freher-Struve 1,644. Ann. Matseenses M. G. 11,831. — Dass übrigens
Meinhard an den Folgen eines von seiner Mutter ihm gereichten kalten Trun-
kes, den er vom Tanze erhitzt, zu sich genommen, gestorben sei, sagen die
„ältern Geschichtschreiber", wie von vielen neuern Historikern einer dem andern nachschreibt, nicht, sondern scheint einfach eine, wenn auch an sich nicht
gerade unwahrscheinliche, Deutung des Berichtes Villani's.

ein Mitglied des Rathes absetzen dürfe und dass im Falle des Todes oder der Entsetzung eines von ihnen nicht die Fürstin, sondern der Rath selbst den Nachfolger ernennen solle, musste der Einfluss der einmal herrschenden Coterie für immer gesichert bleiben.[1]

In welcher Weise aber diese Herren die Regierung zu führen gedachten, trat bald mit grellster Deutlichkeit hervor. Der nackteste Egoismus war bei der Mehrzahl derselben das einzige Motiv, von dem sie sich leiten liessen. Alte Ansprüche jeder Art wurden hervorgesucht, um denselben befriedigen zu können; Entschädigungen für angeblich geleistete Dienste, Schadenersatz für in frühern Zeiten vielleicht wegen Unbotmässigkeit oder offener Empörung erlittene Nachtheile boten die Rechtstitel, um ein Stück vom Lande erhaschen zu können, und wenn sich sonst kein Vorwand fand, verschmähte man auch Geschenke nicht. Dreizehn Tage dauerte die Regierung der Margaretha Maultasch und ihre ganze Thätigkeit während derselben bestand in Schenkungen an die hervorragendsten Mitglieder des tirolischen Adels, namentlich an ihre Räthe, von denen sich nur zwei, der Deutschordenscomthur und Berchtold von Gufidaun, durch edle Uneigennützigkeit auszeichneten.[2]

Dem Vogte Ulrich von Matsch dem jüngern wurde die Würde eines Landeshauptmanns bestätigt und die ganze Verwaltung der Einnahmen und Ausgaben übertragen, und zwar ohne genügende Con-

---

[1] Reg. n. 264.

[2] Ueber diese Vergabungen der Margaretha Maultasch, die bisher aus Brandis, Landeshauptl. S. 91—93, Burglehner B. I. l. 13. c. 6 u. a. nur in ungenügenden und nicht immer richtigen Auszügen bekannt waren, vgl. jetzt die aus der gleichzeitigen Registratur gemachten Auszüge Reg. n. 261—292, durch welche namentlich Tag und Ort der Ausstellung vielfach berichtigt werden. Unter den Schenkungen an Ulrich von Matsch nennen Brandis u. a. ausser den im Texte angeführten auch das Schloss Naudersberg und Schloss und Gericht Landeck; eine Erwähnung von Naudersberg habe ich in der Registratur nicht gefunden, auf die Annahme einer Schenkung Landecks an Ulrich von Matsch könnte Reg. n. 277 geführt haben, obwohl daraus nicht folgt, dass dieses Schloss gerade jetzt demselben von Margaretha überlassen worden sei. Ulrich von Matsch machte übrigens bezüglich der Probstei Eyers Ansprüche wieder geltend, auf die sein Geschlecht schon vor 80 Jahren verzichtet hatte; Kopp, R. G. 1,897. Die von Brandis u. a. bei dieser Gelegenheit erwähnte Ueberlassung des Kuppelfutters aus dem Gerichte Freundsberg an Hans von Freundsberg ist nach dieser Registratur (Diplomatar No. 970 u. 22) nicht aus diesen Tagen, sondern von Febr. 13.

trolle, da er sich die vier Mitglieder des Rathes, denen er Rechnung legen sollte, selbst wählen durfte: weiter verlieh ihm Margaretha das Gericht Nauders, Stadt und Gericht Glurns, die Probstei Eyers und das Schloss Jufahl am Eingang ins Schnalser Thal. Petermann von Schenna erhielt 1000 Mark Berner (18700 Gulden Ö. W.[1]) bar und als Pfand dafür auf fünf Jahre die Pflege des Gerichtes Sarnthein, aus dessen Erträgnissen er jährlich 200 Mark für sich abziehen sollte; weiter auf Lebenszeit die Feste und Pflege Reinegg im Sarnthal mit einer jährlichen Besoldung von 100 Mark (1870 Gulden Ö. W.) für die Burghut, endlich als Lehen das Gericht Eppan mit der gleichnamigen Feste und das Gericht auf Schenna. Der Hofmeister Heinrich von Rottenburg wurde von andern Begünstigungen abgesehen mit der Feste Cagnò auf dem Nonsberge belehnt. Friedrich von Greifenstein erhielt 2538 Mark (47460 Gulden Ö. W.) und als Pfand dafür die Pflege Burgstall und das Gericht Mölten, weiter als Lehen das Schloss Penede östlich von Riva und endlich die Erlaubniss, das 1350 zerstörte Schloss Greifenstein wieder aufzubauen. Diepold Häl erhielt unter andern ein Geschenk von 400 Mark (7480 Gulden), Hans von Freundsberg 500 Mark (9350 Gulden) aus den Einkünften der Feste und Pflege Strassberg bei Sterzing, ebensoviel Berchtold von Hoheneck.

---

1) Zur Bestimmung des Münzwerthes habe ich mich an die auch schon von Fessmaier S. 60 Anm. 99 benützte, aber anders aufgefasste Urkunde Petermanns von Schenna gehalten, in der bei Gelegenheit der Verpfändung der Münze in Meran Bestimmungen über die Münzprägung getroffen sind (Reg. n. 238). Darnach sollte bei der Prägung der Berner jede Mark 14 Loth 1 Quintel lötiges Silber und 2 Loth weniger 1 Quintel Kupfer enthalten und aus dieser Mark (und nicht, wie Fessmaier meiner Meinung nach irrig annimmt, aus der Mark fein), 17 Pfund Berner geprägt werden. Da nun jetzt aus einer Mark fein 21 Gulden Oe. W. geprägt werden, so hatte eine Mark Berner einen Metallwerth von $(21 \times 14\%) : 16 = 18.70$ fl. Oe. W., ein Pfund Berner 18.70:17 $= 1.10$ fl. Oe. W. Der Münzwerth des Pfundes Berner war freilich viel höher, nämlich 1.87 fl. Oe. W., da damals allgemein schon 10 Pfund eine Mark Berner bildeten. — Man könnte auch bei Bestimmung des Münzwerthes der Mark oder des Pfundes Berner vom damaligen Goldgulden ausgehen, da in Tirol in jener Zeit 1 Mark Berner 3½ Gulden, 1 Gulden 3 Pfund Berner galt. Darnach würde, je nachdem man den Florentiner mit ungefähr 5 fl. Oe. W. oder den ungarischen Gulden mit etwa 4.85 fl. Oe. W. Goldwerth zu Grunde legte (S. Chroniken der deutschen Städte 1.228 ff.), 1 Mark $= 16\frac{1}{2}$ fl. (resp. 16¼), 1 Pfund $= 1.66$ fl. (resp. 1.62 fl.) sein. Allein dieser Weg ist weniger zu empfehlen, da das Verhältniss zwischen Gold und Silber damals ein ganz anderes war als jetzt.

Andere Adelige erhielten ebenfalls mannigfache Begünstigungen. — Hätte diese Wirthschaft längere Zeit fortgedauert, so hätte sich Tirol endlich in eine Reihe von Adelsherrschaften auflösen müssen.

Zum Glücke wurde aber diesem eigennützigen Treiben eines Theiles der Landherren schon nach wenigen Tagen ein Ende gemacht. Wohl den meisten unerwartet erschien an Margarethas Hofe plötzlich Herzog Rudolf von Oesterreich.

Rudolf hatte Tirol und seine Verhältnisse stets im Auge behalten. Es war sicher nicht Zufall, dass Rudolfs einflussreicher Kanzler, Bischof Johann von Gurk, gerade Ende des Jahres 1362 von Wien nach Tirol reiste,[1] wo er natürlich alles gethan haben wird, um Rudolf bei seinen Bestrebungen die Wege zu ebnen. Dem Herzoge Rudolf selbst wird man natürlich den Tod seines Schwagers Meinhard eiligst gemeldet haben; allein ehe noch ein Bote mit dieser Nachricht ihn treffen konnte, war Rudolf bereits in Tirol.

Was den Herzog Rudolf um diese Zeit zur Reise nach Tirol bewog und zwar mit so ungeheurer Eile, dass er selbst sein Leben auf das Spiel setzte, ist unbekannt; am wahrscheinlichsten ist doch, dass der Gesundheitszustand Meinhards schon einige Zeit vor seinem Tode derart war, dass man sein baldiges Ableben befürchtete und dass Rudolf vielleicht durch seine Schwester Margaretha oder seinen Kanzler darüber Nachricht erhielt. In diesem Falle war es für seine Absichten auf Tirol eine Lebensfrage, dass er früh genug in das Land kam, um zu verhindern, dass die Wittelsbacher ihre Ansprüche auf dasselbe als Meinhards Agnaten mit Waffengewalt zur Geltung brächten und rasch es besetzend vielleicht auch Margaretha nöthigten, sie als Herrn des Landes anzuerkennen. Wenn es galt, diese Gefahr zu beseitigen und Oesterreichs Rechte auf Tirol, die Margaretha selbst bereits anerkannt hatte, aufrecht zu erhalten, begreift man freilich, dass Rudolf das Aeusserste wagte und dass ihm kein Weg, der ihn am schnellsten an den tirolischen Hof brachte, zu schwierig schien.

---

1) Bischof Johann erscheint noch Nov. 18, 24 und Dec. 3 als Zeuge Rudolfs in Wien. Link, annal. Clara-Vall. 1,777; Steyerer 343, 348. Wann er nach Tirol gekommen ist, lässt sich allerdings nicht bestimmen: aber am 19. Jan. 1363 transsumirt er bereits mit dem Bischofe von Brixen die Vermächtnissurkunde von 1359 Sept. 2 (Steyerer p. 350) und dass er mit Herzog Rudolf über die Tauern gekommen sei, scheint mir doch sehr unwahrscheinlich.

6 *

Am 5. Jänner ist der Herzog noch in Wien, [1] am 11. befindet er sich schon in Judenburg in Obersteier, [2] am 18. ist er bereits in Rodeneck unweit Brixen angelangt. [3] Er scheint von Judenburg geraden Weges über Radstadt nach Pinzgau gereist zu sein, und entschloss sich dort, fast ohne alle Begleitung, mitten im Winter unter den furchtbarsten Beschwerden, ja offener Lebensgefahr, den mit Schnee und Eis bedeckten Krimler Tauern zu übersteigen, worauf er durch Prettau, Ahrenthal und Taufers nach Brunecken gelangte. [4]

1) Er urkundet für das Kloster Altenburg (gütige Mittheilung des Herrn Custos Birk).

2) Lichnowsky, Reg. n. 426 (ist ein ganz kurzes Schreiben an Eberhard von Walsee. Orig. k. k. g. A.).

3) Archiv des Gottesbauses Wettingen S. 367 (Herzog Rudolf bevollmächtigte den Landvogt im Aargau, die Kirche zu Baden bei der nächsten Erledigung einem Sohne Peters von Hewen zu verleihen). Es sind zwar bekanntlich seit 1362 Febr. 7 viele Urkunden für die Vorlande, die auf Herzog Rudolf lauten, nichts von diesem sondern von seinem Verweser, dem Bischof Johann von Gurk, ausgestellt und der Inhalt dieser Urkunde, auf die mich ebenfalls Birk gütigst aufmerksam gemacht hat, lag jedenfalls innerhalb seiner Vollmacht (Tschudi 1,454). Allein es ist dann doch fast durchgehends am Schlusse bemerkt: „durch die Hände unsers Kanzlers gegeben", und am meisten spricht für Rudolf selbst als Aussteller seine bekannte Unterfertigung † hoc est verum †, die bei dieser Urkunde sich findet. Auch das Schreiben Rudolfs von 1363 Febr. 1 (Reg. n. 296) spricht dafür, dass Rudolf früher, als man bisher annahm, nach Tirol kam; denn bis die Nachricht von seiner Ankunft nach Venedig gelangt, dort der Beschluss gefasst war, einen Gesandten an ihn abzuschicken, und dieser nach Bozen kam, mussten denn doch mehr als etwa sieben bis acht Tage verfliessen.

4) Dass Rudolf über den Krimler Tauern kam, sagt etwa ein Jahrhundert später der Bischof Georg von Brixen, der sich dem Erzherzoge Sigmund gegenüber darauf beruft, sein Vorfahr habe am ersten über Krümel Tauren bey Taufers mit gewalt Herzog Rudolphen an die Etsch bracht (Sinnacher 5,312). Vgl. Ebendorffer v. Haselbach, chron. Austr. ap. Pez SS. 2,804: Princeps Rudolphus . . . nec hiemis inclementia, quae tunc (plus) solito alguerat, nec montium asperitate fatigatus cum paucis per alpium crepitudinem reptando manibus, ut plurimum rusticorum arte, venit ad Athesim. — Dass der Herzog nur mit geringer Begleitung nach Tirol kam, sagt übrigens nicht bloss Ebendorfer, sondern deutet auch Rudolf selbst in seinem Briefe an den Dogen von Venedig an, indem er ihm schreibt, er könne in der Sache des Camino nicht entscheiden auch ob defectum fidelium nostrorum et absentiam eorum, quibus conditiones et circumstantiae eiusdem negotii plene constant (Reg. n. 296). Ich weiss nicht, woher die Angabe Sinnachors 5,311 stammt, dass in Rudolfs Gefolge Peter der Arberger, Christion der Zinzendorfer und Johann von Lassberg gewesen seien. Der erste, Pfleger in Taufers, dem Meinhard noch am 7. Jänner auf Tirol seine Privilegien bestätigt hatte (Orig. bair. R. A.), könnte

In Tirol angelangt, erhielt er wohl von seinem Kanzler, mit dem er hier zusammentraf, nähere Nachrichten über den Stand der Dinge: auch mit dem Bischofe von Brixen wurden, wie es scheint, Unterredungen gepflogen, welche mit Rudolfs Plänen auf Tirol, die jetzt, als er den Tod Meinhards erfuhr, völlig zur Reife gediehen, in Zusammenhang standen. [1] Vor allem aber wird er eine Zusammenkunft mit der Markgräfin Margaretha gesucht haben, deren Uebersiedlung von Meran nach Bozen am 20. Jänner am wahrscheinlichsten durch Rudolfs Ankunft veranlasst wurde. [2]

Sein Streben ging nun dahin, seine Ansprüche auf Tirol allgemein zur Anerkennung zu bringen und sich dieses Land auf immer zu sichern. In wenigen Tagen sah sich Rudolf am ersehnten Ziele. Margaretha Maultasch mochte sich seinem Andringen gegenüber um so weniger sträuben, als nicht bloss die nahe Verwandtschaft für die

---

den Herzog wohl nur nach Uebersteigung des Tauern begleitet haben: dagegen dürfte sein Kammermeister Johann von Lassberg immerhin auf der ganzen Reise nach Tirol und wieder zurück bei Rudolf gewesen sein, da in einer der ersten Urkunden, die Rudolf auf der Rückreise aus Tirol ausgestellt, in Graz März 14, neben steirischen Prälaten und Adeligen sich auch Johann von Lassberg, Kammermeister, und Heinrich von Rappach, Hofmeister des Herzogs, finden (Muchar, Gesch. v. Steiermark 6,363). — Was den Herzog bewog, den im Winter geradezu lebensgefährlichen Weg über den Krimler Tauern zu machen, lässt sich freilich nicht mit Bestimmtheit angeben. Wäre der Tod Meinhards zur Zeit, als er diesen Entschluss fasste, schon bekannt gewesen, was ich übrigens geradezu für unmöglich halte, so hätte er allenfalls den Weg durch Unterinnthal, wo ihm die Herzoge von Baiern, die selbst auf Tirol Ansprüche machten, auflauern konnten, vermeiden müssen, allein was ihn hinderte, durch Kärnthen und Pusterthal zu reisen, lässt sich nicht absehen. Furcht vor Nachstellungen des Grafen Meinhard von Görz, der das östliche Pusterthal besass und allerdings nach seiner spätern Haltung Rudolfs Bestrebungen, Tirol in seine Hände zu bringen, nicht gleichgültig ansah, kann es nicht gewesen sein, da er ja auf der Rückreise nach Wien im Februar diesen Weg einschlug. Es ist fast nur denkbar, dass Rudolf seine Reise um jeden Preis geheim halten wollte, bis er das Ziel derselben, mochte dieses welches immer sein, erreicht hätte, und es würde damit stimmen, dass er fast allein die weite Reise machte.

1) Darauf dürfte wohl die Transsumirung der Vermächtnissurkunde von 1359 Sept. 2 durch die Bischöfe Matthäus von Brixen und Johann von Gurk in Brixen 1363 Jan. 19 hinweisen: ob freilich obige Urkunde durch Rudolf selbst, der ja schon am Tage vorher in Rodeneck war, mitgebracht worden war, oder ob sie der Bischof von Gurk schon früher in den Händen hatte, muss dahin gestellt bleiben.

2) Reg. n. 286, 287; auch dass vom 20. Jänner an die Vergabungen Margaretha's viel seltener werden, dürfte diese Vermuthung einigermassen stützen.

Herzoge von Oesterreich sprach, sondern auch ihr eigenes Interesse.
Selbst wenn sie nicht das Bedürfniss fühlte, gegen die Zudringlichkeit
der mächtigen Landherrn und Räthe eine Stütze zu suchen, so musste
sie jedenfalls besorgen, dass die Herzoge von Baiern als Verwandte
Meinhards auch auf das wieder an sie zurückgefallene Tirol Ansprüche
erheben würden, und gegen einen etwaigen Angriff von dieser Seite
konnte sie sich nicht besser schützen, als wenn sie die Interessen der
mächtigen Habsburger ganz in die ihrigen verpflocht und sich dadurch
deren Hilfe in jedem Falle sicherte. Ob Margarethas Räthe, denen
sie ja noch wenige Tage vorher hatte versprechen müssen, ohne ihre
Zustimmung ihr Land niemanden zu vermachen, was eine direkte Verletzung der Rechte der Habsburger war, nicht vorgezogen hätten, unter dem Scheine der Regierung Margarethas das Land für ihre Zwecke
auszubeuten, ist freilich zweifelhaft. Allein sie mochten sich doch
scheuen, offen ihre Pläne zu enthüllen, und mussten jedenfalls Bedenken tragen, dem Willen der Markgräfin sich direkt zu widersetzen, da
diese nicht bloss auf die Unterstützung aller Anhänger Oesterreichs,
sondern auch der meisten Unterthanen, theilweise selbst des Adels
hätte rechnen können, indem diese nicht billigen konnten, dass einige
wenige ihre Stellung dazu missbrauchten, alle Güter und Einkünfte
des Landes an sich zu reissen; die Ereignisse in Baiern im vorigen
Jahre mussten auch für die jetzigen Gewalthaber in Tirol eine sehr
eindringliche Lehre sein.

So sah Herzog Rudolf schon nach wenigen Tagen seine Wünsche
erfüllt.

Am 26. Jänner 1363 übergab Margaretha, damit nach ihrem Hinscheiden um Tirol kein Streit entstehe, nach Rath ihrer Landherrn
und Räthe den Herzogen Rudolf, Albrecht und Leopold von Oesterreich, als ihren nächsten Verwandten und Erben, ihr Fürstenthum,
die Grafschaften Tirol und Görz, das Land an der Etsch und das Innthal mit der Burg zu Tirol und allem, was zum Lande gehört, wie auch
alle ihre Besitzungen in Baiern als ewige, unwiderrufliche Gabe unter
den Lebenden. Diese Herrschaften sollen nach ihrem Hinscheiden
gänzlich an die Herzoge fallen und im Namen dieser soll die Markgräfin bis zu ihrem Tode das Land noch innehaben. Aber die Herzoge treten schon jetzt in die volle Gewere dieser Herrschaften ein
und sollen Grafen von Tirol, Fürsten und Herrn aller genannten Herr-

schaften und Länder sein; schon jetzt sollten die Lehensherrn alle
von ihr und ihren Vorfahren besessenen Lehen diesen übertragen,
alle Prälaten, Geistliche, Beamte, Landherrn, Ritter und Knechte,
alle Bürger und Bauern ihnen als ihren rechten Herrn huldigen und
den Eid der Treue und des Gehorsams leisten, doch so, dass jedem
seine Rechte an den hergebrachten Lehen und Pfandschaften gewahrt
bleiben sollten. Auch die Markgräfin sollte im Genusse und Besitze
ihres Landes von den Herzogen geschützt werden.

Vierzehn Tiroler Landherrn besiegelten diese Uebergabsurkunde
im Namen aller andern, Geistlichen wie Weltlichen, Edeln und Un-
edeln in Städten und auf dem Lande, nämlich die am 17. Jänner er-
nannten Räthe, mit Ausnahme Ulrichs des ältern von Matsch und des
Diepold Häl, und ausserdem Ekkehard von Villanders zu Trostburg,
Johann von Starkenberg, Rudolf von Ems, Ulrich der Fuchs von
Eppan, Berchtold von Passeier, Hilleprand von Firmian und der
Botsch von Bozen. [1]

So war die Uebergabe Tirols an das Haus Oesterreich vollzogen
und in eigenen Schreiben meldete Margaretha, die sich nur den lebens-
länglichen Nutzgenuss vorbehalten hatte, dieses Ereigniss ihren Unterthanen und forderte sie auf, den Herzogen von Oesterreich oder im
Namen derselben den an sie abgeschickten Bevollmächtigten den Eid
der Treue zu schwören. [2]

Ohne allen Widerstand leisteten alle den verlangten Eid; am
3. Februar huldigte Bozen, am 5. Meran, am 9. Sterzing, am 10. Innsbruck, am 11. Hall. [3] Auch der Bischof von Brixen übertrug schon
am 5. Februar alle Lehen, welche die Grafen von Tirol bisher von
seinem Stifte innegehabt, den Herzogen von Oesterreich. [4] Rudolf
selbst, der gleich nach der Uebergabe des Landes den Titel eines

---

1) Reg. n. 293.

2) Es ist bisher zwar nur das bezügliche Schreiben Margarethas an die
Stadt Hall bekannt geworden, wohin zwei bei der Uebergabe des Landes ge-
wesene Adelige, Hans von Starkenberg und Berchtold von Passeier als Bevollmächtigte geschickt wurden (Reg. n. 298); allein aus diesem können wir wohl
mit Bestimmtheit auf das Vorhandensein anderer schliessen.

3) Reg. n. 302, 303, 312, 314, 316. Von sonstigen Huldigungsbriefen ist
mir nur der des Heinrich von Isny, Kellners auf Tirol, bekannt geworden.
Reg. n. 304.

4) Reg. n. 308.

Grafen von Tirol annahm und als Landesherr den Klöstern, Landherrn und Städten ihre bisherigen Rechte, Freiheiten und Besitzungen bestätigte, [1]) machte eine kurze Rundreise durch das Land. Nachdem er noch mehrere Tage in Bozen verweilt hatte, brach er um den 4. Februar von dort auf, reiste über Brixen und Sterzing in das Innthal, besuchte Innsbruck und Hall, und kehrte nach der Mitte des Monats wieder nach Brixen zurück. [2]) Tirol war ihm völlig gesichert.

Herzog Rudolf war beinahe selbst über seinen schnellen und leichten Erfolg überrascht. „Unendlichen Dank", schreibt er schon am 1. Februar dem Dogen von Venedig, „sind wir dem Höchsten schuldig, dass wir in den Besitz des Landes, dessen nächster Erbe wir allerdings wegen der väterlichen Verwandtschaft sind, auf so friedlichem Wege, ohne den geringsten Widerspruch gelangt sind; denn bald nach unserer Ankunft im Lande hat die Gesammtheit der Bewohner, Edle wie Unedle, uns als ihren Herrn anerkannt und den Eid der Treue und des Gehorsams geleistet." [3])

In der zweiten Hälfte des Februar verliess Rudolf Tirol und kehrte durch das Pusterthal nach Steiermark und von da nach Wien zurück. Vor seiner Abreise hatte er indess noch dafür gesorgt, dass seine Interessen genügend wahrgenommen und namentlich weitere Vergeudungen der Güter und Einkünfte des Landes verhütet würden; der Markgräfin Margaretha wurde als Kanzler der Brixner Domprobst Johann von Lichtenwerth, einer der eifrigsten Anhänger Oesterreichs, an die Seite gegeben und ihr neuer Hofmeister Hildeprand von Firmian war wenigstens nicht unter den berüchtigten Räthen der ersten Regierungstage gewesen. [4]) Die Schenkungen Margarethas haben auch in der That mit dem Jänner des Jahres 1363 ein Ende erreicht. [5])

--- -- - -

1) Reg. n. 294, 295, 299. 300, 305—307. 310. 311. 313. 315. 317. 318.

2] Das Itinerar Rudolfs geben die Regesten; die letzte Urkunde in Tirol ist in Brixen am 20. Febr., die erste mir bekannte ausserhalb Tirols am 11. März in Marburg (Abschrift im steirischen Johanneum) und dann eine am nämlichen Tage in Graz (Mitth. des hist. Vereins f. Steiermark 6,249) ausgestellt.

3) Reg. n. 296.

4) Beide, Kanzler wie Hofmeister, werden erwähnt in Urk. Margarethas von 1363 Juni 20. Sinnacher 5, 321.

5) Ueberhaupt sind von Margaretha seit 1363 Jan. 26 nur noch wenige Urkunden bekannt.

Wie zu erwarten war, fand die Uebertragung Tirols an das Haus Habsburg von nicht wenigen Seiten Widerspruch.

Am meisten waren die Herzoge von Baiern in ihren Erwartungen getäuscht. Sie hatten geglaubt, Tirol sei für immer ihrem Hause gesichert, als rasch nach einander die Nachricht eintraf, Herzog Meinhard, ihr Vetter sei gestorben, Margaretha habe das Land an ein Haus abgetreten, welches den Wittelsbachern schon oft als gefährlicher Rivale entgegen getreten war. Allerdings konnten sie keine Erbansprüche auf die Besitzungen Margarethas machen; aber sie konnten bestreiten, dass Margaretha überhaupt noch ein Recht auf Tirol habe, sie konnten behaupten, dass sie als Agnaten Meinhards auch die unmittelbaren Erben aller seiner Besitzungen seien, und wenn diese Ansprüche auch nicht stichhaltig genug waren, um ihr Recht ausser Zweifel zu setzen, so würde ein kräftiges Schwert, zur rechten Zeit in die Wagschale der Entscheidung geworfen, das beste Recht hoch empor geschnellt haben. Allein gerade hierin lag die Hauptschwäche der Wittelsbacher. Während die Herzoge von Oesterreich seit Jahren alles vorbereitet hatten, um sich im entscheidenden Augenblicke Tirols zu versichern, und namentlich jetzt im Lande selbst festen Fuss gefasst hatten, war von Seite der Herzoge von Baiern so gut wie nichts geschehen, und auch gegenwärtig waren sie in keiner Weise im Stande, schnell und kräftig einzugreifen, da Zwietracht und Eifersucht das Haus Wittelsbach schwächten.

Es war zunächst Oberbaiern, welches als Apfel des Zankes unter die gespaltenen Familienglieder fiel.

Nach den frühern Theilungsverträgen sollte Oberbaiern nach dem Absterben der dort regierenden Linie an die Markgrafen von Brandenburg, Ludwig den Römer und Otto fallen. [1] Allein Herzog Stephan von Niederbaiern konnte der Versuchung nicht widerstehen, das so wohl gelegene Nachbarland in seine Hände zu bringen, und er hatte vor seinen Brüdern voraus, dass er in der Nähe war und dass die Einwohner selbst sicher die Vereinigung mit der abgetrennten Landeshälfte einer Verbindung mit dem fernen Brandenburg vorzogen. So gelang es ihm, schon sechs Wochen nach Meinhards Tode die

---

[1] Siehe den Theilungsvertrag von 1351 in den Quellen zur bairischen Geschichte 8,416.

Huldigung der oberbairischen Stände zu erwirken, die ihn bereitwillig als Landesherrn anerkannten.[1])

Während aber Herzog Stephan damit beschäftigt war, seinen Brüdern Oberbaiern zu entziehen, hatte Herzog Rudolf in Tirol die Huldigung des Landes entgegen genommen, und die Gelegenheit war für immer vorbei, auf friedlichem Wege in den Besitz von Tirol zu kommen. Als Stephans gleichnamiger Sohn nach Tirol kam, um die Ansprüche seines Hauses zur Anerkennung zu bringen,[2]) traf er hier eine vollendete Thatsache.

Nur durch Waffengewalt konnten die Ansprüche der Wittelsbacher auf Tirol noch zur Geltung gebracht werden. Um einen Erfolg zu erzielen, wäre es freilich vor allem nothwendig gewesen, dass alle Glieder dieses Hauses mit den Kräften ihrer gesammten Besitzungen den Oesterreichern entgegen getreten wären. Aber das war in keiner Weise der Fall. Die Markgrafen von Brandenburg, die so eben auf die schnödeste Weise um Oberbaiern betrogen worden waren, leisteten nicht bloss ihrem Bruder Stephan, obwohl er im März mit ihnen in Nürnberg zusammen kam,[3]) gegen Oesterreich keine Hülfe, sondern sie vermachten sogar, da sie beide kinderlos waren, am 18. März 1363 ihr Land Brandenburg dem erstgebornen Sohne des Kaisers.[4])

Da diese Verfügung voraussichtlich von den übrigen Wittelsbachern angefochten wurde, so konnte nun auch der Kaiser, der sonst, da er mit Oesterreich noch nicht Friede geschlossen hatte, Baierns

---

1) *Dux Bawarie Stephanus, patruus Meinhardi predicti et tres filii sui . . . vendicaverunt tibi superiorem Bawariam cum favore provincialium eiusdem terre.* Ann. Mats. M. G. 11,831; vgl. die Urk. H. Stephans von 1363 Febr. 26. Quellen 6,477.

2) *Duces Bawarie affirmarunt, se fore veros heredes fratruelis et ambarum provinciarum. Quocirca invenis dux Stephanus venit ad terram Tyrolensem, postulando ipsam, cui restitit dux Austrie; hinc pullulavit zizania inter ipsos.* Ann. Mats. l. c. Es ist übrigens auffallend, dass die Herzoge von Baiern ein ganzes Jahr lang noch nicht den Titel eines Grafen von Tirol führten und denselben erst im J. 1364 annahmen; vgl. z. B. Urk. v. 1363 Apr. 28, Mai 30, Nov. 11, (M. B. 10,135; 17,49; 35ᵇ,111) Febr. 26, Okt. 21 (Quellen 6,477, 479, 482) und noch 1364 Jan. 11 (Reg. n. 395, 396, 398): zuerst finde ich den Titel in Urkunde H. Stephans d. ä. von 1364 Febr. 20, M. B. 10,277.

3) H. Stephan d. ä. und sein Sohn Friedrich wie Markgraf Ludwig der Römer sind Zeugen in Urkk. Karls IV. dat. Nürnberg 1363 März 17 und 18 (Mon. Zoller. 4,1; Riedel, cod. d. Brandenb. II, 6,95).

4) Lünig, C. G. D. 1,1278; Riedel II, 2,445.

natürlicher Bundesgenosse gewesen wäre, eine Vergrösserung und Machterhöhung desselben nicht mehr wünschen, da dies seine eigenen Interessen gefährden konnte.

So blieb Baiern in diesem wichtigen Kampfe, der für die künftige Machtstellung der Häuser Wittelsbach und Habsburg entscheidend werden musste, fast ganz auf sich selbst beschränkt. Damit aber selbst hier die Entwicklung aller Kräfte durch innere Zwistigkeiten unmöglich gemacht würde, erhob auch noch ein vierter Bruder, Herzog Albrecht von Baiern-Straubing Ansprüche auf Oberbaiern. Erst spät im Oktober kam ein vorläufiger Vergleich zwischen ihm und dem Herzoge Stephan und seinen Söhnen zu Stande; der Streit um Oberbaiern sollte bis auf die nächsten Pfingsten ruhen und dann durch Schiedsrichter entschieden werden, Tirol aber sollte mit vereinten Kräften erobert und dann unter die Herzoge Stephan und Albrecht gleich getheilt werden. [1]

Als aber die Wittelsbacher endlich den Entschluss fassten, Tirol anzugreifen, war dieses bereits völlig in den Besitz der Herzoge von Oesterreich übergegangen.

Herzog Rudolf konnte nicht verkennen, dass der Krieg, der jeden Augenblick auszubrechen drohte, in Tirol eine kräftige Regierung verlange, die stark genug wäre, die Vertheidigung der bedrohten Grenzen mit Energie und Umsicht zu leiten und eine etwaige Erhebung zu Gunsten der Baiern im Lande selbst augenblicklich niederzuschlagen. Dazu war aber Margaretha selbst, schwach und unselbständig wie sie war, durchaus nicht im Stande; selbst wenn ihr Rudolf einen tüchtigen Mann an die Seite setzte, so konnte doch dieser nie den nothwendigen Einfluss besitzen, so lange die Markgräfin selbst die Regierung führte. So entschloss er sich denn, im Sommer neuerdings nach Tirol zu reisen, um eine Aenderung dieser Verhältnisse herbeizuführen. Früher besuchte er noch den Erzbischof Ortolf von Salzburg, um denselben, der schon lange sein Freund und Verbündeter gewesen war, auch zu seiner Unterstützung im Kampfe gegen die Baiern zu gewinnen. Trotz des Widerstandes des Domcapitels schloss sich auch der Erz-

---

1) Reg. n. 362—364; eine Urk. H. Stephans d. ä. erwähnt Fessmaier S. 131 Anm. 216.

bischof an Oesterreich an und war fortan einer der eifrigsten Kämpfer in dem hier bald ausbrechenden Kriege gegen Baiern. [1])

Um die Mitte des Monats August kam Herzog Rudolf durch das Unterinnthal nach Hall,[2]) wo er aber durch eine Revolte in die grösste Gefahr gerieth. „Als wir", erzählt der Herzog selbst, „bei unserm Eingang in die Grafschaft Tirol nach Hall kamen und etliche Mächtige und Gewaltige wegen ihrer frevelhaften Uebergriffe straften, da entstanden wegen dieser Bestrafung so harte und feindliche Aufläufe, dass wir eine Weile in Zweifel unsers Lebens waren. Aber die Bürger von Hall liefen einhellig mit sammt unsern lieben und treuen Bürgern von Innsbruck zu uns, wohl gerüstet und gewappnet mit männlichem Muthe und wehrhaften Händen, legten ihr Gut, Leib und Leben für uns auf die Wagschale und halfen uns mit ihrer festen Kühnheit so, dass wir durch die Gnade des allmächtigen Gottes, von dem aller Sieg fliesst, die frevelhaften Aufläufe, Widerspänstigkeit und Ungehorsam so vollständig überwanden, dass wir davon ewigen Nutzen und Ehre gewonnen haben."[3]) Das Nähere dieses Vorganges, namentlich dessen Motive, sind uns leider ein Räthsel, nur soviel geht wohl aus den Worten des Herzogs hervor, dass es tirolische Adelige waren, welche diesen Ueberfall machten, obwohl, wie es scheint, auch bairische Agenten dabei betheiligt waren. [4])

---

1) Ann. Mats. M. G. 11,631. Die Reise Rudolfs nach Salzburg kann nach seinem Itinerar nicht, wie man bisher angenommen hat, in den Februar, sondern erst in den Sommer dieses Jahres fallen; hier hat das Itinerar freilich so bedeutende Lücken, dass sie ebenso gut im Mai, in der ersten Hälfte des Juni oder im Juli stattgefunden haben kann.

2) Nach Lichnowsky Reg. n. 499 wäre Rudolf am 9. August noch in Wien gewesen; am 22. August ist er jedenfalls in Innsbruck (Reg. n. 325); vielleicht könnte man auch aus der Urkunde von Aug. 15 (Reg. n. 324) auf seine Anwesenheit in Hall schliessen.

3) Reg. n. 369; vgl. n. 358 u. 326.

4) Man könnte, da von der Bestrafung „etlicher Mächtiger und Gewaltiger um ihrer frevlichen Uebergriffe" die Rede ist, an die später zu erwähnende Zurückforderung vieler Güter und Einkünfte, welche die ersten Beamten an sich gerissen hatten, denken, wäre es nicht, abgesehen davon, dass Goswin ap. Eichhorn p. 126 und im Anhang bestimmt sagt, dass dieselbe erst einige Zeit nach der Abdankung Margarethas geschah, doch fast unmöglich, dass Rudolf ein solches Auftreten gewagt hätte, ehe er das Land in seinen Händen hatte. Wenn Rudolf in der Urk. für Innsbruck (Reg. n. 358) den Aufstand „etlichen Gästen und Leuten" zuschreibt, so wird man wohl an anwesende Baiern denken müssen.

Im Innthale traf Rudolf auch mit Margaretha Maultasch zusammen, welche im Sommer aus dem Etschlande heraus gereist war. [1]

Es gelang dem Herzoge Rudolf auch diesmal, die Markgräfin nach seinem Willen zu lenken und sie schon jetzt bei ihren Lebzeiten zur Niederlegung der Regierung und zur Uebertragung derselben an die Herzoge von Oesterreich zu bewegen.

Wie Margaretha Maultasch auch zu diesem zweiten, schwereren Schritt sich so bald bestimmen liess, ist freilich nicht ganz klar, und so haben denn spätere Geschichtschreiber den Grund bald in der Liebenswürdigkeit und hinreissenden Ueberredungsgabe des Herzogs, bald wohl gar darin gefunden, dass er der alten Maultasch zum ehelichen Bunde die Hand reichte, wobei sie freilich übersahen, dass Rudolf bereits mit der schönen Tochter des Kaisers vermählt war. So wenig es nun auch im Allgemeinen räthlich sein dürfte, sich, wo es gilt, die geheimen Beweggründe einer Handlung zu erforschen, an officielle Kundgebungen zu halten, so dürften doch diesmal die Stände ziemlich die Wahrheit gesagt haben, wenn sie angeben, Margaretha habe nach dem Rathe ihrer Räthe zum Nutzen und Frommen und zum Schutze aller der Regierung entsagt, weil sie nicht im Stande gewesen sei, alle so zu schützen, wie es ihnen und ihr selbst nothwendig gewesen wäre;[2] auch Margaretha selbst sagt später, sie sei wegen der Schwäche des weiblichen Geschlechtes nicht im Stande gewesen, ihr Land so zu besorgen und zu verwesen, wie es der Nutzen desselben erfordert hätte. [3] Die Nothwendigkeit einer kräftigen Regierung

---

1) Margaretha urkundet Juni 20 auf Tirol (Sinnacher 5.321). Juni 27 in Mühlbach diesseits Brixen (l. c.), Juli 6 in Innsbruck (k. k. g. A. Diplomatar No. 971 n. 68), Juli 20 und 31 in Hall (Orig. Haller Stadtarchiv und Reg. n. 323).

2) Reg. n. 330.

3) Reg. n. 345. Ficker hat die Vermuthung ausgesprochen, dass die ganze Sache mit der Fürstin bereits durch Rudolfs Kanzler, den Bischof von Gurk, oder einen andern Bevollmächtigten abgemacht gewesen sei, als er ins Land kam. Ersteres scheint jedenfalls kaum der Fall gewesen zu sein, da Bischof Johann von Gurk sich seit dem Frühling wohl ununterbrochen in den Vorlanden aufhielt, indem sich viele von ihm dort unter Rudolfs Namen ausgestellte Urkunden finden. Apr. 8 Bruck i. A. (Lichnowsky n. 459 falsch Bruck an der Mur), Mai 3 Baden (ibid. n. 507 zu Sept. 14), Mai 26 Baden (Schweiz. Reg. 1 a, 35), Mai 29 und Juni 1 Bruck, Juni 3 Rheinfelden, Juni 5 Bruck (Lorenz, Leopold III. S. 47—49), Juni 16 u. 17 Baden (Lichnowsky n. 488 u. Orig. Statth.-A.), Juli 25 Basel (Steyerer 240), Aug. 28 Schaffhausen(Lich-

unter den damaligen drohenden Verhältnissen musste sich der Fürstin wie ihren Unterthanen so unwiderstehlich aufdrängen, dass alle andern Bedenken dagegen zurücktraten.

Gegen Ende des August reisten Rudolf und Margaretha nach Südtirol[1]) indem sie zugleich eine Versammlung des tirolischen Adels wie der untern Stände nach Bozen beriefen. [2]) Schon am 2. September empfing Rudolf neuerdings, als wirklicher Regent, die Huldigung der Bewohner Tirols, nachdem Margaretha öffentlich zu Gunsten der Herzoge von Oesterreich der Regierung des Landes entsagt hatte.[3])

Neben der Huldigung erhielten die Stände die Aufgabe, zu bestimmen, welche Einkünfte der Markgräfin nach ihrer Abdankung zugewiesen werden sollten, damit sie ihrer Würde geziemend leben könnte. Nach dem am 11. September erfolgenden Ausspruche derselben sollte sie die vier Ansitze Gries bei Bozen, Stein auf dem Ritten, Amras und St. Martinsberg bei Zirl, weiter die Einkünfte von der Feste Strassberg mit allem, was dazu gehört, der Stadt Sterzing und dem Thale Passeier auf Lebenszeit, endlich noch eine jährliche Summe von 6000 Mark Berner (etwa 112000 Gulden Ö. W.) erhalten;

---

nowsky n. 500 b). Sept. 1 Bruck (Lichnowsky n. 501); erst Okt. 9 erscheint der Bischof bei Rudolf in Tirol (Reg. n. 351). Uebrigens dürfte die Annahme eines Vermittlers wohl kaum nothwendig sein, da Rudolf mit Margaretha lange genug beisammen war, um die Verhandlungen zu Ende zu führen.

1) Margaretha urkundet Aug. 25 in Brixen für Sterzing (Ferdinandeum II. h, 26), Rudolf Sept. 5 vorübergehend auf Tirol, Sept. 9—13 in Bozen (Reg. n. 326-332); beide waren doch wohl mit einander gereist?

2) Schon Ficker hat darauf aufmerksam gemacht, dass, während „bei der ersten Uebergabe einige wenige der mächtigsten Landherrn im Namen des ganzen Landes handelten", jetzt in Bozen nicht bloss der Adel in viel grösserer Anzahl, sondern ausserdem nach der Urk. v. Sept. 11 (Reg. n. 330), in der nach Aufzählung der Adeligen noch „und wir die Landschaft gemeinlich, edel und unedel, arm und reich, die zu der Herrschaft zu Tirol gehören", erwähnt wird, auch noch andere Stände, namentlich wohl die Städte, in denen Rudolf eine Stütze gegen den Adel suchte, vertreten gewesen sein müssen. Auch Goswin sagt: *resignante tibi premissa omnia domina Margaretha cum consilio nobilium et ignobilium hnius terre.*

3) Den 2. Sept. als Tag der Verzichtleistung Margarethas und der Uebernahme des Landes durch Rudolf giebt Goswin; dass die Huldigung jedenfalls nicht etwa erst nach dem Schiedspruch der Stände vom 11. Sept. oder gar erst nach Margaretha's Urk. vom 29. Sept. stattfand, beweist auch Reg. n. 329; übrigens wird auch in der Urk. v. 11. Sept. die Abdankung Margarethas, die Uebergabe der Regierung an die Habsburger und die Aufforderung an die Tiroler, diesen zu huldigen, als vergangen dargestellt.

Herzog Rudolf übernahm auch alle Schulden der Margaretha, wogegen diese ihm die Städte Klingen, Wasserburg, Kufstein, Kitzbühel und Rattenberg überliess in der Weise, wie sie ihr verschrieben waren, also wohl bis zu ihrem Ableben, worauf sie an Baiern zurückfallen mussten.[1]

Am 29. September beurkundete Margaretha feierlich ihre Abdankung, entband ihre Unterthanen vom Eid der Treue und forderte sie auf, den Herzogen von Oesterreich treu und gehorsam zu sein.[2]

Nicht lange darauf verliess sie Tirol ganz und schlug ihren Wohnsitz in Wien auf, wo sie noch mehrere Jahre verlebte, geehrt, wie es ihrem Range gebührte und die Pflicht der Dankbarkeit von Seite der Herzoge von Oesterreich es erforderte.[3]

Noch vor der definitiven Abdankung Margarethas war Rudolf nach Trient gereist, um auch vom dortigen Bischofe sich belehnen zu lassen. Eine Weigerung war hier freilich nicht zu erwarten, da der Bischof Albert schon früher die bestimmtesten Verpflichtungen den Herzogen von Oesterreich gegenüber eingegangen hatte[4] und auch jetzt in einer Lage war, die ihn ganz von ihnen abhängig machte. Seit dem unglücklichen Einfalle, den Karl IV. im Jahre 1347 in Südtirol unternommen hatte, war das ganze Gebiet von Trient, mit Ausnahme der Gegenden am Garda-See, die an die Herrn von Verona

---

1) Reg. n. 330. Die Margaretha ausser den Einkünften von bestimmten Aemtern zugesprochenen 6000 Mark „Gelts“ können nach dem damaligen Sprachgebrauche fast unmöglich etwas anderes bedeuten als jährliche Renten, wie es auch schon Buchner 6,67 und Kink S. 540 aufgefasst haben. Dagegen nimmt Ficker nur eine einmalige Zahlung an, indem er „Gelt“ als „bares Geld“ erklärt. Die Zeit der Verschreibung von Rattenberg, das schon 1350 durch den Markgrafen Ludwig und Margaretha an Konrad den Kummersbrucker verpfändet wurde (Reg. n. 139, 140) kenne ich nicht, doch ist die Verschreibung selbst sichergestellt auch durch Reg. n. 393; die Verschreibung von Kufstein und Kitzbühel Reg. n. 190, von Klingen und Wasserburg n. 204. Uebrigens muss die Bestimmung bezüglich obiger in Baiern gelegenen Städte bald dahin abgeändert worden sein, dass dieselben im Besitze Margarethas bleiben und erst nach ihrem Tode an die Herzoge von Oesterreich übergehen sollten (Reg. n. 346); auch n. 355 setzt Margaretha für die Zukunft als Besitzerin voraus. Ein Recht, auch diese Städte nach ihrem Tode an Oesterreich abzutreten, hatte sie natürlich nicht, da sie ihr nur als Wittbum verschrieben waren.

2) Reg. n. 345.

3) Hagen ap. Pez SS 1,1149. Ebendorffer von Haselbach ibid. 2,808. Arenpekh, chron. Bajoar. ap. Pez, Thesaurus 3°,347.

4) Reg. n. 200.

gekommen waren, in den Händen des Markgrafen Ludwig gewesen, der einen grossen Theil, nämlich Judicarien, das Thal Rendena, Sulzberg und Fleims verpfändete,[1]) den übrigen Theil in seinem Namen verwalten liess. Zwar hatte Ludwig bei seiner Aussöhnung mit der Kirche die Rückgabe von Trient auf das feierlichste versprochen, allein das Gelöbniss war nicht gehalten worden.[2]) Rudolf versprach nun dem Bischofe die Besitzungen seines Stiftes, soweit sie in seinen Händen waren, zurückzustellen, aber freilich unter Bedingungen, die einer halben Säcularisirung gleichkamen.

Der Bischof von Trient und sein Kapitel bestätigten dem Erzherzoge Rudolf und seinen Brüdern und Erben alle Rechte, welche der Herrschaft Tirol je früher zugestanden worden waren. Sie versprachen für sich und ihre Nachfolger, demselben als ihrem Herrn zu dienen und gegen jedermann Hilfe zu leisten, ausgenommen allein die römische Kirche und den apostolischen Stuhl, denen sie übrigens nur in geistlichen, nicht aber in weltlichen Dingen oder in Kriegen verpflichtet seien.

Damit die Herzoge vor jeder Feindseligkeit von Seite der Trientner Kirche gesichert wären, verpflichteten sich Bischof und Kapitel, in den ihrer Kirche gehörigen Burgen, Städten und Festungen keine Castellane, Pfleger oder Räthe einzusetzen ausser mit Zustimmung der Herzoge von Oesterreich, und es sollten dieselben sich eidlich verpflichten, mit ihren Burgen, Städten und Leuten den Herzogen selbst dann zu dienen und Hilfe zu leisten, wenn der Bischof diesen feindlich wäre, nur die Einkünfte sollten nach Abzug der Ausgaben dem Bischof und dem Kapitel ohne Widerspruch abgeliefert werden. Zur Führung der Geschäfte soll der Bischof nach dem Rathe und mit Zustimmung des Herzogs wie die Castellane, Richter und Beamten auch einen Hauptmann erhalten, der dem Herzoge in allen Dingen gehorsam und untergeben sein, aber vom Bischofe besoldet werden sollte. Dieser Hauptmann wie alle Beamten sollten vor dem Antritt ihres Amtes sich eidlich verpflichten, im Falle der Erledigung des bischöf-

---

1) Reg. n. 455. Lichnowsky, Reg. n. 777; die drei ersten Gebiete hatte freilich schon früher der Bischof selbst verpfändet gehabt.

2) Es geht das mit Bestimmtheit hervor aus Urk. Meinhards von 1362 Nov. 14 ap. Steyerer 648; auch sagen Bischof und Kapitel in der in der folgenden Anm. angeführten Urk. mit andern Worten dasselbe.

lichen Stuhles weder dem neu erwählten Bischofe noch dem Kapitel
zu gehorchen, den Eid des Gehorsams zu leisten, die Einkünfte abzuliefern oder sich ihrer Gerichtsbarkeit zu unterwerfen ohne ausdrück-
liche und schriftliche Einwilligung des Herzogs. Der Bischof trug
weiter allen Unterthanen und Vasallen auf, im Falle er oder einer
seiner Nachfolger gegen den Herzog als ihren Herrn etwas unternehmen wollte, diesem gegen den Bischof Hilfe zu leisten; er erklärte sie
für diesen Fall frei und ledig von allen Eiden und Versprechungen
gegen die Kirche und bestimmte, dass diese Clausel künftig bei allen
Huldigungen und Lehenseiden sollte eingefügt werden. Dagegen versprach Herzog Rudolf für sich und seine Erben, den Bischof und
die Kirche Trient gegen jeden Angriff und jede Beeinträchtigung zu
schützen. Der Bischof und das Kapitel beschworen feierlich diesen
Vertrag und gelobten zugleich eidlich, nie einen Bischof oder Domherrn in den Besitz seiner Würde einzusetzen, ehe er alle Punkte desselben beschworen hätte. [1])

Durch diesen Vertrag, der am 18. September abgeschlossen
wurde, erlangte Herzog Rudolf, was noch keinem seiner Vorgänger,
selbst nicht dem gewaltigen Meinhard II. gelungen war, in vollkommen
rechtskräftiger Weise die Oberherrschaft über das Gebiet von Trient.
Der Graf von Tirol war nicht mehr des Bischofs Beamter oder dessen
untergeordneter Vasall, sondern sein Herr, der Bischof kaum mehr
als Statthalter des Grafen. Ein nicht ohne Zustimmung des Herzogs
ernannter Hauptmann wurde als Vertreter der Interessen desselben dem
Bischofe an die Seite gesetzt, die Ernennung aller Beamten vom Herzoge abhängig gemacht, ja bei etwaigen Konflikten zwischen dem Bischofe und seinem Oberherrn die Pflichten gegen diesen in erste Reihe
gestellt. Herzog Rudolf hat dadurch nicht bloss Tirols Vereinigung
mit Oesterreich durchgesetzt, sondern auch die Einverleibung des Ge-
biets von Trient in die Grafschaft Tirol angebahnt, wodurch erst dieses Land seine natürliche Gränze erhielt und die Stellung Oesterreichs
am Südabhange der Alpen eine gesicherte wurde.

Rudolf scheint übrigens seine Befugnisse noch über den ihm vertragsmässig zustehenden Kreis ausgedehnt zu haben. Der Bischof
wurde fast ausschliesslich auf seine geistlichen Angelegenheiten be-

---

1) Reg. n. 334.

schränkt, während die Ausübung aller weltlichen Rechte des Herzogs Hauptmann Friedrich von Greifenstein in seine Hände nahm. ¹) Erst nach Rudolfs Tode trat in dieser Beziehung eine Aenderung ein. ²)

Auch auf andere Weise wusste Rudolf seinen Einfluss im Süden zu sichern, indem er gleichzeitig die mächtigen Herrn von Castelbarco bewog, ihre bei Roveredo gelegenen Burgen Castelnuovo, Castellano und Castelcorno und ihre übrigen Besitzungen von Oesterreich zu Lehen zu nehmen; ³) dasselbe thaten auch die Herrn von Lodron. ⁴)

Im nördlichen Tirol bildeten seine Hauptstütze die Städte, die er daher auch auf jede Weise, politisch wie materiell, begünstigte. Namentlich die Bürger von Hall und Innsbruck, welche schon im Sommer so bereitwillig sich um seine Person geschaart und mit Muth und Tapferkeit ihn aus der grössten Gefahr gerettet hatten, erhielten neue Rechte, z. B. Zollfreiheit für allen zu eigenem Gebrauche eingeführten Wein, die Haller, welche damals bedeutenden Handel bis nach Wien trieben, auch noch Zollfreiheit bei allen Mauthen am Inn und an der Donau. ⁵)

Auch einzelne Adelige, z. B. Friedrich von Greifenstein,⁶) Berchtold von Gufidaun,⁷) wurden durch besondere Begünstigungen an das neue Herrscherhaus gekettet.

Dagegen mussten andere Landherrn die schwere Hand des Herzogs fühlen. Wie es scheint im Oktober, hielt Rudolf strenges Gericht über den tirolischen Adel, dessen Glieder theilweise nicht ganz reine Hände hatten. Gerade die drei hervorragendsten Landherrn, welche die schönen Tage der Regierung Margarethas am besten zu

---

1) Goswin ap. Eichhorn p. 125 f. und im Anhang ist der einzige Schriftsteller, der darüber redet, dessen Ausdrücke es aber doch zweifelhaft lassen, wie weit Rudolf über die ihm am 18. September gewährten Befugnisse hinausgieng; vgl. indess Reg. n. 434, 435. Dass Friedrich von Greifenstein die Stadt Trient mit der Burg Malconsin und der Feste Selva im Namen des Herzogs innehatte, zeigt Reg. n. 435; derselbe erhielt auch von Rudolf die Hauptmannschaft in Judicarien, Rendena und im Sulzberg und anderes als Pfand. Reg. n. 455.

2) Reg. u. 433, 435.
3) Reg. n. 344, 354.
4) Reg. n. 333.
5) Reg. n. 326, 358, 369, 370, 373, 375, 377, 384.
6) Reg. n. 338—340, 379; vgl. Anm. 1 und umgekehrt n. 341, 380.
7) Reg. n. 335, 382.

benützen gewusst hatten, mussten einen grossen Theil dessen herausgeben, was sie der Schwäche einer launenhaften Frau abgepresst hatten. Ulrich der jüngere von Matsch, der die Stelle eines Landeshauptmanns schon früher verloren hatte, [1] wurde in Hall gefangen gesetzt und erhielt nur gegen grosse Opfer die Freiheit wieder; er musste das Thal Ulten mit dem dortigen Schlosse (Eschenloh), die Probstei Eyers, das Gericht Nauders mit dem Schlosse Naudersberg herausgeben, seinen Rechten über die freien Leute in Engedein entsagen, endlich auch auf die Hauptmannschaft über Trient, die er früher innegehabt hatte, förmlich verzichten; mit ihren übrigen Burgen, Unter- und Obermatsch, Churburg im Vintschgau, Härtenberg im Oberinnthal und Tarasp im Engedein mussten die beiden Vögte von Matsch den Herzogen von Oesterreich stets treu zu dienen versprechen. Nicht besser ging es dem Burggrafen von Tirol, Petermann von Schenna, und dem Hofmeister Heinrich von Rottenburg; ersterer verlor 1200 Mark jährlicher Einkünfte, theils von Zöllen, theils vom Ertrage der Probstei in Innsbruck und von andern Gütern, letzterer achtzig Fuder Weinzinses von Tramin, die einen Werth von etwa 500 Mark hatten. Auch andere verloren die Güter, die sie sich ohne Recht aus den tirolischen Domänen angeeignet hatten. [2]

----

1) Schon 1363 Sept. 11 ist nicht mehr Ulrich von Matsch, sondern Petermann von Schenna Hauptmann von Tirol (Reg. n. 330). War diese Aenderung durch Margaretha oder in den ersten Tagen des September durch Rudolf vorgenommen worden?

2) Goswin ap. Eichhorn p. 126 und im Anhang (Sindes, das neben Engdena genannt wird, ist wohl das heutige Sins in Unter-Engadein); vgl. damit Reg. n. 367. 368. Ich glaube, dass diese beiden Urkunden auch die Zeit der „starken Inquisition“, wie Brandis, Burglehner u. a. sich ausdrücken, bezeichnen. Später kann die Herausgabe von Naudersberg, Eschenloh u. s. w. nicht fallen, da dieselben unter den Burgen der Matscher Reg. n. 368 nicht erwähnt werden, und es dürfte auch kaum zufällig sein, dass Erzherzog Rudolf den Matschern die Privilegien aller seiner Vorgänger bestätigt, nur die Margarethas nicht (Reg. n. 367); auch die dem Petermann von Schenna entzogenen Einkünfte der Probstei in Innsbruck werden schon Nov. 16 den dortigen Bürgern überwiesen (Reg n. 371). Vor dem October kann der Vogt Ulrich auch nicht in Hall gefangen gesetzt worden sein, da Rudolf wie die Matscher früher in Südtirol waren und man das Gericht nicht wohl in den August verlegen kann (vgl. o. S. 92 Anm. 4). Was die Hauptmannschaft über Trient betrifft, so muss sie Ulrich von Matsch wohl vor Rudolfs Uebernahme der Regierung innegehabt haben, da Goswin sagt, dass Rudolf ihm um diese Zeit die Stiftsgüter entzog und sich selbst aneignete. - Wenn die 80 Fuder Traminer auf 500 Mark an-

VIII.

Rudolfs Hauptaufgabe war aber die Beschützung des Landes und die Wahrung der Gränzen gegen die Herzoge von Baiern.

Zwistigkeiten unter den verschiedenen Gliedern des wittelsbachischen Hauses und die Ordnung der verwirrten Verhältnisse in Oberbaiern hatten dieselben bisher gehindert, ihre Ansprüche auf Tirol mit Waffengewalt geltend zu machen. [1]) Endlich gelang es Ende Oktobers, eine Ausgleichung zwischen dem Herzoge Stephan und seinem Bruder Albrecht herbeizuführen und ein Bündniss derselben zur Eroberung Tirols zu Stande zu bringen. Um Martini rückten ihre Schaaren in das Feld, um sich vor allem dieses Landes zu bemächtigen. [2])

Herzog Rudolf hatte die umfassendsten Massregeln getroffen, um die Feinde abzuwehren. Sobald die Uebergabe Tirols vollzogen war, in den ersten Tagen des Oktobers, zog er in das zunächst bedrohte Innthal, wo sich nicht bloss Adel und Bürger Tirols, sondern auch zahlreiche Schaaren aus den österreichischen Herzogthümern und aus Schwaben unter Anführung dortiger Grosser um ihn sammelten. [3]) Besonders war Rudolf bestrebt, die an der Gränze gegen Baiern begüterten Adeligen für sich zu gewinnen; es gelang ihm dies auch mit Stephan von Schwangau [4]) und den mächtigen Rittern von Freundsberg, [5]) deren Burgen einen grossen Theil der Gränze deckten, des Schwangauers Festen Vorder- und Hinterschwangau, Frauenstein und der Synwellen Thurm die Gegend bei Reutte, die freundsbergischen

geschlagen wurden, so ist das natürlich nur annähernd sicher: Ludwig der Brandenburger zahlt 1348 dem Rubainer für das Fuder Traminer 8 Mark (Orig. bair. R. A.), dagegen 1355 dem Botsch 6 Mark (Burglehner 2.650).

1) S. hierüber Fossmaier S. 99—123, 127 ff.

2) Sie perseveravit guerra illa a festo Martini usque ad festum Bartholomaei. Ann. Mats. M. G. 11.832; die Urkunden stimmen mit dieser allgemeinen Angabe fast ganz überein.

3) Man darf wohl die Grafen von Montfort-Tettnang, Werdenberg-Sargans, Toggenburg, Nidau, Ortenburg u. a. als Zeugen in Rudolfs Urkunden aufgeführte (Reg. n. 351, 358, 369, 389) als Führer von Kriegsschaaren in österreichischem Solde ansehen; gewiss ist dies von den Grafen von Cilly (Reg. n. 366, 392).

4) Reg. n. 376.

5) Reg. n. 324, 356.

114

Schlösser Freundsberg bei Schwaz, Lichtenwerth und Matzen bei
Rattenberg am rechten, Schindelburg gegenüber von Wörgl am lin-
ken Innufer das ganze Unterinnthal. Auch Rudolf der Haslanger,
Besitzer der Feste und Klause Thierberg bei Kufstein, trat in österreichische Dienste.[1]

Dessenungeachtet gelang es den Herzogen von Baiern, welche,
von Ruprecht, Pfalzgrafen am Rhein, dem Burggrafen von Nürnberg,
dem Grafen von Wirtemberg und andern unterstützt, mit einem zahlreichen Heere gegen Tirol rückten, um die Mitte des Monats November in das Land einzudringen. Die drei unterinnthalischen Städte,
Kufstein, Kitzbühel und Rattenberg, waren nämlich in den Händen
von bairischen Adeligen, des Konrad von Frauenberg und Konrad
Kummersbrucker, welche obige Städte von Margaretha Maultasch,
der sie als Witwensitze zugewiesen worden waren, theils als Pfand,
theils zur Pflege erhalten hatten.[2] Der Kummersbrucker, der im
vorigen Jahre vom Herzoge Meinhard, dann von Rudolf von Oesterreich gefangen gehalten worden war und sich nur durch List die Freiheit zu verschaffen gewusst hatte,[3] liess die Baiern ungehindert durch
das Unterinnthal vordringen und öffnete ihnen die Thore von Rattenberg, dessen Umgebung durch Raub und Brand furchtbar verwüstet
wurde. Doch wurden sie diesmal von Erzherzog Rudolf, der mit seinem Heere den Feinden entgegen eilte, schnell zurückgeworfen und
Rudolf vergalt den Schaden, welchen dieselben angerichtet hatten,
durch gleiche Verheerung der Besitzungen der Baiern und ihrer Anhänger.[4]

1) Reg. n. 337.

2) S. o. S. 95 Anm. 1 und Reg. n. 323, 356, 393.

3) Dies sagt auch Goswin ap. Eichhorn p. 126 und im Anhang ohne Angabe der Art und Weise seines Entkommens; einen detaillirten, freilich vielleicht sagenhaften Bericht giebt Arenpekh, chron. Bajoar. ap. Pez, thes. 3ᶜ, 349 f.

4) Einzige Quelle über diesen Einfall und die Begünstigung der Baiern
durch den Kummersbrucker ist Goswin ap. Eichhorn p. 126 und im Anhang.
Ist vielleicht auch der Haslanger trotz seiner frühern Versprechungen auf die
Seite der Baiern getreten und dafür vom Herzoge Rudolf bei seiner Verfolgung
der Baiern gefangen worden (Reg. n. 421)? Die Zeit des Einfalls dürfte, abgesehen von der o. S. 100 Anm. 2 angeführten Bemerkung der Ann. Mats. ungefähr bestimmt werden durch Reg. n. 376; es lag wohl bei der Klause unmittelbar oberhalb Strass (am Eingang ins Zillerthal) das österreichische Heer
(auch Reg. n. 377, 387 setzen schon den Beginn der Feindseligkeiten voraus);

Unvermuthet wendeten sich aber die Baiern gegen die österreichische Gränze, wo die Oberösterreicher und die Schaaren des mit
Oesterreich verbündeten Erzbischofs von Salzburg einen Einfall in das
bairische Gebiet, gemacht hatten, warfen sich auf die Gegner und nahmen bei Oetting am Inn ungefähr siebzig von denselben gefangen, darunter manche hervorragende Männer des österreichischen und salzburgischen Adels. [1])

Erzherzog Rudolf glaubte nun, die Baiern würden nach der Sitte
der damaligen Kriegführung bei der schon sehr vorgerückten Jahreszeit ihr Heer entlassen und die Feindseligkeiten beenden. Er schickte
daher ebenfalls seine Truppen nach Hause und verliess selbst um den
10. December[2]) das Innthal, um nach Oesterreich, wohin dringende Geschäfte ihn riefen, zurückzukehren. Noch vor seiner Abreise ernannte
er zum Hauptmann von Tirol den Berchtold von Gufidaun, [3]) für dessen uneigennützigen Charakter besonders sprach, dass er als Mitglied
der Regentschaft in den ersten Tagen der Margaretha von allen Laien
allein leer ausgegangen war. Auf der Rückreise schlug Rudolf den
Weg über Brixen ein und bewog hier das Kapitel, an die Stelle des
am 27. Oktober verstorbenen Bischofs Matthäus seinen Kanzler, den
Bischof Johann von Gurk zu wählen, [4]) der wie kaum einer den In-

---

mit dieser Annahme stimmt auch Goswin überein, nach welchem Rudolf „nach
einigen Wochen" das Land verlässt.

1) Ann. Mats. M. G. 11.831. Dieses Treffen ist es vielleicht, welches bei
F. Villani l. 11 c. 78 zu einer grossen Schlacht angewachsen ist, in der die
Zahl der beiderseits Getödteten über 500 betrug; von einer andern Niederlage
der Oesterreicher in diesem Kriege ist wenigstens nichts bekannt und die von
Villani angegebene Zeit, Oktober 1364 wäre in jedem Falle unmöglich, weil
damals schon lang die Waffen ruhten; auch durch die weitern Bemerkungen
Villanis, namentlich über die Friedensbestrebungen des Pabstes, wird die von
ihm erwähnte Schlacht in das Spätjahr 1363 hinaufgerückt. Das Treffen bei
Oetting hat spätestens um die Mitte Decembers (Reg. n. 391), vielleicht aber
noch früher stattgefunden, da Stephan d. ä. schon Nov. 27 in Oetting urkundet
(Reg. Boica 9,11).

2) Reg. n. 387, 389, 390; 385 muss in eine frühere Zeit fallen.

3) Reg. n. 389.

4) Sinnacher 5,391, 415; nach dem hier angeführten Bischofscatalog ist
„Johannes ein Schwab aus Lenzpurch ... auf das zudringliche und
kräftige Anhalten des Herzogs von Oesterreich von dem Bisthum
Gurk auf das von Brixen gefordert worden. Die Wahl scheint kurz vor
Dec. 17 stattgefunden zu haben (Sinnacher 5,420) und gerade am 13. war
Rudolf in Brixen,

teressen Oesterreichs ergeben war und seinen Eifer für dasselbe und für die Behauptung Tirols, namentlich in den spätern Kämpfen, auf das deutlichste an den Tag legte.

Kaum hatten aber die Baiern gehört, dass Herzog Rudolf mit seinen Truppen das Land verlassen habe und nach Oesterreich abgegangen sei, so rückten sie noch im December neuerdings über die tirolische Gränze. Kein Mensch hatte einen neuen Einfall in dieser Jahreszeit erwartet; nicht die geringsten Vorbereitungen waren getroffen, die Feinde abzuwehren. Ohne Widerstand zu finden drang das starke bairische Heer durch das Innthal bis Zirl vor; von hier abwärts bis Rattenberg wurde das ganze Thal, zehn Meilen in der Länge, auf das furchtbarste verwüstet, alle Dörfer eingeäschert, alles, was verbrannt werden konnte, dem Feuer preisgegeben. Nur die Städte Innsbruck und Hall schlugen alle Angriffe der Feinde zurück und retteten sich durch ihre Tapferkeit vor einem ähnlichen Loose. Nicht Waffengewalt, sondern die Kälte des gerade in diesem Jahre besonders harten Winters zwang endlich die Baiern zum Abzuge aus dem verheerten Lande, aus dem sie eine ungeheure Beute fortschleppten.

Einen strategischen Erfolg hatte freilich dieser Zug nicht gehabt, da die Baiern keinen festen Platz von Bedeutung hatten erobern und behaupten können. [1]

Die Waffenruhe, welche nur einige Monate dauerte, wurde von beiden Seiten zu Unterhandlungen benützt, deren Hauptzweck die Gewinnung des Kaisers war.

Ohne dass ein förmlicher Waffenstillstand geschlossen worden war, hatten die Feindseligkeiten zwischen dem Kaiser und zwischen

---

[1] Einzige Quelle ist auch hier Goswin ap. Eichhorn p. 127 und im Anhang. Mit diesem Zuge hängt ohne Zweifel der Dienstrevers der beiden Kummersbrucker für Rattenberg von Dec. 24 zusammen. Wenn nach dem Archiv für Süddeutschland 2,7 f. auch Hans von Freundsberg sich den Baiern damals angeschlossen haben sollte (wovon schon Arupekh spricht), so wird das durch die Gunstbezeigung, welche er von den Habsburgern noch später erfuhr (Reg. n. 416, Lichnowsky Reg. n. 623), widerlegt. Die Eroberung von Schlossberg, Landeck, Matrei und Sterzing, welche Fessmaier S. 143 ff. und nach ihm die folgenden Geschichtschreiber auf diesem Zuge geschehen lassen, fällt, wie später gezeigt werden soll, erst in das J. 136...; Schlossberg muss allerdings schon früher einmal von den Baiern genommen worden sein, da es wahrscheinlich 1365 (s. u. S. 109) von Petermann von Schenna zurückerobert wird, und es könnte das möglicher Weise 1363, aber ebenso gut 1364 geschehen sein.

dem Könige von Ungarn und den mit ihm verbündeten Herzogen von Oesterreich geruht. Pabst Urban V., erschreckt durch das unwiderstehliche Vordringen der Türken, welche schon 1357 in Europa festen Fuss gefasst und 1361 das wichtige Adrianopel erobert hatten, suchte einen Kreuzzug der abendländischen Christenheit gegen dieselben zu Stande zu bringen und war daher vor allem bemüht, alle Zwiste unter den europäischen Fürsten beizulegen. Wiederholt, schon im Jänner und neuerdings im Mai 1363 hatte er sich an den Kaiser und dessen Bruder, an den König von Ungarn, an den Herzog Rudolf von Oesterreich gewendet, hatte sie aufgefordert, allen Feindseligkeiten ein Ende zu machen, hatte zu diesem Zwecke einen eigenen Legaten, den Bischof Peter von Volterra, sowohl nach Wien als auch zum Kaiser geschickt und mehrere hervorragende Kirchenfürsten um ihre Vermittlung angegangen. [1] Wenn es auch nicht gelungen war, eine vollständige Aussöhnung zu Stande zu bringen, so wurde doch erreicht, dass die Waffen von beiden Seiten ruhten, um so mehr, weil ein Kampf jetzt weder im Interesse des Kaisers noch Rudolfs von Oesterreich lag. Noch raschern Erfolg hatten die Bemühungen des Königs Kasimir von Polen und des Herzogs Bolko von Schweidnitz, die von beiden Parteien als Schiedsrichter anerkannt worden waren. Am 12. December 1363 befahlen sie vorläufig, dass beide Theile gute Freunde sein sollten, [2] und das Werk der Versöhnung wurde kräftig unterstützt durch den Bischof Peter von Florenz, der als päbstlicher Gesandter nach Prag an den kaiserlichen Hof kam. [3]

Es eilten jetzt zwar auch die Herzoge von Baiern mit Beginn des Jahres 1364 nach Prag, um den Kaiser zum Abschlusse eines Bündnisses gegen Oesterreich zu gewinnen; allein es war zu spät. Das einzige, was sie erwirkten, war das Versprechen des Kaisers, bei den Markgrafen von Brandenburg dahin zu wirken, dass sie ihre Ansprüche

---

1) Raynald ad a. 1363 n. 11. 20. 23. Der päbstliche Legat Peter ist Zeuge Rudolfs IV. in Wien 1363 Mai 25 (ap. Lacomblet 3.548), dann Zeuge des Kaisers in mehreren Urkunden von 1363 Juli 25 und 31 (Riedel I. 9.52; 12,303; 15,159; 16,241; 21,185; II. 6,99).

2) Steyerer 375.

3) Raynald ad a. 1364 n. 10. Am 2. Jan. 1364 scheint er bereits beim Kaiser in Prag zu sein (Ughelli, It. sacra 3, 194), den er auch auf den Friedenscongress nach Brünn begleitet (Steyerer 379).

auf Oberbaiern während des Krieges mit Oesterreich ruhen lassen
möchten, oder sie sonst wenigstens nicht zu unterstützen. [1)]
Zu einer Unterstützung der bairischen Bestrebungen bezüglich
Tirols war der Kaiser nicht mehr zu bewegen.

Am Anfang des Februar 1364 fand ein Friedenscongress in Brünn
statt. Der Kaiser selbst mit seinem Sohne Wenzel und seinem Bruder, dem Markgrafen Johann von Mähren, der König Ludwig von Ungarn, die Herzoge von Oesterreich, der päbstliche Legat und viele
Bischöfe, Fürsten, Grafen und Adelige hatten sich hier eingefunden.
Rudolfs Gemahlin Katharina, des Kaisers Tochter, war besonders
bemüht, das Versöhnungswerk zum Abschlusse zu bringen, was ihr
vollständig gelang. Der Friede wurde geschlossen und zugleich bestätigte der Kaiser die Schenkung Tirols an die Herzoge von Oesterreich und belehnte dieselben mit allem, was in Tirol Reichslehen wäre.[2)]
Gleichzeitig wurde die Witwe Meinhards, Margaretha von Oesterreich,
mit dem verwitweten Markgrafen Johann von Mähren vermählt, demselben, den einst Margaretha Maultasch verjagt hatte. [3)]
Damit war das Wichtigste erreicht, die Anerkennung der Erwerbung Tirols durch den Kaiser. Noch vor diesem hatte der ebenfalls
in Brünn anwesende Bischof Peter von Chur den Herzogen von Oesterreich alle Lehen übertragen, welche die frühern tirolischen Landesherrn von seiner Kirche besessen hatten und zu denen auch das Oberst-
schenkenamt des Stiftes gehörte. [4)] Die meisten der übrigen Betheiligten folgten bald nach. Am 8. Mai entsagten die beiden Markgrafen
Ludwig und Otto von Brandenburg nicht bloss allen etwaigen Ansprüchen auf Tirol zu Gunsten der Herzoge von Oesterreich, sondern
schlossen sogar mit diesen ein Bündniss gegen ihren Bruder, den Herzog Stephan von Baiern, und seine Söhne. [5)] Am 6. Juni verzichtete
auch der Graf Albrecht von Görz feierlich auf Tirol, [6)] so dass nur

1) Reg. n. 396, 397. Nach dem Inhalt der Prager Verträge war also der
Kaiser nicht gehindert, mit den Herzogen von Oesterreich Frieden zu schliessen
oder dieselben mit Tirol zu belehnen, und man thut sehr Unrecht, wenn man
ihm vorwirft, er habe dadurch die Wittelsbacher „schmählich betrogen.“

2) Reg. n. 400, 401.

3) Steyerer p. 670—674.

4) Reg. n. 399, 402.

5) Reg. n. 405, 406.

6) Reg. n. 409.

noch die Anerkennung des Grafen Meinhard von Görz und der Herzoge von Baiern zu erwirken war.

Zwischen Oesterreich und Baiern konnten freilich nur die Waffen entscheiden.

Von beiden Seiten wurden grosse Rüstungen gemacht, um nach dem Eintritt des Frühlings mit einem bedeutenden Heere im Felde erscheinen zu können.[1] Die Herzoge von Baiern wurden auch diesmal von Ruprecht von der Pfalz, dem Burggrafen von Nürnberg, den Grafen von Nassau, Orlamünde und Schwarzburg wie durch Hilfstruppen aus Meissen und andern Gegenden unterstützt. Dagegen erhielten die Oesterreicher Hilfsversprechungen von den Markgrafen von Brandenburg, den Herzogen von Sachsen, dem Herzoge von Schweidnitz, den Grafen von Wirtemberg und Helfenstein, den Reichsstädten in Schwaben, ja sogar der Kaiser und dessen Bruder Johann von Mähren sagten ihre Unterstützung zu.

Indessen dauerte es lange, bis die beiden Haupttheere im Felde erschienen. Der Krieg begann mit Raubzügen an der österreichisch-bairischen Gränze. Die ganze Gegend westlich und nördlich von Salzburg wurde von den Baiern furchtbar verheert, das Kloster Michaelbaiern eingeäschert; endlich griffen auch die Bauern, durch die Drangsale, welche eine solche Kriegführung im Gefolge hatte, zur Verzweiflung gebracht, zu den Waffen, plünderten und raubten, ohne zwischen Feind und Freund einen Unterschied zu machen, und vergrösserten dadurch noch das allgemeine Elend.

Mit Anfang des Juni erschien das bairische Hauptheer im Felde. Diesmal beschlossen die Wittelsbacher ihre Angriffe nicht gegen Tirol sondern gegen Salzburg und Oberösterreich zu richten. Während Herzog Albrecht das von ihm früher an Oesterreich verpfändete Schärding angriff, rückte sein Bruder Stephan mit dem grössten Theile der Truppen vor das salzburgische Städtchen Mühldorf am Inn. Allein an der Tapferkeit der Bürger beider Städte scheiterten alle Angriffe der Baiern. Obwohl Schärding ohne Mauern und nur mit einem schwachen Pfahlwerk umgeben war, wurden doch alle Stürme der Feinde mit nicht unbedeutendem Verluste der Angrei-

----

1) S. die Dienstverträge H. Stephans von Baiern Reg. Boica 9,96 und H. Rudolfs von Oesterreich Reg. n. 403, 404, 412.

fenden zurückgeschlagen. In Mühldorf hielt die kleine Besatzung von vierzig Mann unter dem tapfern Ulrich von Weisseneck, durch die Bürgerschaft kräftig unterstützt, eine Belagerung von fast drei Monaten aus.

Wiederholt bestürmte der Erzbischof von Salzburg den Herzog Rudolf mit der Bitte, ihm mit einem bedeutenden Heere zu Hilfe zu kommen, sein Land vor völliger Verwüstung zu retten und das gefährdete Mühldorf zu entsetzen. Allein erst gegen Ende des Juli begab sich Rudolf nach Enns, das er zum Sammelplatz seines Heeres bestimmt hatte. Selbst jetzt dauerte es noch einige Wochen, bis seine Schaaren aus allen österreichischen Ländern und die Hilfstruppen seiner Bundesgenossen, von denen die Herzoge Wenzel von Sachsen-Wittenberg und Balthasar von Braunschweig (-Grubenhagen) persönlich erschienen, eingetroffen waren; erst nach der Mitte des August konnte Herzog Rudolf gegen die Feinde aufbrechen. Rudolf griff nicht das bairische Heer, das vor Mühldorf stand, selbst an, sondern wendete sich gegen Ried, in der Erwartung, dass die Baiern zum Entsatze desselben heranziehen würden. Seine Erwartung täuschte ihn nicht. Die Baiern hoben die Belagerung von Mühldorf auf und zogen mit mehreren tausend Mann gegen die Oesterreicher, um Ried zu retten. Allein es war zu spät; nach geringem Widerstande hatte sich dieser Markt mit der Burg an die Oesterreicher ergeben, und da Rudolf seinen Hauptzweck, den Entsatz der von den Feinden belagerten Orte, erreicht hatte, zog er sich nach Zerstörung der Burg von Ried zurück, ohne sich mit den Baiern in einen Kampf einzulassen. [1])

---

1) Die Hauptquellen für diesen Krieg sind die Ann. Mats. M. G. 11,831 f., chron. de ducibus Bavarie ap. Böhmer, Fontes 1,146 (beide sehr bairisch gesinnt und letzteres Hauptquelle für alle spätern bairischen Chronisten), die handschriftlichen Aufzeichnungen bei Filz, Geschichte v. Michaelbaiern 2,345 f. und das Privileg H. Rudolfs für Schärding von 1364 Sept. 24 ap. Oefele 2,189. Ueber die Bundesgenossen Oesterreichs s. auch H. Rudolfs Schreiben an die Stadt Hall (Reg. n. 407), wobei freilich dahin gestellt bleiben muss, ob ihn alle dort Angeführten auch wirklich unterstützt haben; indess erwähnen doch auch die Ann. Mats. Böhmen (aliqui Ungari seu (!) Bohemi) im österreichischen Heere. — Die Belagerung Mühldorfs scheint in die Monate Juni bis August — circiter tres menses — zu fallen, da Herzog Stephan im April und Mai theils in München, theils in Landshut sich aufhält (R. B. 9,99 ff.), am 2. Juni in Neumarkt, wohl auf dem Marsche gegen Mühldorf (l. c. 102) und erst am 11. Juni „zu Mühldorf auf dem Felde" urkundet (l. c. 103), ebenso

Weiteren Feindseligkeiten wurde durch einen Waffenstillstand ein Ende gemacht.

Schon seit Mitte des Juli waren mehrfach Versuche zur Beendigung des Krieges gemacht worden, auf welche die Herzoge von Baiern bereitwillig eingiengen. [1]) Dem Könige Ludwig von Ungarn gelang es endlich, die Verhandlungen zum Abschlusse zu bringen; am 12. September wurde in Passau vorläufig bis zum 23. April des nächsten Jahres ein Waffenstillstand geschlossen, der zu Friedensverhandlungen unter Vermittlung des Königs benützt werden sollte. [2])

Der beabsichtigte Friedenscongress kam indess nicht zu Stande; die Wittelsbacher mochten sich noch immer nicht entschliessen können, auf Tirol zu verzichten, was für die Herzoge von Oesterreich die erste Bedingung des Friedens sein musste. Doch waren beide Theile ebenso wenig entschieden, wieder zu den Waffen zu greifen. Die Habsburger konnten eine Erneuerung des Krieges um so weniger wünschen, weil sie ja ohnehin im factischen Besitze des streitigen Landes waren und weil der Krieg, den sie gleichzeitig im Süden gegen den Patriarchen von Aquileja und gegen Franz von Carrara, Herrn von Padua, zu führen hatten, alle ihre Kräfte in Anspruch nahm; die Herzoge von Baiern scheinen aber schon durch die bisherigen An-

---

Juli 30 ("Erchtag nach St. Jakobstag". Privileg für Wasserburg, abschriftlich im bair. R. A.; wohl identisch damit ist das von Buchner 6,70 n. 9 zu Juni 30 erwähnte). Wenn Ettenveld, wo die Herzoge von Baiern am 26. August ihr Lager haben (Reg. n. 413). Eggenfelden an der Rott nordöstlich von Mühldorf ist, so mussten sie die Belagerung dieser Stadt schon vor dem Angriffe der Oesterreicher auf Ried aufgehoben haben, indem man ja sonst im Widerspruch den Chronisten einen Rückzug der Baiern und nicht einen Versuch, Ried zu entsetzen, annehmen müsste. — H. Rudolf IV. urkundet Juli 31. Aug. 2 u. 12 in Enns (Lichnowsky n. 605, 606, 608), wo er, wie er selbst sagt (Urk. von 1365 Apr. 29 bei Kurz S. 402), sein "Gesinde" erwartete; am 28. Aug. steht er "ze Feld vor Ried." Hormayr Wien I. 5. U. B. 42 (vgl. auch die hier aufgeführten Zeugen). Ueber die Zerstörung der Burg von Ried vgl. auch Suchenwirts Lobrede auf Hans von Traun V. 433—437 ed. Primisser S. 62. — Buchner 6,71 lässt in diesem Jahre auch Rattenberg drei Monate lang durch einen Herzog von Oesterreich belagert werden; allein wenn diese nur von Arenpekh (ap. Pez. thes. 3c, 350) erwähnte Belagerung überhaupt historisch ist, so kann sie nur in den Herbst 1363 fallen, wohin sie ja eigentlich Arenpekh selbst setzt, indem er sie im nämlichen Jahre stattfinden lässt, in dem Tirol an Oesterreich kam.

1) Reg. n. 410, 411, 413.
2) Reg. n. 414, 415.

strengungen sehr erschöpft gewesen zu sein und mussten stets einen
Angriff der Markgrafen von Brandenburg auf Oberbaiern fürchten. [1]
Auch die Ermahnungen und Drohungen des Pabstes dürften nicht
ohne Einfluss auf die Haltung der beiden Parteien geblieben sein. [2]
So wurde denn der Waffenstillstand zuerst bis zum 24. Juni verlängert, [3] dann nach kurzen Feindseligkeiten, in denen Petermann von
Schenna den Baiern die von ihnen früher eroberte Burg Schlossberg
bei Seefeld wieder entriss. [4] im Oktober 1365 neuerdings abgeschlossen und dann mehrmals weiter erstreckt bis zum Ende des Jahres
1366. [5]

Unterdessen hatten sich die Verhältnisse vielfach geändert. Herzog Rudolf IV., der sich im Sommer des Jahres 1365 nach Mailand
begeben hatte, um mit dem Visconti ein Bündniss zu Stande zu bringen, war dort am 27. Juli in der Blüthe seiner Jahre mit Tod abgegangen. Nur einen Monat später war ihm sein treuer Verbündeter,
Erzbischof Ortolf von Salzburg, gefolgt. Rudolfs Brüder, Albrecht

---

1) S. Reg. n. 417.

2) Raynald ad a. 1364 n. 12. Auf den am 12. September erfolgten Abschluss des Waffenstillstandes können die Schreiben des Pabstes vom 3. Sept.
selbstverständlich keinen Einfluss gehabt haben (was den neuern Darstellungen
gegenüber zu bemerken nicht überflüssig ist). wohl aber auf die Verlängerung
desselben im folgenden Jahre. Der nach dem Briefe des Pabstes an den Kaiser
an diesen abgeschickte Gesandte Agapitus von der Column (Colonna?), Bischof
von Ascoli, hielt sich mehrere Monate in Wien auf und ist Zeuge Rudolfs IV.
in Urk. v. 1365 Jan. 30. Febr. 10. März 12 (Steyerer 407, 415; Lünig R. A.
Spicil. eccl. pars 2. p. 792); vgl. auch dessen Geldforderungen an Bischof und
Kapitel von Passau v. 1365 Febr. 20 u. Apr. 18 Wien. R. B. 9,117,120.

3) Reg. n. 423.

4) Kurz, Rudolf IV. S. 239 Anm. 2 behauptet zwar. es sei der mit
24. Juni 1365 zu Ende gehende Waffenstillstand bis Ende Okt. verlängert worden. Allein bei Lichnowsky ist keine solche Urkunde verzeichnet, und dass
zur Zeit, als Herzog Leopold an der Etsch war. der Friede mit Baiern ausgieng
und Feindseligkeiten stattfanden. sagen die Herzoge von Oesterreich selbst in
Urk. v. 1367 Febr. 18 (Reg. n. 450); Leopold war aber eben 1365 in Tirol.
wo er Juni 11 in Bozen, Aug. 23, 30, Okt. 24 auf Tirol, Nov. 4 in Meran,
Nov. 19 auf Tirol urkundet (Reg. n. 430; Reg. B. 9,125; Lichnowsky n. 682,
692, 696, 700). In diesem Krieg, der die Baiern wieder bis zur Klause bei
Strass führte (Reg. n. 432), muss auch die (Reg. n. 450 erwähnte) Eroberung
von Schlossberg fallen.

5) Zuerst bis 1366 April 23 (Reg. n. 431, 432), dann am 13. Mai bis
Weihnachten 1366 (Reg. n. 441, 442, 444); von da an findet sich keine Waffenstillstandsurkunde mehr.

und Leopold, der eine sechzehn, der andere vierzehn Jahre alt und somit kaum dem Knabenalter entwachsen, hatten von ihrem Vorgänger die schwere Aufgabe geerbt, die verwickelten Verhältnisse zu ordnen, welche dadurch noch schwieriger geworden waren, dass Graf Meinhard von Görz, dessen Besitzungen die Verbindung Oesterreichs mit Tirol erschwerten, ebenfalls seine Ansprüche auf Tirol zur Geltung zu bringen suchte und sich mit den Gegnern des Hauses Habsburg verbündete.[1] Musste bei dieser Lage der Dinge die Politik der Herzoge von Oesterreich schon an sich auf Beendigung der rings um die Gränzen tobenden Kriege gerichtet sein, so trug auch noch die friedliebende Natur Albrecht, des ältern der beiden Herzoge, dazu bei, sie in dieser Richtung zu erhalten.

So wurde mit dem Patriarchen von Aquileja, mit dem Grafen Meinhard von Görz eine Ausgleichung angestrebt,[2] so auch mit Baiern über einen Frieden verhandelt.

Im Februar 1366 war man bereits soweit gekommen, dass von Seite der Herzoge von Baiern die Friedensbedingungen genauer formulirt wurden. Sie verlangten für ihre Verzichtleistung auf Tirol 100000 Goldgulden für Herzog Stephan und wenigstens 24000 Gulden für seine Söhne, weiter Zurückgabe des an Oesterreich verpfändeten Schärding gegen 100000 Gulden; über den Besitz des zwischen Oesterreich und Tirol streitigen Rattenberg sollten der Burggraf von Nürnberg und der Graf von Schaunberg entscheiden; wenn die Herzoge von Oesterreich ohne leibliche Erben mit Tod abgiengen, so sollten Tirol und alle ihre Besitzungen in Schwaben und Elsass an Baiern fallen.[3]

Allein auch diesmal kam der Friede nicht zu Stande, ohne dass

---

1) Meinhard von Görz verbündet sich im April 1365 mit dem Patriarchen von Aquileja (Additam. ad chron. Cortus. ap. Muratori SS, 12.979), am 30. Mai mit Baiern (Reg. n. 427, 428; vgl. 426).

2) Waffenstillstand mit Aquileja 1365 Mai 30 bei Kurz, Albrecht III. 1,189. Nach Kurz S. 22 ist „auch mit Görz ein Waffenstillstand abgeschlossen worden" und der erste mir bekannte von 1366 Aug. 8 ist allerdings nur Erneuerung eines frühern (Reg. n. 461); allein wann dieser frühere abgeschlossen wurde, ist mir nicht bekannt, und wie mir Herr Archivar Dr. v. Meiller noch nachträglich gütigst mittheilte, hat derselbe einen solchen oder überhaupt einen Vertrag zwischen 1365 und August 1368, „weder unter den Originalurkunden noch in den Diplomatarien" aufgefunden.

3) Reg. n. 439.

die Gründe hievon bekannt wären. Nach zwei Jahren hatte sich sogar der Horizont wieder so sehr umdüstert, dass ein anderer und zwar sehr gefährlicher Sturm über Oesterreichs Länder und ihre Herzoge hereinzubrechen drohte.

König Ludwig von Ungarn, unter Herzog Rudolf der beständige Bundesgenosse Oesterreichs, fühlte sich verletzt, als nach dessen Tode die Herzoge Albrecht und Leopold immer enger an Böhmen und an den Kaiser sich anschlossen und sich ganz von ihm zurückzogen. Die Entfremdung erreichte nach und nach einen so hohen Grad, dass im Herbste des Jahres 1367 König Ludwig einen Gesandten an die Herzoge von Baiern abschickte, um mit ihnen über ein Bündniss zu unterhandeln. Der König versprach ihnen für den Fall, dass die Feindseligkeiten mit Oesterreich ausbrächen, mit seiner ganzen Macht zu helfen, und man verständigte sich sogar schon im voraus über die Theilung der zu erobernden österreichischen Länder: die Gebiete östlich von der Enns sollten an Ungarn, die im Lande ob der Enns, in Tirol und Kärnthen gemachten Eroberungen an Baiern fallen.[1]

Die Herzoge von Oesterreich hatten von dieser grossen Gefahr, die sie bedrohte, gar keine Ahnung. Herzog Albrecht war sogar im Begriffe, im Frühjahr 1368 an der Spitze eines Hilfskorps mit dem Kaiser nach Italien zu ziehen, um den Pabst Urban nach Rom zu begleiten und demselben gegen die Visconti und andere Feinde Hilfe zu leisten;[2] nur ein Aufstand der mächtigen Herrn von Auffenstein in Kärnthen, der die Herzoge von Oesterreich sogar fremde Hilfe in Anspruch zu nehmen zwang,[3] dürfte Albrecht an der persönlichen Theilnahme am Römerzuge gehindert haben.

Trotz dieser innern Unruhen in Oesterreich selbst durften sich aber doch auch dessen Gegner nicht verhehlen, dass die verabredeten Eroberungen leichter besprochen als gemacht wären. Bei dem damaligen Stande der Kriegskunst hatte der Vertheidiger unter allen Verhältnissen vor dem Angreifenden viel voraus. Auch konnten die

1) Reg n. 453, 454, 456.
2) Reg. n. 459, 460; letztere Urkunde beweist, dass H. Albrecht wirklich den Zug beabsichtigte und nicht den Wunsch des Kaisers zurückwies, wie Kurz, Albrecht III. 1,52 annimmt; vgl. auch Lichnowsky. Reg. n. 855 und Hermann, Handbuch der Geschichte von Kärnthen 1,86.
3) Hermann 1,67—73.

Herzoge von Oesterreich, schon für sich allein eine bedeutende Macht, mit Sicherheit auf auswärtige Unterstützungen rechnen. Mit den Bischöfen von Passau und Seckau, mit dem Erzbischofe von Salzburg, endlich mit den Bischöfen von Freising und Bamberg für ihre ausgedehnten Besitzungen in den österreichischen Herzogthümern waren dieselben im Bunde, [1]) mit dem Kaiser standen sie in den freundlichsten Beziehungen und dieser hatte ihnen damals, als Herzog Albrecht ihn nach Italien begleiten wollte, ausdrücklich Hilfe gegen Baiern oder jeden, der sie sonst, während sie in des Reiches Diensten wären, angreifen würde, zugesagt. [2])

Der König von Ungarn enthielt sich in der That aller Feindseligkeiten gegen Oesterreich. Dagegen entschlossen sich die Herzoge von Baiern zu einem letzten, wo möglich entscheidenden Versuche, sich durch einen kräftigen Angriff der Grafschaft Tirol zu bemächtigen.

Völlig unvermuthet drang im Spätsommer des Jahres 1368 ein bairisches Heer in Tirol ein. Das ganze Innthal, wo nur die Bürger von Hall und Innsbruck auch diesmal ihre Städte tapfer und erfolgreich vertheidigten, war dem übermächtigen Feinde preisgegeben, die Burgen Schlossberg bei Seefeld, Landeck und andere kamen in ihre Gewalt, unaufhaltsam drangen die Baiern durch das Wippthal gegen Süden vor, eroberten die Schlösser Vorder- und Hinter-Matrei und nahmen sogar schon jenseits des Brenner die Stadt Sterzing.

Hier wurde ihren Fortschritten ein Ziel gesetzt. Sobald der Bischof Johann von Brixen von dem gefährlichen Vordringen der Baiern Nachricht erhielt, bereitete er alles zur kräftigen Abwehr vor. Er bot die Bürger seiner Städte Brixen und Bruneck und die Bauern der seinem Stifte gehörenden Thäler und Gerichte auf, nahm über hundert Ritter in Sold, liess zwischen Brixen und Sterzing fünf Schanzen an geeigneten Orten anlegen und besetzte sie mit Fussvolk und Reiterei und mit mehreren Hunderten von Bauern. Diese umsichtigen Vertheidigungsmassregeln retteten den Herzogen von Oesterreich Tirol. Die Baiern vermochten die befestigten Stellungen der Truppen des Bischofs nicht zu durchbrechen und wurden im weitern Vorgehen gehemmt. Unterdessen gewann der Herzog Leopold Zeit,

---

1) Reg. n. 419, 436, 438, 448, 449, 457.
2) Reg. n. 459.

iö den österreichischen Herzogthümern ein Heer zu sammeln, mit welchem er durch das Pusterthal herbeieilte.

Einem Angriffe des Herzogs Leopold, der noch durch Tiroler verstärkt wurde, fühlten sich die Herzoge von Baiern nicht gewachsen
und sie zogen sich bei seiner Annäherung aus dem Lande zurück, wobei sie noch die nordtirolischen Thäler auf das furchtbarste verwüsteten; in den drei wichtigsten von ihnen eroberten Schlössern, Matrei,
Landeck und Schlossberg verblieben bairische Besatzungen. Herzog
Leopold versuchte wenigstens das durch seine Lage im engen Wipp-
thale besonders wichtige Schloss Matrei wieder zu erobern; allein nach
fünfwochentlicher Belagerung, wobei er ebenfalls vom Bischofe von
Brixen kräftig unterstützt wurde, sah er sich Anfangs December genöthigt, ohne Erfolg abzuziehen. [1])

---

1) Es ist wohl nichts bezeichnender für die Lückenhaftigkeit des geschichtlichen Materials in dieser Zeit, als dass kein einziger Geschichtschreiber des
14. Jahrhunderts den erfolgreichsten und für Oesterreich gefährlichsten Angriff
der Baiern auf Tirol auch nur mit einem Worte erwähnt, so dass man bisher
denselben, theilweise verleitet durch die chronologische Ungenauigkeit Arnpekh's
ap. Pez. thes. 3c. 318, mit dem Einfall im Jahre 1363 zusammenwarf. Unsere
einzige Quelle sind Urkunden, namentlich die Urk. der Herzoge von Oesterreich für den Bischof von Brixen v. 1369 Juni 16 (Reg. n. 474), in welcher
ausdrücklich gesagt ist, dass die Eroberung von Matrei u. s. w. stattfand, als
die Baiern „zu lest in unser landt und grafschaft Tyrol veintlich vielen.“
Dass dies aber nicht viel früher geschehen sein kann, wird wohl genügend dadurch bewiesen, dass von diesem Einfalle und den Ausgaben des Bischofs von
Brixen zur Abwehr desselben gerade in Urkunden von 1369 die Rede ist (Reg.
n. 473, 474; Sinnacher 5,446), dass in den letzten Monaten des Jahres 1368
die Herzoge von Oesterreich mit den Baiern einen Krieg besonders „im Gebirg“
führten, dass damals von H. Leopold Matrei belagert wird (Reg. n. 462—467,
469—471) und dass das Schloss Landeck, das 1369 beim Friedensschlusse in
den Händen der Baiern sich befindet und von ihnen beim „letzten“ Einfalle
erobert worden war, im Jahre 1367 noch im Besitze Oesterreichs ist (Reg. n.
451). Es ist nun auch klar, dass die von Sinnacher 5,604 ff. abgedruckten
„Soldner-Zedeln von Bischof Johansen“ sich auf die Ereignisse des J. 1368
beziehen, da in denselben ausdrücklich von der Belagerung von Matrei die
Rede ist. Sie verbreiten viel Licht über die Massregeln des Bischofs und bieten auch einige chronologische Anhaltspunkte. Da der Bischof seine Truppen
drei Monate im Solde hat und der Krieg wahrscheinlich Anfangs December
aufhörte, so muss der Einfall der Baiern Ende August oder Anfangs September
stattgefunden haben; fünf Wochen fallen auf die Belagerung von Matrei, die
also Anfangs November begonnen haben muss. H. Leopold urkundet in Tirol
zuerst Sept. 25 und zwar in Hall (Lichnowsky n. 978): doch muss er wohl
der Natur der Sache nach durch Kärnthen und Pusterthal gekommen sein,

Dieser ernste und für beide Theile in seinen Resultaten nicht ganz befriedigende Kampf hatte die Folge, dass während des Winters die Friedensverhandlungen wieder eifriger aufgenommen worden.

Nachdem dieser letzte, unter so günstigen Verhältnissen unternommene Feldzug keinen entscheidenden Erfolg gehabt hatte, mussten die Herzoge von Baiern wohl die Hoffnung auf eine Eroberung Tirols aufgeben. Zugleich trat an sie die Frage immer näher heran, ob sie auf die Mark Brandenburg für immer verzichten und deren Einverleibung in den böhmischen Länderverband ruhig ansehen, oder ob sie nicht lieber durch eine Aussöhnung mit Oesterreich gegen Verzichtleistung auf Tirol sich freie Hand gegen die Luxemburger schaffen sollten.

Auch die Herzoge von Oesterreich sehnten sich nach Frieden. Durch die langen und schweren Kämpfe gegen die Wittelsbacher und andere Feinde wie durch den Ankauf von Freiburg im Breisgau im Jahre 1368 waren ihre Geldkräfte erschöpft. [1]

Die gewaltsame Vertreibung der Baiern, welche im letzten Jahre im Herzen Tirols festen Fuss gefasst hatten, wäre nur durch ungeheure Anstrengungen möglich gewesen, welche ihre Finanzen noch mehr hätten zerrütten müssen.

So waren beide Theile dem Frieden geneigt und knüpften die früher abgebrochenen Unterhandlungen wieder an. Die Herzoge von Oesterreich wurden dabei durch ihren Rath, den Grafen Ulrich von Schaunberg, die Wittelsbacher zuerst durch den Burggrafen Friedrich von Nürnberg, später durch den Landgrafen Johann von Leuchtenberg vertreten.[2] Es war zwar schwer, sich über alle streitigen Punkte zu einigen, und es schien einmal, als sollten sich die Verhandlungen neuerdings zerschlagen, so dass Herzog Leopold im Sommer sich nach Tirol begab und für einen etwa wieder ausbrechenden Krieg alle nothwendigen Massregeln traf.[3] Auch eine persönliche Zusammenkunft

wie auch Arnpekh sagt. Ueber die Gewinnung von Matrei vgl. auch Reg. n. 468 und dagegen n. 474 und die Urkunde des Hans Trautson bei Sinnacher 5.467. S. auch das Dankschreiben H. Albrechts an die Stadt Hall bei Lichnowsky, Reg. n. 938.

1) Ein besonders hervortretendes Symptom ist die Uebertragung der ganzen Verwaltung in fremde Hände. Lichnowsky, Reg. p. DCCCXVII.

2) Reg. n. 472, 480.

3) Reg. n. 477.

der Herzoge Stephan und Friedrich mit dem Herzoge Albrecht von Oesterreich, den sie auf einer Reise zum Könige von Ungarn besuchten, führte noch nicht vollständig zum Ziele.[1] Erst in Schärding, wohin der Herzog Albrecht von Oesterreich und die Herzoge Stephan der jüngere und Friedrich von Baiern sich begaben, wurden die Verhandlungen zu Ende geführt und am 29. September 1369 der definitive Friede geschlossen.

Die Herzoge von Baiern verzichteten förmlich auf Tirol und gaben auch die von ihnen eroberten Schlösser Matrei, Landeck und Schlossberg zurück; Herzog Johann, der mit Katharina, Tochter des Grafen Meinhard von Görz verlobt war, leistete noch ausdrücklich Verzicht auf alle Ansprüche, die er etwa im Namen seiner künftigen Gemahlin erheben könnte. Dagegen versprachen die Herzoge von Oesterreich denselben eine Entschädigung von 116000 Goldgulden zu zahlen und zwar 76000 innerhalb der nächsten anderthalb Jahre; sie gaben ihnen weiter Schärding am Inn, das um 66000 Goldgulden an Oesterreich verpfändet war, und die Stadt Weissenhorn und die Burg Buch in Schwaben zurück; endlich verpflichteten sie sich, die Margaretha Maultasch zur Verzichtleistung auf Kufstein, Kitzbühel und die übrigen Güter in Baiern, die ihr als Witthum verschrieben waren, zu bewegen. Rattenberg wurde stillschweigend als zu Baiern gehörig angenommen. Beide Theile gaben zugleich die sonstigen gegenseitigen Eroberungen heraus, liessen die Gefangenen frei und versprachen allen Unterthanen, die sich dem Feinde angeschlossen hatten, Amnestie.[2]

Durch den Frieden von Schärding war Tirol dem Hause Oesterreich gesichert. Der einzige Prätendent, der noch immer nicht auf Tirol verzichtet hatte, Graf Meinhard von Görz, war für sich allein viel zu schwach und unbedeutend, um an die Realisirung seiner Ansprüche denken zu können, und schloss sich auch gleich in nächster

1) *Sed tunc etiam in Wienna cum ducibus Australibus pro comecia Tyrolensi non sunt plene conciliati; praefr. tamen alio termino post Michahelis per sequestros in Scherdinga sunt penitus compositi.* Ann. Mats. M. G. 11,834; vgl. Reg. n. 480.
2) Reg. n. 481–496. Einige auf die freilich sehr langsam vor sich gehende Abzahlung der Entschädigungssumme bezügliche Urkunden Reg. n. 497. 500 505.

Zeit enge an Oesterreich an. Wenn er trotzdem seine Ansprüche auf Tirol sich noch ausdrücklich vorbehielt, [1] so mochte das für ihn wegen der Wahrung des Princips von Bedeutung sein, ernste Folgen konnte es nicht mehr haben.

Nur vier Tage nach Abschluss des Schärdinger Friedens starb auch Tirols frühere Herrin, Margaretha Maultasch.

Sie hatte bald nach ihrer Abdankung ihr früheres Heimathland verlassen und ihren Wohnsitz in Wien genommen. Allein nur schwer konnte sie sich in die Lage einer länderlosen Fürstin schicken, welche, so wenig ihr auch für die Befriedigung ihrer Bedürfnisse mangelte, ohne allen Einfluss auf politische Verhältnisse war.

So tief nun auch das Dunkel ist, welches ihre letzten Lebensjahre umgiebt, so lässt doch eine Urkunde, die freilich nur einen schwachen und im nächsten Augenblick wieder verschwindenden Lichtstreifen auf ihre Verhältnisse wirft, ahnen, dass sie im Jahre 1364 mit den Feinden Oesterreichs in Unterhandlungen trat und heimlich aus Oesterreich zu entfliehen versuchte. Vielleicht dass die Herzoge von Baiern, auf den Wankelmuth der Frau bauend, mit ihr Verbindungen angeknüpft, ihr Misstrauen gegen die Herzoge von Oesterreich zu erwecken und sie durch Versprechungen, etwa dass sie ihr die Regierung in Tirol und Kärnthen wieder verschaffen würden, zu gewinnen versucht hatten. Bei der Anhänglichkeit der Tiroler an das angestammte Herrscherhaus hätte Margarethas Erscheinen im Lande ihr vielleicht nicht unbedeutenden Anhang verschafft und den Oesterreichern grosse Verlegenheit bereiten können.

Allein Herzog Rudolf, der solche Pläne entdeckt hatte oder wenigstens vermuthete, griff rasch ein, um die Gefahr noch früh genug zu beseitigen, und eilte nach Graz, wo Margaretha sich eben befand. Hier musste sie ihm am 15. December 1364 die schriftliche Erklärung ausstellen, dass die Herzoge von Oesterreich alle Verpflichtungen gegen sie getreu erfüllt hätten, dass sie stets denselben eine gute Freundin sein, auf ihren Nutzen bedacht sein und nur Gutes von ihnen glauben würde; sollte ihr je bewiesen werden, dass sie den Herzogen zu schaden, von denselben wegzuziehen oder ihren Feinden

---

1) Reg. n. 498. Die Ansprüche können sich doch wohl nur auf Tirol beziehen.

zu nützen trachtete, so sollten dieselben aller Verpflichtungen gegen sie ledig sein. Dagegen versprach ihr nun Rudolf bereitwillig, dass für den, freilich sehr unwahrscheinlichen Fall, dass alle Herzoge von Oesterreich und deren Schwestern ohne Leibeserben vor ihr stürben, nicht bloss Tirol und Kärnthen, wie sie sich früher ausbedungen hatte, sondern auch Krain an sie fallen sollte. [1]

Fortan tritt Margaretha wieder in das alte Dunkel zurück und kaum einmal ihr Name wird genannt, bis sie am 3. Oktober 1369, etwa 51 Jahre alt, in Wien aus dem Leben schied. [2]

So hatte endlich die tirolische Frage, welche beinahe ein halbes Jahrhundert die Aufmerksamkeit der hervorragendsten deutschen Fürstenhäuser wie kaum eine andere in Anspruch genommen hatte, ihre endgiltige Lösung gefunden. Lange genug hatte die Entscheidung geschwankt. Nacheinander waren die Luxemburger, die Wittelsbacher in den Besitz des wichtigen Alpenlandes gekommen, beide hatten es nicht vermocht, die Herrschaft über dasselbe zu behaupten und hatten den Habsburgern Platz machen müssen, die schon beim ersten Ausbruch der Nachfolgestreitigkeiten des Herzogthum Kärnthen in ihre Hände gebracht hatten. Harte Kämpfe allerdings hat die Behauptung Tirols dem Hause Oesterreich gekostet und von den Kriegskosten abgesehen hatten die Habsburger die Verzichtleistung der Wittelsbacher mit einer für jene Zeit sehr bedeutenden Geldsumme erkaufen müssen, die man im Ganzen wohl auf mehr als eine Million Gulden Ö. W. [3] schätzen kann, wobei nicht zu übersehen ist, dass das

---

1) Reg. n. 418. Ohne Veranlassung hat sich Rudolf diese Urkunde sicher nicht ausstellen lassen; auch Kurz. Rudolf IV. S. 232 f. theilt unsere Auffassung.

2) Den Todestag Margarethas giebt das Nekrologium der hl. Kreuzkirche bei Steyerer p. 653: dass die übrigen, von ihm bereits zurückgewiesenen Angaben, Margaretha sei schon 1366 gestorben, falsch sind, beweist schon der Schärdinger Friede, der Margaretha noch lebend voraussetzt (Reg. n. 481, 482, 490). Wenn übrigens Villani l. 11 c. 78 erzählt, Margaretha Maultasch sei in ein Kloster gesteckt und von Rudolf (der vier Jahre vor ihr starb!) vergiftet worden, so ist das nur ein Beweis mehr, wie wenig man ihm glauben kann, wenn er über Ereignisse in entfernten Gegenden nur Gerüchte mittheilt.

3) Ich berühre hier diesen Gegenstand, weil Fessmaier S. 190—197 die Entschädigungssumme auf 450000 Goldgulden, viel zu hoch, berechnet hat und seine Berechnung auch in andere Werke übergegangen ist. Die Entschädigungssumme in Barem betrug 116000 Gulden; dazu kommt die unentgeltliche

Geld damals einen viel höhern Werth (ungefähr den doppelten) hatte, als in unserer Zeit. Allein wer den Werth eines Landes nicht nach Quadratmeilen oder dem Reinertrage seiner jährlichen Einkünfte beurtheilt, wird zugeben, dass Tirol immerhin die Summen werth war, welche Oesterreich für dessen Erwerbung und Behauptung aufgewendet hat.

Kam Tirol an die Wittelsbacher, so wurde Oesterreich in vieler Beziehung vollständig von Baiern abhängig. Die Verbindung der öst-

---

Zurückgabe von Schärding, dass allerdings nur um 66000 Gulden an Oesterreich verpfändet war (Reg. n. 187—188), das ich aber mit Fessmaier der Urk. von 1366 (Reg. n. 439) gegenüber ebenfalls auf 100000 Gulden anschlagen will. Dagegen ist es schwer, die Pfandsumme für das ebenfalls zurückgegebene Weissenhorn und Buch zu bestimmen, einmal weil ich nicht weiss, ob die zugleich mit diesen verpfändete Grafschaft Marstetten ebenfalls zurückgegeben wurde, und wenn nicht, wie hoch diese zu veranschlagen war, dann weil mir das Verhältniss der verschiedenen Münzsorten zu wenig bekannt ist; die Pfandsumme betrug 2600 Gulden, 2300 Pfund Münchener Pfenninge und wahrscheinlich 4000 Pfund Heller (Reg. n. 183; vgl. Fessmaier S. 192 Anm. 327), was ich im Ganzen auf wenigstens 10000 Goldgulden anschlagen möchte. Dazu kam dann noch die Entschädigung der Margaretha Maultasch für ihre Morgengabe, soweit sie auf bairische Städte gelegt worden war. Da Margaretha unmittelbar nach Abschluss des Friedens starb, so brauchte diese Entschädigung gar nicht gezahlt zu werden und diese bairischen Besitzungen konnten rechtlich nie an die Herzoge von Oesterreich kommen, sondern mussten an Baiern zurückfallen. Die Herzoge von Oesterreich hatten allerdings gerade für diese Margarethas Schulden übernommen, allein nach meiner Meinung hafteten diese zunächst auf Tirol und giengen Baiern nichts an. Fessmaier hat diesen Posten, die Ansprüche Margarethas auf 100000 Goldgulden veranschlagt, aber freilich, indem er ihre Alode in Tirol, ihr Witthum und ihre Morgengabe, endlich sogar (lit. b.) 30000 Gulden, die der Wittwe eines ungarischen Prinzen, Margaretha von Baiern, von Ungarn gezahlt werden sollten, zusammenwarf. Ich glaube gerade dieser Posten kann wegen des Todes der Margaretha nicht gering genug veranschlagt werden. Endlich sind wohl die 28000 Gulden noch dazu zu rechnen, welche H. Albrecht 1354 den Herzogen von Baiern für Rodeneck, Stein und Ehrenberg lieh und die, weil sie zur Mitgift für Meinhards Gemahlin Margaretha bestimmt wurden, nie zurückbezahlt wurden. Die Gesammtsumme dessen, was Oesterreich an Baiern in Barem oder durch Nachlassung von Pfandsummen zahlte, würde also, je nachdem Schärding zu 100000 oder zu 66000 Gulden veranschlagt wird, 254000 oder 220000 Goldgulden betragen, welche Summen ich freilich beide auf mehr als 1000000 Gulden in Silber berechne (vgl. o. S. 82 Anm. 1). Doch war der Geldwerth damals nicht achtmal (wie Fessmaier S. 197 annimmt), sondern etwa doppelt so gross als heute. Zu diesem Resultate Cibrario's (economia politica del medio evo 3,219 ff. ed. II.), der die Getreidepreise zu Grunde gelegt hat, kommt ungefähr auch Hegel, Chroniken der deutschen Städte 1,255 ff.

lichen Herzogthümer, wo der Schwerpunkt der habsburgischen Macht lag, mit den Besitzungen in den Vorlanden konnte jeden Augenblick unterbrochen werden und Oesterreich wäre wohl noch weniger im Stande gewesen, dem Geiste der staatlichen Unabhängigkeit, welcher, von den Waldstätten ausgehend, immer weiter und weiter um sich griff und besonders die habsburgischen Gebiete südlich vom Rhein bedrohte, längere Zeit Widerstand zu leisten und von seinen dortigen Besitzungen wenigstens so viel zu behaupten, als nothwendig war, sich seinen Einfluss auf die Verhältnisse im südwestlichen Deutschland zu wahren. Bloss auf den Südosten Deutschlands beschränkt wären die Habsburger vielleicht ganz in die Verhältnisse der Reiche Böhmen und Ungarn, die sie von zwei Seiten umschlossen, hineingezogen, Deutschland und seinen Interessen mehr und mehr entfremdet worden. Es gab kein besseres Mittel gegen diese Gefahr als die durch den Besitz von Tirol ermöglichte stäte Verbindung mit Schwaben und den Rheinlanden. Machte die Herrschaft über Tirol Oesterreich zum mächtigsten Staate in Süddeutschland, so war Tirol zugleich dasjenige Land, welches den Zugang zu Italien beherrschte, ja bald das einzige, durch welches überhaupt noch ein deutsches Heer nach Italien kommen konnte, da die Schweiz sich immer mehr vom Reiche zurückzog, andererseits im Osten Oberitaliens Venedig seine Macht so erweiterte und befestigte, dass man nur durch eine weit überlegene Armee, wie sie Deutschland und Oesterreich nicht oft auf die Beine brachten, sich hätte den Durchzug durch Friaul erzwingen können. Nur durch den Besitz Tirols ist es später den Habsburgern möglich geworden, die wiederholt zu befürchtende Eroberung Italiens durch die Franzosen zu verhindern und dadurch zu verhüten, dass Deutschland auch im Süden von Frankreich umschlossen und gefährdet würde. Der Einfluss, den Oesterreich auf die Verhältnisse Italiens übte, und die Widerstandsfähigkeit gegen Frankreichs Vergrösserungsgelüste sind es aber doch hauptsächlich, welche die Grossmachtstellung Oesterreichs begründet und bedingt haben.

I. Excurs.

Hofmeister des Markgrafen Ludwig von Brandenburg seit seinem Regierungsantritte in Tirol und Landeshauptleute von Tirol unter der Herrschaft
des Hauses Wittelsbach.[1])

1. Hofmeister.

Es erscheinen als Hofmeister des Markgrafen Ludwig

Heinrich von Risach (oder Rischach).

1340 Mai 31	Riedel I. 11,31.
1341 Okt. 9	Riedel I. 5,90.
1343 März 27	l. c. I. 10,244.
1343 Mai 11, 25, 31	l. c. I. 10,245: 2.212; 3,290; II. 2,162.
1343 Juli 22, 23	l. c. I. 9,369 f.

Johann von Hausen.[2])

1344 Dec. 31	Riedel I. 14,89.
1345 Dec. 18	l. c. I. 15,126.
1346 Nov. 6, 22	l. c. I. 14,91; 8,262: 9,39.
1346 Dec. 16, 17, 20	Reg. B. 8,90: Riedel I. 15,132; 9,40.
1347 Febr. 27	l. c. II. 2,193.

---

2) Dieses Verzeichniss, erst nach Abschluss des grössten Theils meiner
Vorarbeiten aus nächstliegenden Hilfsmitteln zusammengestellt, macht keinen
Anspruch auf Vollständigkeit der Daten, sondern soll bloss als Beleg für die
Richtigkeit der S. 44 und 50 f. gemachten Angabe über Bevorzugung der Aus-
länder bei Besetzung der wichtigsten Hof- und Landesämter dienen.

2) Da Johann von Hausen sonst während dieser Jahre auch sehr oft als
Kammermeister erscheint und gleichzeitig mit ihm als Hofmeister Friedrich
Mautner vorkommt, so dürfte jener vielleicht letztere Würde bloss in Abwesenheit des letzteren bekleidet haben, wenn es nicht einen eigenen Landeshofmeister von Brandenburg gab.

Friedrich Maulner. *

1344 Aug. 15, 16	Reg. n. 92; Riedel I. 5,94.
1344 Sept. 8, 10, Nov. 9	Reg. n. 93; Bibl. Tirol. 613,170; Reg. n. 94.
1345 Sept. 5. 12	Riedel II. 2,176; I. 15,122.
1345 Okt. 8	l. c. I. 2,282.
1345 Dec. 5, 7	l. c. I. 15,124; 11,36.
1346 März 29	Mittheilung des P. Justinian Ladurner.
1346 Juli	Bibl. Tirol. 1086, V. 17.

Swicker von Gundelfingen.

1347 Okt. 10	Bibl. Tirol. 1086, V. 14.
1347 Nov. 3	k. bair. R. A. priv. tom. 25 f. 34 b.
1348 Jan. 20	Reg. B. 8,123.
1348 Aug. 9	Freyberg, Ludw. d. Br. S. 196.
1348 Sept. 30	Riedel I. 23, 38. 39.
1348 Dec. 10	Reg. B. 8,147.

Wolfart Satzenhofer.

1349 Sept. 7	k. bair. R. A. Registratur Ludwigs d. a. f. 63.
1350 Jan. 5	Riedel III. 2,8.
1351 Okt. 21	Mon. Boica 35 b, 96.
1351 Nov. 4, 18	Riedel I. 1,149; 6,31.
1351 Dec. 24	Quellen zur bair. Gesch. 6,418. 420.
1353 Okt. 22	Freyberg, Ludwig d. Br. S. 203.
1354 Mai 31	l. c. S. 206.
1354 Aug. 14	ibid.
1355 vor Juli	l. c. S. 207.

Konrad der Frauenberger.

1355 Sept. 18	Bibl. Tirol. 613, 239.
1356 Nov. 30	k. bair. R. A. priv. tom. 25 f. 396.
1357 Okt. 27	Reg. n. 201.
1358 Apr. 20	Freyberg S. 208.
1359 Jan. 3	Sammler 4,290.
1359 Sept. 1, 2, 22	Reg. n. 224, 225. Reg. B. 8,425.
1359 Dec. 20	Reg. n. 230.
1360 Febr. 14	Reg. B. 9, 6.

2. Hauptleute von Tirol.

Ein Verzeichniss der Hauptleute von Tirol giebt Goswin von Ma-rienberg MS. Abschrift in Bibl. Tirol. tom. 1319 p. 162 f. [1]

Nunc de vicedominis et de capitaneis eiusdem castri Tirol dicendum est.

---

1) Nach einer andern Abschrift ap. Eichhorn. episcop. Curiensis cod. prob. p. 125 mit mannigfachen Abweichungen.

Anno domini mccexlvij[1]) erat Volcmarus capitaneus terre, sub quo dominus Johannes dux de terra fugatus est. Huic successit in regimine domina Margareta uxor dicti domini Johannis et uno tantum anno regnavit. Huic successit dominus Chunradus de Schennano, substitutus a domina Margareta. Huic successit dominus Fridericus Mautner temporibus domini Ludwici marchionis. Post hunc venit dominus Swikerus de Gundelfingen. Post hunc successit dominus Engelmarus, quem dominus dux de Tekke fecerat decollari. Huic successit idem dominus dux Chunradus de Tekke, qui eciam a domino Swikero de Gundelfingen gladio necatus occubuit post mira facta, qae in terra nostra perpetravit. Huic successit dictus Loterpekk. Post hunc dictus de Wolfstain. Post hunc constitutus fuit dominus Heinricus plebanus de Tirol temporibus, quibus prefatus dominus Ludwicus marchio occubuit. Huic successerunt dominus Ulricus advocatus de Amacia et dominus Häl. qui aliquanto tempore simul terram regebant. tandem idem dominus Ulricus generalis capitaneus terre electus est et tribus annis (?) regnavit. Huius temporibus venit illustris dominus dominus Rudolfus dux Austrie in istam terram et omnia suo regimine subiugavit. Huius temporibus fuit Bertoldus de Gußdaun capitaneus terre.

Trotz einzelner sonstiger Irrthümer scheint das hier gegebene Verzeichniss der Hauptleute richtig zu sein und wird durch die Urkunden fast durchgehends bestätigt.

Ob Volkmar von Burgstall. der sonst als Burggraf von Tirol erscheint, je Verweser des ganzen Landes war, muss ich dahin gestellt sein lassen, da mir urkundliche Beweise fehlen.

Konrad von Schenna erscheint nach den Rechnungen 1343 Okt. als „provisor terre" (Bibl. Tirol. 613, 237 b), urkundlich als „Hauptmann im Gebirg" 1344 Sept. 8 und Nov. 9 (Reg. n. 93, 94) und noch 1345 Juni 16 (in einer von P. Justinian Ladurner mitgetheilten Urkunde).

Engelmar von Villanders bekleidet diese Stelle nach den Rechnungen 1346 (Bibl. Tirol. 613, 237 ohne nähere Angabe des Datums). 1347 März 4 (l. c.) und Apr. 7 (Reg. n. 100). Zwischen beide müssten nach Goswin die beiden Ausländer Friedrich Mautner und Swiker von Gundelfingen fallen. und dass ersterer einmal um diese Zeit, bei Lebzeiten Tägens von Villanders. der 1346 Febr. 12 schon als verstorben erscheint (Reg. B. 8,63). „Hauptmann im Gebirg" war, beweist die Urkunde in Reg. n. 156.

Nach der Revolution von 1347 erscheint Herzog Konrad von Teck als „Hauptmann" oder „Pfleger des Landes Tirol" und zwar urkundlich zuerst 1348 Mai 18 und 19 in mehreren Urkunden des k. bairischen R. A. und des Innsbrucker Statthalterei-Archiv's und von da an sehr oft (noch 1352 Juni 9 Reg. n. 148), bis er 1352 Sept. 4 von Swiker von Gundelfingen ermordet wurde. Doch wurde ihm 1349 Apr. 30 Ludwig auf dem Stein, Bürger in Passau, auf zwei Jahre beigegeben (Reg. n. 131) und 1350 März 27 für den Fall seiner Abwesenheit Marquard von Lotterpeck als Vitzthum substituirt (Reg. n. 142, 143); als Hauptmann wird dieser von Goswin wohl irrthümlich aufgeführt. Dagegen wird der Tiroler Burggraf, Petermann von Schenna, der 1352 Nov. 21 auch als „Hauptmann" von Tirol

---

[1]) Diese Zeitangabe ist irrig.

erscheint (Reg. n. 153), von Goswin nicht erwähnt. Petermann von Schenna, der einzige Tiroler. der zwischen 1347 und 1361 als Hauptmann über das Land gesetzt wurde, bekleidete übrigens diese Stelle nur sehr kurze Zeit. Schon 1353 Febr. 3 und März 30 erscheint Albrecht von Wolfstein als „provisor terre" (Bibl. Tirol. 613, 238ᵇ, 239) und er wird als „Hauptmann im Gebirg" 1353 Okt 22 und Nov. 17 (Freyberg, Ludwig d. Brand. S. 203—204), 1354 Jan. 23 (in der in Reg. n. 150 angeführten Urk.) und 1354 Dec. 10 (k. k. g. A. Diplomatar No. 970 n. 303) erwähnt. Wann Heinrich von Bopfingen. Pfarrer zu Tirol, Hauptmann des Landes wurde, ist mir unbekannt, jedenfalls vor 1360 Febr. 26 nach S. 50 Anm. 1.

1362 Jan. 30 erscheinen Vogt Ulrich d. j. von Matsch, Diepold Häl und Heinrich, Pfarrer zu Tirol. als „Hauptleute und Pfleger der Herrschaft zu Tirol" (Brandis. Landeshauptleute S. 69. nach welchem Diepold Häl sich in mehreren Briefen neben Ulrich von Matsch des Markgrafen Meinhard „vicegerentem" nennt).

1362 Juni 1 wurde Ulrich von Matsch allein oder neben Heinrich von Rottenburg „Hauptmann und Pfleger von Tirol" (Re:. n. 238, 239).

II. Excurs.

Der Feldzug König Karls IV. in Tirol 1347.

Der Krieg in Tirol im Jahre 1347 ist bisher sehr verschieden dargestellt worden, wie z. B. eine Vergleichung von Verci. marca Trivigiana 13. 39—49, dessen Darstellung bei weitem am richtigsten ist, oder auch von Buchner 5,541 und Damberger 14,871 ff. mit Pelzel, Karl IV. 1,171 ff, Pulacky 2ᵇ, 279 oder Kink S. 477 f. zeigt. Der Hauptfehler bei diesen Schriftstellern liegt wesentlich darin. dass sie je nach dem Parteistandpunkte aus den Angaben der verschiedenen Schriftsteller die ihnen zusagenden auswählten und die andern einfach unbeachtet liessen und dass sie die Chronologie viel zu sehr vernachlässigten, was von selbst andere Fehler noch sich zog. — Ich habe meiner Darstellung das chron. Estense ap. Muratori 15,433—438 zu Grunde gelegt. das namentlich sehr genaue, mit den Urkunden völlig übereinstimmende, chronologische Angaben enthält. Karl ist am 10. Febr. noch in Eger (Pelzel, Karl IV. Urkundenb. 1,10), verlässt nach der Chronik von Este noch denselben Monat Böhmen und urkundet in Trient 1347 März 18 (Cod. d. Moraviae 7,517); am Palmsonntag, März 25. hält Karl mit den Insignien des Reiches geschmückt nach chron. Est. den feierlichen Umzug durch die Stadt Trient. Anfangs April findet der Feldzug gegen Tirol statt. Damit stimmt überein, dass der Markgraf Ludwig, der sich von 1346 Sept. bis Ende Febr. 1347 in Brandenburg und Preussen aufgehalten hatte (Riedel, c. d. Brandenb. II, 2,185—193) und noch am 20. März in Nürnberg sich befand (l. c. II, 2,194, 197), am 7. Apr. bereits in Sterzing ist, wo Engelmar von Villanders seine Verzeihung sucht (Reg. n. 100, 101). Um die Mitte des April muss also der Entsatz des Schlosses Tirol und Karls Rückzug nach Trient fallen, wo er auch wieder Apr. 27 urkundet

(Reynald ad n. 1347 n. 3, Olenschlager, Staatsgesch. 2,260). Nach Palacky
S. 279 wurde „des Kaisers Versuch, den Bedrängten Hilfe zu bringen,
zurückgeschlagen und er selbst zu schimpflicher Flucht genöthigt." Allein ein Zusammentreffen des Kaisers mit den Truppen Karls
wird weder von dem so genauen chron. Est. noch von einem andern Schriftsteller erwähnt und ist auch aus chronologischen Gründen sehr unwahrscheinlich. Da der Kaiser vom 11. bis 27. März in Nürnberg sich aufhielt
(Böhmer, reg. n. 2559—2562, 2921) und noch am 4. April in München war
(Reg, n. 99), so kann er nicht vor seinem Sohne nach Tirol gekommen
sein, wo er sich, wie es scheint, nur einige Tage im Innthal aufhielt (Reg.
n. 102, 103). Als er wieder nach Tirol kam und nun in der ersten Hälfte
des Mai in Brixen verweilte (Böhmer, reg. n. 3125, 2563; meine Reg. n.
106), wo auch sein Sohn längere Zeit sein Lager hatte — Apr. 23, Mai 5
(Reg. B. 8,101, Reg. n. 104) —. war Karl längst aus Deutschtirol zurückgeworfen. Die Bemerkungen des Joh. Vitod. ed. Wyss 242: *dum imperator Ludwicus profectionem militum contra eum (novum regem) ad defen-
dendum se et terram ab eo pararet et sibi prevalere nequivisset, confusus
in Bawariam cursu leporino rediit* und des Heinr. Rebdorf ap. Freher-
Struve 1,628: *Ludwicus . . . cum confusione recessit* können daher
nur als leere Redensarten bezeichnet werden. Nach dem chron. Est. sendet
Karl am 7. Mai ein Corps zur Eroberung von Cadore, Feltre und Belluno
ab, die der Markgraf (von Brixen aus?) vergeblich zu hindern sucht; dagegen greift dieser die Burgen der treulosen Landherrn und des Bischofs
von Chur an, der am 21. Juni beim Versuche sie zu entsetzen, gefangen
wird. Auch damit stimmt, dass Markgraf Ludwig seit der zweiten Hälfte
des Mai sich nicht mehr bei Brixen sondern an der obern Etsch aufhält und
Mai 31 und Juni 2 auf Tirol urkundet (Bibl. Tirol. 1086, v, 10. Reg. n. 107).
Im Juli verlässt Karl nach chron. Est. Trient und begiebt sich nach Feltre.
(Er urkundet in Belluno Juli 20 ap. Verci, marca 12. doc. p. 91 und Juli 21
in cod. d. Moraviae 7.527, wo das Datum Juli 31 sicher falsch und das
XII. cal. Aug., das sich in den Abschriften im hiesigen Ferdinandeum Bibl.
Tirol. 613, 185 und 966 b. f. 188 findet, ausgefallen ist.) Am 26. Juli
(Reg. n. 108) und 8. August ist Karl in Villach (C. d. Mor. 7,530, dagegen
l. c. p. 527 Juli 31 in Graz) am 18. Aug. in Prag (l. c. p. 530).

In diesen Rahmen müssen die Angaben der übrigen Chronisten ein-
geordnet werden, so des Alb. Argent. ap. Urstis. 2,139, des H. Rebdorf
p. 627 f., des Joh. Vitod. p. 242, der das Treffen, in welchem der Bischof
von Chur gefangen wird, ebenfalls „circiter festum sancti Johannis" ansetzt,
es jedoch mit dem ersten Kampfe zwischen dem Markgrafen und Karl selbst
zusammenwirft, der hist. Cortus. ap. Muratori 12,923, der vitae principum
Carrar. ibid. 16,178 (dagegen habe ich im chron. Petri Azarii ibid., des
Buchner citirt, nichts finden können), des Giovanni Villani lib. 12. c. 84,
der die Zeit der Eroberung Feltre's mit der seiner Ankunft verwechselt,
und der vita Ludovici ap. Böhmer 1,159. Wichtige Angaben giebt Goswin
von Marienberg im Anhang, der nur die Dauer der Gefangenschaft des Bischofs von Chur zu lang (über ein Jahr) angiebt, während er schon 1347
Dec. 27 seine Freiheit erhielt (Brandis, Landeshauptl. 63; Mohr, cod. dipl.
v. Graubündten 3,44); zwar sollte er sich um Georgi des nächsten Jahres
wieder in die Gefangenschaft stellen, aber dieser Termin wurde ihm mehr-

mals verlängert und erst Anfangs 1355 liess ihn der Markgraf wieder auf kurze Zeit gefangen setzen, da er sich nicht mehr freiwillig gestellt hatte (Brandis 67, 80). — Zweifelhaft ist in diesem Kriege besonders die Verbrennung von Bozen durch Karl. Zwar wird sie sowohl von G. Villani *(dibrucið il burgo e terra di Buzzana)* als auch von hist. Cortus. *(destruxit Bolzanum)* erwähnt. Allein da beide die Verbrennung von Meran, die durch den der Stadt aus diesem Grunde am 14. Sept. vom Markgrafen gewährten Steuernachlass auf sechs Jahre (Brandis 62) sicher gestellt ist, nicht erwähnen, so ist eine Verwechslung um so eher anzunehmen, als die schon erwähnte handschriftliche Bozner Chronik auf Grund alter Aufzeichnungen zwar mehrere andere Brände, selbst aus dem dreizehnten Jahrhundert, aber keinen vom J. 1347 erwähnt. Auch Suchenwirt ed. Primisser weiss in seinen beiden Lobreden auf den jüngern Ellerbach, der im Heere Karls war, nur dass man „vor Potzen prant" (S. 28 v. 117, S. 30 v. 42).

III. Excurs.

Zur Frage über die Echtheit der Vermächtnissurkunden der Margarethe Maultasch von 1359 Sept. 2 und 5.

Die Echtheit der Vermächtnissurkunde von 1359 Sept. 2 (Reg. n. 226) ist bekanntlich von bairischen Historikern mehrfach angefochten worden, in älterer Zeit von Westenrieder; Berichtigungen der Regierungsgeschichte des Herz. Mainhard (1792) S. 27—30 und Fessmaier, Stephan d. ä., Herzog von Baiern, wegen dem Verlurste der Grafschaft Tirol gegen Johannes von Müller vertheidiget (1817) S. 48—57, in neuester Zeit von Berchtold, die Landeshoheit Oesterreichs (1862) S. 108 n. 35; dagegen haben sie Kink, akademische Vorlesungen (1850) S. 525 n. 10 und Ficker in den mehrfach citirten Vorlesungen mit Entschiedenheit vertheidigt. Obwohl mir selbst die Echtheit derselben einige Zeit zweifelhaft schien, glaube ich doch jetzt mit voller Ueberzeugung für dieselbe eintreten zu sollen.

Die Gegner der Echtheit haben sich darauf gestützt, dass von dieser Urkunde kein Original sondern nur ein Transsumpt der Bischöfe von Brixen und Gurk von 1363 Jun. 19 vorhanden sei (Steyerer p. 350), und dass, wenn auch das Vidimus, dessen Original im Reichsarchiv in München liegt, ganz unverdächtig und ohne Zweifel echt sei (so Fessmaier S. 49 n. 31), daraus noch nicht die Echtheit der eingeschalteten Urkunde folge. Es würde, meint Fessmaier, „ein Kritiker sich nicht schwer versündigen, wenn er annähme, Bischof Johann von Gurk, Rudolfs Kanzler habe, sobald er die Nachricht von Meinhards Tode gehöret, den Plan gefasset, Tirol dem Hause Oesterreich zuzuwenden, und um das Vorhaben zu fördern, eine Urkunde geschmiedet, und, um selbe nicht in der Urschrift anfechten zu lassen, in ein Beglaubigungs-Instrument eingeformet, vom alten Bischof Matheus den Namen und das Siegel entlehnet, den nöthigen Falls davon Gebrauch zu machen" (S. 56). Dieses ganze Räsonnement fällt weg, da das Original, versehen mit dem Siegel Margarethas, wohlerhalten sich im k. k. g. A. in Wien befindet.

Obwohl nun ein äusserlich unverdächtiges Original nicht gerade immer auch echt sein muss, so werden doch nur die schlagendsten Gründe die Unechtheit einer solchen Urkunde beweisen können.

Giebt es nun für die Unechtheit der vorliegenden Urkunde solche zwingende Beweise? Ich glaube nicht.

Man hält es für ungereimt, dass Herzog Rudolf am 2. September, einem so festlichen Tage, wo auf eine lange und eingreifende Kirchenceremonie „ein recht derber Schmaus folgen musste", der „geistreiche Herzog Rudolph ein Schenkungs-Instrument über Tirol von Frau Margarethen seiner Muhme herausgeschwazet habe-, und glaubt, es hätte an diesem Tage niemand „Zeit gehabt, ein solches Instrument zu fertigen.- — Diese Einwendung verdient wohl keine ernste Widerlegung.

Man beruft sich weiter darauf, dass Margaretha bereits bei ihrer Vermählung mit dem Markgrafen Ludwig Tirol förmlich an die Herzoge von Baiern abgetreten, also kein Recht mehr gehabt habe, über das Land zu verfügen. Wie unsicher diese Behauptung ist, habe ich bereits S. 54 Anm. 3 dargethan: haben aber die Herzoge von Baiern kein verbrieftes Recht auf Tirol gehabt, so brauchte Margaretha auch nicht „hinter dem Rücken" ihres Gemahls und ihres Sohnes mit dem Hause Habsburg einen Erbvertrag zu schliessen; eine solche Urkunde trat der Rechte Ludwigs und Meinhards gar nicht entgegen und sie war weder diesem beiden „wenig schmeichelhaft", noch wurde durch sie Meinhard „zum ewigen blossen Nutzniesser" von Tirol erklärt.

Dagegen ist es allerdings sehr möglich, dass die übrigen Herzoge von Baiern von dieser eventuellen Erbeinsetzung der Habsburger damals nichts erfuhren und sich also auch derselben nicht widersetzen konnten. Fessmaier meint freilich, Margaretha habe in jedem Fall damals keine Ursache gehabt, wirklich über Tirol eine solche Verfügung zu treffen, da sie natürlicher Weise hoffen musste, Grossmutter von vielen Enkeln zu werden, und da sie eher Anlass hatte, den Habsburgern abgeneigt und den Wittelsbachern zugethan zu sein. Dass aber bezüglich der Habsburger das Gegentheil der Fall war, dürfte durch die vorausgehende geschichtliche Darstellung hinreichend klar geworden sein: dass sie den übrigen Wittelsbachern näher stand, dafür fehlt es wenigstens an jedem Beweise. Zudem hat Ficker mit Recht darauf hingewiesen, dass Margaretha durch die eventuelle Erbeinsetzung der Habsburger vor allem das eigene Interesse wahrte. Denn Margaretha musste jedenfalls fürchten, dass die Wittelsbacher nach dem Tode Meinhards nicht bloss Oberbaiern, sondern auch Tirol ansprechen würden. Dagegen hatten die Habsburger mit ihr das gleiche Interesse, nämlich dass Margarethas Rechte auf Tirol in diesem Falle gewahrt wurden, da sie nur als Erben Margarethas nicht aber Meinhards in Tirol folgen konnten. Dass aber die Möglichkeit oder selbst die Wahrscheinlichkeit, dass Meinhard Kinder erhielt oder seine Mutter überlebte, die Ausstellung einer eventuellen Vermächtnissurkunde noch nicht unwahrscheinlich macht, dürfte wohl durch die ganze Geschichte Rudolfs IV. bewiesen werden, der mit so vielen Häusern, auch wenn sie zahlreiche Glieder zählten, Erbverträge schloss.

Fessmaier legt weiter darauf Gewicht, dass die fragliche Urkunde „nicht den Namen eines Beiständers, oder eines Gezeugen und dessen Insiegel enthält: Bekräftigungen, die nach Sitte des Zeitalters in wichtigen Gegen-

ständen nie unterlassen worden sind." Ich weise dagegen, um ein nahe-
liegendes Beispiel zu wählen, einfach auf die Erbverträge mit den Grafen
von Görz hin, wo nicht eine Urkunde Zeugen enthält (Steyerer 332, 399;
eben so wenig die bloss im Auszug bei Lichnowsky n. 164 bekannte, deren
Original im k. k. g. A. liegt).

Es bleibt endlich noch der Einwurf, dass man im Hauptübergabsbriefe
von 1363 Jan. 26 sich auf die fragliche frühere Urkunde mit keinem Worte
berufen hat. Allein wie Kink richtig bemerkt hat, wäre dies noch unwahr-
scheinlicher, wenn sie nachträglich fabricirt worden, um als Beweis zu
dienen. „Wären sie aber echt, so war es nicht nothwendig, sich darauf zu
berufen: sie bildeten nur einen Separat-Traktat zwischen Rudolf IV. und
Margaretha, dessen Citation wohl erfolgt wäre, wenn einer der stipulirenden
Theile sein Versprechen nicht gehalten hätte, welche Citation aber überflüssig war, da in der That beide Theile hielten, was sie unter sich stipulirt
hatten."

Berchtold hat ausserdem darauf aufmerksam gemacht, dass Margaretha
unmöglich 1363 Jan. 17 ihren Landherrn versprechen konnte, ihr Land und
Herrschaft nach ihrem Leben nicht ohne Zustimmung ihres Rathes zu vermachen (Reg. n. 264), wenn sie ihr Land bereits 1359 den Habsburgern
vermacht hatte. Allein wenn man bedenkt, wie Margaretha in jenen Tagen
vollständig in den Händen ihrer Landherrn war, so wird man ein solches
Versprechen trotz der Urkunde von 1359 für möglich halten.

Sind so die Beweise, welche man gegen die Echtheit der Urkunde vom
2. September 1359 vorgebracht hat, nicht genügend, so fehlt es nicht an
innern Gründen, welche die Echtheit derselben wahrscheinlich machen.

Dass die Urkunde, wenn sie unecht wäre, nicht nach dem Jänner 1363
gefälscht sein kann, beweist nicht nur das von Fessmaier selbst als echt
anerkannte Vidimus der beiden Bischöfe, sondern auch die Natur der Dinge,
indem später, wo die Herzoge von Oesterreich die viel weitergehende Uebergabsurkunde in den Händen hatten, die Fälschung gar keinen Zweck mehr
gehabt hätte. Allein auch vor 1363 ist ein Zweck der Fälschung gar nicht
abzusehen. Berchtold meint, man dürfe vermuthen, dass Herzog Rudolf „für
den Fall des unbeerbten Absterbens des ganzen Tiroler Hauses schon im
J. 1359 sich vorsehen wollte", dass er „hoffen mochte, dritte Personen
damit berücken zu können." Möglich! aber dass Rudolf eine solche Urkunde dann gewiss nicht Margarethen vorgelegt, dass er sie nicht zur Grundlage einer neuen Urkunde zu machen versucht haben würde, dürfte kaum
bestritten werden. Und doch leidet es gar keinen Zweifel, dass die Urkunde
von 1359 bei Abfassung der Urkunde von 1363 Jan. 26 vorgelegen habe, indem, was man bisher nicht beachtet hat, mehrere Sätze, höchstens mit Abwei-
chung oder Versetzung einzelner Worte, in beiden Urkunden wörtlich gleichlautend sind. Dürfte dies allein schon ein genügender Beweis für die Echtheit
der fraglichen Urkunde sein, so setzt das Vorgehen Herzog Rudolfs in den nächsten Jahren, wie schon Ficker bemerkt hat, eine Urkunde, welche ihm eventuelle
Ansprüche auf Tirol sicherte, voraus. Ich verweise in dieser Beziehung auf sein
Einschreiten bei den Wirren des Jahres 1362, namentlich aber auf den Revers,
den Rudolf bei seiner Belehnung durch den Kaiser im Jahre 1360 ausstellen
musste, dass der Kaiser ihm bei der Belehnung mit seinen Ländern Tirol nicht
geliehen habe (Reg. n. 232). Dass dieser Revers „ein bereits erworbenes be-

stimmtes Anrecht Rudolfs auf Tirol" voraussetze, giebt auch Berchtold S. 109 Anm. zu: nur meint er, dass Rudolf damals seine Ansprüche auf die Belehnung seines Vaters durch Ludwig den Baier im J. 1335 (Reg. n. 44) stützte. Allein darauf noch im Jahre 1360 Ansprüche zu gründen, wäre um so lächerlicher gewesen, als Rudolf dadurch seinen Freund und Verbündeten Ludwig den Brandenburger aufs tiefste hätte beleidigen müssen.

Dürften so für die Echtheit der Urkunde von 1359 Sept. 2 genügende Gründe vorhanden sein, so glaube ich dagegen mit Fessmaier S. 57 f. die Urkunde vom 5. Sept. (Reg. n. 228) allerdings für unecht ansehen zu müssen. Dass Margaretha schon damals die Lehensherrn aufgefordert haben sollte, die von ihr besessenen Lehen den Herzogen von Oesterreich ₋unverzogenlich one alle widerrede₋ zu verleihen, ist gegenüber den Urkunden vom 2. September 1359 und 26. Jänner 1363 ebenso unwahrscheinlich, ja unmöglich, als die Ausdrücke „vormals₋, „emaln", welche für die nur drei Tage früher ausgestellte Verschreibung gebraucht werden, unerklärlich sind. Ficker und Berchtold haben diese Einwände dadurch entkräften zu können geglaubt, dass sie annahmen, die fragliche Urkunde sei nicht 1359 sondern 1363 ausgestellt worden, in welches Jahr sie auch die spätern tirolischen Chronisten setzen. Allein nach dem Original kann über das Datum wohl kein Zweifel mehr sein, davon abgesehen, dass Margaretha in der ersten Hälfte des Septembers 1363 nicht in München, sondern in Südtirol war. Uebrigens fällt die Fälschung dieser Urkunde jedenfalls zwischen 1359 und 1363 und über den Zweck derselben dürfte am ehesten der Revers, welchen Herzog Rudolf IV. 1360 Mai 21 dem Kaiser ausstellte (Reg. n. 232), einen Fingerzeig geben; denn nicht die Urkunde vom 2., sondern die vom 5. Sept. hat meiner Meinung nach Rudolf dem Kaiser vorgelegt.

REGESTEN UND URKUNDEN.

Regesten und Urkunden.

1 **E g e r , 1321 Apr. 12.**
König Johann von Böhmen giebt dem römischen Könige Ludwig Vollmacht, eine Heirath zu vermitteln zwischen seiner Schwester Maria und Herzog Heinrich von Kärnthen und zwischen seinem Sohne Wenzel und Heinrichs Tochter, auch eine Mitgift von 2000 Mark Silber Renten für 20000
Mark festzusetzen. Fr. v. Weech. Kaiser Ludwig der Baier und König Johann von Böhmen. S. 113.

2 **Lucilburk, 1324 Apr. 25.**
K. Johann von Böhmen ernennt die Ritter Arnold von Pittingen und
Bernhard von Chinburk zu Gesandten und Bevollmächtigten, um einen Heirathsvertrag zu schliessen zwischen Herzog Heinrich von Kärnthen (dem er
schon durch seine Gesandten Heinrich d. j. von Lypa und Thiemo von Cholditz seinen Wunsch nach einer innigern Verbindung kundgethan) und Beatrix,
Schwestertochter seines Vaters, und zwischen einem seiner Söhne und einer
der Töchter des Herzogs, die er wählen würde. Steyerer, commentar.
addit. p. 595.

3 **Montcilis (Monselice südlich von Padua), 1324 Juni 29.**
K. Johanns von Böhmen Anwälte versprechen dem Herzog Heinrich
von Kärnthen, dass demselben ihr Herr die Täding, die sie mit dem Herzoge
gemacht, zu halten schwören soll. Innsbrucker Statthalterei-Archiv, Schatzarchivs-Repertorium 2,670 extr.

4 **Muntzilles, 1324 Juli 2.**
K. Johann von Böhmen verspricht, mit seinem Schwager, Herzog Heinrich von Kärnthen, ewige Freundschaft zu haben, ihm seine Muhme Jungfrau
Beatrix, die geboren ist von Brabant und Luzelburg, mit einer Mitgift von
10000 Mark Silber Prager Münze zu vermählen, ihm für die Aussteuer seiner
Schwägerin Anna, Heinrichs Gemahlin, 20000 Mark, die derselbe vom Lande
Böhmen beansprucht, zu geben, weiter der Tochter des Herzogs, die seinen
Sohn, welcher Mähren, Troppau, Glatz und Bauzen erhält, heirathen soll.

9*

10000 Mark auf das Land Mähren zu legen: das alles für Heinrichs Ansprüche auf Böhmen, über deren weitere Entschädigung Erzbischof Balduin
von Trier und Bischof Heinrich von Trient entscheiden sollten; endlich gelobt
er seine Muhme auf den nächsten Gallentag nach Innsbruck zu bringen und
selbst mit seinem Sohne dorthin zu kommen. Steyerer 596. Cod. dipl.
Moraviae 6,200. Beiträge zur Gesch. Tirols 3,124; 7.204 (lückenhaft).

5   Ante montem Silicem (Monselice), 1324 Juli 2.

König Heinrich von Böhmen verspricht, mit seinem Schwager Grafen
Johann von Luxemburg ewige Freundschaft zu halten, dessen Muhme Beatrix
von Brabant zur Gemahlin zu nehmen, eine von seinen Töchtern einem von
den Söhnen desselben zur Ehe zu geben und derselben „das nieder Land zu
Kärnthen und Krain und die March" abzutreten; würde er ohne Söhne sterben, so sollte diese Tochter die genannten Länder erben und von der Grafschaft Tirol dasselbe wie eine andere Tochter: erhielte er dagegen einen
Sohn, so soll diese Bestimmung absein und sie nur wie eine andere Tochter
erben. Endlich verzichtet er, wenn ihm alles, was Johann ihm versprochen,
geleistet wäre, auf alle Ansprüche, die er von seiner Gemahlin Anna auf
Böhmen haben könnte. Beiträge 3,127; 7.206 (lückenhaft).

6   Innsbruck, 1325 Mai 21.

König Johann von Böhmen verspricht dem Herzoge Heinrich von Kärnthen, seine Muhme Beatrix von Brabant und Luzelburg und seinen Sohn
Hansen auf nächsten Bartholomäustag nach Innsbruck zu senden und entweder selbst dort zu erscheinen, oder den Herzog Heinrich von Baiern oder
wenigstens bevollmächtigte Boten zu schicken: auch verspricht er dem Herzoge Heinrich 30000 Mark zu zahlen. Beiträge 7.208 (lückenhaft).

7   Innsbruck, 1325 Mai 21.

Derselbe bekennt dem Herzoge Heinrich von Kärnthen nach einem
Ausspruche des Herzogs Heinrich von Baiern und des Bischofs von Trient
10000 Mark schuldig zu sein. Beiträge 7,209 (lückenhaft).

8   Innsbruck, 1326 Apr. 30.

König Heinrich von Böhmen schenkt dem Kloster Wilten wegen seines
Mangels an Salz und „pro recompensa damnorum, quae sustinuit in campis
suis prope Wilthina, qui per duos annos preteritos permanserunt inculti
propter sedilia, quae pro nostris nupliis desuper sunt constructa" und für
sein und seiner Voreltern Seelenheil 11 carradas Salz. Tschaveller, annal.
Wiltin. Ms. Bibl. Tirol. 1105, 123.

9   Innsbruck, 1326 Dec. 23.

Herzog Albrecht von Oesterreich schwört gemäss der Vollmacht der
alten Gräfin Maria von Savoyen, deren Tochter Beatrix dem König Heinrich
von Böhmen zur Gemahlin zu geben mit einer Heimsteuer von 5000 Mark
Silbers. Steyerer 23.

10   Innsbruck, 1326 Dec. 23.

Gegenbrief König Heinrichs. Beiträge 7,209.

11　　　　　　　　　　　　　　o. O. 1326 (?) Dec. 27.

K. Heinrich bevollmächtigt den Herzog Albrecht von Oesterreich, von den Grafen von Savoyen die Bürgschaft für die von ihnen als Mitgift der ihm verlobten Gräfin Beatrix zu zahlenden 5000 Mark Silber in Empfang zu nehmen.

Nos H. etc. presentibus profitemur, quod avunculum nostrum carissimum Albertum illustrem ducem Austrie et Stirye procuratorem nostrum constituimus specialem ad reciciendum nostro nomine sufficientem fideiussoriam caucionem ab illustribus comitibus Sabaudie pro v. milibus marcis argenti nobis per eos solvendis vice ac nomine dotis sororis sue inclite inclite Beatricis nobis desponsate in terminis conventis per ducem et comites supradictos, ratum et gratum habituri, quodcunque per prefatum avunculum nostrum ducem Albertum procuratorio nomine in premissis factum fuerit sive gestum. In cuius etc. a. d. MCCCXXVII in die sancti Johannis Evangeliste.

Registratur K. Heinrichs k. k. g. A. Dipl. No. 959 n. 66.

12　　　　　　　　　　　　　　Brünn, (1327) Jan. 28.

König Johann von Böhmen schreibt dem Herzoge Heinrich von Kärnthen, dass er ihm seine Muhme von Geizbach nicht senden könne, weil sie keinen Mann nehmen zu wollen vorgebe. Da er aber gehört habe, dass Heinrich seine Muhme von Savoyen gern heirathen möchte, so habe er auf der Stelle Boten nach Savoyen gesendet, um die Sache bis vierzehn Tage nach Ostern zum Abschlusse zu bringen und darauf Heinrichs Tochter mit seinem Sohne zu vermählen. Er wolle bei allem, was früher zwischen ihnen festgesetzt worden, bleiben, und ersuche den Herzog, auf den 8. März Boten zu ihm nach Nürnberg zu schicken, um die Sache gänzlich zum Abschlusse zu bringen, namentlich wegen des Geldes, das er ihm geben werde. Beiträge 7,211.

13　　　　　　　　　　　　　　Wien, 1327 Sept. 9.

König Friedrich und seine Brüder Albrecht und Otto, Herzoge von Oesterreich, geloben Beatrix von Savoyen, Braut König Heinrichs von Böhmen, im Besitze der ihr von demselben für die Heimsteuer und Widerlage angewiesenen Burgen und Einkünfte zu schützen. Steyerer 24.

14　　　　　　　　　　　　　　Tirol, 1327 Nov. 3.

König Heinrich von Böhmen ernennt, obwohl er schon vor mehreren Monaten bezüglich der Eingebung der Ehe mit Beatrix, Schwester der Grafen von Savoyen, den durch Herzog Albrecht von Oesterreich geschlossenen Verträgen gemäss persönlich einen Eid geleistet, die Edeln Rudolf von Arburg und Johann von Arirangen (Arwangen?) zu Bevollmächtigten für Abschliessung des Ehecontrakts. Guichenon, hist. généalog. de Savoye, preuves p. 160.

15　　　　　　　　　　　　　　Meran. 1327 Nov. 20.

Hayman, Bischof von Olmütz, Hayman Berka von Duba, Burggraf zu Prag und Hauptmann in Böhmen, Peter von Rosenberg, Wilhelm von Landstein, Thyem von Golditz und acht andere böhmische Herrn verburgen sich für König Johann von Böhmen beim Herzog Heinrich von Kärnthen für 40000 Mark Silber, nämlich 10000 Mark für des Königs Muhme, 20000 für die Heimsteuer der Königin Anna und 10000 Mark, die dem Herzoge vom Bischof Heinrich von Trient und Herzog Heinrich von Baiern zugesprochen worden. Beiträge 7,211. Cod. dipl. Moravine 6,393.

16　　　　　　　　Meran, 1327 Nov. 20.

Dyem von Golditz und Wilhelm von Landstein geloben dem Herzoge Heinrich von Kärnthen, dass sieben genannte Herrn sich bezüglich der 10000 Mark ebenso verbürgen würden, wie die dreizehn böhmischen Herrn. Beiträge 7,215. C. d. Mor. 6,393.

17　　　　　　　　Meran, 1327 Nov. 20.

König Heinrich von Böhmen ernennt für den Fall, dass seine Kinder bei seinem Tode minderjährig wären, zum Vormund derselben seinen Schwager von Luxemburg, lässt demselben für diesen Fall seine zwanzig genannten Räthe huldigen und bestimmt, dass jene seiner Töchter, die Johanns Sohn heirathen würde, eben so viel erben solle, wie eine andere Tochter. Beiträge 7,215.

18　　　　　　　　Tyrol, 1327 Dec. 4.

König Heinrich von Böhmen ernennt seinen Protonotar, Probst Heinrich von Volkenmarkt, und den Volkmar von Burgstall zu seinen Bevollmächtigten, um vom Grafen Johann von Lützelburg die Bürgschaft für das ihm versprochene Geld in Empfang zu nehmen und sich in seinem Namen als eventuellem Vormund der Kinder Johanns huldigen zu lassen. Hormayr, sämmtliche Werke 2^b, 123. Beiträge 7,212. C. d. Mor. 6,392.

19　　　　　　　　Wilten, 1328 Febr. 18.

König Heinrich verschreibt seiner Gemahlin Beatrix für 40000 Goldgulden „nomine dotis et dotalicii" die Schlösser Laudeck und Montani. Sammler 1,281.

20　　　　　　　　Wilten, 1328 März 26.

König Heinrich schenkt dem Kloster Wilten einen See swischen Vill und Igls, genannt Altsee, besonders zum Ersatz des Schadens, den es erlitten bei seinen beiden Hochzeiten, die er mit seinen zwei Gemahlinnen (Adelheid) von Braunschweig und (Beatrix) von Savoyen in demselben Kloster gehalten. Tschaveller, unn. Wilt. 121. Coronini, tentamen geneal.-chronolog. comitum et rerum Goritiae 360 extr.

21　　　　　　　　Znoym, 1328 Aug. 3.

Die Stadt Znaim verspricht dem Befehle des Königs Johann gemäss alle Verträge zu halten, die zwischen dem Könige und Herzog Heinrich von Kärnthen geschlossen worden sind, namentlich dass Heinrich eventuell Vormund der Kinder Johanns sein solle, und beurkundet, dass dieses Versprechen zu des Herzogs statt Meister Heinrich, Probst von Volkenmarkt, und Volkmar von Burgstall von ihnen empfangen haben. Cod. dipl. Moravine 6.285.

22   Vor D r o s e u d o r f , 1328 Sept. 11.
König Johann von Bohmen verspricht dem Herzog Otto von (Nieder-)
Beiern Schadloshaltung wegen der dem Herzog Heinrich von Kärnthen um
40000 Mark Silber zu leistenden Bürgschaft. Quellen zur bair. Gesch. 6,294.

23   G r i e s , 1328 Okt. 1.
König Heinrich von Böhmen bekennt dem Volkmar von Burgstall 100
Mark Berner schuldig zu sein für seine Zehrung und für seinen Schaden in
des Königs Dienst und Botschaft mit Meister Heinrich, Probst von Volkenmarkt, gen Luxemburg, Prag und Brünn, um die Taydung des Heiraths zwischen des Königs Tochter und des von Luxemburg Sohn, und schlägt ihm
dieses Geld auf die ihm schon verpfändeten Güter. Registratur K. Heinrichs,
_Pfandschaften etc." k. k. g. A. Diplomatar No. 956 n. 146.

24   1328 o. d. o. O.
"Eidem Henrico quidam Bohemiae optimates jussu Joannis regis datis
litteris promittunt, se collaboraturos, ut foedus et contractus, facta inter
regem et ducem predictos, effectui dentur, nempe ut post mortem regis
Joannis omnium filiorum tutor sit et omnium bonorum administrator dux
Henricus." Coronini, tentamen 361.

25   M e r a n , 1330 Febr. 6.
Kaiser Ludwig thut dem Herzog Heinrich von Kärnthen, Grafen von
Tirol, die Gnade, alle Reichslehen desselben, es sei zu Kärnthen oder in der
Grafschaft Tirol, für den Fall, dass er ohne Söhne oder Sohneskinder abgienge, seinen Töchtern oder Bruderstöchtern verleihen zu wollen. "Und
wer auch mer, daz unser vorgnanter ohaim die vorgnanten lehen dehainen
seinem aidem oder seins pruder aidem, den er iczu hat oder noch gewinnet,
vermachen oder verschreiben wolte, daz sol unser gunst, wille und wort
sein und sullen auch wir im die lant dar umb reichen, und nuch also, daz
daz unser getrewer ohaim tun sol mit unsern rat und wizzen." Der Eidam,
der die Lehen erben würde, sollte die übrigen Töchter versorgen. Steyerer
78. Beiträge 7,212.

26   1330 (c. Juni 1).
König Heinrich trifft testamentarische Verfügungen namentlich bezüglich seiner Nachfolge.
Wir H. etc. veriehen etc. wann uns unser herregot ermant hat
mit einer grozzen chranchait und siechtum und haben auch seinen
fronen leichnamen emphangen, haben wir allez unser dinch geschaf-
fen und unser testament gemacht mit guten sinnen und mit andech-
tiger fürbeda(ch)tichait und mit getrewen unsers rats und wellen auch,
daz daz selb gescheft furganch hab, ob uns got von disem leben nemen
wil. Des ersten schaffen wir und wellen auch, daz unser liebev gemahel
dev edel Beatrix von Savoy, chuniginn ze Pehem, herzogin ze Chernden und grafinn von Tyrol pei unsern lieben tochtern und chinden
bleiben sol in einer chost und ob si pei uns ainen sun oder mer süne
gewinne, die sullent erbe sein des landes ze Chernden und der grafe-

schaft ze Tyrol und süllent unser tochter auz beraten mit guten trewen
an geverd. Wer aber daz si töchter pei uns gewunne, die sullent gleichen erbetail haben mit unsern tochtern. Wir schaffen auch, ob unser
bruder chint weilent herzog Albrechten und herzog Otten chainev recht
haben, der wellen wir in wol günnen, daz man si auz rihte, doch also,
daz unserev chint recht erben paider lant sein und daz dev lant unge-
tailt bleiben etc.

(Folgen Bestimmungen zu Gunsten der Gotteshäuser, Ernennung von
Bürgen und bricht unvollständig ab.)

k. k. g. A. Diplomatar No. 959 n. 110.

Die Urkunde ist, weil unvollständig, ohne Datum; indessen ist sie ohne
Zweifel um den 1. Juni 1330 concipirt, von welchem Tage aus Anlass seiner schweren Krankheit sein im Eingang fast gleichlautendes wirklich aus-
gefertigtes Testament datirt ist (Sammler 5,248); jedenfalls stehen die Jahre
1328—1331 fest, da Beatrix von Savoyen als lebend erwähnt wird.

27   Innsbruck, 1330 Sept. 16.

König Johann von Böhmen bestimmt die Termine, innerhalb welcher
er dem Herzoge Heinrich von Kärnthen die ihm schuldigen 40000 Mark
zahlen soll und setzt als Termin für die ersten 5000 nächste Weihnachten
fest; zahle er dort nicht, so soll er demselben mit Zustimmung seines Eidams,
des Herzogs Heinrich von Baiern als Pfand die zwei Gerichte Kufstein und
Kitzbühel einantworten, oder wenn das nicht möglich wäre, als Geisel in
Prag bleiben. Beiträge 7,216. C. d. Mor. 6,394 (beide lückenhaft).

28   Innsbruck, 1330 Sept. 16.

König Johann verspricht dahin zu wirken, dass sich sein Eidam, Herzog Otto von Oesterreich, wegen der 40000 Mark ebenso verschreibe, wie
das die Herzoge Heinrich und Otto von Baiern gethan. Beiträge 7,218 (sehr
lückenhaft).

29   Innsbruck, 1330 Sept. 16.

König Johann verspricht, wenn nach dem Tode Herzog Heinrichs von
Kärnthen die Vormundschaft in seine Hände käme, Edle und Unedle, Bürger,
Arme und Reiche bei ihren hergebrachten Rechten und Handfesten zu lassen
und sie mit keinem Gast zu übersetzen. Beiträge 3,145; 7,218, 219. Chmel,
österr. Geschichtsforscher 2,393.

30   Innsbruck, 1330 Sept. 16.

König Johann erklärt bezüglich des mit Herzog Heinrich von Kärnthen
wegen ihrer Kinder geschlossenen Vertrags, dass, wenn Heinrich noch
Söhne erhielte, dieselben alle seine Länder erben sollten; in diesem Falle,
wie wenn Heinrich noch eine Tochter erhielte, sollte seine Schwiegertochter
nur so viel wie die übrigen Töchter erben. Beiträge 7,217.

31   Innsbruck, 1330 Sept. 18.

König Johann verspricht an seines Sohnes Johann statt, der Gemahlin
desselben, Margaretha, ihre Morgengabe von 5000 Schock Prager Pfennige
auf Feste und Stadt Bisenz anzuweisen, von deren Einkünften sie jährlich
500 Schock erhalten soll. Beiträge 7,217. C. d. Moraviae 6,395.

32   I n n s b r u c k , 1330 Sept. 18.
König Johann verspricht dem Herzog Heinrich, die 10000 Mark in
jedem Termine in die Stadt Regensburg zu senden. Beiträge 7,219 (sehr
unvollständig).

33   I n n s b r u c k . 1330 Sept. 19.
König Heinrich erklärt. die bis zu dem auf St. Jakobstag 1327 festge-
setzten Termine nicht erfolgte Vollziehung der Taidigung zwischen ihm und
seinem Schwager, dem Grafen Johann von Lützelburg, darum er den Probst
Heinrich und Volkmar von Burgstall zu ihm hinaus nach Lützelburg und
Böhmen gesendet, solle demselben an seinen Rechten nicht schädlich sein.
Beiträge 7,219.

34   A u g s b u r g , 1330 Nov, 24.
Kaiser Ludwig vereint sich mit Herzog Otto von Oesterreich, aus den
beiderseitigen Räthen sieben genannte Schiedsrichter aufzustellen, welche
durch Briefe beider Theile volle Gewalt erhalten, alle zwischen ihnen beste-
henden Streitigkeiten auszugleichen; ihrem Spruche sollen beide Theile nachkommen, es sei denn, dass sie selbst schon gütlich sich vertragen hätten.
Sitzungsberichte der kais. Akad. 19,258.

35   A u g s b u r g , 1330 Nov. 23.
Vollmachtsbrief Kaiser Ludwigs. Kurz, Albrecht d. Lahme S. 339.

36   A u g s b u r g , 1330 Nov. 26.
Ausspruch der sieben Schiedsrichter, dahin gehend, dass Kaiser Ludwig
dem Herzoge Otto von Oesterreich, seinem Bruder Albrecht und ihren Kindern das Herzogthum Kärnthen, wenn der Herzog Heinrich mit Tod abgienge, zu Lehen verschreiben soll, wogegen auch Otto dem Kaiser verhilflich sein soll zur Erlangung des Oberlandes an der Etsch und im Innthal; wollte der König von Böhmen oder sonst jemand einen von ihnen
daran irren, so sollen sie sich gegenseitig beistehen. Kurz S. 340.

37   M e r a n , 1333 Okt. 6.
Karl, des Königs von Böhmen älterer Sohn, verpflichtet sich gegen
den Herzog Heinrich von Kärnthen vermöge der Vollmacht von Seite seines
Vaters, von den 40000 Mark nach Regensburg zu antworten bis nächste
Lichtmessen 2500. bis Pfingsten darnach 2500, bis ein Jahr nach Michaelis
5000 Mark u. s. w. und stellt als Bürgen hiefür genannte böhmische Herrn.
Beiträge 7,220 (lückenhaft).

38   M e r a n , 1333 Okt. 6.
Burgschaftsbrief der genannten Herrn. Beiträge 7,221 citirt.

39   T i r o l , 1334 Aug. 25.
König Heinrich von Böhmen vermacht seiner kranken Tochter Adelheid
genannte Besitzungen und Einkünfte und bestimmt, dass, wenn sie von ihrer
Krankheit erlöst würde und einen Mann nähme, sie und ihre Erben gleichen
Antheil an Gut und Herrschaft haben sollten wie seine andern Erben.

Wir Heinreich von gotes genaden chunich ze Peheim und ze Po-
lau, herzog ze Cheruden, grave ze Tirol und ze Görz, vogt der gots-
haeuser ze Aglay, ze Triende|| und ze Brixen veriehen an disem prive,
daz wir mit gesuntem leibe mit wol verdachtem müte und mit gutem
witzen und sinnen bedaht und betrachtet haben der werld unstetichait
und zerganchnüsse und auch grozze : misschellunge und chriege, die
oft und dichke geschehen sint und auch noch geschehent zwischen
geswisterden nach vater und nach müter tot. Auch haben wir bedaht den grozzen siechtüm und chranchait, den unser herzenliebew
tochter Alhait von gots gewalt laider an ir hat, und darumb daz nachmalen, swenn wir niht ensein und swenn got uber uns gepeutet, chain
misschellunge oder chriech zwischen unsern chinden werde und daz
auch unser tochter Alhait niht irre noch weislos sei und auch iren
leipnaer nach unserm tode gehaben müge nach iren eren und nach irr
chranchait notdurft und ir gesinde, die weil si lebt, aygenen und geben wir ir pei unserm gesuntem leibe und mit wol verdahtem müt den
gelt und daz güt, daz her nach geschriben stet: des ersten unser veste,
ehelnampt und gelt datz sand Zenenberch mit alle dew und darzü
gehört, besücht und unbesücht, als ez an unsern raitpüchen und gelt-
püchen geschriben stet, mit sampt Suppans güten und zehenten, die
wir haben ze Puns und ze Mays oder swa si gelegen sein; darnach daz
gerichte in Passeir mit alle dew und darzü gehört und mit den zöllen
in Passeir, als ez an unserm geltpüch und raitpuch geschriben stet;
darnach daz gericht in Ultem und den gelt mit alle dew und darzü
gehört, als wir ez ietzund inne haben uber die purchhüt, die wir dem
graven von Eschelloch verlihen haben; darnach die drey mulen an
Meran; darnach der Genslin hof von Mays, darnach den grozzen zehenten ze Mays, den Ulreich der schreiber von Meran inne hat; darnach die zwen höve ze Aychach, die Alberte und Friderite die prüder,
unser schreiber, und Pauls von Aichach pawnt; darnach den zehenten ze Rüffian mit alle dew und darzü gehört besücht und unbesücht
und als wir ez selber in aigner gewer herpracht haben, doch mit sog-
tanem gedinge und beschaidenhait, ob wir auz den vorgenanten gerichten und güten durch unser sele willen oder sust iemand iht verlihen oder geben hieten, oder ob wir dehainen unserm pamman unser
hof ze ewigem zins reht hingelazzen hieten, daz daz pei der chraft
und macht beleibe, darnach als die hantvesten und prive sprechent,
die si von uns darüber habent; waer aber, daz wir ihts güts auz den
egenanten gerichten und güten versatzt hieten, des sol unser egenan-
tew tochter vollen gewalt haben ze ledigen und ze lösen nach dem,
als die prive und hantvesten sprechent, die wir daruber geben haben,
und sol die sellen güt an iren nutz und frumen legen, als die vorge-

nanten gůt; waer aber, daz got genad mit ir taete, daz si von irr
chranchait erlöset wurd oder daz si ainen wirt genam durch des landes notdurft und nach unser getrewen lantherren rat und erben dapei
gewŭnne, so sol si und ir erben geleichen erbentayl haben alles unsers
gůts und herschaft, die wir haben, swie die gehaizzen sein und wa die
gelegen sein in allen den rechten, als ander unser erben. Sie sol auch
des vorgenanten gůts nicht an werden noch verchauffen noch enphrem-
den von der herschaft ze Tirol an durch rechte ehaftew not ires leibes und daz selbe sol si dannoch tůn mit wizzen underr unser eleichen
erben und chinden, die wir lazzen, und auch nach rat unser getrewen,
die zů der herschaft ze Tirol gehörent. Si sol auch die vorgenanten-
gelt, gericht und gůt besetzen und entsetzen und nach irem frumen
cheren und wandeln als ir aigenleich gůt und als ir sein not ist doch
allezeit zebehalten unser hauptvesten und prive, die wir vor geben haben daz die pei irr chraft beleiben. Wir geben ir auch vollen gewalt
an iren lesten zeiten ze schaffen auch irr sel willen und irem gesind
oder swem si wil fůnf hundert march perner nach piderber leut rat
die pei ir danne sint; daz selbe geschaeft nach irem tod von dem ersten nutz des gůts daz wir ir verschriben haben sol verendet, volpracht
und volfůrt werden an alle widerunge und hinderunge unserr erben
und nachchomen. Und gepieten unserm purchgraven ze Tirol und unsern richtern in Ultem und in Passair und unsern purgern an Meran
die ietzů sint oder nachmalen chumftich werden und darnach allen unsern getrewen, die uns mit trewn und mit warhait mainen und gepunden sein, daz si die vorgeschriben unser tochter an den egenanten
gůten behalten, vristen und schirmen und ir gen maennichleich ge-
walts vor sein als verre si chunnent und mugen und als verre in leip
und gůt gezeuhet mit gůtem trewn an geverde. Und wer iemand, der
si an disen vorgeschriben sachen beswart oder betrůbt mit chainen
merchleichen, gevarleichen und bewaerleichen sachen, wellen wir, daz
die oder der mit leib und mit gůt an alle genad mit der vart vervallen
sein oder sei der herschaft von Tirol. Und darůber ze ainem urchund
geben wir ir disen prief versigelten mit unserm hangendem insigel.
Der geben ist auf Tirol do man zalt nach Christs gebůrte dreuzehen
hundert iar, und darnach in dem vier und dreizzigsten iar des phinz-
tages nach sand Bartholome tag.

Das Siegel ist abgerissen.   Orig. k. k. g. A. (zerschnitten).

40   In comitatu nostro Tiroli, 1335 Febr. 9.
    König Heinrich verkauft dem Grafen Johann Heinrich von Gorz
auf dessen Bitten „considerantes sibi in omnibus plus teneri quam aliis
maxime eo, quod heredes masculos non habemus, et ipsum de jure in
bonis comitatus Tirolis succedere debere et ipsi dictam terram nostram po-

tius consentire quam aliis-, sein für eine gewisso Summe Geldes schon dem Grafen Heinrich von Görz verpfändetes Gebiet in Friaul. nämlich Venzone, für dieselbe Summe und für 600 Mark als Lehen. Rubeis, mon. Aquil. 849.

41   Prag, 1335 Apr. 15.
Markgraf Karl von Mähren schreibt an Margaretha, Herzogin von Kärnthen, dass er den Tod des Herzogs bedaure und dass er mit seinen Freunden bald zu ihr kommen werde.

Libev swester! ir sult wizzen, daz uns von herzen leit ist der tod unsers lieben herrn etteswen des herzogen von Kernden, als wir des gut recht haben. Nu mag ez nu leider anders nicht gesein; man trachte nur daz nechste ze frum uch und unserm bruder dar zu dem lande, da wir uns euch mit unsern frunden und rat zu machen wellen und uch, ob got wil, schir sehen. Der brief ist geben ze Prag under unserm grozzen insigel, wan wir dez kleinen nicht bei uns hetten, an dem antlaztag vor Ostern.

Ex parte Karoli marchionis Maravie.

Von Aussen: Unser herzen lieben swester, der herzogin von Kernden.

Dass grosse Siegel. dass beim Oeffnen zerbrochen wurde, ist noch theilweise erhalten.

Orig. im Innsbrucker Statthalterei-Archiv.

42   Linz, 1335 Mai 1.
Herzog Otto von Oesterreich verspricht für sich und seinen Bruder Albrecht, da ihnen Kaiser Ludwig das Herzogthum Kärnthen und die Grafschaft Tirol, die ihm und dem Reiche ledig geworden sind, zu Lehen gegeben, demselben zu helfen gegen König Johann von Böhmen, seine Kinder und Erben, Herzog Heinrich von (Nieder-) Baiern und die Landherrn im Gebirge und gegen jeden, der ihn angreifen würde wegen des Landes im Innthal, innerhalb der Grünzen, wie es der Kaiser nun seinen Kindern verliehen, nämlich südwärts reichend bis zwischen die Holzbrücke und die andere Brücke, wo sich die Wege scheiden gegen Mühlbach und Brixen, beiderseits an das Gebirge, und bis auf den Jaufen und zur Finstermünz; dagegen soll ihnen der Kaiser zum Besitz von Kärnthen und Tirol verhelfen. Fischer, kleine Schriften 1,261 (o. O.). Das Original im k. bair. R. A.

43   Linz, 1335 Mai 2.
Kaiser Ludwig belehnt die Herzoge Otto und Albrecht von Oesterreich mit dem Herzogthum Kärnthen. Steyerer 84. Cod. d. Moraviae 7,35.

44   Linz, 1335 Mai 2.
Kaiser Ludwig belehnt die Herzoge Otto und Albrecht von Oesterreich und ihre Erben mit der durch den Tod des Herzogs Heinrich von Kärnthen ledig gewordenen Grafschaft Tirol, den Vogteien der Bisthümer Trient und Brixen und anderer Gotteshäuser und mit andern dazu gehörigen Reichslehen. den Theil ausgenommen. der nördlich von der Gemark ist zwischen der Holz-

brücke und der andern Brücke, wo sich die Wege scheiden nach Mühlbach
und Brixen und nördlich vom Jaufen und der Finstermünz, womit er seine
Kinder belehnt habe. Steyerer 84. C. d. Morav. 7,36.

45   Linz, 1335 Mai 2.

Kaiser Ludwig beurkundet, dass er die Herzoge Otto und Albrecht von
Oesterreich mit Kärnthen und Tirol belehnt habe, und verspricht ihnen bei-
zustehen gegen König Johann von Böhmen, seine Kinder und Erben, den
Herzog Heinrich von Baiern und ihre Bundesgenossen und gegen die Land-
herrn im Gebirge und in Kärnthen und gegen jedermann, der sie an der
Besitznahme Kärnthens und des ihnen verliehenen Theils von Tirol irren
würde; auch gelobt er keinen Separatfrieden zu schliessen. Steyerer 85.
C. d. Mor. 7.37.

46   Linz, 1335 Mai 2.

Kaiser Ludwig verspricht den Herzogen von Oesterreich die Strasse
über Finstermünz und den Arlberg von Oesterreich nach Schwaben und umgekehrt offen zu halten, so dass sie durch des Kaisers Land, das Innthal,
ziehen mögen. Böhmer, Reg. Ludwigs n. 1672.

47   Linz, 1335 Mai 2.

Herzog Stephan von Baiern schliesst für sich und seine Brüder ein
Bündniss mit den Herzogen von Oesterreich und verspricht ihnen ebenfalls
alle Strassen über den Arlberg offen zu halten, wenn sie in den Besitz des
Innthals kommen. Steyerer 88.

48   ·   Linz, 1335 Mai 2.

Herzog Otto von Oesterreich erneuert für sich und seinen Bruder Herzog Albrecht und beider Erben in wörtlich gleichlautender Fassung die Urkunde vom 1. Mai. Orig. im k. bair. Reichs-A.

49   Linz, 1335 Mai 2.

Die Herzoge Albrecht und Otto von Oesterreich versprechen für sich
und ihre Erben, die Herzoge Friedrich und Leopold, dem Kaiser Ludwig
und seinen Söhnen beizustehen gegen jedermann, ausgenommen das Reich,
den König von Ungern, den Herzog von Sachsen, den Erzbischof von Salzburg und den Bischof von Passau, besonders gegen jene, die sie im Besitz
des Innthals stören würden, auch denselben, falls sie in den Besitz des
Landes an der Etsch kämen, den Weg nach der Lombardei offen zu halten. Fischer, kleine Schriften 1,265.

50   Linz, 1335 Mai 2.

Dieselben verbünden sich in gleicher Weise für sich und ihre Erben
mit des Kaisers Söhnen, nämlich dem Markgrafen Ludwig von Brandenburg
und den Herzogen Stephan, Ludwig und Wilhelm von Baiern. Orig. k.
bair. Reichs-A.

51   Linz, 1335 Mai 5.

Kaiser Ludwig gebietet allen Herrn, Städten und Landleuten in Kärnthen, den Herzogen von Oesterreich, denen er das ihm ledig gewordene
Herzogthum Kärnthen verliehen, gehorsam zu sein. Steyerer 87.

52   Linz, 1335 Mai 5.

Die Herzoge Albrecht und Otto von Oesterreich versprechen von dem
Eigen, das zur Grafschaft Tirol gehört, alle Erben, die ein Recht auf diese
Grafschaft haben, sobald sie in ihre Gewalt kommt, zu entschädigen.

Wir Albrecht und Ott von gots gnaden herzogen ze ze Österreich,
ze Steyr und ze Chêrn den veriehen und tun kunt offenlich mit disem
brief, daz wir gehaizzen | und gelobt haben, daz wir von dem aygen,
daz gehôret zu der grafschaft ze Tyrol, die uns unser lieber herre,
der durchluchtig keyser Ludweig von Rom von besundern gnaden,
die er zu uns hat, verlihen hat, auzrichten sullen und wellen alle erben, die recht zu der selben grafschaft habent, swenn ez uns inwirt
und in unser gwalt chumpt, nach rat unsers vorgenanten herren des
keysers und als glimphleich und zeitleich ist. Und daruber geben wir
disen brief zu einem offenen urchund und sicherheit besigelten mit
unsern insigeln. Der ze Linz geben ist an vritag nach sand Florians
tag do man zalt von Christes geburd tûsent dreuhundert jar darnach
in dem fûmf und drizzigistem iar.

Beide Siegel hängen.   Orig. k. bair. R. A.

53   Graz, 1335 Juli 1.

Die Herzoge Albrecht und Otto von Oesterreich beurkunden, mit dem
Grafen Albrecht von Görz dahin übereingekommen zu sein, dass er ihnen
Burg und Stadt Greifenburg wiedergeben und er und seine Brüder ihnen
beistehen sollen gegen jedermann, wogegen auch sie ihnen helfen wollen,
besonders gegen den König von Böhmen und seine Söhne und gegen die
Etscher oder wer die Grafschaft Tirol innehat, dass sie an ihren Rechten
nicht beschwert werden; die Grafen sollen ihnen auch alle Festen offen halten und ihnen bei zwei Feldzügen an die Etsch mit dreissig Helmen und
zwanzig Schützen dienen, wofür sie 1000 Mark Silbers erhalten sollen.
Lichnowsky 3, DXIIX vollständig.

54   Prag, 1335 Dec. 13.

König Johann von Böhmen erklärt das Gerücht, er habe vor etlichen
Jahren mit dem, der sich Kaiser nennt, über einen Austausch Kärnthens
und Tirols, wenn er derselben gewaltig würde, gegen die Mark Brandenburg verhandelt, für falsch und gelobt mit seinem ältesten Sohne Karl von
Mähren die genannten Länder für sich und seine Kinder zu behalten. Kurz,
Albrecht d. Lahme 344. Hormayr, Beiträge 2,400. Riedel, cod. dipl. Brandenburg. II. 6,61.

55   Enns, 1336 Okt. 9.

König Johann von Böhmen verzichtet für sich, seinen Sohn Johann,
dessen Gemahlin Margaretha und deren Schwester, Töchter Herzog Heinrichs
von Kärnthen, zu Gunsten der Herzoge Albrecht und Otto von Oesterreich
auf alle Rechte und Ansprüche auf das Herzogthum Kärnthen, die Länder
Krain und die Mark, ausgenommen die Gebiete jenseits des salzburgischen
Sachsenburg, die Drau aufwärts, die von den Herzogen von Kärnthen selbst

mit Tirol vereinigt worden sind: er verspricht auch, die auf die abgetretenen Gebiete bezüglichen Briefe den Herzogen auszuliefern. Steyerer 97. C. d. Moraviae 7,91.

56   Enns, 1336 Okt. 9.
Die Könige Karl von Ungarn und Johann von Böhmen, die Herzoge Albrecht und Otto von Oesterreich, Markgraf Karl von Mähren und Graf Johann von Tirol schliessen ein Bündniss zu gegenseitigem Beistand. Steyerer 112. C. d. Mor. 7,90.

57   Enns, 1336 Okt. 9.
König Johann von Böhmen verspricht den Herzogen von Oesterreich bis nächsten Dreifaltigkeitssonntag die besiegelten Briefe seines Sohnes Johann, Grafen von Tirol, dessen Gemahlin Margaretha und ihrer Schwester über die Verzichtleistung auf Kärnthen, Krain und die March, ebenso auch die Briefe seiner Söhne Karl und Johann bezüglich des mit den Herzogen abgeschlossenen Bündnisses beizubringen. Steyerer 98. C. d. Mor. 7, 93.

58   Enns, 1336 Okt. 9.
Die Herzoge Albrecht und Otto von Oesterreich verzichten zu Gunsten Johanns, des Sohnes des Königs von Böhmen, auf alle Ansprüche auf Tirol und treten demselben und seiner Gemahlin Margaretha das Schloss Greifenburg, und was jenseits Sachsenburg an der Drau zu Kärnthen gehört hat, ab unter der Bedingung, dass ihnen Kärnthen von Sachsenburg abwärts, Krain und die Mark bleibe. Ludewig, reliquiae 5,522. Lünig, cod. Germ. dipl. 1,1015. C. d. Mor. 7,95.

59   Enns, 1336 Okt. 9.
Die Herzoge von Oesterreich versprechen die Schlösser Greiffenberg und Stein, die an Tirol abgetreten werden sollen, vom Grafen Albrecht von Görz zu lösen. Ludewig 5,524, Lünig 1,1018. C. d. Mor. 7,94.

60   Enns, 1336 Okt. 10.
Herzog Albrecht von Oesterreich bekennt dem Könige von Böhmen 5000 Mark grosser Prager Pfenninge schuldig zu sein, verspricht die Hälfte bis Georgi, die Hälfte bis Martini zu zahlen und stellt dafür eilf genannte Bürgen. Sommersberg, S. R. Siles. 3,63. C. d. Mor. 7,97.

61   Passau, 1336 Dec. 23.
König Johann von Böhmen bestätigt den Eid und die Vereinigung seiner Söhne Karl und Johann und der Gemahlin Johanns, Margaretha, und der tirolischen Landschaft, dass die Herrschaft von Tirol nimmermehr solle von des Königs Sohn und Schnur Handen verwechselt, vertauscht noch verkauft werden, und verspricht es sein Leben lang zu halten. Innsbrucker Statth.-Archiv. Schatzarchivs-Repertorium 1,37 extr. (Das Original ohne Zweifel in Wien.)

62   Frankfurt, 1339 März 19.
König Johann von Böhmen verspricht bis 24. Juni dem Kaiser Ludwig das Haus zu Rattenberg mit Zubehör oder, wenn dies nicht geschähe, die Stadt Eger einzuantworten.

Wir Johans von gotes gnaden künig ze Peheim und graf ze
Lutzemburg, veriehen offenlichen mit disem brief und tun chunt
allen den, die in sehent, lesent oder horent lesen, das wir on allerleie vorzug, zwischen hie und sant Johans Baptisten tag, als er geborn wart, der nehste ' chomet, dem durchluhtigem unserm herren,
herrn Ludowigen, Romischem keiser, und ob er abgieng, des got niht
engebe, sinen kinden, das hüs ze Ratenberg, und was dar zu gehört,
los und ledig widerantwurten sullen und wollen on allerleie geverde.
Geschech aber, das wir des niht getün mohten, do entzwischen uzge-
scheiden allerleie argliste, so sullen wir di stat Egern, und was dar zü
gehört, das wir von im und dem rich in pfandes wis inn haben, antwurten, im, oder wem er das bevilhet, also bescheidenlich, wer das wir
im oder sinen kinden uf den nehsten sant Michahels tag nach sant
Johans tag vorgenant das egenant hus Ratenberg, und was dar zu gehört, niht enantwurteten, so sol dem selben unserm herren dem keiser
und dem rich die vorgeschriben stat Egern und was dar zu gehört,
ledig und los sein, on all widerrede. und mag der selb unser herr der
keiser oder siniu kint das vorgenant hus Ratenberg, und das dar zu
gehört, widerchoffen oder losen uuß sollich summe geltes, als es an
uns chomen ist, nach den briefen, die dar uber geben sint, und güter
und gwönlicher chuntschaft beider süt. Wer aber, das wir im oder
sinen kinden das selb hus Ratenberg und was dar zu hört vor dem
vorgeschriben sant Michels tage wider antwurteten als begriffen ist,
so sol er oder siniu kint uns oder unsern kinden, ob wir niht enwern,
die stat Egern mit allem dem, das dar zu gehört, ledig und los wider
antwurten, in aller der wise und mazz, als wir si ietzo inne han und
als die brief sprechen, di dar uber geben sint. Geschech och, das
wir oder unser kint unserm herren keiser Ludowig oder sinen kinden
oder si uns an den vorgeschriben sachen überfüren, des got niht enwelle, swederm teil dann übervarn wirt, der hat gwalt ze manen die
erwirdigen, Heinrich des heiligen stuls ze Menze vnd Baldwin ze
Trier, erzbischóf, die hochgeborn, Rudolf zu Sachsen, Reinalt ze
Gelre, herzogen, und Wilhelm margrafen zu Gulich, hinder die wir
ze beider seit gangen sein aller uffluf, die zwischen unser ufgesten
mügen, und diselben sullen och dann das uztragen, als si ander stözz
und uffluf uztragen sullen, die zwischen unser ufgesten, als der selben
funf brief sagent. All dis vorgeschriben stuck geloben wir in güten
trewen stet und veste ze halten. Ze urchunt ditzs briefes, versigelt
mit unserm insigell, der geben ist ze Franchenfurt, an fritag vor dem
palmen tag nach Kristes geburd driuzehenhundert iar, dar nach in
dem niunten und drizzigistem iar.

Das Siegel hängt.   Orig im bair. Staats-Archiv.

63   **Frankfurt, 1339 März 20.**

Kaiser Ludwig und König Johann von Böhmen beurkunden ihre Aussöhnung und die Bedingungen des zwischen ihnen zu Stande gekommenen Vertrages und Bundnisses.

Wir Ludowig von gotes gnaden Romischer keyser, ze allen ziten merer dez richs, und wir Johan von den selben gnaden kunig ze Beheim und graf ze Lutzelnburg, veriehen und kunden offenlichen an disem brief allen den, die in sehent oder horent lesen, daz wir umb alle brüch, stözz und ufluff, di biz uf disen hiutigen tag zwischen unser ufgestanden und ergangen sind, genzlichen und gütlichen gesünt, gesetzt und luterlichen mit einander verriht sin ¹ in aller der weiz, als her nach geschriben stat. Bei dem ersten, daz wir keyser Ludowig der vorgenant unserm swager Johan, kunig von Beheim, lihen und och verlihen haben daz kunichrich ze Beheim mit dem fürstentûm und dem schenkampt, mit allen iren nützen und eren, di dar zu gehorent, di lehen sind von uns und dem Romischen riche. Och haben wir verlihen und verleihen ime Merhern mit allen wirden, eren und nützen, und swaz zu gehort, daz lehen ist von uns und dem Römischen riche. Öch verleihen wir ime und haben verlihen, swaz in der grafschaft ze Lützemburg und in der grafschaft ze der Welschenvels von uns und dem riche ze lehen gat, daz sin vater und sin vordern, grafen da selbs her braht und gehabt hand von dem Romischen riche. Da zu lihen wir ime und sinen erben und haben in öch verlihen alle diw lant in Polan, die er iezund inne hat, und die di fursten und ander lût von ime zelehen enphangen hand, und alles daz reht, daz wir und daz riche dar an han oder haben mügen. Wir Johan künig ze Beheim bekennen, daz wir die vorgeschriben herscheft, daz kunikrich ze Beheim mit dem furstentûm und mit dem schenchampt, Merhern, di grafschaft ze Lutzemburg, di grafschaft ze Welschenvels und die lande in Polan, die wir iezund inne haben, mit allen iren nützen, eren, zugehorden, als diu von dem Romischen riche rürend und gand, von unserm vorgenanten herren keyser Ludowig zu rehtem lehen enphahen und och enphangen haben, und haben och ime und dem Romischen riche da von gesworn und gehuldet, als sitlich und gwonlich ist und als wir durch reht süllen. Wir der keyser verlihen och Johan grafen ze Tyrol, des kuniges sun von Beheim, und sinen erben und haben och in verlihen die grafschaft ze Tyrol, daz Yntal und swaz er in den selben landen iezund inne hat, daz von uns und dem riche ruret, uzgenomen Ratenberg und swaz dar zu gehört, daz süllen die vorgenant künig Johan ze Beheim und sin sun graf Johan uns und unsern kinden an widerrede ledig und loz lazzen und widerantwurten zwischen hie und sant Johan tag ze sunnewenten, der nehst kumpt, an geverde, als ander brief sagent, die uns der künig von Beheim dar uber geben hat. Und wer, daz der selbe Johan graf ze Tyrol an erben stürb, so süllen der vorgenant künig sin vater und Karel margraf ze Merhern, dez selben grafen bruder, di selben lande von uns und dem riche ze lehen enphahen und haben, die weil si lebend. Und wir der keyser süllen in si öch lihen ze iren lebtagen, und wann si niht ensint, so süllen si uns und dem riche ledig und loz sin. Wir künig Johan von Beheim gehaizzen och für uns und unser kinde, daz wir furbaz unsern herren keyser Ludowig mit dheinen sachen hindern noch irren süllen an andern lehen oder guten, die ime und dem riche iezund ledig sind oder furbaz ledig werdent. Besunder süllen wir in und daz riche dar zu furdern. Wir künig Johan von Beheim verzeihen och für uns und unser erben aller der rehten, die wir gehabt haben an den naewn stete ze Lomparten, Maylan, Pergamum, Noveren, Pavi, Cremo, Parm, Moden, Retz und Poby, di unser phant warn von dem vorgenauten keyser Ludowig, als di brief sagend, die wir von ime dar uber heten, und lazzen ime und dem Römischen riche di ledig und loz, also, daz wir noh unser erben furbaz dhein reht oder ansprache dar an haben sullen. Och verzeihen wir uns für uns und unser erben Lucc und swaz dar zu gehört, daz wir sprachen, daz unser lehen sin solt, und lazzen daz ledig und loz und an alle ansprache unserm vorgenanten herren dem keyser und dem riche. Wir keyser Ludowig bechennen, daz Prisce di stat und swas dar zu gehört, künig Johan von Beheim und siner erben phant sin sol für zwaihundert tusent guldin florin, und swanne si die eingewinnend, so mugen wir oder unser nachchomen, künig oder keyser, di selben stat, und waz dar zu gehört, von in wider losen umbe di vorgeschriben summ und süllen si och uns der losung niht wider sin. Swaz och der künig von Beheim oder sin erben der vorgenant stat Prisce, wann si die ein gewinnend, geniezzend oder da von ein genemend, e daz wir oder unser nachchomen si von ine wider losen, als vorgeschriben ist, di selben nutz sullen si von uns und dem riche ze lehen haben an allen abslagk der vorgenanten summ. Wir der keyser verlihen och dem vorgenanten Karl margrafen ze Merhern und Johan sinem bruder graven ze Tyrol und iren erben Velters und Sybydat und och Kalduber daz tal, und waz dar zu gehört, da von uns und dem riche rürt, di graf Johan iezund inn hat, und die bi unsren ziten an daz riche nie chomen sind, mit allem dem, daz wir und daz riche dar an haben. Och sullen kunig Johan von Beheim und sin erben Eger, Flozz, Parkstein und Bachrach, und waz dar zu gehört, in phandes weiz inn han als lange, biz wir oder unser nachchomen an dem riche di selben gut von in wider losen, als die brief sprechent, di dar uber geben sind. Keysersperk und waz dar zu gehort, daz sol

dem keyser und dem Romischen riche verliben und habent der kunig
von Beheim oder sin erben sich dez verzigen. Wir kunig Johan von
Beheim sullen och unserm oftgenanten herren keyser Ludowig besten-
dig sin und beholfen mit rat und tat wider aller menniclich, er si geistlich oder wertlich, und och wider den babest, wo er den keyser, daz
rich oder dez richs fürsten an iren eren, rehten, friheiten oder gwonheiten angriffen wolt oder verdreiben, zu sinen und dez richs eren, rehten, friheiten und gwonheiten zebehalten und ze schirmen angeverde.
Wir der keyser sullen och dem künig von Beheim daz selbe ze gelicher weiz herwider tun und halten, uzgenomen des kuniges von En-
gelande, der kurfursten, unserr sweger, der herzogen ze Polan, unsers
swagers, dez grafen von Henygow, unsers sunes, dez margrafen von
Myssen, dez herzogen von Gelre, dez margrafen von Gülich, unsers
swagers und aller anderer unserr mag vnd sybtail. Wir der kunig von
Beheim nemen uz den künig von Franchrich und sin nachkomen, den
wir mugen dyenen und helfen ir lande und ir kron zebehalten mit funf
hundert mannen mit helmen; und dar uber sullen wir in und den vorgenanten keyser Ludowig und daz riche niht helfen noh dienen an
argelist. Och nem wir uuz den künig von Ungern, den kunig von
Gragow, di kurfursten, den herzogen von Österich, den herzogen von
Gelre, unsern sun herzog Heinrich vou Beyrn, den herzogen von Lot-
ringen, den herzog Henykin von Jaurn, den margrafen von Gulich, den
margrafen von Myssen, den byschof von Lütich, den bischof von Passow, den erzbyschof von Medeburg, den grafen von Savoj, Gerharten
grafen von Holtzten und ander unser geborn mag. Och sullen wir kunig Johan von Beheim und unser sun unserm vorgenanten herren, keyser Ludowig, und dem rich dienen, wann wir dez vor von ime ein vier-
tail iares ermant werden, mit der bescheidenhait, ob er unsers dienstes bedürfent wirt in disem iar, so sullen wir im dyenen nur als vil,
als wir mit guten staten getun mugen; wirt er aber unsers dyenstes
bedurfent uf ein ander iar, so sullen wir und unser sun ime dienen mit
vierhundert mannen ze rossen, als gwonlich ist und uns erlich, wol er-
ziugter lüt, uber die berg gen Lomparten, wo si dann der keyser haben
wil, uf unser selbs koste, schaden und verlust. Und geschehe, daz
wir und di selb unsere dyener dheinerlai stet, lant oder erblich gut gewunnen, di sullen dez keysers und dez richs sin; gewunnen wir aber
gevangen oder varnt habe an den keyser und sin gesinde, di sulln unser sin. Waz aber wir und dez keysers gesinde mit einander gevan-
gener oder varnder habe gewunnen, di sol man tailen nah der manzal
der lute, der der keyser und wir dann da gehabt haben. Och sol der
keyser uns oder unser sun umb den vorgenanten dienst als zitlichen
manen, daz wir dar nah mit unsern dyenern vor sant Johan tag ze

10 *

sunnwenten uber die berg gen Lomparten chomen mögen, also daz sich
unser dienst uf sant Johan tag anhebt, und och were von dannan biz
uf aller heiligen tag, der dar nah schierst kumpt. Gescheh och, daz
unser herre der keyser unsers dienstes vor sunnewenten bedurfent
wurde, und wir och als zitlichen dar umb von ime gemant wurden, daz
wir ime vor ze dienst chomen möchten, als lang wir dann enhalb der
perge gen Lomparten vor sunnewenten in sinem dienst sin, als vil sullen wir unsers dienstes vor aller heiligen tag, der dar nah kumpt, ledig sin. Wenn och wir unsern dienst volfurt und volgetan haben, als
wir sullen und öch geheizzen haben und als vorgeschriben ist, dar nah
sol der keyser unsern dyenern solt geben, als andern guten luten, die
dann bi im sind und als gewonlich ist. Wir der keyser und wir der
kunig von Beheim di vorgenant sullen mit disen sachen, als si vor begriffen sind, genzlichen und luterlichen gesund und beriht sin umb alle
stözz, uflüff und bruch, die biz uf disen hiutigen tag zwischen unser
ergangen sind. Öch sullen alle brief, die wir zebeder sitten under-
einander geben haben, tod und abe sin, an di brief, di friheit, gnade
und erblich gut anrürend, die wir der kunig von Beheim von unserm
vorgenanten herren dem keyser oder von sinen vorvaren, kunigen oder
keysern, von alter gehabt habent, und hie vor niht begriffen sind. Wir
der keyser und och der kunig von Beheim, sullen furbaz durch frides
willen für alle bruch und uflüff, die zwischen unser beider ufersten
möhten an den gemerchen unserr landen, ratelut und uberlut kiesen,
di mehtig sin bruche zerihten und zesetzen nah reht oder bescheidenhait. Geschehe och dez got niht enwelle, daz furbaz dheinerbai stoz,
bruch, oder uflüff zwischen unser uf erstünden, dar zu haben wir ze
beder sitten und ainmuticlichen erchorn di erwirdigen Heinrich erzbischof ze Menz, Balduin erzbischof ze Trier und di hohgeborn fursten, Rudolf herzogen ze Sachsen, Rynalden herzogen ze Gelre und
Wilhelmen, margrafen ze Gülich, also beschaidenlichem, were der
bruch geschiht, der sol kuntlichen den andern manen, daz er im den
uzriht; tut er dann dez niht, so mag der, dem dann der bruch geschehen ist, dar nah die vorgenanten funf manen, und wann er die gemant
hat, die sullen dar nah in den nehsten sehs wochen ze Franchenfurt
in die stat varn und den bruch rihten mit der minne ob sie mügen mit
unser baider wissen, oder mit dem rehten nah irem besten gedunchen
an unser wissen, in aht tagen, als si ze Franchenfurt chomen sind.
Und waz die funf alle ainmuticlichen sprechent, oder der merer tail
under in, daz sol maht han, und sullen och wir daz zebeder sitten
halten angeverde; und von wederm tail si gemant werdent, der sol in
geschriben geben die sache, dar umb er si dann manet. Wederr tail
och gemant hat, als vor geschriben ist, der sol daz dem andern tail

zeitlich kunt tun, daz er zu den vorgenanten fursten gen Franchenfurt
chomen mug oder senden. Wer och, daz der vorgenant funfer ainer
abe gieng, oder gen Franchenfurt niht chomen möht an argen list,
an dez selben stat sullen di andern vierer einen andern kiesen und
nemen zu in uz den funfen, di her nah geschriben stend, daz sind der
erwirdig bischof Albrecht von Passow, der durchluhtig herzog Albrecht von Österich, die edeln manne, graf Wilhelm von Hollanden,
graf Adolf vom Berge und graf Ulrich von Wirtenberg, welhen man
dann under in gehaben mag. Und wer, daz man der keinen gehaben
möht, so sullen die selben vier einen andern zu in kyesen, swen si
wellend, der si aller best dauncht zu den selben sachen; und sullen di
funf dann maht haben, als vor geschriben ist. Dise vorgeschriben
artikel alle und ir ieglichen besunder haben wir ze beder sitt mit guten trewen geheizzen stet, ganz und unzerbrochen behalten, und dar
wider nimmer ze tun noh ze chomen. Und ze einer grossern sicherhait sullen unser dez keysers sun, margraf Ludowig von Brandenburg
und herzog Stephan von Beyern, und unser kunig Johan von Beheim,
Karl margraf ze Merhern, und Johan graf ze Tyrol ze den heiligen
swern und och ir brief dar uber geben, daz selbe zetun und da wider
nimmer ze chomen. Och haben wir keyser Ludowig uz unsers swagers
kunig Johan von Beheim rat genomen die edeln manne Petern von
Rosenberg, Berchtold von der Lyppen, Wilhelm von Lantstein,
Henigyn Bergk, Otten von Bergow, Heinrich von Rotenburg hofmaister, Engelmaren von Villanders, Volkmaren von Spowr, Chunrat
von Schennah und Degen von Vilanders. So haben wir kunig Johan
von Beheim uz unsers herren keyser Ludowig rat genomen di edeln
manne Berchtolt grafn ze Hennenberg, Berchtolt grafn ze Graispah
und Marsteten, genant von Nyffen, Ulrich graf ze Wirtenberg, bruder
Wolfram von Nellenburg, maister Tutsches orden ze Tutschen landen, Gerlachn grafn ze Nassow, Johan burgrafen ze Nurenberg, Kraf-
ten und Lutzen von Hohenloh, bruder Heinrich von Zipplingen com-
mentiwr und Dyepolden den Guzzen von Lypheim, die alle zweinzig
och ze den heiligen swern und ir brief dar uber geben sullen, daz
si uns ze baider sitt dar zu halten und wisen, als verr sie mugen,
daz wir mit dheinen sachen wider di vorgeschriben unser sun und
rihtigung tun oder chomen. Und dar uber ze einem waren urchund
geben wir disen brief mit unser beder insigel versigelten. Der geben
ist ze Franchenfurt an dem palmabant, da man zalt von Kristes geburt driuzehenhundert iar, dar nah in dem neun und dreisigestim iar,
in dem funf und zwainzigestim iar unser keyser Ludowig riche, und
in dem zwelften dez keysertumes.

Beide Siegel hängen.   Orig. k. hair. Staats-Archiv.

64   F r a n k f u r t , 1339 März 20.

König Johann beurkundet mit dem Kaiser ausgesöhnt zu sein und verspricht ihm Hilfe gegen jedermann, genannte Herrn ausgenommen, auch gegen den Pabst, wenn dieser den Kaiser, das Reich und des Reiches Fürsten an ihren Rechten, Ehren und Freiheiten angreifen würde.   v. Weech S. 123.

65   Ze Plain auf der vest bei Salzburch, 1339 Mai 11.

Herzug Albrecht von Oesterreich giebt für sich und seine Vettern, die Herzoge Friedrich und Leopold, dem Kaiser Ludwig Vollmacht, alle Stösse und Aufläufe zwischen ihm und dem Könige Johann von Böhmen und dessen Söhnen Karl von Mähren und Johann von Tirol auszurichten.

Wir Albrecht von gotes gnaden herzog ze Österreich, ze Steyr und ze Kernden tun chunt offenlich mit disem brief, daz wir mit güter betrachtung nach unsers rates rat für uns, unser erben und unser lieb | vettern herzog Friderich und herzog Leupold umb alle sache, stozze und auflouffe, die zwischen uns, unsern helfern und dienern an aynem tayl und unserm lieben ohem chunig Johansen von Pehem, seinen sunen margraf Carolum von Merchern und graf Johansen von Tyrol, irn helfern und dienern an dem andern tayl unzher gewesen sint oder noch sint, unserm gnedigen herren chayser Ludwigen von Rôm vollen gewalt gegeben haben und geben ouch mit disem brief, dieselben sache, stôzze und auflouffe genzlich ze berichten noch (!) minne oder noch recht und nach den briefen, die wir bedenthalben gen einander haben, also, swaz derselb unser herr chayser Ludwig in denselben sachen, stôzzen und auflouffen auzrichtet und auztrait noch minne oder noch rebt und noch denselben briefen als vorgeschriben ist, daz wir daz stet halten an allez geverde. Des geben wir dem vorgenanten unserm herren chayser Ludwig disen brief zu einem offen urchund besigelten mit unserm grozzen anhungundem insigel. Der geben ist ze Playn auf der vest bei Salzburch an eritag vor phingsten, do man zalt von Christes geburd tausent dreuhundert iar darnach in dem neun und dreizgesten iar.

Das Reitersiegel Albrechts hängt.   Orig. k. bair. Staats-Archiv.

66   Auf Pruck, 1339 Juni 9.

Graf Albrecht von Görz beurkundet, sich mit seinen Brüdern Meinhart und Heinrich bezüglich der von ihrem Vater und Vetter hinterlassenen Besitzungen dahin geeinigt zu haben, dass er es mit ihnen nach Recht und Billigkeit theilen wolle, widrigenfalls beide Theile je einen Freund und einen Diener ernennen sollten, um, allenfalls unter Beiziehung eines Obmannes, die Theilung vorzunehmen; zugleich verspricht er, wenn seine Brüder die Theilung fordern würden, sie zwei Monate später vorzunehmen. Orig. im Ferdinandeum.

67   G r a z, 1339 Dec. 11.

Die Grafen Albrecht und Meinhard von Görz erneuern mit Herzog Albrecht von Oesterreich das 1335 Juli 4 geschlossene Bündniss unter einigen
Modificationen.

Wir Albrecht und Meinhart gebruder, grafen ze Gorz und ze
Tyrol und vögt der gotsheuser ze Aglay, ze Trient und ze Brich sen
veriehen offenlich mit disem brief allen den, di in sehent, lesent oder
horent lesen, daz wir uns aller sache mit unserm lieben herren und
öhem | dem hochgebornen herzog Albrecht ze Österreich, ze Steyr und
ze Chernden vreuntlich und lieplich verricht und vertaydingt haben
also beschaydenleich, daz wir im und seinen erben und seinen vettern,
herzog Friderich und herzog Leupold gehilfig und dienstlich sein ewichlich, so wir pest mugen, mit aller unserr herschaft mit unser leuten und
vesten in derselben unserr herschaft und dar auz gen Kernden und gen
Chrain und gen aller mennchlich an wider daz reich alain. So sullen
ouch uns di egenanten unser herren di herzogen von Österreich schirmen, versprechen und geholfen sein als irn dienern und helfern an
allen sachen, da wir recht zu haben wider aller menchlich an wider
daz rich und an wider den erzbischolf von Salzburch und besunderlich
gen dem chunig von Pehem und seinen sünen und gen den Etschern
und wer di grafschaft ze Tyrol innehat, daz wir von in an unsern rechten, ez sein zolle oder mautt oder ander gult, darzu wir recht haben,
unbeswert werden. Und swa wir daran nu beswert oder entwert weren oder noch würden ze unrecht, des sullen si uns geholfen sein wider
ze gewinnen an geverd, so si pest mugen, und sullen uns bei allen unsern rechten lazzen, als si unser vordern herpracht habent. Wenn
ouch daz wer, daz der chunig von Pehem oder der graf von Tyrol
oder welich unser veint uns angriffe an daz reych und an den vorgenanten erzbischolf von Salzburg, als oft daz geschech, so sullen uns
unser herren di herzogen von Österreich geholfen sein, so si pest mügen, und sol der chrieg derselben unserr herren der herzogen sein und
wir ir helfer und diener darzu sein. Wir loben in ouch, daz allev unserev sloz und vest und unser herschaft alle in oder irem houptman,
wen si iren dienern gebent, offen sein sullen in und auz und da durch
zevaren und darinne auf teglich urleug ze legen ir leut auf ir chost,
als oft si das bedurffen gen der Etsche oder anderswo an unsern
merchlichen schaden an als geverd. Wir sullen aber in und den irn
den chouf schaffen, daz si daran nicht geirret werden mit dhainem
geverd. Auch sullen wir unsern egenanten herren den herzogen von
Österreich dienen zway gevert an die Etsche ze igleichem mal mit
dreizzig helm und mit zwainzig schutzen, und umb denselben dienst,
den wir tun sullen, habent si uns geben und verrichtet tausent mark

silbers, vier und sechzig grozzer Pehemischer zalgrozze fur di mark
se raitten. 'Geschech ouch, daz si mer denn zwayr gevert zu der
Etsch bedörften, und an uns muetent, des-sullen wir in gehorsam sein
und sullen si uns darumb helfen und geben als andern irn helfern und
dienern, darnach und der dienst und hilf danne wirt. Waz wir ouch
in unserr herren dienst furbaz von chrieg schaden nemen, des sullen
wir warten hinz unserr herren gnaden als ander ir helfer und diener.
Si habent sich ouch angenomen und verfangen umb alle ansprach,
vorderung und veintschaft, di her Sweikker von Liebenberch, sein
brüder, sein sune, sein vreunt und sein helfer, die in irn landen gesezzen sind und der si gewaltig sint, habent hinz uns umb Greiffen-
berch, daz wir in angewunnen haben, daz daz ab genzlich und ein
verrichte sache sein sol an daz hous in dem marcht und die gueter
und gult, di derselb von Liebenberch ze Greiffenburch umb sein selbes
gut gechouft hat; da sullen wir in nicht an irren. Wenn ouch si sich
mit dem chunig von Pehem oder seinen sunen verrichtent oder ver-
taydigent, so sullen si uns in die richtung nemen und besorgen, als si
uns des schuldig und gepunden sint, unz daz uns unser zolle, vest und
urbar und herschaft, des wir entwert sein oder noch würden, genzlich
wider werden. Darzu verhaizzen wir in ouch di vorgenanten gelubd
und bunde an allen irn stukchen, als vor geschriben stet, bei unsern
trewen an aydes stat stet ze halten und ze volfueren. Und geben in
daruber disen unsern offenn brief ze einem urchund ganzer stetichait
mit unsern anhangenden insigeln versigelt. Der geben ist ze Gretz,
do mal zalt von Christes geburd tausent, dreuhundert iar darnach in
dem neun und dreizgisten iar des samztages vor sand Luceyn tag.

    Beide Siegel hängen.   Orig. k. k. g. A.

68   München, 1341 Nov. 22.
    Kaiser Ludwig belehnt für sich und besonders seinen Sohn. den er
durch Heirath in den Besitz der Herrschaft Tirol bringen wolle, den Volkmar von Purchstall mit dem von ihm erbauten Thurme und der Clause Pun-
telpeyn unterhalb der Feste Visioun. Mittheilung des P. Justinian Ladurner.

69   Zuaim, 1341 Nov. 26.
    König Johann von Böhmen erklärt, die nach dem frühern Friedens-
schlusse von den Herzogen von Oesterreich für die Verzichtleistung auf
Kärnthen zu zahlenden 10000 Mark Prager Groschen oder die dafür als
Pfand bestimmten Städte Laa und Waidhofen so lange nicht fordern zu
wollen, bis es ihm gelingt, die Besiegelung der bezüglichen Briefe durch
seinen Sohn Johann, dessen Gemahlin Margaretha und deren Schwester zu
erlangen. Steyerer 129. C. d. Mor. 7,258.

70   Avignon, 1341 Nov. 28.
    Pabst Benedikt XII. beauftragt den Patriarchen Bertrand von Aquileja,

wenn die Herzogin von Kärnthen den jüngern Ludwig von Baiern, ohne
dass ihre Ehe mit dem Grafen Johann von Tirol kirchlich getrennt wäre,
heirathen wollte, sie unter Androhung der Kirchenstrafen von diesem Frevel
abzuhalten und sie zu ermahnen, ihrem Gemahle treu zu bleiben, wenn sie
eigenmächtig sich von ihrem Manne scheiden und sich mit Ludwig oder
einem andern vermählen würde, gegen das ehebrecherische Paar und alle,
die dabei verhilflich sein würden, den Bann auszusprechen. Raynald ad
a. 1341 n. 14 extr.

71   München, 1341 Nov. 29.
    Kaiser Ludwig sagt den Engelmar von Vilanders, seinen Getreuen,
wegen der treuen Dienste, die derselbe ihm oft gethan hat und noch thun
soll, ledig und los der Rechnung und Widerlegung, die er bis nächste Weihnachten von den drei Aemtern und Gerichten, Rodichen mit dem Amt und
Gericht zu Mühlbach, Gufidaun mit dem dazu gehörigen Amt und Gericht,
und Gries mit dem dazu gehörigen Gericht und Weinkeller thun sollte, und
bestätigt ihm alle Briefe, die er auf die drei genannten Aemter hat. Orig.
im bair. Reichsarchiv.

72   München, 1341 Nov. 29.
    Kaiser Ludwig lässt und empfiehlt dem Engelmar von Vilanders die
Feste Gufidaun mit Amt und Gericht und allem, was dazu gehört, bis auf
seinen Tod, doch so, dass er der Herzogin Margaretha von Kärnthen und
ihrem künftigen Gemahl, „swer der wirt", davon fortan Rechnung legen soll.
Orig. im bair. Reichsarchiv.

73   München, 1341 Nov. 29.
    Kaiser Ludwig erweist dem Engelmar von Vilanders dieselbe Gnade
mit der Feste Rodichen und dem Amte und Gerichte zu Mühlbach und bestimmt, dass er von 64 Mark Gelts aus den Aemtern zu Rodeneck und Mühlbach nicht Rechnung legen soll, da 32 Mark zu der Burghut gehören und
32 Mark ihm versetzt sind. Orig. im bair. Reichsarchiv.

74   München, 1341 Nov. 29.
    Kaiser Ludwig verleiht dem festen Manne Engelmar von Vilanders und
seinen Erben sechzehn Güter, die dem Jakob selig, seinem Oheim und nun
ihm gestanden sind und noch stehen, wovon eilf im Gericht Gufidaun, zwei
im Gericht Vilanders, drei im Gericht Valenturns gelegen sind. Orig. Statthalterei-Archiv. (Tiroler Lehenreverse.)

75   München, 1341 Nov. 29.
    Kaiser Ludwig giebt dem festen Manne Engelhard von Vilanders für
seine treuen Dienste die 40 Mark Gelts im Amte Gufidaun, die ihm um 400
Mark von Herzog Heinrich von Kärnthen versetzt waren, und zwei ihm um
200 Mark versetzte Weinhöfe zu Lutenfuss für sich und seine Erben zu
Lehen. Orig. Statth.-Archiv. (Tiroler Lehenreverse.)

76   o. T. o. O. 1341.
    Kaiser Ludwig verschreibt dem Engelmar von Vilanders das Thal Ca-
dober und die Feste Pleif mit Zubehör; nach seinem Tode soll es wieder

an die Herzogin Margaretha von Kärnthen fallen. Statth.-Archiv. Schatz-archivs-Repertorium 3,981 extr.

77   Auf Tirol. 1311 Dec. 4.

Margaretha, Herzogin in Kärnthen, verleiht dem Ekehart von Vilanders und seinen Erben für seine treuen Dienste den Satz aller Guter in der Pfarre Castelrut, den er und sein Vater weiland Heinrich von Vilanders von König Heinrich innegehabt, zu Lehen, wogegen Ekehard sie aller Gülten, die er darauf gehabt, ledig sagt; auch verspricht sie, wenn sie ihn von der Feste Trostberg und dem Gericht auf Vilanders, die er von ihr auf Wiederruf innehat, entfernen würde, ihn für alles zu entschädigen, was er auf den Bau an derselben Feste verwendet hatte. Orig. im Statthalterei-Archiv. Lade 97.

78   Wien, 1311 Dec. 15.

Markgraf Karl von Mahren bestätigt die inserirte Urkunde seines Vaters, König Johanns, von 1336 Okt. 9 über die Verzichtleistung auf Kärnthen. C. dipl. Moraviae 7,264.

79   Wien, 1311 Dec. 15.

Markgraf Karl von Mähren verspricht die von den Herzogen von Oesterreich für die Verzichtleistung auf Kärnthen zu zahlenden 10000 Mark Prager Groschen oder die, dafur als Pfand bestimmten Städte Laa und Weidhofen nicht fordern zu wollen, bis die bezüglichen Briefe durch seinen Bruder Johann, dessen Gemahlin Margaretha und ihre Schwester besiegelt wären. Steyerer 130. C. d. Mor. 7,263.

80   Wien, 1311 Dec. 15.

Herzog Albrecht von Oesterreich beurkundet für sich und seine Bruderssöhne Friedrich und Leopold dieselbe Uebereinkunft. Dobner, mon. 4,307. Ludewig, rel. 5,531. C. d. Mor. 7,262.

81   Wien, 1311 Dec. 15.

Herzog Albrecht verspricht für sich und seine Bruderssöhne dem Markgrafen Karl von Mähren Beistand, wenn er von Kaiser Ludwig innerhalb seiner oder seines Vaters Länder angegriffen wurde. Ludewig 5,529. Lünig, C. Germ. d. 2,7. C. d. Mor. 7,261.

82   München, 1342 Jan. 26.

Markgraf Ludwig von Brandenburg erklärt seinen Willen, dass die Herzogin Margaretha von Kärnthen von ihrem Gute in der Herrschaft Tirol 1000 Mark Geltes in ihre Kammer nehme.

Wir Ludw. etc. verieben und tun chunt etc., daz wir wellen, daz der edel fürstinne frawe Marg. herzogin ze Kernden, graefin ze Tyrol und ze Görz, unser lieb wirtin tausent march geltes nemen sol in ir kainer von irm gut in der herschaft ze Tyrol wa si wil in dem lande, nach irs rats rat unverzigen aller irr rehten, die si hat als ain erb und si daran nicht irren mit dehainen sachen.

Daz ir daz staet und unzerbrochen beleib haben wir disen brief
geben versigelt mit unserm insigel. Dat. Monaci in crastino beati
Pauli in conversione anno M.cccxlij.

Registratur Markgr. Ludwigs k. k. g. A. Dipl. No. 961 n. 3.

83   München, 1342 Jan. 28.
**Markgraf Ludwig von Brandenburg verspricht alle, die in der Graf-
schaft Tirol gesessen sind, bei ihren hergebrachten Rechten zu lassen.**

Wir Ludowig von gotz genaden margraf ze Brandenburg, pfallenzgraf ze Rin, herzog ze Bayern und des heiligen Rô mischen richs
oberister kamerer verichen und tun chunt allen den, die disen brief
sehent, hôrent oder lesent, daz wir verheizzen, daz wir alli gotzhûser
gaistlichi und weltlichi, all stet, dörffer und märkt und ouch alle lûte
edel und unedel, rich und arme, swie die geheizzen oder swa die gelegen oder gesezzen sint in der grafschaft ze Tyrol, bei allen irn rechten behaben süllen, des si hüte oder brief habent und als es von alter
gewonheit her ist komen von aller herschaft und als es sich von enther
gehandelt hat von den hohgeborn herren, herzog Meinharten und von
sinen sûnen und von künig Johann von Beheim, all die weil und er
sins suns graf Johanns und der herschaft von Tyrol gerhab gewesen
ist, und ouch von dem selben graf Johann des vorgenanten künigs von
Beheim sun und ouch von der fürstinn frawn Margareten herzoginn ze
Kerenden und gräfinn ze Tyrol und ze Görz, unser liebi wirtinn, und
ouch all die brief, die unser lieber herr und vater, kaiser Ludowig von
Romae und ouch wir über die vorgeschriben sach geben haben und
noch gebend werden. Wir süllen ouch die amptlütt, die dar zu ge-
hôrnt und belehent sint, bei irn rehten behalten und in der günnen.
Auch süllen wir dhein ungewonlich stiur nicht uflegen on der lantlütt
rat. Wir verheizzen ouch, daz wir dhein vest, die zu der herschaft
ze Tyrol gehört, mit dheinem gaste noch usman nicht besetzen süllen.
Auch süllen wir die grafschaft ze Tyrol handeln und halten nach der
besten rat, die darinne gesezzen sint, und alle zeit des landes ze Tyrol
recht bezzern und nicht bösern nach ir rat. Wir verheizzen ouch, daz
wir die vorgenanten frawen Margareten unser lieb husfrawn uz dem
land nicht füren süllen wider irn willen. Swer ouch iemans von der
herschaft ze Tyrol, oder der dar zu gehört, veint wolt sein umb die
handelung, die gen uns beschehen ist, oder umb dhein der vorgeschriben sach, daz wir den wider die selben zu legen sullen und wider si
beholfen sein, als wir beste mugen on geverd. Dis vorgeschriben sach
und stuk alle und ieglich besunder geheizzen wir mit guten triwen stet,
ganz und unzerbrochen behalten und da wider nimmer ze tun noch ze
komen, und haben ouch des ze den heiligen gesworn. Der brief ist

geben ze München an montag vor unserer frawen tag ze liehtmesse under unserm insigelt besigelt, daz dar an hanget. Nach Kristus geburt driuzehenhundert iare dar nach in dem zwei und vierzigstem iare.

Das Siegel hängt.   Orig. k. bair. R. A.

84   **München, 1342 Jun. 28.**
Kaiser Ludwig bestätigt die von seinem Sohne, dem Markgrafen Ludwig, den Tirolern gegebenen Briefe und verspricht nicht dagegen zu handeln.

Wir Ludowig von gotes genaden Römischer keyser ze allen [zeiten] merer des riches, bekennen und tûn kunt mit disem brief allen den, die in sehent, hörent oder lesent, was brief der hochgeborn Ludowig margraf ze Bran'denburg, pfallenzgraf bey Rein, herzog ze Bayern und des h[eiligen römi]schen riches oberister kamerer unser lieber sun und fürst, allen gotzhäsern geistlichen und wertlichen, städten, merkten, dörffern, edeln lûten oder unedeln, richen oder armen, swie die genant oder wo si gese[ssen sint] in der grafschaft ze Tyrol, geben hat oder noch gebent wirt, umb bestâtnûzz irer brief, gewonheit und [ehren], daz daz unser gut wille und gunst ist, und gehaizzen auch daz also stet, ganz und unzerbrochen behalten und darwider nicht ze komen bey unsern keyser[lich]en [gn]aden und trewen und bey dem ayde, den wir dem heiligen [ri]che gesworn haben. Mit urchund ditz briefs, der geben ist ze München, an montag vor unserer frawen tag ze liechtmesse, mit unserm kayserlichen hangenden insigel besigelt. Nach Kristus geburt driuzehen hundert iar, darnach in dem zwai und vierzigsten iar in dem achten und zweinzigsten iar unsers riches und in dem funfzehenten des keysertûms.

Das Siegel hängt.   Das sehr beschädigte Orig.
                                    im k. bair. R. A.

85   o. D. o. O. (1342.)
Kaiser Ludwig spricht als Richter in der Ehescheidungsangelegenheit zwischen Johann, dem Sohne des Königs von Böhmen und Margaretha, Herzogin von Kärnthen, Gräfin von Tirol — da diese durch hinreichende Beweise und Zeugnisse dargethan habe, dass Johann, mit dem sie lange im Ehestande gelebt, zur Leistung der ehelichen Pflicht von Natur unfähig und sie noch Jungfrau sei, während Johann auf seine Vorladung nicht erschienen sei — die Trennung der Ehe zwischen beiden aus. (Unecht!) Freher, G. R. S. 1,430 (ed. Struve 1.620). Oleuschlager, Staatsgesrh. 210. Riedel, C. dipl. Brandenb. II. 2.147. C. d. Moraviae 7.269.

86   o. D. o. O. (1342.)
Kaiser Ludwig ertheilt dem Markgrafen Ludwig von Brandenburg und der Herzogin Margaretha von Kärnthen wegen etwa bestehender zu naher Verwandtschaft Dispens zur Eingehung der Ehe. (Unecht!) Freher 1,431

(ed. Struve 1,631). Oleuschlager 212. Riedel, C. d. Brandenb. II, 2,149.
C. d. Moraviae 7,271.

87　　　　　　　　　　　　　　Innsbruck, 1342 Febr. 26.

Kaiser Ludwig verleiht seinem Sohue, dem Markgrafen Ludwig von
Brandenburg, und seiner Gemahlin Margaretha und ihren Erben alle Reichslehen. Werch, K. Ludwig und Johann von Böhmen 125.

88　　　　　　　　　　　　　　Lienz, 1342 Mai 12.

Die Grafen Meinhard und Heinrich von Görz vereinigen sich mit ihrem
Bruder, Grafen Albrecht von Görz, um alle Forderungen, die er gegen sie
gehabt bezüglich der Heimsteuer und Morgengabe ihrer seligen Mutter.
Gräfln Elsbeten und bezüglich seiner Forderungen an das Erbe aller drei
Brüder von ihren Schwestern und bezüglich aller gegenseitigen Ansprüche
dahin, dass sie ihm dafür 1700 Mark Aglaier Pfennige der Währung, die
in Kärnthen gang und gäbe ist, zahlen und dass Leute und Güter, Festen
und Urbarn alle drei gleich theilen sollen, ausgenommen, dass Graf Albrecht
und seine Erben alles, was ihre Schwester Frau Kathrey von Taufers hat,
vorausheben soll, wogegen Meinhard und Heinrich einst alle Besitzungen
ihrer Mutter, Gräfln Ofmei, erhalten sollen. Orig. im k. k. g. A.

89　　　　　　　　　　　　　　Greiffenberg, 1342 Juni 12.

Graf Albrecht von Görz beurkundet, dass von allen Schulden, die er
mit seinen Brüdern Grafen Meinhard und Heinrich gemacht habe, je auf einen
der dritte Theil fallen soll. Orig. k. k. g. A.

90　　　　　　　　　　　　　　Greifenberg, 1342 Juni 13.

Die Grafen Albrecht, Meinhart und Heinrich von Görz theilen die ganze
Erbschaft, die ihnen angefallen ist von ihrem Vater und von ihrem Vetter,
Grafen Hansen selig.

Wir Albrecht, Meinhart und Heinrich graven ze Görz und ze
Tyrol. vögt der gotsheuser ze Agley, ze Triend und ze Brixen veriehen
mit disem offem brief und tün chunt allen den, die in ansehent, lesent , oder horent lesen, die nu sint oder noch chünftig werdent, daz
wir willichleich und mit wolbedachtem müt alle drey und mit unserr
besten vreund rat uns mit einander bericht haben liepleich und | prü-
derleich umb alle die erbschaft, die wir gehabt haben mit einander
von unserem vater seligem und auch die uns an gevallen ist von unserem vettern graf Hansen seligen, vest, leut und güt und haben daz
mit einander getailt mit gütem willen in der weis, als hernach geschriben ist. Daz uns graf Albrechten an gevallen ist in Isterreich
Mitterburch, Merenvels, Wessenstain, Rèkel, Poynont, Pyben, Ga-
lian, Lauran, Brischetzz, Terveis, Tingnan, Barban, Memlan mit allen
den eren und rechten, als sei die grafschaft von Görz inne gehabt hat

in Isterreich; und an der March Meichaw, der Newmarcht, Schernomel, Sewsenwerch, Weychselwerch, Schönnwerch auch mit aller der herschaft und rechten, als sew die grafschaft an der March hat. So ist uns graf Meinharten und graf Heinrichen angevallen Görz, Schwarzenek, Venchenwerch, Ratspurch, daz Newhaus ze der Alben und allez daz die grafschaft hat auf dem Charst mit aller herschaft und rechten; und in Friaul Cremawn, Belgrad, Portlansan, Newnburch und aver allez daz die grafschaft in Friaul angehört, und bei der Geil Lessach, Weidenwerch, Sand, Machor und swaz die grafschaft da bei der Geil angehört, und darnach sand Michelspurch, Rosen, Welsperch, Hewnvels, Chlaus, Pruk, Linz, Virg, Rutenstein, Traburch, zway Valchenstein, daz nider und daz ober, Velach, Stein, Mosburch, Eberstein, Horenwerch mit allen den rechten und herschaft, als ez die grafschaft in Chernden und in dem Pusterthal hat und an gehört. Daz allez, als ez hie vor geschrieben ist, ie den man sol an gevallen sein tail, vest, urbar, leut und güt mit allen den rechten, und dar zů gehörent, gesůcht und ungesůcht, gepawn und ungepawn swie ez genant sei, gericht, erz, perg und tal, weld, holz, waid, getreid, stein, wazzer, strazen mit so angenommener red und gelübden, ob unser eins nicht wer an erben, allez daz, daz er dann hie lat an erben hinder im der vorgeschriben erbschaft, des sullen die andern zwen prüder erben sein, und ir nachchomen und mit einander geleich tailen; wer aver unser zwayer nicht an erben, so sol der dritte prüder erbe sein alles des, daz die zwen lazzent der vor gesprochenn erbschaft. Ez ist auch gelobt, daz wir graf Albrecht alle lehenschaft tragen und leihen schullen, die auz der herschaft ist, als von recht der elter pruoder unsern prüdern und uns ze frumen und ze eren, und swaz uns davon ledich wirt, daz sol uns allen dreyen und unsern erben an gevallen geleich an alez geverd, und swaz lehen und manschaft ist in ie des manns herschaft, die sol ie der man under uns leihen und inne haben in seiner herschaft, die im an gevallen ist an dem tail als vor geschriben ist. Ez ist auch getaidingt, daz der eltist under uns die wird von der pfalz haben und tragen sol, die dar zů gehörent, da man den herzogen ze Zol auf den stůl setzt den andern seinn prüdern an allen iren schaden irr recht. Auch sullen wir all die er und wird, die wir haben von unser vogteiden, mit einander haben mit so auz genomer red, daz ie der man in seiner herschaft den nutz, der von den vogteiden dar inn gevelt, in nemen sol und im dienn sol in seinen chasten und im wartend sein als irem rechten herren. Ez ist auch zwischen unser gelobt und auz genomen, daz ie der man sein wirtin, die wir haben oder noch gewinnen, vreileich geweisen makch auf sein güt, vest, leut und urbar umb ire morgengab und heimstewer, als vil er ir gelobt hat und schuldig ist in solchen gelübden, daz nach

seinem tode die andern zwen oder einer oder ir erben wol gelosen
mügen von ir und iren erben daz selbe, vest, leut oder gůt, dar umb
si dar auf geweiset ist, und ist si und ir erben des gepunden wider
geben ze losen an allen chrieg und widerredung. Ez sol auch einer *
an der andern willen nicht verchummern noch verchaufen uber hundert march, vest, urbar, leut oder gůt, er sol di ander prúder oder ir
erben vor da mit nóten und an bieten in rechtem chauf oder satz fur
ander leut an geverd, und ob si im daz nicht gelten wolten in rechtem werd als ander leut, so mag er fur baz wol verchumern und da
mit wandeln nach seiner frum. Auch ist zwischen unser gelobt, ob
unser ainer oder zwaie die zoll von der Ets ander wrde, daz si uns
in geleichen tail gevallen sullen allen dreyen, und sullen wir dem ainen
oder den zwayen, die dar um gearbeit haben, ir chost und zerung ab
legen an geverd. Die andern zoll und gelait sol ie der man haben in
seiner herschaft als vor. Wrd uns Peuscheldorf wider oder pfenning
da für oder ob uns von unserem herren von Osterreich geviel für unsern schaden, daz sol allz noch in geleichen tail gevallen. Daz daz also
stet und und unverbrochen beleib, dar uber geben wir disen unseren offen
brief ze einer urchund mit unsers lieben óheims graf Ulreichs von
Pfannwerch und mit unser aller dreyer anhangenden insigeln versigelt.
Dez sint gezeug unser lieber swager her Herdegen von Pettaw, her
Herbart der Awersperger, dar zů unser ritter Volker von Vlachsperg,
Heinrich Maul von Traburch, Heinrich und Marchwart von Lawant,
Fridrich Pinkf von Lůnz, Fridrich von Volchenmarcht, Perchtold von
Rotenstein und ander erber leut. Der prief ist geben ze Greifen-
werch, do von Christs geburt ergangen waren tausend und drewhun-
dert iar dar nach in dem zway und vierzigisten iar am pfinztag vor
sand Veids tag.

    Alle vier Siegel hängen (und zwar ist das Albrechts von Görz allein
ein Reitersiegel und grösser als das seiner Brüder).

                                        Orig. k. k. g. A.

91   Lienz, 1343 Apr. 3.
    Die Grafen Meinhard und Heinrich von Görz thun bezüglich der Erb-
ansprüche des Engelmar und Eckehard von Vilanders auf die Hinterlassen-
schaft des Ritters Jakob von St. Michaelsburg, Getrenen der Grafen, den
Ausspruch, dass die Feste St. Michaelsburg mit den drei Thürmen, die darin
sind, und anderem Zubehör den Grafen bleiben soll, da die Vilanders keine
Ansprüche darauf haben, ebenso der äussere Thurm, den Jakob gekauft hat,
wofür sie denselben 60 Mark geben wollen; dagegen sollen für die Dienste,
die Engelmar und Eckehart der Grafschaft Görz gethan haben und noch
thun sollen, dieselben bei allem Urbar und Gelt bleiben, das Jakob hinterlassen, das sie innehaben, und sie verleihen es denselben zu Leben. Orig.
Statthaltereiarchiv. lade 94.

92   **Matrey, 1344 Aug. 15.**

Markgraf Ludwig von Brandenburg verleiht seinem Getreuen, Tägen von Vilanders und seinen Erben, Söhnen und Töchtern, für dessen treue Dienste und für 850 Mark Berner, die er von ihm empfangen hat, alle Güter, die gelegen sind in dem Thal und in der Pfarre zu Fleims, die weiland gehörten in die Grafschaft zu Chastel, solange dieselbe Feste stand und die jetzt gehören in des Markgrafen Gericht zu Enne, und sagt ihm ledig alle seine Güter in Fleims, wie sie in seinem Raitbuche geschrieben stehen (werden einzeln aufgeführt). Zeugen: Friedrich der Mautner, Hofmeister, Engelmar von Vilanders, Beringer der Hael, sein Marschall, Sweyker von Gundelfingen, Wolfhart der Satzenhofer, Berchtold von Ebenhausen, sein Küchenmeister. Orig. Innsbrucker Statthaltereiarchiv (alte Tiroler Lehen-Reverse).

93   **Innsbruck, 1344 Sept. 8.**

Markgraf Ludwig von Brandenburg rechnet mit Haupold, seinem Kellner auf Tirol für die letzten drei Jahre ab in Gegenwart des Friedrich Mautner, seines Hofmeisters, und Konrads von Schenna, Hauptmanns im Gebirg. Orig. hair. Reichsarchiv.

94   **Meran, 1344 Nov. 9.**

Markgraf Ludwig verleiht der Frau Beatrix, Hofmeisterin seiner Gemahlin Margaretha, den Hof zu Laetsch. Zeugen: Friedrich der Mautner, sein Hofmeister, Konrad von Schenna, Hauptmann im Gebirg, Berchtold von Ebenhausen, Küchenmeister, und Gebhart der Hornbeck, seiner Gemahlin Hofmeister. Orig. bair. R. A.

95   **Wien, 1345 Juli 2.**

Die Grafen Meinhard und Heinrich von Görz erneuern mit einigen Modificationen das früher (1335 Juli 4 und 1339 Dec. 11) mit Oesterreich geschlossene Bündniss, besonders gegen die Etscher und den, der die Grafschaft Tirol innehat. Kurz, Albrecht d. Lahme 352.

96   **Graz, 1345 Sept. 2.**

Graf Ulrich von Pfannberg, Marschall in Oesterreich und Hauptmann in Kärnthen, und Herdegen von Petten, Marschall in Steier, sprechen als gewählte Schiedsrichter zwischen Graf Albrecht von Görz einer- und den Grafen Meinhard und Heinrich von Görz andererseits über alle Kriege und Forderungen, die sie seit ihrer Theilung gehabt haben: die Gült Ortolfs und Friedrichs von Rautenberg um das Erkennen im Betrage von 106 Mark Venediger Schilling sollen die Grafen Meinhard und Heinrich gelten, ebenso von dem darauf gegangenen Schaden von 300 Mark Aglaier dieselben 250, Graf Albrecht 50 Mark, und sollen sie dem Grafen Albrecht seine Feste Weichselburg darum lösen; bezüglich der Forderung um Nieder-Wippach soll Albrecht seinen Brüdern darum nichts gebunden sein: das Dorf Morgadicz auf dem Karst, das gegen Mitterburg gedient hat, soll Albrecht seinen Brüdern einantworten: Graf Albrecht darf die Feste Weidenberg versetzen; will er die Feste Meidenberg versetzen, so soll er mit demselben Gute die Feste Meychau lösen. Orig. k. k. g. A.

97   Auf Tyrol, 1346 Febr. 21.
Markgraf Ludwig von Brandenburg überträgt dem Peter von Schenna
des Burggrafenamt zu Tirol unter Angabe der Befugnisse desselben.

Wir Ludweich von gotz gnaden marchgraf ze Prandenburch und
ze Lusitz, phallenzgraf bei dem Reyn, herzog in || Payern und in Chern-
den, graf ze Tyrol und ze Görz etc. veriehen mit disem prief, wan wir
unserm lyeben getrewen | Petern von Schennan unser purgraf ampt ze
Tyrol gelazzen und enpfolhen haben, also haben wir im auch gelazzen
und enpfolhen und enpfelhen im auch mit disem prief, oder wer an
seiner stat ist oder wer den prief zaigt von des egenanten Petermans
wegen und geschäfft, die weil er pfleger ist des egenanten purgraf
ampt, mit dem stab sitzen und richten über einen isleichen menschen
und hinz ainem iesleichen menschen, es sey fraw oder man, jungs oder
altz, wie es für gericht pracht wirt an den tynchstúl oder schrannen
hinz seinen leib und hinz seinem gút, wie von alter her recht ist gewesen und unser parkgrafampt in gewonhait her pracht hat, hinz
ainem iesleichen schedleichen menschen ze richten, wie volg und frag
pryngt, und habent auch vollen gewalt, ain iesleich mensch in die
aecht ze rúffen, wenn es mit volg und mit frag als verr chumt, daz es
ertailt wirt mit der merer menig und mügens auch aus der aecht lazzen, wenn es aber múgleich und pilleich und recht ist.   Und des ze
ainem urchúnd geben wir Peterman von Schennan disen prief mit unserm aufgedrukten insigel, der geben ist auf Tyrol nach Christs ge-
púrt dreuzehen hundert jar dar nach in dem sechs und vierzkisten iar
des eritags nach sand Vallnteins tag.

Vom Siegel ist, weil die Urkunde rückwärts auf Papier gepappt ist,
nichts sichtbar.

Orig. im Ferdinandeum Bibl. Tirol. 973 fol. 21ᵇ.

98   Avignon, 1346 Okt. 2.
Pabst Clemens VI. gestattet dem Bischofe Nikolaus von Trient wegen
der Kämpfe desselben gegen Ludwig von Baiern, die Einkünfte von den
zum Kriege gegen die Turken auferlegten Kirchenzehnten für sich zu verwenden.

Clemens episcopus servus servorum dei venerabili fratri Nicolao
episcopo Tridentino salutem et apostolicam benedictionem. Romani
pontificis, cui disponente domino universorum cura fidelium generaliter
incumbere noscitur, solicitudo requirit, ut ipsorum necessitatibus,
quantum cum deo potest, consulte prospiciat, utilitates promoveat et
periculis accurrat eorum, ut sic pastoris utilis et diligentis vices adim-
pleat et remotis et proximis secundum exigentiam temporum oportuna
remedia equa distributione dispenset.   Dudum siquidem intellecto,
quod infideles Turchi cum maxima quantitate liguorum navalium ar-

matorum in partibus Romanie ac aliis locis fidelium convicinis eisdem
Christianorum fines per mare fuerant aggressi et in Christianos et loca
ac insulas eorundem atrociter seviebant, nos cupientes Christianis eisdem adversus Turchorum ipsorum ferocitatem de succursu celeri providere, decimam per diversas mundi partes, Francie, Anglie et Hispa-
niarum regnis et terris, dominiis regum regnorum ipsorum, nec non
personis et bonis hospitalis sancti Johannis Jerosolimitani dumtaxat
exceptis, usque ad tres annos primo et subsequenter usque ad alios
duos annos a fine dictorum annorum computandos auctoritate apostolica de fratrum nostrorum consilio duximus imponendam, prout in
nostris inde confectis literis plenius continetur. Cum itaque, prout
exhibita nobis tua petitio continebat, tu propter resistentiam, quam
Ludovico de Bavaria dei et ecclesie sue sancte catholice persecutori
et hosti ac de heresi sententialiter condempnato fecisti et te facere
oportet, multa et extraordinaria expensarum onera, pro quibus susti-
nendis te et ecclesiam tuam Tridentinam multipliciter obligasti et
oportet etiam obligare, subieris et habeas de necessitate subire, nos
volentes tibi de alicuius subventionis auxilio, quo huiusmodi expensarum onera supportare commodius et eidam dampnato Ludovico po-
tentius resistere valeas, providere, tuis supplicationibus inclinati decimam huiusmodi ecclesiasticorum proventuum atque redituum in civitate ac diocesi tuis Tridenti per nos, ut prefertur, ad dictos quinque
annos impositam, quae videlicet colligenda et solvenda restat ac colligi
et solvi debebit, per te ac clerum tuarum civitatis et diocesis predic-
tarum pro toto predicto tempore dictorum quinque annorum auctoritate apostolica tibi concedimus de gracia speciali. Nulli ergo omnino
homini liceat hanc paginam nostre concessionis infringere vel ei ausu
temerario contraire; siquis autem hoc attemptare presumpserit, in-
dignationem omnipotentis dei et beatorum Petri et Pauli apostoli,
apostolorum eius, se noverit incursurum. Datum Avenione VI. non.
Octobr. pontificatus nostri anno quinto.

　　Abschrift aus dem (im Trientner Archiv befindlichen) Orig. v. Primisser
in Bibl. Tir. 613, 179 und B. de Hippolitis B. T. 819, 171 (mit „anno quarto").

99　　　　　　　　　　　　　　　　　München, 1347 April 4.
　　Kaiser Ludwigs Gewaltbrief auf Heinrich, Erzbischof von Mainz und
Markgraf Ludwig, des Kaisers Sohn gegen Graf Günther von Schwarzburg
wegen des von Mechelburg und anderer, die Günther gefangen hat. Originalregesten des bair. Reichsarchivs aus Aroden I, 40.

100　　　　　　　　　　　　　　　　Sterzing, 1347 Apr. 7.
　　Markgraf Ludwig von Brandenburg gelobt seinem Getreuen, Engelmar
von Vilanders, seines Landes und der Herrschaft zu Tirol Pfleger und Haupt-

mann, wegen der Sorge und Furcht, die derselbe gehabt hat, weil er gegen
ihm eine Streckung mit dem Markgrafen von Mähren und dem Bischof von
Trient gethan hat, da derselbe ihm nun bewiesen hat, wie und warum, dieses
ihm, seinen Erben, Freunden und Helfern nie zum Schaden zu gedenken und
ihm alles zu vergeben. Brandis, Gesch. d. Landeshauptleute 62. Sinnacher,
Brixen 5,277.

101   Sterzing, 1347 Apr. 7.
Engelmar von Vilanders gelobt dem Markgrafen Ludwig und seiner
Gemahlin eidlich stäte Treue. Orig. bair. Reichsarchiv.

102   Innsbruck, 1347 Apr. 8.
Kaiser Ludwig giebt dem Kloster St. Georgenberg ein Zollprivilegium.
Reg. Boica 8,95 zu Febr. 18, was nach dem Itinerar unmöglich ist: der
weisse Sonntag, an dem die Urkunde ausgestellt ist, war offenbar in Tirol
schon damals, wie jetzt, der Sonntag nach Ostern.

103   Wasserburg, 1347 Apr. 11.
Kaiser Ludwig ertheilt der gesammten Pfaffheit des Erzbisthums Mainz
den Auftrag, dem Grafen Heinrich von Virneburg, Erzbischof von Mainz,
Gehorsam zu leisten, dagegen den dem Grafen Gerlach von Nassau geleisteten gänzlich zu widerrufen. (Mittwoch nach der Osterwoche.) Originalregesten des bair. Reichsarchivs.

104   'Brixen, 1317 Mai 5.
Markgraf Ludwig von Brandenburg versetzt dem Hans von Greifen-
stein. Hofmeister seiner Gemahlin, und dessen Bruder Friedrich um 2000
Gulden, die sie ihm geliehen, das Gesäzze zu Welfenstein. Orig. bair.
Reichsarchiv. Reg. B. 8,110 irrig zu Sept. 15.

105   Prichsen, 1347 Mai 9.
Markgraf Ludwig belehnt Christan den Chrippen, Bürger zu Hall, und
seine rechten Erben mit dem halben Zehnten zu Wiesing, Uenpach (Jenbach)
und zu Haus in der Pfarre Münster. Orig. Statth.-Archiv, Tiroler Lehen-
Reverse (Lade 12).

106   Brixen 1347 Mai 11.
Kaiser Ludwig versetzt dem Eckehart von Vilanders und seinen Erben,
Söhnen und Töchtern, um 300 Mark Berner Meraner Münz sein Gericht und
Pflege und das Urbar zu Castelrut, das seine selige Muhme, Ofmey, Her-
zogin zu Kärnthen, innegehabt. Neuere Abschrift im Innsbrucker Statt-
halterei-Archiv (Pestarchiv XXVI,11).

107   Tirol, 1347 Juni 2.
Markgraf Ludwig von Brandenburg belehnt als Herzog in Kärnthen
Friedrich und Konrad von Aufenstein mit der durch ihres Vaters Konrad
Tod ledig gewordenen Feste Aufenstein mit Anröhmung derselben in Wiedereroberung des Landes erwiesener trefflichen Dienste. Archiv für Gesch.
von Kärnthen 7,79 extr. Mittheilungen des hist. Vereins für Steiermark
5, 231 extr. Bibl. Tirol. 1103,187 b extr.

11*

108   Villach, 1347 Juli 26.
Karl IV. giebt zu dem, was die Grafen Meinhard und Heinrich von
Görz taidigen mögen mit den edeln Leuten bei der Etsch und in der Herrschaft zu Tirol, seine Zustimmung, giebt denselben alle Rechte und Ansprüche auf, die er und sein Bruder Johann auf die genannte Herrschaft und
das Land an der Etsch haben, bewilligt, dass alles, was die Grafen von
diesem Lande in ihre Gewalt bringen, ihr Lehen vom Reiche sein soll, und
verspricht alle Edelleute, die sich mit den Grafen berichten würden, gegen
ihre Feinde zu schützen. Tom. privil. 30 f. 2 des bair. Reichsarchivs.

109   München, 1347 Okt. 1.
Kaiser Ludwig erlaubt dem Liutold v. Kunring das vom Herzogthum
Baiern zu Lehen gehende Spitz, Feste und Markt, mit dem Gericht und allem
Zugehör zu vermachen, wem er will, Mann oder Frau. Cop. vidim. v. 1712
im Innsbrucker Statth.-Archiv (Pestarchiv XXVI/₁₁₁).

110   In castro Boni Consilii, 1347 Okt. 13.
Bischof Nikolaus von Trient ernennt den Otto de Epiano, Erzdiakon
von Trient, zu seinem und des Bisthums Bevollmächtigten, besonders um
von Mastino de la Scala, Herrn von Verona, 2000 Florentiner Goldgulden
zu verlangen und in Empfang zu nehmen. Trient. Arch. Reg. 40,29 (Mittheilung Durigs).

111   Auf Tirol, 1348 Febr. 20.
Wolfhart der Satzenhofer verspricht mit der Pflege und Feste Landeck,
die ihm Markgraf Ludwig empfohlen hat, und mit allen Pflegen, die er ihm
künftig empfehlen würde, dem Markgrafen und seiner Gemahlin Margaretha
treu zu warten und gehorsam zu sein, und wenn der Markgraf vor seiner
Frau stürbe, der Markgräfin und ihren Kindern damit treu zu dienen. Orig.
bair. Reichsarchiv.

112   Tyrol, 1348 Febr. 20.
Gebhard von Hornpeck stellt einen gleichen Revers wegen der Pflege
und Feste Friedberg aus. Orig. bair. R. A.

113   Altenstegen, 1348 Mai 14.
Die Grafen Meinhard und Heinrich von Görz schliessen mit dem Markgrafen Ludwig von Brandenburg einen Waffenstillstand bis 10. August und
bestimmen, dass die Stadt Mühlbach darin aufgenommen sein und der Markgraf sie innehaben und behalten solle. Abschrift von Spergs aus Reg. Ludwigs in Bibl. Tirol. 966ᵇ, 191.

114   Ze Rodinchen, 1348 Juli 13 (15?) (Margaretentag).
Werner und Gotfried von Eysteten beurkunden, dass sie Herrn Auten
von Vilanders und aller seiner Gesellen zu Rodinchen Gefangene seien und
dass sie mit ihnen getaidingt haben, im nächsten Monat ihnen entweder
zehnthalb Mark Berner Meraner Münz zu zahlen oder sich wieder in Gefangenschaft zu stellen. Orig. Innsbrucker Statth.-Archiv (Pestarchiv II,₁₁).

115   Prag, 1348 Sept. 4.
K. Karl IV. verspricht für sich und seinen Bruder Johann, Herzog zu
Kärnthen und Grafen zu Tirol, dem Eckart, Auten, Greiffen, Chonrad, Niklas,
Hans und Jakob von Vilunders, ihnen, ihren Erben und Freunden, die sie in
seinen Dienst bringen würden, gegen jedermann wie den Seinigen zu helfen,
sie bei allen ihren hergebrachten Rechten, Würden und Ehren zu lassen,
bestätigt ihnen alle Lehen, die sie von der Herrschaft von Tirol innehaben,
oder deren sie durch die frühern Landesfürsten entfremdet wären, gelobt
ihnen allen Schaden zu ersetzen, den sie in seinem Dienst oder von des
Krieges wegen, welchen sie seinetwegen gegen Ludwig von Baiern führen,
nehmen würden, und bei einer etwaigen Taiding mit diesem für sie zu sorgen. Orig. Statth.-Archiv (Tiroler Lehenreverse Lade 1-2).

116   Tyrol, 1348 Sept. 7.
Eberhard von Greifenstein verspricht dem Markgrafen Ludwig und seinen Hauptleuten in Tirol fortan treu zu dienen und nichts gegen sie zu thun,
widrigenfalls er dem Markgrafen mit Leib und Gut sollte verfallen sein.
Orig. bair. Reichsarchiv.

117   Prag, 1348 Okt. 2.
K. Karl IV. verpfändet an Niklas und Jakob von Vilanders für 1000
Mark Silber die Burg Strassberg. C. d. Moraviae 7,617 extr.

118   Meran, 1348 Nov. 13.
Markgraf Ludwig von Brandenburg giebt dem Herzog Konrad von Teck,
„totius dominii nostri Tyrolensis capitaneus", Vollmacht „super quibusdam
confederationibus seu ligis vel contractu matrimonii et sponsaliorum inter
praeclaras sororem nostram aut filiam nostram ex una et filium nobilis et
potentis viris domini Luggini de Vicecomitibus domini Mediolanensis ex parte
altera." Registratur II. Ludwigs d. ü. f. 20 bair. R. A.

119   Vor Burchstal, 1348 Dec. 9.
Hartneid Schrofensteiner. Seifried vom Hag, Heinrich Grunshofer, Kon-
rad Winegger, Heinrich Lichtensteiner. Heinrich Fuchsmag, Augustin Zaeller,
Götz Nagelsberger, Konrad Schütz, Johann von Salzburg, Bartholomä von
Meran, Reichlin von Taufers, Otto Goldschmid, Helmehart Brumbeck und
Mathys von Hall geloben eidlich, fortan nichts gegen den Markgrafen Lud-
wig und die Herrschaft Tirol zu thun. Orig. bair. R. A.

120   Burgstal, 1348 Dec. 9.
Markgraf Ludwig gewährt den Genannten um alle Handlungen, die sie
in der Greifensteiner Dienst wider ihn und sein Land gethan haben, für ein
Jahr Sicherheit für Leib und Leben unter der Bedingung, dass sie innerhalb
dieses Jahrs nichts gegen ihn unternehmen. Registratur Ludwigs f. 22 bair.
Reichsarchiv.

121   Burgstal, 1348 Dec. 9.
Markgraf Ludwig gewährt dieselbe Gnade dem Hermann von Erisingen,
Ulrich Gryll von Ehingen, Johann Platt, Perlin von Glurns, Franz Winman

von Augsburg, Stephan von Lindau, Heinz Haupold und Thomas von Innsbruck. Registratur Ludwigs f. 21. bair. R. A.

122   Avignon, 1348 Dec. 17.

Pabst Clemens VI., dem Graf Johann von Tirol, Sohn des Königs von Böhmen dargelegt, dass er sich mit Margaretha, Tochter des Herzogs Heinrich von Kärnthen, obwohl sie im vierten Grade verwandt gewesen, aus Unkenntniss dieses Hindernisses vermählt, zehn Jahre oder mehr mit ihr gelebt habe und dass sie „per dictum tempus vel saltem per triennium continuum . . . operam fidelem dederint copule conjugali, non tamen potuerint effici una caro", dass endlich Margaretha, „desiderans esse mater et filios procreare", ohne ein Urtheil der Kirche abzuwarten, sich von Johann getrennt und mit Ludwig von Baiern verbunden habe, und welchen Johann gebeten, wenn zwischen ihm und Margaretha ein canonisches Hinderniss wäre, die Ehe aufzulösen, beauftragt den Patriarchen von Aquileja und den Bischof von Chur oder einen von ihnen mit der Untersuchung und Entscheidung. Steyerer 634. Riedel, novus c. d. Brandenb. II, 2,255. C. d. Mor. 7,627.

123   Dresden, 1348 Dec. 30.

K. Karl IV. giebt in Anbetracht der treuen Dienste, die Chonrad. Nyckel, Jakob und Bernhard und seine Brüder von Vilanders ihm gethan haben und noch thun mögen, ihnen allen mit einander als Lehen von Tirol alles Gut, das Randolt der Teyser in der Grafschaft Tirol oder anderswo hinterlassen hat. Orig. Statth.-Archiv, Tiroler Lehenreverse (Lade 3—5).

124   Dresden, 1349 Jan. 1.

K. Karl IV. bestellt Hansen von Greifenstein und Niklas von Vilanders zu Hauptleuten bei der Etsch, im Innthal und unterhalb des Ritten. C. d. Mor. 7,639 extr.

125   Dresden, 1349 Jan. 2.

K. Karl IV. verpfändet dem Hans und Friedrich von Greifenstein für 500 Mark Meraner Münz das Haus Ortenstein mit dem Burggrafenamt. C. d. Mor. 7,640 extr.

126   Dresden, 1349 Jan. 2.

K. Karl IV. verpfändet dem Konrad von Vilanders für 500 Mark (Meraner?) Münze, die er ihm für seinen Schaden und Kosten im Dienste schuldig ist, das Haus zu Serentein mit Zugehör. C. d. M. 7,640 extr.

127   Dresden, 1349 Jan. 2.

K. Karl IV. bekennt dem Niklas von Vilanders für alle Schäden im Dienste 300 Mark schuldig zu sein, und verpfändet ihm dafür das Haus zu Kufschur (?). C. d. M. 7,640 extr.

128   Dresden, 1349 Jan. 2.

K. Karl IV. giebt seinem Getreuen, Konrad Pranger, für dessen treue Dienste und den in seinem Dienste empfangenen grossen Schaden mehrere Güter auf Ganzein in Tirol. Orig. Statth.-Archiv. Tiroler Lehenreverse (Lade 6—8).

129   Auf Tirol, 1349 Apr. 15.

Markgraf Ludwig von Brandenburg vermacht seiner Gemahlin Margarethe auf Lebenszeit das Gericht auf Melten. Freyberg, Ludwig d. Brandenburger 221 extr. Orig. bair. R. A.

130   Lienz, 1349 Apr. 29.

Graf Heinrich von Görz vereinigt sich für sich und seinen Bruder Meinhard mit dem Markgrafen Ludwig von Brandenburg, ihn an dem, was er
von allen Vilanderern oberhalb der Mühlbacher Clause benöten mag, nicht
zu irren, wogegen auch sie unbeirrt an dem sein sollen, was sie von den
Vilanderern diesseits der genannten Clause gewinnen. Tirol. Diplomatar
1347—1352. k. k. g. A. Diplom. No. 964 n. 18.

131   Bozen, 1349 Apr. 30.

Markgraf Ludwig von Brandenburg empfiehlt dem Herzoge Konrad von
Teck und dem Ludwig auf dem Stein, Bürger in Passau, auf zwei Jahre
alle seine Handlungen und Sachen in Tirol und verpflichtet sich eidlich,
innerhalb dieser Zeit in Tirol „keinerlei Sach noch Handlung zu thun noch
zu handeln, noch irgend ein Gut noch Gült zu verleihen noch zu versetzen"
ohne ihren Rath, Willen und Wissen. k. k. g. A. Diplomatar No. 965 n. 5

132   Auf der vest ze Landeck, 1349 Mai 5.

Herzog Konrad von Teck, Hauptmann in Tirol, beurkundet den zwischen dem Markgrafen Ludwig und den Grafen Heinrich und Meinhard von
Görz gegen die Vilanders geschlossenen Vertrag.

Ich herzog Chunrad von Deck, des hohgebornen fürsten meins
gnedighen herren marggraven Ludowigs ze Brandenburg hautpmann
und der herschaft „ze Tyrol, veriehe offentlich mit disem brief, das
ez als verre zwischen meinem egenanten herren und den edeln mannen
grafen Heinrich und Meynhard von Görz und von Tyrol pericht und
vertaydingt ist, das mein herre der marggrave die vorgenanten grafen
nicht engen noch irren sulle noch ich an meins herren stat, waz sei
benoten mügen von allen Vylandersern, wie die gehaizzen sin, und
auch gen hern Engelmars erben, was gen halben Mulbach der chlausen ist, ez sei Schonneck, Haberberg oder wie ez genant ist, nichts
auz genomen ane geverde. Also sullen sei auch mein egenanten herren und mich an seiner stat nicht irren noch engen, waz wir allen
Vilandersern, wie die genant sein und gehaizzen, ab gewinnen und
benoten mügen [was] hie dishalben Mulbach der chlausen ist, ez sei
Rodenick, Mülbach, Trostberg oder wie daz genant ist, daz den vorgenanten Vylandersern oder hern Engelmars erben angehört nichts
auz genomen ane geverde, mit someleichen gebilden, wer daz sei
meiner hilf von meins herren dar ze bedürften und gerenten, so sol
ich in von meins herren wegen dar ze gebillich sein, wanne sei mich
daz lazzen wizzen ane geverde. Also sint sei mir an meins herren
stat her wider auch gepunden ze helffen gen den vorgenanten Vylan-

dersern, wanne ich das an sei vodere und auch das an sei gere, und
sullen mir denne gen in gehilflich sin, wanne ich sei daz lazze wizzen
ane geverde. Ich sol auch mit den vorgenanten Vylandersern von
meins herren wegen mich nicht berichten noch verainen noh dehein
tayding tun an der vorgenanten graven Heinrich und Meynhard gunst
und willen; daz sullen sei an meins herren stat mir auch her wider
tûn, daz sei dehein richtung noch tayding mit dehein Vylandersern
nicht tûn noch ynnemen sullen an mein von meins herren wegen gunst
und willen. Auch sol ich an meins herren stat den chrieg für sich
an greyffen und ze einem ende pringen, so ich schirest mag. Mit ur-
chnnd diss brief, der geben ist auf der vest ze Landeck nach Christs
geburd driuzehen hundert jar, darnach in dem nuen und vierzigisten
jare an eritag nach sant Walpurgen tag.

Das angehängte Siegel fehlt.   Orig. im Ferdinandeum.

133   Ze veld vor Eltvil, 1349 Mai 26.
K. Karl IV. verzichtet für sich und seine Erben zu Gunsten des Herzogs
Ludwig von Baiern und seine Erben auf alle Rechte und Ansprüche auf das
Land Kärnthen, die Grafschaft Tirol und Görz und die dazu gehörigen
Vogteien.

Wir Karl von gots gnaden Römischer chunig, ze allen zeiten
merer dez reychs und kunig ze Behaim veriehen und tun chunt offenlich mit disem brief allen den, die in sehen, hören oder lesen, daz wir
uns mit dem hochgepornen Ludwig, herzogen in Bayrn und ze Kernden, grafen ze Tyrol und ze Görz und vogt der gotshäuser ze Aglay,
ze Triend und ze Brichsen, unserm lieben öheim, und unser dez vorgenanten künges fürsten umb alle missehel, chrieg und aufläuffe, die
zwischen uns und im gewesen sint, so friuntlich und einmüticlich ver-
sünet und verrichtet haben, daz wir uns mit wolbedachtem mut, rechter wizzen und gutem willen verzigen haben und verzeihen mit chraft
ditzs briefs für uns, unser erben und nachkomen gen im und allen seinen
erben aller der rechte, anredunge, und ansprache, die wir zu dem land
ze Kernden und ze der grafschaft ze Tyrol und ze Görz, zu den vorgenanten vogteyen und zu aller zugehörunge, gaeistlich und waeltlich
unz daher gehabt haben oder in deheinen weis gehaben möhten, und
geloben mit guten trewen an gevaer, daz wir den vorgenanten unsern
lieben öheim und sein erben pei denselben landen, fürstentumen, grafscheften, herscheften, vogteyen und aller zugehörung, gaeistlich und
waeltlich, wie die benennet, ungehindert und unbetrübet ewiclich lazzen wollen. Es sullen auch alle brief und hantfesten, die wir und
saeliger gedaechtnuzze der hochgeborn Johans, etwenne kunig ze
Beheym, unser lieber vater, darüber gehabt haben, unchreftige, un-

tuglich und aller sachen absein und dem vorgenanten unserm lieben
öheim und seinen erben keynen schaden bringen. Mit urchund ditzs
briefs versigelt mit unserm kuniklichen insigel, der geben ist ze veld
vor Eltvil, do man zalt nach Christs gepurt drewzehen hundert und
naeun und vierzig iar, dez nehsten dinstags vor Pfingsten, in dem
driten iar unsers reychs.

Abschrift in Bibl. Tir. 966ᵇ. 192 (aus Registraturbuch Margar. 1348).

134   o. 0. 1349 Mai 30.
Bischof Ulrich von Chur befiehlt vermöge der ihm vom Pabste d. 1318
Dec. 17 ertheilten Vollmacht allen Geistlichen den Diöcesen Chur und Prag,
den Grafen Johann von Tirol und die Frau Margaretha aufzufordern, persönlich oder durch Bevollmächtigte am 10. Juli in der Pfarrkirche zu Tirol
vor ihm zu erscheinen, um das Urtheil in ihrer Ehescheidungsangelegenheit
zu empfangen. Steyerer 631. Riedel, c. d. Brand. II, 2,255. C. d. Moraviae 7,656. Eichhorn, episcop. Cur. cod. prob. 119.

135   In castro nostro Myzenburch, 1349 Juni 23.
Graf Johann von Tirol legt dem Bischofe Ulrich von Chur (auf ähn-
liche Weise wie früher dem Pabst s. n. 122) die Verhältnisse wegen seiner
Ehe mit Margaretha, Tochter Herzog Heinrichs von Kärnthen dar und er-
nennt seinen Notar Johann zu seinem Bevollmächtigten. Steyerer 636.
C. d. Mor. 7,657.

136   In monasterio in Stams, 1349 Juli 16.
Notariatsinstrument, dass vor dem Richterstuhle des vom Pabste bevollmächtigten Bischofs Ulrich von Chur Johann Apezkonis von Glatz als Bevollmächtigter Johanns, des Sohnes des Königs von Böhmen, und Heinrich von
Lutkilch, Vicarius in Silz, als Bevollmächtigter der Margaretha, Tochter Herzog Heinrichs von Kärnthen, erschienen seien und ihre Vollmachten vorgelegt
haben. (Aufgenommen ist die Vollmacht Johanns v. n. 135.) Steyerer 636.
C. d. Mor. 7,665.

137   O. D. o. O.
Bischof Ulrich von Chur legt als Richter in der Ehescheidungsangelegenheit dem Bevollmächtigten Margarethas, Pfarrer Heinrich von Silz, eine
Reihe von Fragen vor, welche dieser eidlich bejaht: dass Johann mit Margaretha sich einst verheirathet, ihr zehn Jahre beigewohnt, dass sie diese
zehn Jahre oder wenigstens drei davon „sibi invicem fidelem operam dederunt ad carnalem copulam faciendam sua corpora sibi invicem debite volu-
tarii exhibentes", dass Johann „adversus dominam Margaritam maleficiatus
dumtaxat, ut indubitanter presumitur, cum es nunquam factus est nec un-
quam effici potuit una caro", dass Margaretha „prescriptum maleficium et
impotentiam in prefato domino Johanne perpendens" sich von ihm getrennt
und, ohne das Urtheil der Kirche abzuwarten, mit Ludwig von Baiern sich
vermählt, mit demselben als ihrem Gemahle zusammenwohnend von ihm
mehrere Söhne und Töchter geboren habe, dass Johann „naturalem habet
potentiam mulieres alias cognoscendi et desiderans esse pater non velit con-
tinere et pro honore ac voluntate dominiorum suorum cupit heredes legi-

timos procreare", endlich dass das alles in Tirol und Böhmen allgemein bekannt sei. Steyerer 638.

138   Mühlbach, 1349 Aug. 4.

Markgraf Ludwig von Brandenburg nimmt Johann von Vilanders, Engelmars Sohn, um allen Unwillen und Ungnad, die er gegen denselben seines Vaters wegen bisher gehabt, wie auch Chonrad, Niklas und Jakob von Vilanders mit allen ihren Freunden und Dienern, die mit ihnen in dem Krieg und in ihrem Brod in den drei Festen Rodeneck, Schöneck und Haberberg oder ausserhalb begriffen sind, in seine Gnad und Huld, verspricht die vier Genannten wie seine andern Diener bei ihren Rechten zu schirmen, giebt dem Johann von Vilanders zur Ergetzung seines Schadens 100 Mark Berner Gelts, den drei übrigen für 300 Mark 30 Mark Gelts, bestimmt, dass diese bei allen Urbaren, die sie vor dem Krieg innegehabt, bleiben sollen, und verspricht, bei einer Richtung mit den Grafen von Görz für sie zu sorgen. Registratur Ludwigs f. 54 bair. R. A.

139   Meran, 1350 Febr. 8.

Markgraf Ludwig bekennt dem Konrad Kummersbrucker 3024 Mark Berner Meraner Münze schuldig zu sein und verpfändet ihm dafür Feste und Markt Rattenberg mit dem Gericht. Diplomatar Ludwigs k. k. g. A. Diplomatar No. 965 n. 31.

140   Meran, 1350 Febr. 8.

Konrad Kummersbrucker, Jägermeister in Oberbaiern, beurkundet, dass ihm Markgraf Ludwig und seine Gemahlin Margaretha und deren Erben die ihm schuldig gebliebenen 3024 Mark Berner auf Feste und Markt Rattenberg gelegt haben. k. k. g. A. Diplomatar No. 964 n. 20.

141   Budissin, 1350 Mitte Febr.

Karl IV. verleiht dem Markgrafen Ludwig von Brandenburg das Herzogthum Kärnthen, die Grafschaften Tirol und Görz und die Vogtei über die Gottesbäuser Agley, Trient und Brixen zu Lehen. Bibl. Tirol. 1103, 182 extr.

142   Auf Tirol, 1350 März 27.

Markgraf Ludwig von Brandenburg ernennt Marquard den Loterbeck zu einem Vitztum überall in der Grafschaft Tirol „mit der bescheidenheit, daz er von unser und herzog Chunrad von Decke unsers hauptmannes wegen alle sache und handlunge überal in derselben unsrer herschaft Tyrol verhören und handeln sol und iedem mann zu seinem rechten helfen und auch alle gült, nütz, välle und dienst, die der herschaft zugehörent, ... vordern, einbringen und eintwingen sol und auch die zu unsrer und unsrer gemahelu kost wenden und keren." Orig. bair. R. A.

143   Auf Tirol, 1350 März 27.

Markgraf Ludwig meldet dem Herzog Konrad von Teck, Hauptmann der Herrschaft Tirol, und seinen andern Pflegern und Amtleuten, dass er den Marquard von Loterbeck zum Vitztum in Tirol gesetzt habe mit der Bescheidenheit, „daz er von unsern wegen, wanne wir oder unser hauptman

herzog Chunrad von Tegg bei dem laud nicht gesein mügen, alle sache und
handlung verhören und uzrichten sol und iederman rechts helfen und auch
alle rechnung von allen unsern gerichten und ampten verhören und innemen
sol zo geleichen weis, als ob wir oder unser vorgenanter hauptman herzog
Chunrad selber bei iwe wern." Orig. bair. R. A.

144   Haselburg, 1350 Apr. 1.
     Johann und Friedrich, Brüder, Konrad, Alphart und Heinrich, auch
Brüder, von Greifenstein überantworten dem Markgrafen Ludwig von Bran-
denburg von der Schuld wegen, dass sie gegen ihn und sein Land gehandelt
haben, ihre Festen Haselburg und Greifenstein und all ihr Hab und Gut und
versprechen bis Sonntag über 14 Tag mit allen, die bei ihnen in denselben
Festen gewesen sind, das Land zu verlassen und ohne Zustimmung des
Markgrafen in keines von seinen oder seiner Brüder Ländern zu kommen.
Brandis, Landeshauptleute 68.

145   Liebenstein, 1350 Aug. 4.
     Markgraf Ludwig verleiht mit Herzog Konrad von Teck, seines Haupt-
manns, und anderer seines Rathes Rath dem Ritter Beringer dem Helen,
seinen Marschall und Diepold seinem Bruder und ihren Erben für ihre treuen
Dienste seine Feste Mayenburg, das Gericht auf Tisens, des Niklaus von Arz
Gut oberhalb Eppan, ausgenommen was Heinrich dem Hofmeister von Rottenburg verliehen ist, und aller Tarandt Gut ausgenommen des „rotten" Tarandt
Gut, das dem Embart von Helb verliehen ist. Zwei Abschriften aus dem
16. Jahrhundert im Statth.-Archiv. (Pestarchiv XXVI/₄₁₁.)

146   Lienz, 1351 Nov. 9.
     Markgraf Ludwig verlängert den am 11. November zu Ende gehenden
Waffenstillstand mit den Grafen Heinrich und Meinhard von Görz unter den
frühern Bedingungen bis 24. Juni. Abschrift in Bibl. Tirol. 966ᵇ, 197.

147   Brixen, 1351 Dec. 12.
     Markgraf Ludwig bekennt der Adelheid, Heinrich des Zeggolfs Haus-
frau, 60 Mark Berner schuldig zu sein, die für Kost ausgegeben wurden,
da er zu Brixen lag und Rodenegg belagert hielt. Orig. bair. R. A.

148   München, 1352 Juni 9.
     Markgraf Ludwig bekennt dem Herzog Konrad von Teck für Kost, für
ihn und seine Gemahlin, und für Schaden, den er und seine Diener seit der
Zeit, wo er sein Hauptmann gewesen, erlitten, 14000 Mark Berner Meraner
Münze schuldig zu sein und verpfändet ihm dafür die Feste Ehrenberg mit
Zubehör, wie sie Swiker von Gundelfingen innegehabt, die Feste Särentein
mit dem dortigen Gericht, die Feste Rodeneck, den Markt Mühlbach, die
Feste Stein auf dem Ritten, die Feste Ried und die Feste Castelrut mit Zubehör, die er innehaben soll, bis von den 2000 Mark, die er ihm jährlich
von seinem Salzamt zu Hall, dem Zoll zum Lug und in der Tell und von
der Probstei zu Tramin zuweist, obige 14000 Mark bezahlt wären. Tom.
privil. 25 f. 21 bair. R. A.

149   München 1352 Juni 10.
Herzog Konrad von Teck, Anna seine Hausfrau und Friedrich sein
Vetter versprechen, dem Markgrafen Ludwig von Brandenburg, seiner Gemahlin und ihren Erben die Festen Ehrenberg, Rodeneck, Mühlbach, Serentin,
Stein auf dem Ritten, Ried und Kastelrud mit Zubehör, die ihnen Ludwig
jetzt um 14000 Mark Berner versetzt hat, stets zu lösen zu geben. Orig.
bair. Reichsarchiv.

150   Baden im Argau, 1352 Aug. 10.
Markgraf Ludwig von Brandenburg gelobt dem Herzog Albrecht von
Oesterreich „von der niwen freuntschaft wegen, der wir uns von unser
kind wegen, die wir ehlich zu einander verhaizzen haben, verpunden und
gelobt haben", zu helfen mit ganzer Macht gegen jedermann, ausgenommen
das Reich, alle seine Brüder und Vettern, die Markgrafen von Meissen, den
König Ludwig von Ungern und dessen Bruder Stephan; auch sollen der
Markgraf und seine Erben die nächsten zehn Jahre keine Ansprüche auf
Kärnthen erheben, ihren Rechten unbeschadel, und den Streit mit den Grafen von Görz zehn Jahre lang ruhen lassen, wenn es dem Herzoge Albrecht
nicht gelingt, denselben beizulegen. Steyerer 173.

151   Baden im Argau, 1352 Aug. 10.
Herzog Albrecht beurkundet in gleichlautender Weise das Bündniss
und nimmt von demselben den König Ludwig von Ungarn und dessen Bruder Stephan, den Erzbischof von Salzburg und die Grafen von Görz aus.
Reg. Boica 8,250 extr. Orig. bair. R. A.

152   Bozen, 1352 Okt. 13.
Markgraf Ludwig bekennt dem Oswald von Vilanders, Tägens selig.
Sohn, schuldig zu sein 24 Mark Berner und 13 Zwanziger, die er von ihm
am nächsten Samstag (Okt. 6) zu Abend und am Sonntag früh, da er, der
Markgraf, hinabritt nach Trient, an Kost und andern Sachen verdient hat,
dann 14 Mark, 9 Pfund und 4 Zwanziger, für die er des Markgrafen Dienern
am Mittwoch (Okt. 10) zu Nacht und am Pfinztag früh, da er von Trient
wieder heraufritt, Kost, Futter etc. gegeben und die er vor Wolfhart von
Satzenhofen bewiesen hat, endlich 8 Mark und 6 Pfund, um die er ihn und
seine Diener mit Kost etc. am Pfinztag Nachts ausgenommen hat, und schlägt
ihm diese 47 Mark, 6 Pfund und 7 Zwanziger auf Feste und Gericht Enn.
Orig. bair. R. A.

153   Meran, 1352 Nov. 21.
Peter von Schenna, „hauptman und purgraf ze Tyrol- bestellt im Namen seines Herrn, des Markgrafen Ludwig, den Heinrich Kroppfel, Bürger
in Meran zum Vormund der Tochter desselben, Clara. Inserirt in eine Urk.
von 1355 Apr. 8. Orig. im Ferdinandeum.

154   Bozen, 1353 Febr. 13.
Markgraf Ludwig bekennt dem Oswald von Vilanders 100 gute Gulden
schuldig zu sein und schlägt sie ihm auf Enn. Orig. bair. R. A.

155 Bozen, 1353 März 26.

Markgraf Ludwig bekennt dem Oswald von Vilanders schuldig zu sein 64 Mark Berner, 6 Pfund und 6 Zwanziger, um die derselbe ihn und Herzog Konrad von Teck selig an Kost zu Neumarkt ausgenommen hat, da er nach Bern zu seinem Schwager ritt. 40 Mark und 2 Pfund um Kost, die er jetzt ihm und seiner Gemahlin gegeben hat, da sie gen Trient zu dem Hof und wieder herauf nach Neumarkt ritten, weiter 100 Gulden für ein Ross und schlägt ihm das alles auf Feste und Gericht Enn. Orig. bair. R. A.

156 Bozen, 1353 Apr. 12.

Markgraf Ludwig beurkundet, dass Oswald von Vilanders den Brief über 180 Mark Berner, die Friedrich der Mautner „ze der zeit, do er unser hauptman hie in dem gebirg waz", von weil. Tägen von Vilanders empfangen hat, ihm wieder eingeantwortet und er ihm das Geld auf Enn geschlagen habe. Orig. bair. R. A.

157 München, 1353 Juni 10.

Markgraf Ludwig erlaubt seiner Gemahlin, von ihren Gülten und Urbaren so viel sie will zu versetzen, um die Feste Strassberg und Stadt und Gericht Sterzing an sich zu lösen. Tom. priv. 25 f. 187 bair. R. A.

158 Görz, 1353 Dec. 19

Markgraf Ludwig verschreibt seiner Gemahlin Margarethe, im Falle sie ihn überlebt, auf Lebenszeit die Festen und Städte Innsbruck und Hall mit dem dortigen Salzamt, St. Petersberg und Hertenberg.

Wir Ludwig von gotes genaden margrave ze Brandenburg und ze Lusicze, des hailigen Römischen reichs oberster || kamrer, pfallenzgrave bei Rein, herzog in Baiern und in Kerenten, graf ze Tirol und ze Görz und vogt der gotzhawser ' Aglay, Triend und Brichsen veriechen und tün kunt allen den, die disen brief sehent oder hórent lesen, das wir haben angesehen die vorbetrachtung und vorbedachtnússe, die ain ieglich fürst und herre haben sol zü siner lieben gemacheln und wirtinne, das er die also bei sinem lebenden leib besorge, wann das beschech, das got über in gepiet, das sines lebens nicht mer uf diser erde were, das sew dann besorgt wer mit irer notdurft, als billich ist und irer wirdichait zügehöret: und haben der hochgeborn fürstinne frawen Margaret der margrevinne ze Brandenburg unserer lieben gemacheln durch besunder lieb, die wir zü ir haben, nach unsers rates rat mit wolbedachtem müt und mit güter vorbetrachtung verschriben und geben und verschreiben und geben ouch mit disem unserm brief ir lebtag unser vest und stet Insprugg und Hall, sant Petersberg und Hertenberg, also mit der bescheiden, wann unsers lebens nicht mer wer, und got über uns geput, das si dann dew obgenanten vest und stet mit allen eren, rechten, nützen, gerichten, zinsen, zöllen, diensten, gülten, besücht und unbesücht, wie das genant oder

gehaissen ist und ze recht dar zů gehörent, und besunder mit allem
das dar zů gehóret und mit dem salzambt ze Hall in aller der weis
und masse, als wir dew ietzo innhaben und besitzen, ir lebtag zů irer
notdurft innhaben, besitzen und niessen sol und mag on mennclichs irrung und hindernůsse. Wann ouch der vorgenanten unserer gemacheln
lebens nicht mer ist, das got über sie gepiet, so süllen die obgenanten
vest und stet mit allen iren zůgehörenden als vor geschriben stet, wider an unserew kind und leiplich erben gevallen. Wer aber, das wir
on leiplich erben verfůren, und der nicht hieten oder noch bei unserer
lieben vorgenanten gemacheln gewünnen, so süllen sy wider an unser
erben und nachomen, die uns billich und ze recht erben sullent, darnach keren und gevallen. Und des ze urchůnd geben wir ir disen
brief versigelt mit unserm insigel. Der geben ist ze Gůrz des pfinz-
tages vor sant Thomas tag des zwelfboten nach Kristes geburt drewzechenhundert jar und dar nach in dem drew und fünfzigistem iar.

    Das Siegel hängt.   Orig. k. bair. Haus-Archiv.

159   Stams, 1351 Jan. 23.
    Herzog Friedrich von Teck kommt mit dem Markgrafen Ludwig von
Brandenburg wegen der Ansprüche, die er von seinem Vetter, Herzog Konrad von Teck, auf ihn und seine Festen im Gebirg, nämlich Ehrenberg mit
der Clause, Amras, Rodeneck, Stein auf dem Ritten, Serntin. Valyer und
Ganyon hat, dahin überein, dass der Markgraf ihm dafür 5000 Mark Berner
geben und obige Festen als Pfand versetzen soll, bis ihm die angegebene
Summe von den Zöllen zum Lug und in der Tell und vom Salzwerk in Hall,
auf die er ihn anweist, bezahlt wäre; sobald er 1000 Mark erhalten hätte,
sollte er Amras, Serntein, Valyer und Ganyon, nach Empfang des Restes
die andern Festen freigeben: zugleich soll ihm der Markgraf die Pfandschaft
Herzog Konrads an der Timau und zu Schwaben und die Grafschaft Graisbach mit Graisbach und Hulingen bestätigen. Orig. bair. R. A. Schlechter
Auszug Reg. B. 8,289; Freyberg 178 o. D.

160   Auf Tyrol, 1354 Jan. 26.
    Markgraf Ludwig schlägt dem Petermann von Schenna, Burggrafen auf
Tirol, 100 Mark Berner, die er ihm für drei Pferde schuldig geworden, auf
genannte Güter. Orig. bair. R. A.

161   Bozen, 1354 Apr. 19.
    Markgraf Ludwig ernennt Heinrich, Pfarrer zu Tirol, auf drei Jahre
zum Pfleger der Stadt und des ganzen Bisthums Trient. Bibl. Tirol. 966 b, 202.
Sammler 4,291 extr.

162   Ingolstadt, 1354 Mai 29.
    Markgraf Ludwig schlägt Oswald und Cyprian von Vilanders 80 Mark
Berner, die er ihnen für ein Pferd schuldig geworden, auf Feste und Gericht Enn. Orig. bair. R. A.

163　　　　　　　　　　　　　　　　Sulzbach, 1354 Aug. 1.
K. Karl IV. und Markgraf Johann von Mähren verzichten für sich und
ihre Erben und Nachkommen zu Gunsten des Markgrafen Ludwig von Brandenburg und seiner Erben auf alle Ansprüche auf das Herzogthum Kärnthen.

Wir Karl von gots gnaden Römischer kunig ze allen zeiten merer
des reichs und kúnig ze Beheim und wir ，Johans von denselben gots
gnaden margraf ze Merhern bekennen und tûn kunt offenlich mit di-
sem brife | allen den, die in sehen oder hören lesen, daz wir mit wol-
bedachtem mûte, mit rate unser getrewn und mit rechter wizzen uns
genzlich verzeihen aller ansprach, anred und fordrung, ob wir dheine
haben oder gehaben mochten zu den herzogtum ze Kernten, seinen
vesten, steten, merkten und allen zugehörungen mit brifen oder sust
in dheinen weiz und geloben mit guten trewen on geverd für uns, unser erben und nachkomen, kunige ze Beheim und margrafe ze Merhern, dem hochgeborn Ludwigen margrafen zu Brandemburg und zu
Lusitz, des heiligen reiches obrister camerer, pfallenzgrafen bey Reyn,
herzogen in Beyrn und in Kernten, grafen ze Tyrol und ze Górz, vogt
der gotshuser Agley, Trient und Brichsen, unserm liben öheim und
fürsten, seinen erben und nachkomen, daz wir nach demselben herzog-
tûm nymmer gesten wollen noch sie dorumb anreden oder ansprechen
in dheinen zeiten. Mit urkund dicz brives versigelt mit unsern ingsigeln,
der geben ist zu Sulzbach, do man zalt nach Cristus geburt dreizehen
hundert iar und darnach in dem vier und fümfzigistem iar an des heiligen santh Peters tag, den man nennet ad vincula, unserer des obgenanten kuniges reiche des Römischen in dem neunden und des Be-
heimschen in dem achten iar.

Hängt nur noch das sehr beschädigte Siegel Karls IV.
　　　　　　　　　　　　　　　　　　　　　Orig. k. bair. R. A.

164　　　　　　　　　　　　　　Bruck im Argau, 1354 Okt. 17.
Markgraf Ludwig von Brandenburg schliesst für sich und seinen Sohn
Meinhard mit dem Herzoge Albrecht von Oesterreich und dessen vier Söhnen
ein Bündniss des vertrauten Verhältnisses wegen zwischen seinem Vater,
Kaiser Ludwig sel. und Herzog Albrecht und der Liebe und Freundschaft
wegen, die jetzt zwischen ihnen bestehe, und besonders wegen der Freundschaft und Heirath ihrer Kinder, die sie zu einander verheissen haben, ausgenommen gegen das Reich und des Markgrafen Brüder. Kurz, Albrecht
d. Lahme 369. Freyberg, Ludw. d. Brand. 189 (mit falschem Datum, Okt. 21,
obwohl auch in Tom. privil. 25 f. 256, seiner Quelle deutlich fer. VI.
(Okt. 17) steht) und daraus Riedel, n. c. d. Brandenb. II, 2,361.

165　　　　　　　　　　　　　　Bruck im Argau, 1354 Okt. 17.
Herzog Albrecht von Oesterreich beurkundet das abgeschlossene Bünd-
niss und nimmt das Reich und den Erzbischof Ortolf von Salzburg aus.
Reg. B. 8,303 extr. Freyberg 121 Anm. 12 extr. Orig. bair. R. A.

166

Herzog Albrecht von Oesterreich beurkundet die Bedingungen, unter denen ihm der Markgraf Ludwig von Brandenburg seinen Sohn, Herzog Meinhard, und Land und Leute zu Baiern auf drei Jahre als einem Pfleger empfohlen hat.

Wir Albrecht von gots gnaden herzog ze Osterrich, ze Steyr und ze Kernden tun chunt mit disem brif, wan uns der hochgeborn fürst, margraf Ludwig von Brandenburg, unser lieber öheim i vor aller menchlich aller trewn, gûtes und freuntschaft besunderlich gelaubet und getrewet hat, von besunderr gehaim und freuntschaft wegen, als unser lieber herr und öhem kayser Ludwig selig sein vater und ouch er vor langer zeit mit ein ander her chomen sein, und alz ouch wir uns darnach mit unsern kinden besunderlich zu einander gefreundet und gehaymet haben, darumb so hat uns derselb unser öheim durch gemainen frumen und nütz sein und seiner land und leut mit guter vorbetrachtung nach seines rates und seiner land und leut rat, empholhen und in gantwürt den hochgeborn herzog Meinharten, unsern lieben aydem, seinen und unsern sûne, und sein land und leut ze Bayrn mit allen seinen zugehorn als einem getrewn pfleger mit der beschaidenhait, daz wir den egenanten unsern aydem und sun und daz vorgenant land ze Payrn und di leut innehaben sullen von nu sand Marteins tag, der schirist chumt, dreu ganze iar, und sullen denselben unsern aydem und sun und die obgenant land und leut besorgen und schirmen und der ouch pflegen getrewlich mit allen sachen nach irm frumen und nütze und nach unsern trewn, so wir peste mugen an geverde. Wir sullen ouch all houptleut, pfleger und amptleut, wie si genant sin, in des egenanten unsers oheim land in derselben zeit besetzen und entsetzen mit den, di zu dem lant gehorent, wie uns duncht nach unsern trewn, daz ez dem egenanten unserm öheim, sinen landen und luten aller nutzist sei, und suln auch wir dem vorgenanten unserm öheim margraf Ludwigen nach rat seins landes und der stet diselben zeit ierlichen ein kost von dem land geben nach dem, alz dazselb sein land dann ertragen mag. Ez sulln ouch all houptleut, pfleger und amptlüt, ritter und knecht, stet, vest und merckt in des vorgenanten unsers oheims land uns diselben drev iar hulden und sweren, als einem getrewn pfleger ze warten und gehorsam ze sein mit allen sachen als dem obgenanten unserm öheim, dem margrafen selben. Ez sol ouch menchlich, ez sein herrn, ritter, knecht, stet, merckt und ouch daz land bey irn rechten und redlichen brifen und bey alter gewonhait beleiben. Ez hat ouch der egenant unser öheim der margraf un selben vor aus behalten alle gaistliche und weltliche lehen, di er selb all leihen sol nach unserm und sines rates rat und beti. Ouch hat der egenant

unser öheim der margraf verhaizzen bey seinen trewn, daz er furbaz
in dem obgeuanten sinem lande di vorgeuant zeit nichtes vergeben,
versetzen noch von newn dingen verleihen sulle noch enwelle in dhainen weis an unser gunst und willen. Wir suln ouch in des vorgenanten
unsers öheims land di vorgenant zeit an sines rates rat nichts versetzen noch verchummern. Ez sol ouch der egenant unser öheim der
margraf diselben drev iar sinen rat setzen und halten mit sollen lüten, di zu seinem land gehört nach unserm rat, wie uns duncht, daz
er, sin land und leut aller peste besorget sein. Beschech ouch, daz
der margraf in der vorgenanten vrist abgieng, dannoch sol der egenant unser aidem herzog Meinhart und sin egenant land und leut beliben bey der pflegnüzze, alz vorgeschriben stet. Gyengen aber wir
ab, da got vor sei, dannoch sol unser aidem herzog Meinhart und unsers öheims des margrafen land und leut bey der pflegnüzze und bey
dem rat di drev iar, als wir daz dann gelazzen und geschikt haben,
beleiben, als oben begriffen ist. Wan ouch di obgenant drev iar vergangen sind, so suln di vorgenant land und leut von derselben unser
pflegnuzze wegen unserm oheim dem margrafen ledig und loz sein und
suln wir im diselben land und leut mit sampt unserm aydem und sun
herzog Meinhart an all vordrung unverzogenlich widerantwürten, und
suln di vorgenant land und leut irr ayde und trewe, di si uns von derselben pflegnuzze wegen getan habent, ledig und loz sein. Swas ouch
unser oheim der margraf fürbas ymant anderer brif in den vorgenanten drin iarn gebe, di wider disen brif und di vorgeschriben emphelhnuzze und pflegnuzze weren, di suln alle weder chraft noch macht haben, und disem brif und der vorgenanten pflegnüzze und emphelhnuzze
unschedlichen sein. Und des ze urchund geben wir disen brif besigelten mit unserm chlainem anhangendem insigel. Der geben ist ze Pruk
in Ergow nach Krists gepurd dreuzehen hundert iar, darnach in dem
vir und fumfzigistem iar, an vritag nach sand Gallen tag.

Das Siegel hängt.   Orig. k. bair. R. A.

167   B o z e n , 1354 Nov. 5.
    Markgraf Ludwig schlägt Oswald und Cyprian von Vilanders auf Feste
und Gericht Enn, was er ihnen jetzt schuldig geworden, nämlich 23 Mark,.
9 Pfund 5 Zwanziger, die sie von ihm am Montag nach St. Lukas (Okt. 20)
zu Nacht und am Erchtag zum Imbiss an Kost und Pfandlosung verdient
haben, und 31 Mark, 8 Pfund, 11 Zwanziger, die sie an ihm Montags nach
Allerheiligen (Nov. 3) und Dienstags zum Imbiss, da er von Trient ritt, an
Kost und andern Sachen verdient haben. Orig. bair. R. A.

168   I n n s b r u c k , 1354 Nov. 25.
    Herzog Albrecht von Oesterreich, dem Markgraf Ludwig Land und Leute
zu Oberbaiern pflegweise auf etliche Jahre empfohlen und eingeantwortet

hat, verspricht Land und Leute bei ihren Rechten, Pfandschaften und Gewohnheiten zu lassen. Freyberg 190.

169 Innsbruck, 1354 Nov. 25.

Markgraf Ludwig kommt mit Herzog Albrecht von Oesterreich, dem er die Pflege seines Landes zu Oberbaiern empfohlen hat, dahin überein, dass dieser sich von Hilpold von Stein, Hauptmann in Oberbaiern, Rechnung legen lassen soll, und verspricht alles genehm zu halten, wenn der Herzog denselben für das, was der Markgraf ihm von der Hauptmannschaft wegen noch schuldig wäre, mit Geld oder Pfandschaften verrichten würde. Registratur Ludwigs k. k. g. A. Diplomatar No. 968 u. 201.

170 o. O. 1354 Nov. 25.

Hilpold vom Stein, Hauptmann in Oberbaiern, verspricht dem Herzog Albrecht von Oesterreich mit der ihm empfohlenen Hauptmannschaft in gleicher Weise wie bisher dem Markgrafen zu warten und gehorsam zu sein, und geht bezüglich der Rechnung, die er für die Zeit, als er des Markgrafen Hauptmann gewesen ist, legen soll, an den Anspruch von sieben benannten (bairischen) Herrn. Orig. k. k. g. A. Lichnowsky Reg. n. 1746 extr.

171 Innsbruck, 1354 Nov. 26.

Herzog Albrecht von Oesterreich verspricht, da ihm Markgraf Ludwig Land und Leute zu Oberbaiern pflegweise empfohlen hat, die römische Kaiserin Margareth, so lange er Pfleger ist, bei ihren Festen, Städten und Leuten in Oberbaiern zu schützen, und erlässt einen bezüglichen Befehl an Hilpold von Stein, Hauptmann, und die übrigen Amtleute, Pfleger und Richter. Freyberg 190.

172 Innsbruck, 1354 Nov. 30.

Markgraf Ludwig befiehlt seinen Leuten in Oberbaiern, da er dem Herzoge Albrecht von Oesterreich ihr Land für etliche Jahre als einem treuen Pfleger empfohlen habe, diesem oder dessen Hauptmann Hilpold vom Stein zu huldigen und zu schwören. Freyberg 191.

173 Innsbruck, 1354 Nov. 30.

Markgraf Ludwig schreibt dem Mezzenhauser, er sei mit Herzog Albrecht von Oesterreich, dem er Land und Leute auf etliche Jahre zur Pflege empfohlen habe, übereingekommen, einen gesetzten Rath im Lande zu haben, und bittet ihn, da er zum Mitgliede erwählt sei, acht Tage nach Weihnachten in München zu sein und Hilpold vom Stein als Hauptmann zu schwören. — Ebenso an Hadmar von Laber, Otto von Pienzenau, Otto Zenger, Heinrich Isolzrieder, Degenhard Hofer, Chunrad Stumpf. — Freyberg 122 n. 13. — Ebenso leisteten „infrascripti provinciales in Insprugg" auf Befehl des Markgrafen dem Herzog Albrecht den nämlichen Eid, nämlich Zach. von Hohenrein, Gebhard Hornbeck, Luitold Schenk. Tom. priv. 25 f. 254 bair. R. A. (Falsch wiedergegeben bei Freyberg a. a. O.)

174 Innsbruck, 1354 Dec. 7.

Markgraf Ludwig von Brandenburg und seine Gemahlin Margaretha geben dem Herzoge Albrecht von Oesterreich Gewalt, die Festen Rodeneck, Ehrenberg und Stein auf dem Ritten vom Herzoge Friedrich von Teck um

so viel Geld, als sie ihm verpfändet waren, zu lösen. Beiträge 7,66. Sinnacher 5,307. Brandis, Gesch. d. Landeshauptleute von Tirol 76. Freyberg
193 (unvollständig).

175   Innsbruck, 1351 Dec. 7.

Markgraf Ludwig und seine Gemahlin Margaretha verpfänden dem Herzoge
Albrecht von Oesterreich, der die Festen Ehrenberg, Stein auf dem Ritten und
Rodeneck um 23000 Gulden vom Herzog Friedrich von Teck gelöst hat, die
genannten Festen um diese 23000 Gulden und um 5000 Gulden, die er ihnen
geliehen hat, um ihre Diener aus der Leistung zu Augsburg zu lösen. Käme
die Vermählung zwischen ihrem Sohne und des Herzogs Tochter, die sie
mit einander verlobt haben, zu Stande, so sollten die 28000 Gulden vom
Heirathsgute, das der Herzog seiner Tochter geben sollte, abgezogen werden, sonst sollten die drei Festen als Pfand dienen und der Herzog sie mit
Leuten aus dem Rathe des Markgrafen beliebig besetzen und entsetzen können.
Freyberg 191. Brandis 77.

176   Innsbruck, 1354 Dec. 7.

Herzog Albrechts von Oesterreich Gegenbrief, der zugleich verspricht,
die genannten Festen dem Markgrafen um 28000 Gulden, die in Salzburg
oder Passau gezahlt werden sollten, stets zu lösen zu geben. Steyerer 182.
Beiträge 7,69. (Beide lückenhaft.) Das Orig. von dieser wie den beiden
vorausgehenden Urkunden im bair. R. A. Mit vorliegender Urkunde ist
wohl identisch die Urk., welche Lichnowsky 4, DLXXV n. 1750 d. im Auszuge zu Dec. 10 aus bair. R. A. giebt.

177   Tyrol, 1355 Jan. 13.

Markgraf Ludwig von Brandenburg sendet den Magister Johann, Canonicus und Scholasticus der Kirche Brixen, den Ulrich von Leonrod, Probst
von Illmünster, und den Ritter Konrad von Kummersbruck, seinen Jägermeister, als seine Bevollmächtigten an den Pabst Innocenz VI. und giebt ihnen
volle Gewalt, in seinem Namen alle seine Vergehen zu bekennen, dafür die
vom Pabste verlangte Busse und Genugthuung zu versprechen und um Auf-
hebung des Bannes und Interdictes, um Dispens für die Ehe zwischen ihm
und seiner Gattin Margaretha und um Legitimation der mit ihr gezeugten
Söhne und Töchter zu bitten. Quellen zur bair. und deutschen Gesch. 6,440.
A. a. O., S. 435 ff. auch undatirte Schreiben Ludwigs an den Pabst um
Wiederaufnahme in die Kirche, an 25 Cardinäle, an den Herrn de Coppeciis
und den Cardinal Reymund tit. s. Adriani um Unterstützung seiner Gesandten.

178   Auf Tirol, 1355 März 27.

Markgraf Ludwig quittirt dem Herzog Albrecht von Oesterreich den
Empfang der ihm schuldigen 5000 Gulden.

Wir Ludowig von gots gnaden marggraf ze Brandenburg und ze
Lusitz etc. bechennen ‖ offenleichen mit disem brief, daz uns der hohgeborn fürst her Albrecht herzog ze Österreich etc, unser lieber öheim
gar und genzlich verrichtet und gewert hat der fünf tausent guldein,
die er uns noh schuldig gewesen ist von unsern wegen der vesten, die
er von dem herzogen von Deck geledigt hat, und hat auch die selben

12*

fünf tausend guldein von unsern wegen geantwurtt und geben unserm
getrewen Zacharias von Hohenrain und sagen auch in und sein erben
darumb ledig und loz mit diesem brief. Der geben ıst auf Tirol an
freitag vor dem palmtag anno domini M°. CCC°l^{mo} quinto.

Orig. k. k. g. A.

179   Auf Tirol, 1355 Apr. 10.
Markgraf Ludwig erlaubt seiner Gemahlin Margaretha, von Heinrich
Snellmann eine Raitung einzunehmen und zu verhören von Feste und Gericht Tauer, den Zöllen zu Innsbruck und Hall und allen Pfandschaften, die
derselbe von ihm innehat, und gestattet ihr auch die genannten Feste, Zölle
und Pfandschaften von ihm zu lösen. Orig. k. bair. Hausarchiv. Freyberg
228 extr.

180   Wien, 1355 Nov. 28.
Herzog Albrecht von Oesterreich weist dem Hilpold vom Stein, Hauptmann in Oberbaiern, die 1300 Pfund Wiener Pfenninge, die er ihm uber die
700 Pfund Pfenninge schuldig war von den 2000 Pfund, die der Herzog
dem Markgrafen Ludwig lieh und dem genannten Hilpold gab, auf die kleine
Mauth in Stein und das Ungeld in Stein und Krems an. k. k. g. A. Diplomatar Nr. 864 p. 79. Lichnowsky n. 1826 extr.

181   Tyrol, 1356 Febr. 25.
Markgraf Ludwig schenkt seinem Kaplan Heinrich, Pfarrer zu Tirol
und Pfleger des Gotteshauses zu Trient, für seine treuen Dienste 100 Mark
Berner und schlägt sie ihm auf das Gericht zu Tramin und Kaltern. Orig.
bair. Reichsarchiv.

182   Wien, 1356 Apr. 1.
Markgraf Ludwig bekennt dem Peter von Freundsberg für einen Hengst
40 Mark Berner schuldig zu sein und schlägt sie ihm auf des Markgrafen
Vogtei zu Wiesing in der Weise wie die frühern 210 Mark. Orig. bair.
Reichsarchiv.

183   Wien, 1356 Apr. 4.
Markgraf Ludwig verpfändet dem Herzog Albrecht von Oesterreich, der
ihm einen auf 2000 Pfund Münchner Pfennige lautenden Brief über die Hälfte
des grossen Zolls zu München und über Neuburg ausgeliefert, seinem Diener
Heinrich dem Gärwer 300 Pfund Pfennige gegeben und ihm selbst 2600 Gulden geliehen hat, für obige Summen und für so viel Geld, als die Briefe
sagen, die Graf Albrecht von Heiligenberg und seine Hausfrau Agnes von
seinem Vater, dem Kaiser, gehabt haben, die Stadt Weissenhorn und die
Burg Buch mit Zubehor, weiter alle seine Rechte an der Grafschaft Marstetten, der Feste Neuburg in Schwaben, die der von Ellerbach innehat, und
am Markte Tannhausen in obiger Grafschaft, den Pilgrein von Nordholz
innehat. Orig. k. k. g. A. Kürzerer Auszug bei Lichnowsky n. 1846.

184   Wien, 1356 Apr. 4.
Gegenbrief Herzog Albrechts von Oesterreich, der zugleich verspricht,
dem Markgrafen die Wiederlösung stets zu gestatten. Reg. B. 6,350.

185 o O 1356 Mai 12.
Markgraf Ludwig ernennt mit Zustimmung Herzog Albrechts von
Oesterreich Degenhard den Hofer zu seinem Vitztum in Baiern.

Wir Ludwig etc. bechennen etc., daz wir mit unserz lieben öheims
herzog Albrecht ze Österrich rat und willen und nach seinen und unserz ratz rat dem vesten man Degenhart dem Hofer etc. unser vitztumampt in obern Beyern enpholhen haben und enphelhen ouch mit
disem brief also, daz er uberal in unserm land vollen gewalt und macht
haben sol, alle sache, swie die genant sind, ze haudeln und ze schaffen
und besetzen und entsetzen nach unsern und unserz landes nutz und
frum mit seinen trewen, alz er pest chan und mag und alz ein vitztum
durch recht handeln sol. Wir geheizzen im ouch bey unsern gnaden,
waz er ietzo lediger gült und nütz in unserm land uberal ein gewinnen
mag, die ietzo ledig ist oder noch ledig wirt, daz wir die gen nieman
fürbaz, die wil er unser vitztum ist, verkumern noch versetzen sullen
noch enwellen; und ob wir uns indert daran vergazzen, daz sol chain
chraft haben und sol im dheinen schaden bringen; und wenn wir in
einer rechnung ermanen und an in vordern, oder er ir an uns begert
oder vordert von seiner notdürft wegen, so sullen wir ein redlich rechnung genadichlich von im nach unserz rates rat verhören; und wez
wir im dann schuldig beleiben, ez sey von kost wegen oder gab . . .
dyenner oder ob er icht schaden näin von kriegs wegen oder umb ros
oder um maidem, wie daz genant sey, dez er uns mit redlicher raitung
beweisen mag, dez sullen wir in genediclich nach unserz ratz rat berichten, also daz er sein (!) an schaden und unverdorben beleib, und
sullen ouch daz vitztumampt nieman enphelhen und in davon und von
allen gülten und nützen, swie die genant sind, die er nu gewinne und
die ietzo ledig sind oder ledig werdent, nicht entsetzen noch nemen,
er were dann vor von uns genzlich und gar bericht allez, dez wir im
schuldig beliben alz vor geschriben stet. Datum v. feria ante domi-
nicam Jubilate anno domini MCCCL^mo sexto.

k. k. g. A. Registratur Markgraf Ludwigs von Brandenburg. Diplomatar No. 968 n. 165.

186 M(ünchen ?), 1356 Mai 12.
Markgraf Ludwig beurkundet, dass ihm Hilpold von dem Stein von der
Pflege des Landes Oberbaiern seit dem 21. Juni 1355 Rechnung gelegt hat,
„dabei unser und unsers öheims von Oesterreich rat gewesen ist." k. k. g. A.
Diplomatar No. 969 p. 16.

187 Wien, 1356 Mai 29.
Herzog Albrecht von Oesterreich beurkundet, dass, da ihm die Pfandschaft zu Schärding, worauf er dem Herzog Albrecht von Baiern 66000 Gulden geliehen, eingeantwortet ist, er demselben Burgen und Städte Landau.

Dingelfing und Kelheim, die sein Fürpfand dafür waren, zurückgeben soll.
k. k. g. A. Diplomatar No. 961 p. 91. Lichnowsky n. 1857.

188   Wien, 1356 Mai 29.
Herzog Albrecht von Oesterreich verspricht das ihm vom Herzoge
Albrecht von Baiern um 66000 Gulden versetzte Schärding, Feste und Markt,
ledig zu lassen, wenn ihm das Geld in Salzburg oder Passau vollständig
gezahlt würde. k. k. g. A. Diplomatar No. 961 p. 91.

189   Wien, 1356 Mai 29.
Herzog Albrecht von Oesterreich verpfändet Albrecht dem Wichsler
die Vogtei Ochsenbrunn um 500 Gulden, um die derselbe ihn gelöst vom
Vogte Ulrich von Matsch, dem er dies schuldig war „von des diensts wegen,
so uns derselb vogt Ulrich d. j. mit seinen und seines vaters vesten dienen
und warten soll von hinne unz auf sand Jacobstag und von demselben sand
Jacobstag über ein ganzes iar.“ k. k. g. A. Dipl. No. 961 p. 90. Unge-
nauer Auszug bei Lichnowsky n. 1856.

190   Auf Tirol, 1356 Nov. 10.
Markgraf Ludwig von Brandenburg verschreibt seiner Gemahlin Margaretha seine Fesfen und Märkte Kufstein und Kitzbühel mit den Gerichten
und allem andern Zubehör mit der Bestimmung, dass sie dieselben, wenn sie
ihn überlebt, bis zu ihrem Tode in der Weise innehaben und geniessen soll,
wie seine Mutter, die Kaiserin sie innegehabt hat. Nach ihrem Tode sollten
sie an seine leiblichen Erben, Söhne oder Töchter, fallen. In einem Vidimus
der Aebte von Mallersdorf und St. Veit von 1505 im k. bair. Hausarchiv.
Kürzerer Auszug bei Freyberg 229.

191   Wien, 1357 Febr. 23.
Herzog Albrecht von Oesterreich giebt Eberhard von Walsee Vollmacht, um mit Herzog Albrecht von Baiern wegen der Pfandschaft Schärding zu verhandeln. Kurz, Albr. d. Lahme 371.

192   Bozen, 1357 März 2.
Markgraf Ludwig verpfändet dem Botsch von Florenz für die demselben
schuldigen 396 Mark und 2 Pfund Berner die Praustei zu Tramin. Original
bair. Reichsarchiv.

193   München, 1357 März 21.
Friedrich, Konrad, Alphart und Heinrich von Greifenstein ergeben sich
mit Leib und Gut der Gnade des Markgrafen Ludwig von Brandenburg, seiner Gemahlin Margaretha und ihrer Erben, versprechen nie etwas gegen sie
und ihr Land zu unternehmen, ihnen treu zu dienen und nie nach den Gütern zu streben, die sie besessen, ehe sie in ihres Herrn Ungnade gefallen,
namentlich Friedrich nicht nach der Feste Eppan. Orig. bair. R. A.

194   München, 1357 Apr. 14.
Markgraf Ludwig und seine Gemahlin Margaretha bestätigen den Ver-
kauf der Feste Tarantsberg an Heinrich von Annenberg, verleihen ihm dieselbe zu Lehen unter Vorbehalt des Rechtes für die nächsten fünf Jahre, sie

om 400 Mark Berner einzulösen, und versprechen ihn dabei gegen jedermann
zu schützen. besonders gegen Engelhard, Ulrich und Hans die Taranten,
welche die Feste gegen sie und die Herrschaft Tirol verwirkt haben. Lünig,
Corp. jur. feud. 2,509.

195   Straubing, 1357 Mai 8.
    Herzog Albrecht von Baiern verspricht Schärding mit der dortigen
Mauth dem Herzoge Albrecht von Oesterreich einzuantworten. Kurz, Albrecht der Lahme 372.

196   Landshut, 1357 Juni 9.
    Herzog Albrecht von Baiern bekennt. dass ihm Herzog Albrecht von
Oesterreich von den ihm wegen der Verpfändung von Schärding schuldigen
20000 Gulden 17200 durch Eberhard von Kapellen gezahlt habe. Orig. k. k.
g. A. Lichnowsky n. 1939.

197   o. O. 1357 Juni 13.
    Herzog Albrecht von Baiern beurkundet, dass ihm Eberhard von Ka-
pellen die 800 Gulden gezahlt habe, die er ihm an den 18000 Gulden wegen
der Herzoge von Oesterreich schuldig war. Orig. k. k. g. A.

198   Wien, 1357 Juli 25.
    Herzog Albrecht von Baiern beurkundet den Empfang der 2000 Gulden
an dem Geld, das Herzog Albrecht von Oesterreich ihm wegen Schärding
noch schuldig war. Orig. k. k. g. A. Lichnowsky n. 1951.

199   Trient, 1357 Sept. 15.
    Konrad von Frauenberg, Hofmeister des Markgrafen Ludwig von Bran-
denburg, bekennt von Heinrich, Pfarrer zu Tirol und Pfleger des Gotteshauses Trient, 60 Mark Berner erhalten zu haben. mit denen er des Markgrafen Diener .in her Sighern krieg- gelöst hat. Orig. bair. R. A.

200   Laibach, 1357 Okt. 9.
    Graf Albrecht von Ortenburg verpflichtet sich, wenn er mit Unter-
stützung des Herzogs Albrecht von Oesterreich vom Pabste das Bisthum
Trient erhielte, mit dem Bisthum nur nach des Herzogs Willen zu handeln.

    Ich graf Albrecht von Ortenburch vergich offenlich mit disem
brief und tun chund, daz ich mich ' mit meinen trewn an ayds stat
verpunden han und verpint mit disem brief, ob daz ist, daz ich ' mit
des hochgeborn fürsten meins gnedigen herren herzog Albrechts ze
Österreich, ze Steyr und ze Kernden hilfen und gnaden chum zu dem
pischtum ze Trient, daz mir daz unser hailiger vater der pabst ver-
leicht, daz ich denn mit demselben pischtum ze Trient und mit aller
unser zugehörd und vesten und steten, die darzu gehörent, gevarn,
handeln und tun sol nach des vorgenanten meins herren herzog Albrechts rat und haizz mit behausen und enthausen, setzen und entsetzen,
inantwurtten und empfelhen, wem er haizzet und wie er wil und in

welicher weis und nicht anders damit tun noch handeln denn nach
seinem haizz und willen. Dar zu verpinden wir uns graf Ott und graf
Rûdolf von Ortenburch für den obgenanten unsern bruder graf Albrecht, daz er allez, daz obgeschriben stet, volfüren und enden sol an
all widerred und da wider nicht chomen mit wart (!) noch mit werich
in dhainen weg. Uberfür aber er daz oder yemand von seinen wegen
und daz unser obgenanter herr dhainen stoz oder irrung daran hiet
oder gewunn, daz sullen wir mit sampt unsern brûder richtig machen
und sol daz unser obgenanter herr haben uf uns und auf aller unser
hab, wo wir die haben. Daz gehaizzen wir mit unsern trewn an ayds
stat an allez geverd und geben dar uber ze urchund disen brief, versigelten mit unsrer obgenanten Albrechts, Otten und Rûdolf brúdern
von Ortenburch anhangenden insigeln. Der geben ist ze Laybach an
sand Dyonisien tag nach Christs geburd drewzehen hundert iar darnach in dem siben und fünfzigistem iar.

    Alle drei Siegel hängen.   Orig. k. k. g. A.

201   Trient in castro boni consilii, 1357 Okt. 27.
    Markgraf Ludwig von Brandenburg ernennt den Bischof Paul von Gurk
und den Grafen Friedrich von Cilly zu seinen Bevollmächtigten an den Pabst,
um von ihm Absolution, Dispens zur Heirath mit der mit ihm im dritten
Grade verwandten Margaretha und Legitimation der mit ihr erzeugten Söhne
und Töchter zu erlangen und gelobt alles zu halten, was dieselben in seinem
Namen versprechen würden. Zeugen: Heinrich, Pfarrer in Tirol, sein Caplan, Konrad von Frauenberg, Hofmeister, Konrad von Kummersbrugg,
Jägermeister, Peringer und Diepold die Häls, seine Marschälle, Tegenhard
Hofer, Vitztum in Baiern, Wolfhard von Sazenhofen und Johann von Kamer-
berg. Inserirt in die päbstliche Bulle v. 1358 Apr. 9. Reg. n. 209.

202   Auf Tirol, 1357 Nov. 10.
    Markgraf Ludwig verschreibt seiner Gemahlin Margaretha, im Falle sie
ihn überlebt, die Feste Eppan.

    Wir Ludwig von gotes genaden margrave ze Brandenburg und
ze Lusitze des hailigen Römischen reichs obrester kamrer, pfallenz-
grave bei dem Rein, herzog in Baiern und in Kerenden, graf ze Tirol
und ze Görz und vogt der gotzhawser Aglay, Triend und Brichsen,
veriechen und bedenchen für uns und unser erben offenlich mit disem
brief, wan ain ieglichen fürsten von sinen eren und wirden zûgehört
und ouch naturlichew lieb und milt und recht dar zû weisend und
manen ist, das er sin wirtinne und gemachel bei sinem lebendem be-
denche und versorge, das si nach sinem tode dester erlicher und wir-
diclicher beleiben und besten müge, haben wir angesechen die natur-
lichen lieb und trew, die ain ieglich fürst und herre zû siner gemacheln
haben sol und ouch durch der stet und ersame, die wir an der hoch-

geborn fürstinne, der edeln frawn Margaret, margrafinne ze Brandenburg, herzoginne ze Baiern und ze Kerenden, graefinne ze Tirol und
ze Görz, unserer lieben gemacheln und wirtinne erfunden haben, und
haben ir mit wolbedachtem müt und mit güter wissen unsers rates die
vest Eppan gehen und geben ouch mit disem brief, mit der beschaiden,
wer das wir verschieden, das unsers lebens nicht mer were, da got
vorsey, und uns die vorgenante unser lieb gemachel überlebt, so sol
si ir lebtag die vorgenante veste Eppan mit allem dem dar zü gehört
und mit allen eren, rechten, nützen, zinsen, diensten, gülten, lakten
und güten, besücht und unbesücht, innhaben, besitzen, ufheben und
einemen und iren frumen und nutz damit schichen und schaffen, wie
si wil, die weil si lebt, on unser, unserer erben und mennclichs irrung
und hindernůzze. Uns sol ouch, die weil wir leben, die obgenante
veste mit aller irer zügehörung wartend sein und mügen die besetzen
und entsetzen und unsern frumen damit schichen on allain das wir die
nicht versetzen noch hingeben süllen on der oftgenanten unserer lieben gemacheln willen und wizzen. Wann ouch die obgenant unser
lieb gemachel verschaidet, das irs lebens nicht mer ist, so sol die obgenante veste Eppan mit aller irer zügehörung erblich, genzlichen
und lediclichen an unser erben wider gevallen. Und des ze ainem
urchund geben wir der vorgenanten unserer gemacheln disen brief,
versigelt mit unserm anhangendem insigel. Der geben ist uf Tirol an
sant Martins abend nach Kristes geburt drewzechenhundert iar darnach in dem siben und fünfzigistem iare.

Das Siegel hängt.   Orig. k. buir. Haus-Archiv.

203   W i e n, 1357 Nov. 16.
  Herzog Albrecht von Oesterreich ernennt den Bischof Paul von Gurk
und den Grafen Friedrich von Cilly zu seinen Bevollmächtigten an den Pabst,
um sich in seinem Namen für alle Versprechungen des Markgrafen Ludwig
von Brandenburg zu verbürgen. Inserirt in die päbstliche Bulle von 1358
Apr. 9 Reg. n. 209.

204   H a l l, 1358 Febr. 19.
  Markgraf Ludwig von Brandenburg vermacht seiner Gemahlin Margaretha, im Falle sie ihn überlebt und nicht wieder sich vermählt, die Feste
Klingen und die Stadt Wasserburg.

Wir Ludowig von gots genaden marggraf ze Brandenburg und ze
Lusitz, des heiligen Römischen reichs oberster kamrer, pfalenzgraf '
bei Rein, herzog in Payern und in Kernten, graf ze Tirol und ze Gorz
und vogt der gotshaüser Agley, Triend und Prichsen | veriehen und
bechennen für uns und unser erben offenleichen mit disem brief, daz
wir angesehen und vorbetracht haben, daz wir alle tödleich sein, und

haben von naturleicher trew und lieb, die wir haben zů der hohgeborn
fürstinne frawen Margaret, unsrer lieben gemaheln, si fürgesehen und
vorbetracht, daz si nach unserr verschidung wirdichleich und erleich
ir lebtag beleiben und besten múg, daz uns lobleich und ère sey, und
darumb haben wir mit gůter gewizzen und vorbetrachtung der selben
unsrer lieben gemaheln verschaffet, geben und gemachet unser vesten
Klingen und unser stat ze Wazzerburg also mit der beschaidenhait,
waer daz got über uns gebůt und unsers lebens nicht mer were, da
got vor sey, und uns unser gemahel überlebte, so sol die selb unser
gemahel die obgenanten vest und stat mit aller herschaft, lantgerich-
ten, gerichten, zöllen, kasten, stewern, zinss, diensten, gülten, läuten
und gůten und mit allem dem, daz ze recht darzů gehört, besůcht und
unbesůcht, ir lebtag, ob si nah unserm tod ir leben mit heirat nicht
verkeret, innehaben, aufheben, einnemen, niezzen und besitzen rů-
wichlichen und die besetzen und entsetzen one unser, unserr kind und
erben und menichleichs irrung und hindernůzze. Und swenne die obgenante unser gemahel verschaidet, so sol die vorgenante vest und
stat mit allem dem, das darzů gehört, wider an unsrew kind und erben ledichleich und erbleichen wider erben und gevallen. Wer auch,
daz die selb unser gemahel sich nach unserr verschidung verheiratt,
so sol das obgenant geschaeft ab sein und dhein kraft haben. Wir
süllen und mügen ouch, die weil wir leben, mit den gülten der oftgenanten pfleg ze Klingen und ze Wazzerburg schaffen und tůn, waz wir
wellen, zů unserm frumen und nutze one alain, daz wir die obgenanten vest und stat nicht verleihen, vergeben und verkauffen süllen.
Und wellen und gepieten auch ernstleichen unsern pflegern ze Wazzerburg und ze Klingen, die ietzo sind oder fürpas werdent und allen
den, die zů der oben geschriben pfleg gehörent, swenne wir verschai-
den, daz si danne der oftgenanten unserr gemaheln also warten, un-
dertenig und gehorsam sein in aller der weis und mazze, als vor geschriben stet. Und darüber ze urchůnd und merern sicherhait geben
wir der egenanten unserr lieben gemaheln disen brief versigelt mit
unserm insigel. Das geschehen ist ze Halle des montags nah dem
weizzen suntag, nach Krists gepurt driuzehen hundert iar und darnach in dem ahten und fünfzigisten iare.

Das Siegel hängt.   Orig. k. bair. Haus-Archiv.

205   München, 1358 März 1.

Markgraf Ludwig erlaubt dem Konrad Kummersbrucker, seinem Jägermeister und Hofmeister seiner Gemahlin, auf dem Berge zu Kuntel eine Feste
zu bauen, unter der Bedingung, dass er sie von ihm zu Lehen nehme. bair.
Reichsarchiv, Tom. privil. 25 f. 410.

206   Wien, 1358 März 11.
Wilhelm von Mässenhausen, Marscholl in Baiern, verheisst für sich und
seinen Vater Arnold dem Herzoge Albrecht von Oesterreich mit der Feste
Stein auf dem Ritten, die er ihm anvertraute, treu und gewärtig zu sein.
Orig. bair. R. A. Lichnowsky n. 2001 b (4.DLXXVI).

207   Rutprechtswile, 1358 März 21.
Herzog Rudolf von Oesterreich nimmt den Bischof Peter von Chur,
dessen Stift und Gotteshausleute im Namen seines Vaters und seiner Brüder
in seinen Schirm und verspricht ihn bei seinen Rechten und Freiheiten zu
schützen. Archiv f. Kunde österr. Geschichtsquellen 15,350 extr.

208   Rutprechtzwile. 1358 März 21.
Bischof Peter von Chur schliesst ein Bündniss mit Oesterreich.

Wir Peter von gots gnaden pischof ze Cur tün kunt, wan der
durluchtig fürst herzog Rüdolf von Österrich unser gnediger herre
an statt und in namen   des hochgeporn fursten herzog Albrecht von
Österrich sins vatters, sin selbers und aller siner brüder gemeinlich
emphangen und genomen hat uns und unser gotshus in ir aller | ge-
meinen rat, geheime schirm und dienst und uns ouch verheizzen hat
mit güten trewen, daz er uns und das egenante unser gotzhus und alle
unser und desselben gotzlhuses lüt und güter bi allen unsern rechten,
fryheiten und güten gewonheiten schirmen, versprechen, halten und
fristen welle gnediklich vor allem gewalt und unrechte als ander sine
und sins vatters und siner brüder diener wider allermenlichen ane
allein wider den stül von Rom, das Römisch rych und ander herren
und stette, die vormals in der egenanten unsrer herschaft von Österrich
buntnuzze und dienst komen sint ane geverde, das ouch wir
darumbe nach güter vorbetrachtung wizzentlich durch eren, schirmes,
frides, gemaches und nutzes willen unser selbers, des vorgenanten unsers gotzhuses und aller unserr lüte und güter gemeinlich uns verpflichtet und verbunden haben mit dienste getrewlich und früntlich zü
der obgenanten unserr herschaft von Österrich und haben gesworen
einen gelerten eid zü den heiligen und ouch bi demselben eide gelobt
mit güten trewen, daz wir alle die wile, so wir leben und pischof ze
Cur beliben, behulfen und beraten sin sullen der egenanten herschaft
von Österrich mit aller unsrer macht ze rozz und ze füzzen getrewlich
wider allermenlichen nieman uzgenomen ane allein wider den stül von
Rom, einen Römischen küng oder keyser und den hochgebornen fürsten marchgraf Ludwigen von Brandenburg, grafen ze Tirol.   Wenn
ouch wir oder unser amptlüt umb helfe und dienst gemant werden
von der egenanten unserr herschaft von Österrich oder iren ampt-
lüten, so sullen wir inen nach gelegenheit der sache dienen mit ganzen trewen und ze helfe komen unverzogenlich mit aller unserr macht

ze rozz und ze füzzen als fürderlich und als endlich, als ob die sache uns und unser gotzhus selber angienge ane alle geverde. Beschicht ouch in dheinen künftigen ziten, daz die obgenanten unser herren von Österrich oder ir amplüt bedurfen wellen unsers dienstes uzzer landes an frömden stetten, darumbe sullen si uns sold geben und tün, als si denn ze male gewonlich andern iren dienern tünd ane geverde. Wir sin ouch heidenthalb übereinkomen, daz unser ietweder des andern lüt und güter in sinen landen und gebieten schirmen und fristen sol vor unrecht als sin selbers sache und sullen ouch einander zů schnellen oflöiffen schnelleklich behulfen sin ietweder sit früntlich als bald, so uns dieselben uflöiffe kunt werdent ane geverde. Waz ouch solicher stuke und sachen ist, die ietzent gegenwurtig sint oder hernach uflouffet von der wegen, die wir die egenanten unser herschaft von Österrich anrüffen umb hilffe, darumbe sullen wir vor der obgenanten herzogen einem doch ie vor dem eltisten des ersten, der denn in landes ist, und vor desselben rate recht tün und recht nemen, als er und sin rat sich denne darumbe erkennent ane geverde. Were aber daz der obgenanten unserr herren der herzogen keiner in dem lande were, so sullen wir dasselb recht tun und nemen vor irem lantvogt in Ergew und vor derselben herscheft rate daselbs als vorbescheiden ist. Wir sullen ouch die vorgenante unser herschaft von Österrich noch ir amptlut nicht irren an iren weltlichen gerichten und sullen ouch niemann, der zů in gehöret, bekumberren mit geistlichem gerichte umb dheinerley sache, die durch recht oder durch gewonheit für weltlich gericht gehöret ane geverde, wan ouch dieselben unser herren von Österrich noch ir amptlüt ze gelicher wise her wider uns nicht irren sullen an unsern geistlichen gerichten dheiner sachen, die billich und durch recht für geistlich gericht gehörent. Mit urkund ditz briefes, der geben ist ze Ratprechtzwile an mitwuchen vor unserr frowen tag zů der kündung des iares, do man zalte von gots geburt tusent drühundert und fünfzig iar und darnach in dem achtoden iare.

Das Siegel des Bischofs hängt.   Orig. k. k. g. A.

209   Avignon, 1358 Apr. 9.
Pabst Innocenz VI. ertheilt dem Erzbischofe Ortolf von Salzburg, dem Bischofe Paul von Gurk und dem Abte Johann von St. Lambrecht Vollmacht, die Ehe zwischen dem Markgrafen Ludwig von Brandenburg und der Herzogin Margaretha zu trennen und von denselben die bürgerlichen Folgen des Bannes hinweg zu nehmen. Inserirt in die Urkunde von 1359 Sept. 1 Reg. n. 224.

210   Avignon, 1358 Apr. 11.
Pabst Innocenz VI. ertheilt dem Erzbischofe Ortolf von Salzburg, dem Bischofe Paul von Gurk und dem Abte Johann von St. Lambrecht als seinen

Bevollmächtigten Gewalt, den Markgrafen Ludwig von Brandenburg und seine Gemahlin Margaretha, wenn sie die ihnen auferlegten Bedingungen erfüllt und darüber eine von ihnen und dem Herzoge von Oesterreich besiegelte Urkunde ausgestellt hätten, vom Banne loszusprechen, in den Verband der Kirche wieder aufzunehmen, in alle Besitzungen wieder einzusetzen, dieselben, nachdem sie geschieden worden wären und eine Zeit lang getrennt gelebt hätten, wegen Verwandtschaft zu dispensiren, wieder zu vermählen und ihre Kinder zu legitimiren. Steyerer 618 (inserirt in Urkunde von 1359 Sept. 2).

211   Avignon, 1358 Apr. 17.
Pabst Innocenz VI. ertheilt den Genannten Vollmacht, dem gegen ihn vom Herzoge Albrecht von Oesterreich ausgesprochenen Wunsche, seine Tochter Margaretha mit des Markgrafen Ludwig und der Herzogin Margaretha Erstgebornen Meinhard zu vermählen, entsprechend, zur Ehe dieser beiden, die von einer Seite im dritten und vierten, von der andern im dritten Grade verwandt sind, Dispens zu ertheilen, wenn Ludwig und Margaretha losgesprochen, ihre Ehe eingeseguet und ihre Kinder legitimirt wären. Inserirt in Urk. v. 1359 Sept. 3 Reg. n. 227.

212   Passau, 1358 Juni 14.
Markgraf Ludwig von Brandenburg weist seiner lieben Tochter Frau Margareth zu rechter Morgengabe zu seinem Sohn, Herzog Meinhard, 5000 Pfund Wiener Pfennige auf Stadt und Landgericht Aichach an. Steyerer 614.

213   Linz, 1358 Juni 22.
Herzog Albrecht von Oesterreich schliesst mit Markgraf Ludwig von Brandenburg, Herzog Stephan von Baiern und Erzbischof Ortolf von Salzburg ein Bündniss gegen jeden, der auf das Land eines von ihnen einen Angriff machen würde, und weist seine Hauptleute und Amtleute zu Neuburg und Schärding an. einer Aufforderung um Hilfe nachzukommen. k. k. g. A. Diplomatar No. 864 n. 113.

214   Partenkirch, 1358 Aug. 14.
Markgraf Ludwig bestätigt eine Pfandschaft, die Herzog Albrecht von Oesterreich sel. „die weil er unser pfleger ze Obern Baiern gewesen ist", Otto und Wolfart den Zwergern verschrieben hat. k. k. g. A. Diplomatar No. 969 p. 16.

215   Wien, 1358 Nov. 16.
Herzog Rudolf von Oesterreich schreibt dem Bischofe Paul von Freising (ehemals von Gurk) und dem Abte Peter von St. Lambrecht, Commissären des päbstlichen Stuhles, dass er die Unterhandlungen seines Vaters mit dem Pabste Innocenz VI., um den Markgrafen Ludwig mit der Kirche zu versöhnen, kenne, die päbstliche Bulle an den Erzbischof Ortolf von Salzburg und die beiden genannten Commissäre gesehen habe, bestätigt nun, da sein Vater gestorben, seinerseits alle verabredeten Bestimmungen und gelobt für die Erfüllung derselben durch den Markgrafen zu sorgen. Raynald ad a. 1357 n. 5. Meichelbeck, hist. Frising. 2b, 177. Steyerer 617. Archiv f. Kunde österr. Geschichtsq. 15,202.

216
A v i g n o n , 1359 Apr. 12.

Pabst Innocenz VI. ernennt in der Angelegenheit wegen Lossprechung des Markgrafen Ludwig statt des unterdessen verstorbenen Abts Johann von St. Lambrecht dessen Nachfolger Peter zum päbstlichen Commissär. Steyerer 626.

217
A v i g n o n , 1359 Apr. 12.

Pabst Innocenz VI. ernennt denselben auch zu seinem Commissär zur Ertheilung der Dispens für die Ehe zwischen Margaretha, Tochter Herzogs Albrecht von Oesterreich, und Meinhard, Sohn des Markgrafen Ludwig von Brandenburg. Inserirt in d. Urk. v. 1359 Sept. 3 Reg. n. 227.

218
S a l z b u r g , 1359 Aug. 17.

Markgraf Ludwig von Brandenburg schliesst für sich und seinen Sohn Meinhard mit dem Herzog Rudolf von Oesterreich und dessen Brüdern ein Bündniss gegen jeden Angreifenden, das römische Reich ausgenommen: „wollte denselben aber jemand von des römischen Reichs wegen Unrecht thun, oder wer der wäre, der sie an ihren Landen und Herrschaften, die sie jetzt besitzen oder hernach gewinnen, beschweren oder schädigen wollte", gegen den sollten sie ihnen auch beistehen. Dasselbe versprechen ihnen die Herzoge von Oesterreich gegen jeden, ausgenommen den König Ludwig von Ungarn und dessen Bruderssohn Johann. Steyerer 288.

219
S a l z b u r g , 1359 Aug. 17.

Gegenurkunde Herzog Rudolfs von Oesterreich für sich und seine Brüder. Lichnowsky 4, reg. n. 75. Reg. B. 9,122. Orig. bair. R. A.

220
S a l z b u r g , 1359 Aug. 18.

Markgraf Ludwig von Brandenburg und Herzog Rudolf von Oesterreich bestimmen das Heirathsgut, das ersterer seinem Sohne Meinhard, letzterer seiner Schwester Margareth geben soll. Ludwig zielt seinem Sohne 18000 Mark Silber, jede zu 5 Gulden zu rechnen, und legt sie auf die Festen und Städte Landsberg und Weilheim, Feste und Herrschaft Pael, Burgen und Märkte Tölz, Wolfrathshausen und Aibling, die Stadt Schongau und die Feste Peitengau; Rudolf giebt seiner Schwester 60000 Gulden und legt davon 28000 auf die ihm verpfändeten Festen Ehrenberg, Rodeneck und Stein auf dem Ritten, 32000 auf die Feste Strechau, auf Stadt, Mauth und Gericht Rottenmann und, wenn davon nicht jährlich 3200 Gulden eingiengen, auf den Urbar in Ennsthal. Steyerer 615.

221
M ü n c h e n , 1359 Aug. 29.

Herzog Rudolf von Oesterreich verspricht den Markgrafen Ludwig von Brandenburg in Folge der von demselben seinem Vater gegebenen Vollmacht und nach den neulich in Salzburg getroffenen Verabredungen mit dem Pabste zu versöhnen, besonders bezüglich des Bisthums Trient. Freyberg 133 n. 12 extr. Reg. B. 8,121. Lichnowsky n. 83.

222
M ü n c h e n , 1359 Aug. 30.

Ludwig von Baiern, Erstgeborner weiland Ludwigs von Baiern, der sich als römischer Kaiser betrug, gelobt in Gegenwart der päbstlichen Commissäre, des Bischofs Paul von Freising und des Abtes Peter von St. Lambrecht, eidlich, alles genehm zu halten, was einst seine Bevollmächtigten, der genannte Bischof Paul und Graf Friedrich von Cilly in seinem Namen vor dem Pabste und den Cardinälen bekannt und versprochen haben, bekennt nun persönlich seine Vergehen gegen die Kirche, bittet um Lossprechung vom Banne und gelobt alles zu erfüllen, was man von ihm verlangen würde. Raynald ad a. 1359 n. 7—10. Lünig, R. A. Spic, eccl. cont. p. 80. Riedel, nov. c. d. Brandenb. II. 6,92.

223   München, 1359 Aug. 30.
Herzog Rudolf von Oesterreich leistet Bürgschaft, dass Markgraf Ludwig und seine Gemahlin Margaretha ihre gemachten Versprechungen (die Urkunde Ludwigs n. 222 ist vollständig eingeschaltet) halten und die ihnen auferlegte Sühne vollziehen werden. Archiv f. österr. Geschichtsq. 15.202.

224   In capella b. Margarethe castri Monacensis, 1359 Sept. 1.
Bischof Paul von Freising und Abt Peter von St. Lambrecht trennen vermöge der ihnen vom Pabste ertheilten Vollmacht die Ehe zwischen dem Markgrafen Ludwig und Margaretha, befehlen ihnen getrennt zu leben, bis sie anders bestimmen würden, nehmen von denselben, da sie alles Verlangte entweder erfüllt oder dessen Erfüllung versprochen und Herzog Rudolf von Oesterreich sich dafür verbürgt habe, „omnem infamie maculam sive notam" hinweg und machen sie fähig, Privilegien, Lehen, Güter etc. zu besitzen und zu geniessen. Zeugen: Bischof Friedrich von Regensburg, Meister Johann von Platzheim, Kanzler Herzog Rudolfs von Oesterreich, Johann von Kamerberg, Probst. Wernhard Häring, Dekan der Kirche Freising, Ulrich von Leonrod, Probst von Illmünster, Heinrich, Pfarrer zu Tirol, Konrad von Heiligenstadt, Pfarrer in Pyber, Meister Peter von Neustadt, Domherr in Raab, Meister Niklaus, Pfarrer in Teusendorf, Pilgrim Streun, Herzog Rudolfs Marschall, Konrad Frauenberger, Hofmeister, Konrad Kummersbrucker, Jägermeister, Diepold Häl, Marschall des Markgrafen. Original k. bair. Hausarchiv.

225   In capella b. Margarete castri Monacensis, 1359 Sept. 2.
Dieselben dispensiren vermöge päbstlicher Vollmacht Ludwig von Baiern und die Herzogin Margaretha, da diese, seitdem sie von ihnen neulich geschieden worden, getrennt von einander gelebt und sie und Herzog Rudolf alles Verlangte versprochen haben und deswegen vom Banne losgesprochen worden sind, wegen zu naher Verwandtschaft, erlauben ihnen neuerdings die Ehe einzugehen und legitimiren die bereits gebornen Kinder. Zeugen: Dieselben wie in der vorausgehenden Urkunde mit Ausnahme des Bischofs, der Pröbste von Freising und Illmünster, des Pfarrers zu Tirol und des Diepold Häl. Steyerer 618 (627) — 628.

226   München, 1359 Sept. 2.
Margaretha, Markgräfin von Brandenburg, vermacht für den Fall, dass sie, ihr Gemahl Ludwig und ihr Sohn Meinhard ohne Leibeserben sterben würden, den Herzogen von Oesterreich ihr Land Tirol.

Wir Margreth von gots gnaden marchgrefinn ze Brandenburg, herzoginn ze Bayrn und grefinn ze Tyrol allen christanen menschen

ewiklich, die disen brief iemer gesehent, lesent oder hörent lesen nu
und hienach |unsern grůs mit erkantnuzze diser nachgeschribner din-
gen. Elich getat ewent weise leut mit briefes hautveste, durch das
darnach in chünftigen zeiten mit krieges anvacht icht stözze oder
irrunge dariu vallen. Darumb so wizzen alle leut und sunderlich
die, den es ze wizzen durft geschicht, wau fürstlicher wirdikeit wol
gezimt, alle zit darnach ze trachten und ze gedenken gnediklich, wie
alle ir land und leut bei fride, gemach und gnaden und ouch bei allen
wirden und eren rûwiklich beleiben, als wol nach irem hinschaiden
von diser welt, als bei irn lebenden zeiten, daz ouch wir darumb nach
angebornem adel unserr fürstlichen gûtikeit lauterlich durch got von
rechter vernünftiklicher erchantnuzz wegen durch unserr vordern und
unserr selen heiles willen, und ouch durch ewiges frides, nutzes und
gemaches willen aller unserr land und leuten understen und versehen
wellen miltiklich, ob das geschêhe, des wir gotte nicht getrüwen, daz
wir und der hochgeporn marchgraf Ludwig von Brandenburg, unser
herzenlieber gemahel, verfúren ane leib erben, die wir mit einander
nu haben oder hienach gewunen, daz denne von ieman oder zwischen
ieman von decheinerlay invalles, ansprache oder sache wegen icht
chrieges oder mizzehellung, stözze oder irrung ansten und werden
umb unser vatterlich erb, das wir, ob es also ze schulden kumt, hinder uns lazzen, sunder daz alle unsre lant und leut wizzen, wer nach
unsern kinden, die wir nu haben oder hernach gewinnen, unser nech-
ster erb und ir rechter herre sei, da von veriehen und bechennen wir
offenlich und tůn kunt allermenlichem mit disem brief, daz die hochgebornen fürsten Rûdolf, Friderich, Albrecht und Leupolt geprůder,
herzogen ze Osterreich, ze Steyr und ze Kernden, unser lieb öheim,
unser nechsten erbornen frûnde, vatter mage, gesippe und lidmage
sint, und ouch nach unsern kinden unser nechsten und recht erben
sint, und billich sein sullen vor allermenklichem nieman ausgenomen.
Darumb durch angeborne freuntschaft und liebe, die wir von natur
und ouch von rechte haben und mit begirlichem willen iemer haben
sullen und wellen zů den vorgenanten unsern lieben öheimen, den
herzogen von Österreich, kunden wir mit disem brief ewiklich allen
leuten, daz wir gesunt leibes und můtes nach gûter vorbetrachtung
williklich zů den zeiten und an den stetten, do und da wir es wol getůn mochten, nach rate unsers rates mit aller der ordenung, bescheidenheit und chraft, worten, werchen und geberden, die von deheiner-
lay recht oder gewonheit deheins weges dazů gehörent, und sunderlich nach den freyhayten, rechten und gewonheiten alten und bewâr-
ten, die all unser vordern ietweder gediet, man und frowen und ouch
wir von alter gehebt und in rûwiklicher und rechter gewer herbracht

und besezzen haben in unserr grafschaft, dem fürstentům und dem
lande ze Tyrol. Dasselb unser fürstentům, die land und grafschefte
ze Tyrol und ze Görz und ouch die gegent an der Etsch mit der purg
ze Tyrol und mit allen andern pürgen, vesten, stetten, clausen, märchten, dörfern, weilern, lehen und höfen und mit allen grafen, freyn,
lantherren, dienstleuten, rittern und knechten, purgern, lantsezzen,
holden und allen andern leuten, darnach mit gerichten, getwingen,
bennen, münzzen, cinsen, zehenden, zöllen, geleiten, stüren, hölzern,
gevilden, welden, wiltpennen und vischenzen, darnach mit allen geistlichen und weltlichen lehenn und manscheften und gemeinlich mit
allen andern herscheften und gewelten, wirden und eren, nutzen,
freyhaiten, rechten, gewonheiten und diensten, genanten und unge-
nanten, gesůchten und ungesůchten, funden und unfunden, die dehains
weges dazů gehörent, gemachet, gefüget und gegeben haben wizzentlich, machen, fügen, geben und schaffen ouch mit disem briefe recht
und redlich den vorgenanten unsern lieben öheimen Ruodolfen, Fri-
derichen, Albrechten und Leupolten, gebrůdern herzogen ze Österreich, ze Steyrn und ze Kernden unverscheidenlich und irn erben, die
wir zů dem rechten, daz sei von in selber daran habent, genomen,
gesetzet und geordent haben wizzentlich von newn dingen, nemen und
setzen sei ouch mit disem brief recht und redlich uber die vorgenante
unser grafschefte und lant ze rechten erben, mit solichen underscheiden und gedingen, ob das geschehe, des got durch sein gnade nicht
verhenge, daz wir und der durchleuchtig fürst, unser herzenlieber gemahel, marchgraf Ludweig von Brandenburg, abgiengen ane leiberben,
die wir mit einander gewunnen, und ouch ob unser lieber sun herzog
Meinhart abgienge, des got nicht welle, ane leib erben, daz dann die
vorgenanten unsere fürstentům und grafschefte, lant und herschefte
mit der purg ze Tyrol und mit allen andern purgen, clausen, vesten,
stetten, mérchten, dörffern, leuten, gütern und gerichten, die dazů
gehörent, als vor beschaiden ist, werden und gevallen sullen genzlich
ze rechtem erbe und ouch von diser gegenwürtigen unserr ordenung
und gabe wegen den vorgenanten unsern lieben öheimen und nechsten
erben, den herzogen von Österreich und irn erben, die wir in dem namen, als da vor, dar uber ze erben recht und redlich genomen und in
ouch dieselben unsere fürstentům, lant, leut, vesten und güter freylich
und williklich gegeben, gemachet, geordent, geschaffet und gefüget
haben, als vor geschriben stat, und als wir ouch das nach unsers landes und unsern freyheiten und allen bewärten gewonheiten und rechten wol getůn mugen nach allem unserm willen ane alle irrung. Wir
haben ouch gelobt und verhaizzen mit ganzen gůten trewn recht und
redlich, loben und verhaizzen ouch mit disem briefe wizzentlich, daz

wir wider dise vorgeschribenen unser gemechtnuzze und gabe, ordenung und geschefte weder haimlich noch offenlich mit uns selber noch mit andern leuten niemer getûn, noch si in deheinen weg iemer widerrûffen, verânderen, abnemen, bekrenken oder verirren sullen noch wellen. Were aber, des got nicht welle, daz wir in disen sachen uns vergêzzen und iemer da wider icht tûn wolten, das sol enhein kraft haben, und entzeihen uns ouch darumb wizzentlich mit disem brief helfe und rates aller geistlicher und weltlicher richter, rechten und gerichten und sunderlich des rechten, daz da sprichet, gemein verzeihung vervahe nicht, und aller anderr gewonhaiten, freyheiten und lantrechten, fundenn und unfundenn, gestiften und ungestiften, geschribenn und ungeschribenn und sunderlich der auszüg und fünde, damitte wir her nach komen und sprechen möchten, daz wir ditz gescheftes und diser gemechtnuzz oder gabe betwungen weren, oder daz sei nicht redlich und recht beschehen wêren oder daz wir mit trugnuzze und gevêrden dazû bracht wêren, und gemeinlich aller anderr auszüg und fünde, da mitte wir selber oder ieman von unsern wegen wider dise vorgenante unser gemechtnuzze und gabe, ordenung und geschefte allekleich oder bei tailen iemer getûn möchten in dehainen weg ane alle geverde und argen list. Wêre ouch, des wir uns nicht versehen noch getruwen, das vor oder nach disem briefe und geschefte dehein ander brief hinder uns oder anderswa funden und fürgezogen wurde, der wider dise vorgenante unser gemechtnuzze und gabe deheins weges were, der sol ungerecht, uppig, tod und abscin und enhein chraft iemer gewinnen noch gehaben in dehainen weg, sunder alain diser brief sol in aller seiner kraft beleiben ewiklich vor und nach allen andern briefen und sachen, di dise vorgeschriben unser ordenung und gabe, gemechtnuzze und geschefte iemer verirren oder in dehein weg bechrenchen möchten ane alle geverde. Und darumb emphelhen wir mit rechter wizzen und gebieten ouch vestiklich mit disem brief allen unsern gegenwürtigen und chünftigen prelaten, âbten, pröbsten und aller phafheit und darnach allen unsern grafen, freyn, lantherren, dienstleuten, mannen, purgmannen, rittern und knechten, purchgrafen, phlegern, amptleuten, richtern, purgermaistern, rêten und purgern, lantsêzzen, holden und allen andern unsern leuten ietweder gediet mannen und frowen in allen unsern stetten, mêrchten und dörfern und auf allem dem lande gemeinlich und ouch auf der egenanten purg ze Tyrol und auf allen andern purgen, clausen und vesten, die dazû gehörent, ob das geschehe, da vor got sei, daz der vorgenante marchgraf Ludweig von Brandenburg, unser gemahel, und wir abgiengen ane leiberben, die er und wir mit einander gewünnen oder hetten, und ouch ob der egenante unser lieber sun, herzog Meinhart, verfüre ane

leiberben, dez got nicht welle, daz danne ir die egenanten unser lantherren und leut, phaffen und layen, ritter und knecht, ampleut und
diener, purchgrafen und phleger den vorgenanten unsern lieben öheimen, den herzogen von Österreich oder irn erben, ob si enweren, ant-
wurtent und ingebent alle unser vesten und pürg, clausen und stet,
mêrcht und dörffer, leut und güter in den vorgenanten unsern landen
ane alle irrung und widerrede und ouch unverzogenlich, als palde so
ez ze schulden kumt ane alle geverde, als vor geschriben stat, und daz
ir ouch denselben unsern öheimen von Österreich und irn erben als
ewern rechten herren huldent und swerent und in gehorsam sint mit
allen sachen, und in ouch trew und warhait haltent und laistent ewiklich wider allermenklich niemann ausgenomen, als ir ewern rechten
herren billich und durch recht tün sullent ane alle geverde und arge
liste. Wan ouch die vorgenanten unser lieben öheim die herzogen
von Österreich solich freyhait und recht habent von dem heiligen
Römischen reiche, swas anderr herscheft, land, leut oder güter an si
vallent von kouffes, erbschaft, gabe, gescheftes, gemechtnuzze oder
von deheiner anderr züvallung wegen, daz sei die nenten und haben
sullen mit allen den freyhaiten und rechten, als daz lant ze Österreich
gefürstet und gestiftet ist, darumbe haben ouch wir dise vorgeschriben
gemechtnuzze und gabe gevestent und vestenen sei mit disem brief den
egenanten unsern öheimen und irn erben ewiklich mit den freyheiten
und rechten, die ouch alle unser vordern und wir in den obgenanten
unsern landen herbracht und besezzen haben von alter, also wenne da
nicht erben wêren männischer gediet, daz denne dieselben unsere lant
vallen solten mit erblichem rechte an die ältisten tochter, die ouch
darnach mit denselben irn landen schaffen und tün mag nach allem
irm willen, swaz si wil. Da von in das recht und die freyheit, als die
egenanten unser öheim von Österreich zü in nemen mügen die lant,
die si deheins weges anvallent, geben wir und schaffen ouch in dem
namen als da vor den selben unsern öheimen und iren erben die vorgenanten unsre lant von der freyhait und dem gewalte, so wir haben
da mitte ze tünde, swaz wir wellen in aller der mazze, als vor bescheiden ist ane alle geverde und argen list. Was wir ouch in den
vorgenanten unsern herscheften und landen ze lehen haben von dem
heiligen Römischen reiche oder von dehainen geistlichen fürsten oder
prelaten, das sullen die vorgenanten unser öheim von Österreich und
und ir erben, ob ez ze schulden chumt, ouch ze lehen erchennen und
vordern, emphahen und haben in aller der mazze, als unser vordern
und wir die herbracht und besezzen haben. Wolt aber inen der Römisch keiser oder küng oder dehain geistlich fürst oder prelat diselben lehen versagen, so sullen und mügen si sev vordern an den, von

13 *

dem sev rûrent, dreystunt mit irn briefen und mugen sev darnach
doch in lehens weise rechtiklich inne haben, besitzen und niezzen
nach den freyheiten und rechten dez landes ze Österreich, zû dem die
vorgenanten unsre vatterliche land geainbert und derselben freyheiten
und rechten gevēngig werdent von der vorgenanten unser gemechtnuzz und gabe wegen, ob es ze schulden kumt, als vor bescheiden ist.
Wir bitten ouch mit disem brief wizzentlich alle geistlich und weltlich
fürsten und herren, und sunderlich alle geistlich und weltlich richter
und alle ander, die es angehöret, ob daz were, daz ieman die vorgeschriben unser erkanntnuzze und gabe, gemechtnuzze oder geschefte
verirren und deheins weges da wider tûn wolte, daz si die vorgenanten
unser öheim von Österreich da vor schirmen und in behulfen sein, daz
si bi den vorgenanten unsern landen und herscheften beleiben in aller
der mazze, als wir in die geschaffet, geordent und gemachet haben
nach den underscheiden und gedingen, als vor begriffen ist. Daz ouch
dise vorgeschriben unser ordenung und gabe, gemechtnuzze und geschefte nu und hie nach ewiklich in ganzer stetikeit vest und unverbrochen beleibe, darumb haben wir mit rechter wizzen unser insigel,
das wir zû grozzen sachen gewenlich nützen, gehenket an disen brief.
Diz ist geschehen und ist diser brief gegeben ze München an dem
nachsten montag vor unserr vrowen tag ze herbst, als si geporn wart,
nach Christus gepurte tausent drew hundert fünzig iaren und darnach
in dem neunden iare.

Das Siegel der Margaretha hängt.   Orig. k. k. g. A.

227   München, 1359 Sept. 3.
Bischof Paul von Freising und Abt Peter von St. Lambrecht ertheilen
vermöge päbstlicher Vollmacht Dispens zur Eingehung der Ehe zwischen
Meinhard, des Markgrafen Ludwig Sohn, und Margaretha von Oesterreich.
(Zeugen die meisten der Urk. n. 225.) Orig. k. bair. Hausarchiv.

228   München, 1359 Sept. 5.
Margaretha, Markgräfin von Brandenburg, meldet, dass sie den Herzogen von Oesterreich Tirol vermacht habe, und bittet die Lehensherren die
bezüglichen Lehen denselben unverzüglich zu verleihen.

Wir Margaretha von gots gnaden marchgrefin ze Brandenburg,
herzogin ze Payrn und grefinn ze Tyrol veriehen und tûn kunt offenlich mit disem brief, daz wir den hochgeboren fürsten Rudolfen, Fri-
derichen, Albrechten und Leupolten, herzogen ze Österreich, ze Steyr
und ze Kernden, unsern lieben öheimen, gebrüdern, und irn erben unverscheidenlich gefüget und geschaffet, gegeben und gemachet haben
recht und redlich unser fürstentûm daz laut und die grafschefte ze Tyrol und ze Görz und swaz dar zû gehöret, als an dem gemechtnuzze

und gescheft briefe, den wir in vormals geben haben, genzliche und
volliklich begriffen ist. Denselben gescheft brief über die egenante
gemechtnuzze und gabe wir aber nu mit disem briefe bekennen, be-
stêten, vestenen, und bewêren in aller der mazze, als derselbe brief
emalen verschriben und mit unserm insigel versigelt ist. Darumbe
bitten wir mit ganzem ernste, wizzentlich und mit allem fleizz unsern
heiligen vater den pabst, unsern herren den Römischen keiser oder
künig und alle ander geistlich und weltlich fürsten, herren und richter
und alle ander, die es leiblich oder geistlich dehains weges angehöret,
daz si die vorgenanten unser gemechtnuzze und gescheft briefe stêt
haben und besteten, und wer oder welhe die sint, von dem oder von
den ouch wir in den egenanten unsern landen icht ze lehen haben, daz
die dieselben leben den obgenanten unsern öheimen, den herzogen von
Österreich und iren erben unverzogenlich ane alle widerrede verleihen
in aller der mazze, als unser vordern und wir die von alter herbracht
und besezzen haben, und ouch dieselben lehen mitsampt der egenanten unsrer gemechtnuzze und gabe helfen behaben und ouch schirmen
den vorgenanten unsern öheimen von Österreich und irn erben ewiklich, wenne ez ze schulden kumt, in aller der mazze, als der egenante
unser gescheft brief weiset, ane alle geverde. Mit urkunde ditz briefs
versigelt mit unserm insigel, daz wir ze grozzen sachen gewonlich
nützen. Geben ze München an phinztag vor unser frowen tag ze
herbst, als si geborn wart. Nach Christes gepurt tausent drew hundert und fünfzig jaren und darnach in dem neunden jare.

Das Siegel hängt.   Orig. k. k. g. A.

229   Wien. 1359 Dec. 20.
Herzog Rudolf von Oesterreich behaust den Konrad Kummersbrucker,
Jägermeister in Oberbaiern und Hofmeister der Markgräfin Margaretha von
Brandenburg, wegen der treuen Dienste, die er der Markgräfin, ihrem Gemahle und ihm und seinen Geschwistern gethan hat und noch thun soll, bis
auf Wiederruf auf der Burg zu Stein und giebt ihm zu Burghut jährlich
250 Pfund Wiener Pfennige von der Mauth in Stein. k. k. g. A. Diplomatar No. 864 p. 189. Kürzerer Auszug bei Lichnowsky n. 116.

230   Wien, 1359 Dec. 20.
Herzog Rudolf von Oesterreich behaust den Konrad von Frauenberg,
Hofmeister des Markgrafen Ludwig aus denselben Gründen und unter den-
selben Bedingungen auf die Burg zu Krems. k. k. g. A. Dipl. 864 p. 190.
Lichnowsky n. 115.

231   o. D. (1355—1359).
Markgraf Ludwig von Brandenburg ernennt für den Fall, dass er vor
der Volljährigkeit seines Sohnes Meinhard mit Tod abgehen würde, seine
Gemahlin Margaretha zu dessen Vormünderin und Regentin von Tirol.

Wir Ludwig etc. bechennen etc. Wan wir alle totlich sein, daz

wir mit wol bedahten mút, guter vorbetrahtung und mit unsers rats
rat durch frummen und nutz der hochgeboren Margaret unserer liebn
gemahelin und des hochgebornen herzogs Maynhard unsers lieben suns
oder ob wir mer kind gewünnen und ouch durch frid und gemach aller
unser land und leut, daz die dest fridlicher bei einander beleiben und
besten mügen, über ein worden und chomen sein, ob wir von gots
gwalt vor der obgenannten unserer gemahelin abgiengen und nicht
mer sein solten, daz danne die selb unser gemahel des vorgenannten
unsers suns und ob wir mer kind mit ein ander gewunnen, nach unserm
tod getrewer gerhab in unserer herschaft und gebiet ze Tyrol sein sol,
als lang unz er zu seinen tagen chümbt, zu funfzehn iaren, mit der
bescheidenheit, ob es ze schulden chümbt, als vorgenannt stet, daz
die obgenannte unser gemahel, die weil sie ir leben niht verkert, unsers obgenannten suns und ob wir mer kind mit einander gewunnen
und unserer obgenannten land und leut die selben zeit getrewelich als
ein getrew gerhab pflegen sol und doch mit rat und wizzenschaft der
vesten erbern manne H[einrich], hofmeister von Rotenburg, Peter,
purggraf uf Tyrol, Chunrad Frawenberger, hofmaister, hern Hainrich,
pfarrer ze Tyrol (und pfleger zu Tryent [1]) und Chunrad Kumersprugger
jagermaister [2]) und Ott von Awre, die unser besunder rat und haimlicher sind, und die wir ir und dem vorgenannten unserm sun ze hilf
und zu einem rat darzu gebn habn, also daz sie mit der selben wizzen,
rat und willen in den obgenannten unserm land, ob es ze schulden
chümbt, die vorgenante zeit all sach und handlung nach frummen,
nutz und eren ir, des obgenannten unsers suns und ouch unserer obgenannten land und leut als ein getrew gerhab schaffen, halten und
handeln mag nach iren trewen, wie sie wil, als ouch uns darumb die
obgenannten unser rat und haimlicher zu den heiligen gesworen haben.
Und sol ouch die obgenannte unser gemahel on iren rat, willen und
wizzen in der obgenannten pflegnuzz und gerschaft chainerlay sach
noch handlung tun, angriffen noch handlen in dhein weis, als sie des
auch ir brief und trew gebn hat. Wer auch, daz die obgenannte unser liebn gemahel ouch abgieng, und nicht mer wer, des got nicht well,
oder ir lebn on des vorgenannten unsers rats rat verchert, e daz unser
obgenannter sun zu sinen iaren kumt, so sullen die obgeschriben unser
rat und haimlicher des egenannten unsers suns und ob wir mer kind
gewunnen, getrewen gerhabn sein und unserer land und leut aber ge-

---

1) Fehlt in Bibl. Tirol.

2) Dieser Name ist im Diplomatar 968 durchstrichen, kommt aber doch
auch im Gegenrevers Margarethas (s. folgende n.) vor.

trewelich pflegen ze glicher weis, als vorgenant stet, als sie uns ouch
das zu den heiligen habent gesworen.

Gleichzeitiges Concept auf Papier in Bibl. Tirol. 1038 f. 64. Auch in
der „Registratur Ludwigs d. Brandenburgers" k. k. g. A. Dipl. No. 969 n. 4.
Der terminus a quo dieses Conceptes ist durch den Hofmeister Konrad Frauenberger (vgl. o. S. 121), der terminus ad quem dadurch, dass Heinrich, Pfarrer
zu Tirol, noch die Stelle eines Pflegers von Trient bekleidet, bestimmt (S. o.
S. 50 Anm. 1). Ist Meinhard um 1313 geboren (S. o. S. 53 Anm. 2), so
dürfte diese Urkunde kaum lange nach 1355 concipirt sein, da sie doch
aus einer Zeit herrühren muss, wo Meinhard noch ziemlich unter fünfzehn
Jahren war.

232   n. D. (1355—1359).
Gegenrevers der Markgräfin Margaretha wegen der vom Markgrafen
Ludwig für den Fall seines Todes angeordneten vormundschaftlichen Re-
gierung. k. k. g. A. Dipl. No. 968 n. 3. (Fast wörtlich gleichlautend mit
Ludwigs Urkunde und eben so unvollständig.)

233   Seefeld, 1360 Mai 21.
Herzog Rudolf von Oesterreich beurkundet, dass Kaiser Karl, der ihn
und seine Brüder eben mit ihren Ländern belehnt habe, ihnen dabei die
Grafschaft und Herrschaft Tirol und die Grafschaft Burgund weder geliehen
und verschrieben habe, noch verschreiben wollte. Kurz, Rudolf IV. S. 339.

234   Taan, 1360 Juli 25.
Bischof Peter von Chur übergiebt den Herzogen von Oesterreich unter
angegebenen Bedingungen auf acht Jahre sein Bisthum.

Wir Peter von gotes gnaden bischof ze Chur veriehen und tun
kunt allen den, die disen brief ansehent, lesent oder hörent lesen, und
sunderlich den es zewisent darft geschicht, daz wir nach guter vorbetrachtung, mit wolbedähtem müte und nach rate unsers rates, durch
merkliches unsers und der vorgenanten unsers gotzhous von Chur
nutzes willen, daz egenant uusrer bistum ze Kur empfolhen und ingeantwurt haben, emphelhen und antwurten auch in mit disem brief
für uns und unsrer   nachkomen an dem bistum den hocherbornen
fürsten unsern gnedigen herren herzog Rudolfen von Osterrich und
sinen gebrüdern und zü iren handen dem edeln herren herzog Fridrichen von Tekch, irem lantvogt ze Swaben und in Elsazz, mit der bescheidenheit und nach den artikeln, als hie nach an disem brief geschriben ist und begriffen.   Dez ersten haben wir den egenanten unsern herren von Osterrich und dem edeln herzog Fridrichen von Tekch
irem lantvogt ze Swaben und in Elsazz in irem namen ingeben und
empfolhen daz vorgenante bistum ze Chur mit allen vestinen, steten,
landen und luten, gerichten, twingen und bennen unwüstlich innezе-
habende und ze niezzende mit allen nutzen und rechten, so dar zu ge-

hörent, der wir nu zemal in gewer sitzen oder billich in gewer sitzen
solten, hie disent den bergen und enhalb den bergen in allem dem bistum ze Chur, wa das gelegen oder wie das genant ist, uzgenomen allein der vesti Fürstenberg und was dar zu gehört, wan wir uns dassel-
ber vorbehebt haben und behalten; und sullen daz innehaben von dem
hiutigen tag hin, als diser brief geben ist, aht genziu iar, und sullen
uns darumbe die obgenante unsrer herren von Osterreich die zit, daz
ist die nechsten aht iare nach der dat dits briefs in irem hof haben
und verkosten mit zwelf pferiden, als in erlich und uns nutzlich sie
ane geverde.   Und dar zu sullent si uns in den aht iaren alleiu iar
sunderlich geben umb unsern dienst und rihten uff sant Jakobs tag
ongevarlich tusent guldin und so vil mer als ir guad ist.   Und wenn
sich dieselben jarzal verlauffent, so sullent die vorgenanten unsre
herren von Österrich oder herzog Fridrich von Tekch ir lantvogt daz
selb unser bystum uns widergeben und inantwurten ane fürzog in
aller der mazz, als wir ez inen ietzo ingeantwurt haben und empholhen, und als derselb herzog Fridrich in namen und an stat der egenanten unsrer herren von Österrich uns gesworen hatt ein gelerten
eid zu den heligen.   Er hatt auch in denselben eid genomen und gesworen, ob in die egenanten unsre herren von Osterrich in der egenanten jarzal verkerend würden von der houptmanschaft und pfleg
dez egenanten bystums, oder ob er sust davon stan würde oder uf-
geben wolte, daz er denne die vestinen noch pfleg dez egenanten unsers bystums, die er innehat, niemann, wer der were, ingeben sulle
alleklich noch by teiln, er habe denn vor gesworn und uns oder wen
wir darzu nemen, sinen versigelten gesworn brief geben, disiu taeding
staet ze habende und zu vollfürende in aller der mazz, als er daz gesworn hatt und als vor und nach an diesem brief ist verschriben ane
geverde.   Darnach ist zewissende, ob die vorgenanten unsre herren
von Österrich oder herzog Friedrich von Tekch ir lantvogt oder wer
denn dez bystums pfleger were in irem namen, kriegen wölten oder
bedörften umb dez vorgenanten unsers bistums und gotzhouses güter, die uns vorbehebt sint oder fürbazzer in der egenanten jarzal vorbehebt wurden, wa daz die selben unsre herren von Osterrich oder
herzog Friedrich von Tekch oder, wer denn pfleger ist an ir statt, teten
mit unserm heissen und willen und dez zeschaden kommen, denselben
schaden sullen dieselben unsre herren von Öesterrich haben uff dem
vorgenanten unserm bystum ze Chur.   Were aber, das wir ze sölichen
ziten inrunt landes nicht enwern, oder uns darzu nicht fügen wolten
oder möchten, so sullen wir benennen dry korherren von Chur, dry
dez gotzhus dienstlüt und dry burger von der stat ze Kur und wa sich
dieselben nûn oder der merer teil under in erkennent, daz man kriegen

sulle, oder bedürffe, daz mugent unsre herren von Österrich oder herzog Fridrich von Tekch ir lantvogt oder wer denn dez bystums pfleger ist in irem namen tun, und waz si dez ze schaden koment, den sullent si haben uff dem egenanten unserm bistum ze Chur. Gieng auch under den egenanten nünen dheiner ab oder sust unnütz würde in der vorgenanten jarzal, so sullen und mügen die übriegen ainen andern als nutzen, ez si korherren, dienstmannen oder burger, als oft es durft beschicht, an sin statt nemen ungevarlich. Were auch, ob daz selb gotzhous ze Chur angriffen würde und da wider ein geher ufflauf und angriff bescheche, ob dez die vorgenanten unsre herren von Österrich oder die iren ze schaden komen, dez sullen dieselben unsre herren von Österrich, herzog Fridrich von Tekch, ir lantvogt, oder wer ie zu den ziten ir houptman oder vicari dez bystums ist, in irem namen zwen erber man benennen und nemen, und wir auch zwen und die vier mugent einen fünften nemen, ob si sust uberein niht komen möhten, und wez sich denn die fünfe oder der mer teil under inen dar umb erkennend, da bi sol ez beliben, und denselben schaden sol man auch uff dem vorgenanten unserm gotzhous haben. Ez ist auch beredt, ob die vorgenanten unsre herren von Österrich oder herzog Fridrich von Tekch, ir lantvogt, oder wer denn dez gotzhous vicari were in irem namen, dezselben unsers gotzhus von Chur gütern iht betwungen oder widergewunnen, ez weren vestinen, teler oder wie daz genant were, daz sullen die vorgenanten unsre herren, herzog Friedrich von Tekch ir lantvogt oder sin nachkomen an der pfleg in dem namen als davor innehaben und niessen als ander dez gotzhus güter die jarzal uzz, und darnach uns mit sampt andern unsers gotshous gütern inantworten und widergeben. Nemen auch dieselben unsre herren von Oesterrich, herzog Fridrich von Tekck ir lantvogt oder wer dez bistums pfleger were, dezselben twingens und widergewinnens keinen merclichen schaden, daz soll auch stan uff den vieren und dem fünften, als vorgeschriben stat, ane geverde. Dar zu ist auch beredt, daz die egenanten unsre herren von Österrich in den egenanten acht jaren, in allem dem rechten als wir, losen mügent an unsrer statt alle vestinen, lüte und güter, wie die genant oder wa si gelegen sint, die uz dem egenanten unserm bistum sint versetzt, umb als vil geltes als die pfantbrief sagent. Und sollent si dieselben erlözten güter innehaben und niessen als ander dez bistums vestinen und güter die vorgenante jarzal uz, und darnach uns mitsampt andern unsers gotzhous gutern widergeben und inantworten unverzogenlich, wenne wir si erst von inen oder iren erben erlosen umb als vil geltes, als si ez zu unsern handen erlediget hant ane alle geverd. Da wider sullen und mügen ouch wir in denselben aht jaren uns selber lösen in dem ege-

nanten unserm bistum ze Chur, waz da versatzter güter ist, ez sien
vestinen, lüte oder güter, nach unserm willen, und was wir also ge-
lösen, daz sullen wir niessen ze unsern handen ane alle irrung, und
sullent auch in der vorgenanten unsrer herren von Österrich, herzog
Fridrichs von Tekch irs lantvogtes oder wer denn dez bistums vicari
ist, pfleg sin die vorgenante jarzal nzz und darnach wider an uns vallen ane geverde. Ez sullent auch die vorgenanten unsre herren von
Österrich noch herzog Fridrich von Tekch ir lantvogt in irem namen
dheinen schaden uff uns oder uff unser gotzhous von bawes, dienstes
oder krieges wegen triben denn mit unsrer gunst und wissend, ane
umb die stukch als vor geschriben ist. Daruber ist auch beredt, were
daz die egenannten unsre herren von Österrich oder herzog Fridrich
von Tekch, ir lantvogt oder wer denn in irem namen dez bistums
houptmann oder vicari ist, in unserm und unsers gotzhous ze Chur
dienst in der vorgeschriben zit deheinen schaden nemen, darum mügent si herzog Fridrich von Tekch, ir lantvogt, oder wer denn vicary
ist in irem namen, dezselben gotzhouses gut innehaben als vil, als si
duncht, daz dez schaden sie und sullen und mügen das als lang innehaben, unz die vier und der fünft überein koment und uzgesprechent,
als vor bescheiden ist, und auch der schad nach irem uzspruch uzge-
richt wirt und vergolten. Es sullen auch die vorgenanten unsre herren von Osterrich und herzog Fridrich von Tekch ir lantvogt oder
wer denn in irem namen dez bistums pfleger ist, uns und unsers gotzhous pfaffheit, klöster und kirchen schirmen vor gewalt und unrecht
als verr als si mügent ane geverd. Und sullent sich auch keiner unsrer kirchenlehen noch geistlicher rehten underwinden noch annemen,
wan wir daz unsselber haben behalten. Ez ist auch geredt, ob wir
mit hilf und wissend der egenanten unsrer herren von Österrich oder
von dem stûl von Rom in der egenanten jarzal furor berauten wurden
oder von todes wegen abgiengen, daz got lang wende, daz denn die
teding und die buntnüsse unserm nachkomen an dem bistum und dem
gotzhous von Chur unschedlich sin sol und unvergriffen, denn so verr,
ob dieselben unsre herren von Osterrich oder herzog Fridrich von
Tekch, ir lantvogt, in irem namen, deheinen schaden in userm oder
in unsers gotzhous dienst genomen heten, daz das alles ouch uzgeriht
und widerkert sol werden in all der mazze, als vorbescheiden ist, ane
alle geverde. Ez ist ouch sunderich beredt, ob wir jn der vorgenanten jarzal, daz ist in disen nehsten aht jaren von todes wegen abgiengen oder furer berauten würden und von dem bistum stunden, daz
denn die egenanten unsre herren von Osterrich, herzog Fridrich von
Tekch, oder wer denn dez bistums pfleger oder vicari ist, dazselb unser bistum ze Chur innehaben und niessen sullen und dem capitel ze

Chur noch nieman andern damit warten unz an einen einweligen bischof dez selben bistums ze Chur ane alle geverde. Auch sullent die vorgenanten unsre herren von Österrich und herzog Fridrich von Tekch ir landvogt oder wer denn dez bistums pfleger ist in irem namen, uns und die unsern in alle stett und vestinen dez egenanten unsers bistums ze Chur in der vorgeschriben zit uzz und in lazzen zu allen unsern nöten ane unsrer herrschaft von Österrich und herzog Fridrichs von Tekch irs lantvogts merclichen schaden. Wir der obgenante bischof Peter von Chur haben geheissen und gelobt mit güten trewen an eides stat, verheissen und verloben ouch mit disem brief, die vorgenante teding stet ze habende und ze volfürende und da wider nimmer ze kommende weder mit unsselber noch mit ieman andern dheins weges ane alle geverd und argenlist. Und dez ze urkund haben wir unser ingesigel offenlich gehenckt an disen brief. Hie bi waren, die diser ding sint geziug mit iren ingesigeln: der edel herr graf Eberhard von Nellenburg, ze den ziten pfleger und vogt ze Baden, die fromen, vesten ritter her Rudolf Prun, burgermeister ze Zurich, her Ulman von Pfirt, her Burchart von Mannsperg, her Albrecht der Wichsler, vogt ze Tann, und her Gotfrid Muller, vogt ze Glarus. Darzü sint auch bi disen tedingen und sachen gewesen her Heinrich Nüss vom Morsperg, her Johans von Büttikon, vogt ze Rotenburg, rittere, Heinrich von Hagenbach, vogt ze Masmünster, Johans von Langenhart, vogt ze Ranprechtzwil und Heinrich Spiezz, schaffner ze Tann und andre erbere lüt. Dits geschach und wart diser brief geben ze Tann, an sant Jakobs tag dez zwelfboten, do man zalt von gotes geburt drinzehenhundert jar und dar nach in dem sehzigstem jare.

Es hängen noch die vier mittleren Siegel des Rudolf Brunn, Ulman von Pfirt, Burchard von Mansperg und Albrecht Wichsler.

Orig. k. k. g. A.

235   München, 1360 Sept. 25.
Markgraf Ludwig von Brandenburg legt die Morgengabe seiner Gemahlin Margaretha, da sie ihm die ihr verschriebenen Städte und Festen Landsberg, Weilheim, Pael und Aibling ledig gelassen, auf die Festen Rodeneck, Stein, Ehrenberg und Königsberg.

Wir Ludwig von gotes gnaden margraf ze Brandenburg und ze Lusitze, des hailigen Römischen reichs obrester kamerer, pfallenzgraf bei dem Rein, herzog in Bayern und in Kernden, graf ze Tirol und ze Görz und vogt der gotzhäuser Aglay, Triend und | Brichsen, bechennen für uns und unser erben offenlichen mit disem brief, wan dew hochgeborn fürstinne, fraw Margaret, unser liebew gemachel,

uns die vest und stat Lantzsperg, Weilhaim, Pael und Ayblingen, die
wir und unser vater saelig kayser Ludwig von Rom, ir für ir morgengab vormaln verschriben haben, ietzo ledig und los gelassen und gesagt hat, und darauf wir unsrer baider lieben sun margraf Maenharten
und Margareten unser tochter, desselben unsers suns wirtinne, irs
heiratgüts verweiset haben, haben wir die egenanten unser lieb gemacheln nach unsers rates rat mit güter vorbetrachtung ze ainer widerlegung und beweisung für die egenant stuck beweiset und beweisen
ouch mit disem unserm brief auf die vest Rodinck, auf die vest den
Stain, auf die vest Erenberg und auf die vest Künigsperg, also mit der
beschaiden, daz dew vorgenant fraw Margaret, unser lieb gemachel,
die selben veste mit gerichten, zöllen, urbarn, zinsen, diensten, gülten
und mit allem dem, daz dar zŭ gehórt, für ir egenant morgengab innhaben, einemen und niessen sol on unser, unserer erben und meonch-
lichs irrung und hindernúzz, als morgengab und landes recht ist. Wir
mügen und sullen auch die obgenant vest und slos, die weil wir leben,
besetzen und entsetzen mit unserer obgenanten gemacheln wort und
willen, daz die uns da mit warten und uns die öffen zŭ allen unsern
nöten und doch also, daz der obgenanten unserer gemacheln nu fur-
bas werden und gevallen di selben unser lebtag all nutz und gŭlt, die
von den vorgeschriben vesten gevallen mügen über die burchhŭt, die
man auf die selben veste geben müsse. Beschaech aber, daz wir abgiengen, dass unsers lebens bei der welt nicht mer were, da got vor
sey, so mag und sol dew obgenant unser gemachel die obgenant vest
nach unserm tode besetzen und entsetzen und die für ir egenant morgengab on irrung innhaben und besitzen, als vor geschriben
stet. Wer aber, daz es ze schulden chóm, daz unser sun, margraf
Maenhart, und fraw Margaret unser tochter verschieden on leiberben,
dez got nicht enwelle, so sol dew ofgenant fraw Margaret unser gemahel die vorgenant vesten haben und lösen nach den taedingen, als
zwischan uns und den herzogen von Österich ze baiden seiten getae-
dingt ist und begriffen. Wanne ouch unsrer obgenanten gemacheln
lebens nicht mer ist, so süllen die oft genanten vest und was darzŭ
gehört wider ledichlich an unsern sun margraf Menharten, und ob wir
ander erben gewinnen, erben und gevallen. Und da bei sind gewesen
unser lieb getriwen Chunrad der Frawnberger, unser hofmaister,
Chŭnrad Kümersprugger, unser jegermaister, Chonrad von Freiberg
und her Hainrich, pfarrer ze Tirol. Mit urchund dez briefs, der
geben ist ze Münichen des freytags vor sant Michahels tag, nach
Christs gebürt driuzechenhundert iar und darnach in dem sechzigisten iare.

    Das Siegel bängt.   Orig. k. bair. R. A.

236   B r i x e n , 1361 Febr. 20.

Markgraf Ludwig beurkundet, dass Berchtold von Gufidaun „uns und unser gemaheln, unsern kinden und unsrer swester" beim Schidmann und zu Clausen jetzt zwei Nächte an Kost etc. verdient hat 73 Mark Berner, 7 Pfund und 1 Zwanziger, dann zu Brixen über Nacht 61 Mark, 6 Pfund und schlägt ihm diese 135 Mark 9 Pfund 1 Zwanziger auf das Gericht Gufidaun. Orig. bair. R. A.

237   S t e r z i n g , 1361 Febr. 21.

Markgraf Ludwig schlägt dem Berchtold von Gufidaun 90 Mark Berner, die er ihm wieder schuldig geworden. auf das Gericht Gufidaun. Original bair. R. A.

238   o. O. 1361 Mai 2.

Peter von Schenne, Burggraf zu Tirol, verpfändet einem Florentiner unter ungegebenen Bedingungen und mit Bestimmungen über den Munzfuss die Münze und Wechselbank in Meran.

Ich Peter von Schennan, purkgraf ze Tyrol, bechenne offenlichen mit disem brief für mich und alle mein erben allen den, die in an sehent, hörent oder lesent, daz ich dew münsze an Meran und auch dew wechselpanch daselben, diu mir ze satzung stent von meiner genädigen herschaft ze Tyrol, als die hantfesten sprechent, die ich darüber von derselben meiner herschaft han, ze nutz und ze eren enpholhen und sie gelazzen han an meiner vorbenanten herschaft stat Charo Frantziscken sun von Casaveckl von Florenz von dem nechsten suntag nach sand Marteinstag, der schirst kumpt, ze zwain ganzen iaren, die nechst nach einander kunftig werdent als hernach geschriben stet, mit allen den rechten, nutzen, eren, freyhaiten, die von alter darzu gehörent, davon er mir iärichlichen ze zinse geben sol dreizzich march perner ze yeder chottember den vierden tail dez vorbenanten zinses, daz pringt achthalb mark perner; auch sol er dieselbe münsz handeln und wandlen und auch die pfening machen, alz hernach geschriben stet, also daz die pfening an der wag wolbesten, nämlichen die march silbers pey sibenzehen pfunt perner, ains zwainzigers oder anderthalben mynner oder mer angevürd; und swenne ez zu ainem mal an der wag ayns zwainzigers oder anderthalben minder bringt, so sullent sy die andervart ains zwainzigers oder anderthalben mer bringen. Ez sol auch ye dew march vierzehen lot lötiges silber haben und ayn quaentein und darzu sol er legen zwai lot chupfer minder ain quaentein, so ist die mark ganz. Er sol auch vierer slahen und sullent der an dew mark gen zwen und dreizzich silling, ains schillings minder oder mer an geverde, und sol zu iglicher march lötigs silbers gen funfthalb lot. Wär auch, daz ez an dem silber gebräch ains schillings minder oder mer zu ainer vart an gevärd, so sol ez die an-

der vart ains schillings mer bringen. Er sol auch chlaine perner slahen und sullent da an die mark gen vier und sechzig schilling, zwaier
schilling minder oder mer an geverde, und sol zu ye der mark legen
lötigs silbers zway lot und ain quäntein, anderthalbs zwainzigers minder oder mer an geverde. Wer auch, daz ez an dem silber gebraech
ain vart zwaier schilling minder an geverde, so sol ez die ander vart
zwayer schilling mer bringen. Ez ist auch ze wizzen, welich gast wein
fürt, der sol von yedem fuder zwo mark silber in die münsz geben
und von iglichem saum öl auch alz vil. Lantlewt die sullent newer
ain mark silber geben von yedem fuder wein und von iglichem saum
öl auch alz vil. Ich sol in auch und alle sein werchlewte, hausgesinde
und alle, die zu der münsze gehörent, an meiner egenanten herschaft
stat schirmen und fristen vor gewalt vor aller männichlichen und sol
sy behalten bey allen rechten, freyhaiten und gewonhaiten, als von
alter herchomen ist und darzu gehört. Ich sol sie auch gen meiner
egenanten herschaft und anderhalben, da in sein not beschicht, ver-
antwurten, vertreten und versprechen, darzu sy recht habent, ze allen
zeiten. Auch sol er und die vorgenanten seine werchläute und die zu
der münsze gehörent an Meran chauffen und verchauffen alz ander
purger daselben. Si sullent auch uberhoben sein aller wachte und
stewer und anderre voderung. Sy sullent auch vor nyemant chain
recht tun, dann vor meiner egenanten herschaft oder vor mir selben.
Und daz in daz also stäte und unzerbrochen beleib, so gib ich in disen offen brief ze ainer urchund, versigelten mit meinem anhangendem
insigel. Daz geschehen ist nach Christs geburd driuzehen hundert
iar, darnach in dem aynen und sechzigisten iare, dez nechsten sontags
nach sand Philippen und Jakobs tag, der heiligen zwelfboten.

Abschrift in Bibl. Tirol. 611,26.

239   o. O. 1361 Sept. 28.
    Herzog Friedrich von Baiern und Markgraf Meinhard von Brandenburg,
Herzog von Baiern, machen auf zehn Jahre eine Gesellschaft, setzen ihre
Statuten fest und nehmen fünf und fünfzig genannte Adelige in dieselbe auf.
Westenrieder, Berichtigungen der Regierungsgesch. des H. Mainhard. Bei-
lage 5. Quellen zur bair. Gesch. 6,465.

240   Lauff, 1361 Okt. 11.
    Kaiser Karl IV. ernennt den Herzog Meinhard von Baiern zu seinem
geschwornen Rathe und täglichen Hofgesinde und nimmt ihn und seine
Länder in seinen Schutz.
    Wir Karl von gotes gnaden Römischer keiser ze allen zeiten
merer des reiches und künig ze Beheim embieten dem hochgebornen
Meinharten, pfalzgrafen bei Reyn, herzogen in Beyren, grafen zu Tyrol und Görz, vogt der götshúser Aglay, Trient und Brichsen unserm

lieben öheim und fürsten unser huld und alles gût. Lieber öheim,
wir haben angesehen den getrewen, steten fleizz, den seliger gedecht-
nuzze dein vater unser lieber öheim zu unsern und dez heiligen reiches
eren, die weil er lebt, alleweg getrewlich und früntlich gehabet hat,
und haben auch angesehen sülche mageschaft und früntschaft, als wir
von naturen dir verbunden sein, und nemen dich zu unserm gesworaen
rate und zu teglichem hofgesinde und dorzu nemen wir dich, deine fürstentûm, lant, leute, herscheft und gût, wo die gelegen sind, in unsern
und des reiches schirm und meynen und wöllen dich als unsern lieben
öheim, rat und hofgesinde gen allermeniglich zu deinen rechten ver-
teidingen und versprechen und geben und verleihen dir als unsern
lieben öheim alle wirdikeit, freyheit, recht und ere, die unser keiser-
licher rat von alder herbracht hat, und wöllen, daz allermeniglich dich
als unsern gesworuen ratgeben und hofgesinde eren und wirden sülle.
Mit urkúnd diez briefes, versigelt mit unserer keiserlichen maiestat
insigel, der geben ist ze Lauff nach Cristus geburt dreuzehenhundert
iar dornach in dem ein und sechzigsten iar am montag nach sant
Dyonis tag unserer reiche in dem sechzehenden und des keisertûms
in dem sybenden iare.

cor. per Johannem decanum Glog.
per d. imperatorem cancellarius.

Das Siegel hängt.   Orig. k. bair. R. A.

241   **Laufen, 1361 Okt. 11.**
Karl IV. trägt dem Rathe des Herzogs Meinhard von Baiern, den er
zu seinem geschwornen Rathe und Hofgesinde genommen und den er mit
Land und Leuten gegen jedermann schirmen wolle, auf, den Herzog gut zu
leiten und getreu zu unterstützen. Quellen 6,471.

242   **Nürnberg, 1362 Jan. 15.**
Karl IV. nimmt die Herzoge Meinhard und Friedrich von Baiern in
seinen und des Reiches Schirm und verspricht ihnen Hilfe gegen jedermann,
der sie oder ihre Länder angegriffen hätte oder angreifen würde.

Wir Karl von gotes genaden Romischer keisir zu allen zeiten
merer des reichs und kunig ze Behem bekennen und ʲ tun kunt offenlich mit disem brief allen den, die in sehen oder hören lesen, daz wir
haben angesehen die getrewen steten | dinst der hochgebornen Mein-
harts, pfallenzgraven bei Rein, herzogen in Beyern und graven zu
Tyrol und zu Görz, und Fridreichs pfallenzgrafen bey Rein und herzogen in Beyern unsrer lieben öheimen und fursten, die sie uns und
dem heiligen reich oft unverdrozzenlich getan haben und auch meinen
ze tûn in kunftigen zeiten, und haben sie, ire furstentümen, lande,
leute, dyener, herschefte und waz sie haben, wo daz auch gelegen sei,

in unsrer und des heiligen reiches schirm genediclich empfangen und
meinen und geloben und wollen in bedesampten mit güten trewen on
geverde beigestendig und mit allem fleizze geholfen sein wider allir-
meniclich, nymant ausgenomen, die si, ire fürstentümen, lande, leute,
herschefte, dyener und gute, wo die auch gelegen sint, von der zeit,
als wir uns herzogen Meinharts, des egenanten, nach seines vatir tode
undirwunden haben, angriffen hetten oder noch angreiffen, hindern
oder beschedigen wolten, in welchen wirden, eren oder wesen ouch
dieselben weren. Und dise unser gelübde und hilfe sullen weren, die
weil wir bedenseiten leben. Mit urkunt diz brifes, versigelt mit unserm keiserlichen ingesigel, der geben ist zu Nuremberg nach Cristus
geburt drewzehenhundirt iar darnach in dem zwei und sechzigisten
iare des nehesten sunabendes vor sant Agneten tag der heiligen jung-
frowen unsir reich in dem sechzehenden und des keisertums in dem
sibenden iare.

                    per dominum imperatorem cancellarius.
Das Siegel hängt.   Orig. im bair. Staats-Archiv.

243   o. O. 1362 Jan. 22.
     Albrecht von Wolfstein schliesst mit dem Markgrafen Meinhard ein
Uebereinkommen wegen seiner Ansprüche von der Hauptmannschaft im
Gebirge.
     Ich Albrecht von Wolfstain vergich offenlich mit disem brief,
daz ich mich freuntlich vertaedingt und bericht han mit dem hochgeborn fürsten marggraf Meinharden ze Brandenburg. meinen gená-
digen herren umb die vorderung und ansprache: die er zů mir und ich
zů im gehabt han von wegen der haubtmanschaft in dem gepirg, die
mir mein genádiger herre marggraf Ludwig selig, sein vater, enpholhen
het also, daz der obgenante mein herre marggraf Meinhart mich und
mein erben ledigen und lösen sol von dem erbern manne Botschen von
Florenze umb daz gelt, des ich im schuldig bin und darumb er mein
brief hat, von Lienhart dem Speiser umb drew hundert gulden und
von her Weygand dem kapplan umb sechs und dreizzig mark berner.
Und er sol mir mein brief von in ledigen und wider schaffen und swel-
her under in des nicht tůn wolt, gen dem selben sol er mir beholffen
sein als lang unz ez geschehe. Und swenne daz also geschehen ist,
so sol ich noch mein erben hinz im noh er und sein erben hinz mir
noch hinz meinen erben von der selben pfleg und haubtmanschaft
wegen fürbas nichtz mer ze vordern noh ze spreehen haben. Ze urkúnd ditz briefs in mit meinen insigel versigelt geben an sampztag
nah. sand Agnesen tag nach Kristus gepúrd driuzehen hundert iar
und darnach in dem zway und sechzigistem iar.

Das Siegel hängt.   Orig. im k. bair. R. A.

244

Herzog Rudolf IV. von Oesterreich schliesst für sich und seine Brüder ein Bündniss mit dem Erzbischofe Ortolf von Salzburg und seinen Nachfolgern.

Wir Rûdolf der vierd von gotes gnaden erzherzog ze Östereich, ze Steyr und ze Kernden, her ze Chrain, auf der Marich und ze Porttnaw, graf ze Habspurch, ze Phirt und ze Kyburch, marichgraf ze Purgow und lantgraf in Elsazz, veriehen und tûn chunt offenlich mit disem brief allen den, die in ansehent, lesent oder horent lesen, daz wir uns für unsselb für die hochgeborn fürsten unser lieb | brueder Fridreichen, Albrechten und Leuppolten, herzogen und herren mitsampt uns der obgenanten lande und herschefte, der aller wir alz der eltist under in vollen gewalt haben und ouch für unser erben zu dem erbern herren hern Örtolfen, erzbischof ze Salzpurch, legaten des stuls ze Rom, und zu seinen nachkomen verpunden haben und verpinden uns mit unsern trewen und mit unsern ayden, die wir dar uber gesworn haben ze den heiligen, wider in und sein gotshaus selb nicht ze tûn und im ze raten und ze helffen mit unsern leuten und unsern vesten, auf ze tûn und daraus cheuff ze geben, an alain daz er sein leut in unser veste zu tèglichem urtewge nicht legen sol, und mit aller unsrer macht ainvaltichlichen, getrewlichen und ewichlichen unz an unsern tod wider aller menichlichen nieman auszenemen, die in oder sein gotshaus angreiffent; und sunderbar verpinden wir uns im, seinen nachkomen und seinem gotshaus zu volhelffen gegen der herschaft ze Payrn in dem indern lande und gegen allen andern leuten aller der strazzen, da man in irret, die sein helfer gehen solt, wie di genant sind, und des rechten und der ansprach, die er und sein gotshaus habent auf Hall, Wildenek und dem gericht, Wald und dem gericht daselbs und auf den vôgtein ze Mânsee und ze Chyengaw, und was zu denselben stat, festen, gerichten und vôgtein gehoret, und umb die newn vesten dacz Yden und umb ander new vesten und umb ander sache, die dem gotshaus ze schaden aufgestanden sind, die weil ez in unsers lieben herren und vatter herzog Albrechts selig und seiner brueder schirme gewesen ist. Wan ouch der vorgenant erzbischof Ortolff oder sein nachkomen unsrer helffe bedürffen, die sullen si suchen und vordern an uns oder an unser pfleger ze Östereich, ze Steyr und ze Kernden, ob wir in demselben lande nicht enweren, den sullen wir sunderlich emphelhen, daz si in unsrer stat geholffen sein getrewlich und ainvaltichlich an alles geverd. Wir sullen ouch uns mit dhainen unsrer veinde, den wir oder unser erben, der vorge-

nant erzbischof Ortholf oder sein nachkomen haben oder gewinnen,
nicht friden noch súnen noch verrichten dehainer sache an ir wizzen,
willen und gunst. Wir sullen ouch alle die, die wir dem vorgeschriben
erzbyschof Ortolfen oder seinen nachkomen ze helffe senden, willich-
lich und gútlich verchosten an alles geverd, aber derselben chost sullen si uns nicht gepunden sein, swann si ir leut uns ze helffe sendent.
Bedarften aber wir oder unser erben herzogen ze Östereich, ze Steyr
und ze Kernden durch des obgenanten erzbyschofs und seines gots-
hauses ze Salzburch lande und seinew geslos mit herschraft oder sust
ze varen, des sol er uns oder unsern houptleuten von unsern wegen
stat tůn und cheuffe schaffen und sullen wir auch durch sein gebiet
varen an geverde, als wir unschedleichist mugen. Geschech aber im
von unserm geliger dehainer merchlicher schad, den sullen wir gen im
und seinem gotshaus erchennen, und wann der vorgenant erzbyschof
Ortolf nicht enist, so sullen wir und unser erben herzogen ze Östereich, ze Steyr und ze Kernden dannoch das gotshaus ze Salzpurch
in unserm scherm haben unz an seinen nachkomen, der mit recht erzbyschof ze Salzpurch wirt und auf seinen stul ze Salzpurch chunt.
Ez sol ouch der tůmprobst und das capittel ze Salzpurch uns und unsern erben die weil geholffen und gevolgig sein und mit allen den punden gepunden sein, als vor geschriben ist. Teten das der tůmprobst
und das capittel ze Salzpurch nicht, so sullen wir in die weil hin wider
nichts gepunden sein. Wolt aber der erzbyschof von Salzburch, sein
nachkomen, in den gelubden nicht beleiben und sich uns, unsern bruedern und erben, herzogen ze Östereich, ze Steyr und ze Kernden ze
helffen inner iars frist nach dem tag, alz er ze Salzburch auf seinen
stul chumt, nicht verpinden, als sich sein bruodern, her Chůnrad, her
Weichart, her Fridrich, her Hainreich und ouch er erzbyschofen ze
Salzpurch vor mit ir briefen gegen unsern vordern verpunden habent,
so sullen wir uns aber des verpinden, daz wir im und seinem gotshaus
an leuten und an landen dhain schad sein. Teten wir des nicht, so
sul er uns ouch nichts gepunden sein, und wie er sich zu uns, unsern
bruedern und erben verpindet, desselben sullen wir, unser bruoder
und erben im ouch gepunden sein. Und wellen ouch mit disen punden
andern punden, der wir im und seinem gotshaus gepunden sein und
da er unser vorvordern brief uber hat, nicht abnemen, wan daz si
beleiben sullen in aller chraft, als si verschriben sind. Und das dise
aynung und dis pund von uns, unsern bruedern und erben stet und
ganz an alles geverd beleiben, geben wir disen brief versigelten mit
unserm grozzen anhangunden insigel für uns, unser bruder und erben.
Der geben ist ze Salzburch an samztag vor unser frowen tag ze der
liechtmesse, nach Kristes gepurt dreuzehen hundert iar darnach in

dem zwai und sechzigistem iare, unsers alters in dem drey und zwainzigisten und unsers gewaltes in dem vierden iare.

† Wir der vorgenant herzog Ruodolf sterken disen prief mit dirr
vnderschrift unser selbs hant. †

Et nos Johannes dei gracia Gurcensis
episcopus prefati domini nostri ducis primus
cancellarius recognovimus prenotata.

Das Siegel ist abgerissen.   Orig. k. k. g. A.

245   Salzburg, 1362 Jan. 29.
Erzbischof Ortolf von Salzburg beurkundet, dass die Herzoge Rudolf,
Friedrich, Albrecht und Leopold von Oesterreich in dem am heutigen Tage
mit ihm und seiner Kirche geschlossenen Bündnisse den König Ludwig von
Ungarn ausgenommen haben, und giebt dazu seine Zustimmung. Abschrift
im k. k. g. A. Diplomatar No. 818 f. 59 b.

246   München, 1362 Mai 5.
Zwanzig bairische Adelige beurkunden, dass Ruprecht d. ä. und Ruprecht d. j., Pfalzgrafen bei Rhein, Stephan d. ä., Stephan d. j. und Johann,
Herzoge von Baiern, zu ihnen nach München gekommen und, da sie angesehen haben die Schmach, welche ihr Vetter Herzog Meinhard und seine
Lande und Leute genommen haben und noch nehmen von denen, welche
den Herzog seinen Landen und Leuten entfremdet und entführt haben, mit
ihnen überein gekommen seien, damit Meinhard seine fürstliche Gewalt
besser handhabe und Land und Leute besser schirme; sie erklären daher
jenen, die sich Meinhards, seiner Pflegniss, seines Rathes und Amtes angenommen haben, keinen Gehorsam leisten zu wollen, alles, was mit dem
Siegel, das sie ihm gemacht, versiegelt wäre, nicht anzuerkennen, bei den
erwähnten Fürsten und Herzog Meinhard zu bleiben gegen jene, die deu-
selben gegen seine Lande und Leute führen und halten, und für Herzog
Meinhard keinen Pfleger anzunehmen. Westenrieder, Beil. 10. Quellen 6,474.

247   München, 1362 Mai 5.
Der Rath und die Bürger von München und eilf andere bairische Städte
beurkunden desselbe. Steyerer 660. Westenrieder, Beilage 6. Besser
Mon. Boica 35 b, 107.

248   München, 1362 Mai 5.
Die fünf erwähnten Fürsten beurkunden das mit Rittern und Knechten,
Land und Leuten, Städten und Märkten Herzog Meinhards abgeschlossene
Uebereinkommen. Westenrieder. Beil. 9.

249   o. O. 1362 Mai 5.
Zwei weitere Adelige treten diesem Uebereinkommen bei. Westenrieder. Beilage 11.

14 *

250   Neuburg, 1362 Juni 1 oder 2.

Markgraf Meinhard ersucht den Hofmeister Heinrich von Rotenburg gemeinschaftlich mit dem Vogte Ulrich von Matsch die Hauptmannschaft im Gebirg zu übernehmen. k. k. g. A. Diplomatar No. 971 n. 30. Brandis, Landeshauptl. S. 88 (o. D.).

251   Neuburg, 1362 Juni 1 oder 2.

Markgraf Meinhard meldet den Tirolern, dass er auf ihre Bitten den Vogt Ulrich von Matsch d. j. zum Hauptmann und Pfleger von Tirol ernennt und den Hofmeister Heinrich von Rotenburg gebeten habe, mit demselben die Hauptmannschaft zu übernehmen.

Wir Meinhart etc. enbieten allen uusern getrewen, rittern und knechten, edeln und unedeln, steten und maergten, wie si genant sint in unserm land bey der Etsch, ze Tyrol und in dem Intal unser huld und allez güt. Alz wir vernomen haben von unserm rat, den wir ietzo zů ew gesant heten gen Aytterwang, daz ewer vil und begirlich gebeten habt für den edeln vogt Ûlrich von Maetsch, unsern lieben getrewen, ew ze setzen und ze geben ze hauptmann, daran wir ew wellen und mainen ze gevallen und machen und setzen ew in ze hauptmann und ze pfleger unz an unser widerruffen und schaffen mit ew ernstlichen, daz ir im wartend und gehorsam seit von unsern wegen, alz ir unserm gewaltigen hauptmann billig tût und tůn sullt, und zu unserm frum und besten, alz wir im daz dez wol gelauben und getrawen und alz er uns dez schuld ist und vor gesworn hat. Wer auch, daz sich der edel Hainrich hofmaister von Rotenburg unser lieber getrewer der hauptmanschaft mit im wolt annemen, den wir darumb vleizzig gebeten haben, dem seit gehorsam und gevolgig gleicher weiz alz dem vogt und alz ouch hie vor geschriben stet. Wir mainen und wellen auch, daz der vorgenante vogt Ûlrich unser hauptmann all treflich und nemlich sach, die uns, unser vorgeschriben lant und läut an rürent, handel, schik und halt nach dez vorgenanten Hainrich hofmeister von Rotenburg rat, wizzend und willen, er nem sich der hauptmanschaft an oder nicht, alz wir dem dez ouch wol gelauben und getrawen, und alz er uns sein schuld ist. Wir wellen ouch, daz der vorgenante vogt dem vorgenanten Heinrich hofmeister verheizze und loben lazz von unsern wegen und an unser widerruffen von allen unsern slozzen und vesten, die er ieczo von unsern wegen innhat oder noch eingewinnet und uns da von und damit ze wartende, alz si uns schuldig und gebunden sind und als si billig tund. Datum Newnburg feria quarta vel quinta ante pentecosten lxij·

h. k. g. A. „Registratur 136½" Diplomatar
No. 971 n. 29.

252 Passau, 1362 Juli 31.

Stephan d. ä., Stephan d. j. und Johann, Herzoge von Baiern, schliessen mit den Herzogen Rudolf, Friedrich, Albrecht und Leopold von Oesterreich ein Bündniss gegen jeden, der sie an ihren Landen, Leuten und Rechten angreifen würde; erstere nehmen aus die Markgrafen Ludwig und Otto von Brandenburg, die Herzoge Albrecht und Meinhard von Baiern, die Pfalzgrafen Ruprecht d. ä. und Ruprecht d. j., letztere die Könige Ludwig von Ungarn und Kasimir von Polen, den Herzog Meinhard, den Erzbischof von Salzburg und den Bischof von Passau. Steyerer 662. Westenrieder, Beil. 7.

253 Passau, 1362 Juli 31.

Die genannten Herzoge von Baiern willigen ein, dass die Herzoge von Oesterreich auch andere in das eben geschlossene Bündniss aufnehmen unter der Bedingung, dass sie von denselben gleichlautende Briefe erhalten, wie sie einander gegeben haben. Orig. k. k. g. A. Liehnowsky n. 401.

254 Landshut, 1362 Sept. 5.

Herzog Stephan d. ä. vereint sich mit Zustimmung seiner Söhne Stephan und Johann mit seinem Sohne Friedrich über dessen Ansprüche von dem ihm von seiner Gemahlin Anna zugebrachten Heirathsgute dahin, dass er ihm und seinen Erben Feste und Stadt Traunstein, die Feste Marquartstein, die Clause und das Grassauer Thal und Feste und Stadt Rosenheim mit Zubehör voraus vermacht; würde Friedrich ohne Erben sterben, so sollte dessen Gemahlin Anna dieselben ihr Lebtag innehaben oder, wenn sie sich wieder vermählte, 36000 Gulden darauf haben. Neuere Abschrift im bair. Reichsarchiv.

255 Salzburg, 1362 Sept. 9.

Herzog Rudolf von Oesterreich gelobt dem Bischofe Matthäus von Brixen, der auf sein Ansuchen die Feste Veldes in Krain dem Brixner Domprobste Johann, seinem Caplan, empfohlen hat, ihn an derselben Behausung zu schirmen, so lange sie der Domprobst innehabe. Sinnacher 5, 312.

256 München, 1362 Sept. 20.

Erzherzog Rudolf IV. von Oesterreich vereint sich von wegen der Schmach und des grossen Schadens, der dem Markgrafen Meinhard von Brandenburg geschehen ist von denen, die sich desselben unterwunden und denselben wider seiner Freund und Landleute Willen geführt haben, mit Herzog Stephan von Baiern, dessen Söhnen Stephan und Hans und mit desselben Landleuten in Baiern und in dem Gebirg dahin, dass, wenn Meinhard fürbass in jemandes Gewalt käme, sie ihn gemeinschaftlich befreien und ihm zu seinen Landen helfen wollen auf ihre eigenen Kosten. Aus den Original-Regesten des bairischen Reichsarchivs. (Die Urkunde selbst konnte nicht gefunden werden.)

257 o. O. 1362 Sept. 21.

Rath und Bürger von München beurkunden, dass Herzog Rudolf von Oesterreich in Ansehung des grossen Schadens und der Schmach, welche Herzog Meinhard von denen genommen hat, die ihn seinen Landen entführt haben wider Gott und wider Recht, sich mit Stephan d. ä., Stephan d. j. und Johann, Herzogen von Baiern, mit Herzog Meinhard und mit ihren Landen und Leuten berathen und verbunden habe, dass Meinhard besser bei seinen Landen und Leuten bleiben möge. Steyerer 663. Westenrieder, Beilage 8.

258 München, 1362 Okt. 17.

Die Herzoge Stephan d. ä. und Stephan d. j. von Baiern beurkunden ein Uebereinkommen mit dem Herzoge Friedrich von ihrer und ihres Vetters Meinhard wegen.

Wir Stephan der alt und wir Stephan der jung, von gotes genaden pfallenzgrafen bei Rein und herzogen | in Beyern, bechennen offenlich mit dem brief, daz wir unz lieplich und freuntlich bericht haben mit unserm | sun und brüder herzog Fridrich von unsers vettern wegen margraf Meinhartz und auch von unsern wegen umb die auflöuff, die sich ergangen habent zwischen unser und unsers vettern und unsers suns und brüder herzog Fridrich und zwischen unserr helffer und diener ze paider seitt, und haben daz getan nach unsers vettern ratz rat und nach land und läut rat ze Beyern, mit der beschaiden, daz unser vorgenanter sün herzog Friedrich drey dar gab, Haertneid den Taechinger, Hansen den Frawnberger vom Hag und Heinrich den Tuschel; do gaben wir und unsers vettern rat von unsers vettern wegen und von unsern wegen drei dar Seyfriden den Törringer, Thoman den Frawnberger und Wilhalm von Mäzzenhausen, daz die zwischen unser taidingen und reden solten. Und die habent getaidingt zwischen unser ze Freysing, dez uns ze paider seitt wol genügt, und die selben teiding solten sich enden ze München bei unserm vettern marggraf Meinharten; do wir gein München komen, da funden wir unsers vorgenanten vettern da niht. Nu haben wir gepeten unsern egenanten sun und brüder herzog Fridrich von unsern und lant und läut wegen, daz er unz ein stallung gaeb ünz auf sand Marteins tag, der schirst kumpt. Dez hat er unz gefolgt in solicher mazze, daz wir im in der zeit enden sullen allez daz, daz die sechs mit red und mit taiding von Freysing her habent bracht. Ob dez niht geschlaech in der zeit, alz vor geschriben stet, und ob da jemant wider wolt sein, so versprechen wir unserm sun und brüder trewlich an allez gevar, daz wir im geholffen süllen sein gein allen den, die da wider wolten sein, mit unserm leib und gut, biz daz allez daz volendet wirt, daz die sechs geteidingt habent. Darüber ze urkünd geben wir unserm egenanten sün und brüder den brief mit unser paider insigeln versigelten. Der geben ist ze München an montag nach Galli anno domini milesimo ccc^{mo} sexagesimo secundo.

Beide Siegel hängen. Orig. k. bair. R. A.

259 1362 Okt. 30.

„Anno domini 1362 die solis proxima ante festum omnium sanctorum commissum fuit domino Johanni summo preposito ecclesie Brixinensis sigillum illustris principis domini Meinhardi, merchionis Brandenburgensis etc. presentibus nobilibus et discretis viris domino Ulrico advocato de Maetsch, domino Heinrico de Rotenburk, magistro curie, Petermanno de Schenna, Friderico de Greyffenstein, Ulrico dicto Fux, Hilprando de Firmian, Henrico dicto Snelmann, capitaneo in Hallis, et multorum aliorum consiliariorum." k. k. g. A. Diplomatar No. 971 n. 41 (an den Rand geschrieben).

260 Wien, 1362 Nov. 6ᵉ

Erzherzog Rudolf von Oesterreich bekennt dem Konrad von Freiberg, Vitztum in Oberbaiern, 8000 Gulden schuldig zu sein „von der Kost und Zehrung wegen, die Konrad von Frauenberg und Konrad der Jägermeister gehabt haben in seiner Vanchnuzze, und auch von der Zehrung wegen, die derselbe von Freiberg ihretwegen gehabt hat, und dazu von des Schadens wegen, den der ehegenannte von Freiberg auch ihretwegen hat genommen", welche Gefangene er zu seinen und seines Schwagers, Markgraf Meinhards, Handen habe eingenommen; dafür verpfändet er ihm die Festen Ehrenberg und Stein auf dem Ritten. Hormayr, goldene Chronik von Hohenschwangau 1,116.

261 Meran, 1363 Jan. 16.

Margaretha, Markgräfin von Brandenburg etc. bestätigt dem Vogte Ulrich von Matsch d. j., ihrem Hauptmann, alle seine Privilegien. „Liber confirmationum literarum" etc. k. k. g. A. Diplom. No. 970 n. 29.

262 Meran, 1363 Jan. 16.

Dieselbe beurkundet, dass Friedrich von Greifenstein mit Urkunden hewiesen habe, dass er auf die Pflege Burgstall und das Gericht Mölten 2538 Mark und 1 Pfund Berner gehabt habe und dass er derselben unbillig entwert sei, und versetzt ihm dieselben für die genannte Summe. k. k. g. A. Diplomatar 970 n. 33.

263 Meran, 1363 Jan. 16.

Dieselbe verleiht demselben und seiner Wirthin Dorothea und seinen Erben alle Güter, die Reimprecht von Schenna jetzt in nutzlicher Gewer hat oder noch gewinnt, Eigen oder Lehen für den Fall, dass dieser mit Tod abgeht, da es der genannten Dorothea rechtes Erbe ist, weiter Pyneyl (Penede) mit Zubehör, wie es Altum selig und Reimprecht von Schenna innegehabt haben. k. k. g. A. Diplom. 970 n. 35 u. 36. Orig. Statthalterei-Archiv (Tiroler Lehenreverse, Lad. 6—8).

264 Meran, 1363 Jan. 17.

Margaretha verpflichtet sich, damit sie und ihre Herrschaft desto besser bestehen mögen, gegen ihre getreuen Landherrn und Räthe, Vogt Ulrich von Matsch d. j., Hauptmann im Gebirg und bei der Etsch, Grafen Egen von Tübingen, Landescomthur zu Bozen, Vogt Ulrich von Matsch d. ä., Heinrich von Rottenburg, ihren Hofmeister, Petermann von Schenna, Burggrafen von

Tirol, Diepold den Hälen, Hans von Freundsberg, Friedrich von Greifenstein und Berchtold von Gufidaun, ohne Wissen und Willen derselben nichts zu thun mit Besetzen und Entsetzen von Städten, Festen, Schlössern, Pflegen, Gerichten, Amtleuten, Hofgesind oder was immer die Herrschaft und den Hof von Tirol angeht, mit niemand zu verhandeln, keinen Gast, es seien Fürsten, Herrn, Grafen, Freie, Ritter oder Knechte über sie und Land und Leute zu ziehen, widrigenfalls ihre Räthe und Landleute ihrer Treue gegen sie ledig sein sollten; sie soll auch keinerlei Einung, Täding oder Bündniss schliessen, noch ihr Land und Herrschaft nach ihrem Leben vermachen, noch etwas thun, was ihnen und ihren Nachkommen, Land und Leuten schaden könnte, ohne des Hauptmanns und Rathes Willen und Wort; sie darf auch den Hauptmann und Rath nicht entsetzen und verkehren ausser mit der Genannten Rath und Gunst und diese haben auch das Recht einen Abgehenden zu ersetzen; wenn Hauptmann und Räthe Schaden nehmen in ihrem und des Landes Dienst, so soll sie ihn ersetzen nach Ausspruch ihrer Räthe. — Steyerer 356. Brandis 90.

265   **Meran, 1363 Jan. 17.**
Dieselbe belehnt den Vogt Ulrich von Matsch d. j., ihren Hauptmann, und seine Erben mit der Probstei Eyrs, welche die Matscher einst ihrem Ahn, Herzog Meinhard, um 600 Mark versetzt hatten. k. k. g. A. Diplomatar 970 n. 27.

266   **Meran, 1363 Jan. 17.**
Dieselbe verleiht demselben, da er ihr vorgestellt, dass Herzog Meinhard, ihr Ahn, statt der seinen Vordern genommenen Pflege Sarnthein das Gericht Nauders gegeben habe, dessen sie lang entwert sind, des Gericht Nauders. Diplomatar No. 970 n. 28.

267   **Meran, 1363 Jan. 17.**
Dieselbe versetzt ihm für das Geld, das ihm und seinen Vordern König Heinrich, Herzog Johann und die Markgrafen Ludwig und Meinhard für ihre Dienste schuldig geblieben sind und wofür er Briefe habe, Stadt und Gericht Glurns. l. c. n. 32.

268   **Meran, 1363 Jan. 17.**
Dieselbe bestätigt dem Konrad Pranger alle Privilegien und verspricht, wenn die Feste und Pflege Kunigsbruck in ihre Gewalt kommt, sie ihm einzuantworten nach Satz seiner Briefe, nach denen er sie für dem Markgrafen Ludwig gegebene 1918 Mark Berner haben sollte. l. c. n. 38. (Die bezügliche Urkunde Ludwigs ist verzeichnet l. c. n. 140.)

269   **o. O. 1363 Jan. 17.**
Dieselbe verleiht dem Heinrich von Rottenburg ein Gut, das jetzt Frau Christina, weil. Barthelmes von Romano Hausfrau, innehat. l. c. n. 10.

270   **o. O. 1363 Jan. 17.**
Dieselbe giebt dem Diepold Häl und seinen Erben 400 Mark Berner und verpfändet ihm dafür Weingülten von genannten Gütern. l. c. n. 18.

271   o. O. 1363 Jan. 17.
Dieselbe schenkt dem Genannten ein benanntes Gut. l. c. n. 19.

272   Meran, 1363 Jan. 18.
Dieselbe giebt dem Hans von Freundsberg und seinen Erben 500 Mark
Berner und schlägt dieselben auf Feste und Pflege Strassberg. l. c. n. 20.

273   Meran, 1363 Jan. 19.
Dieselbe empfiehlt dem Petermann von Schenna, Burggrafen auf Tirol,
auf Lebenszeit ihre Feste und Pflege Reinegg in Sarnthein mit 100 Mark
Berner Meraner Münz jährlich zu Burghut. l. c. n. 3.

274   Meran, 1363 Jan. 19.
Dieselbe giebt dem Genannten 400 Mark Berner als Heimsteuer für
seine Gemahlin, Konrads des Frauenberger Tochter, weiter 600 Mark „von
besondern Gnaden" und verspricht diese 1000 Mark auf eines ihrer Aemter
zu legen, auf welches er sie „zeigen" würde. l. c. n. 4.

275   Meran, 1363 Jan. 19.
Dieselbe giebt dem Genannten 400 Mark Berner zur Heimsteuer für seine
Gemahlin und 600 Mark Berner zur Hilf für die Kost, die er heuer gehabt
hat, und schlägt diese 1000 Mark auf ihre Pflege in Sarnthein, von deren
Nutzen er ihr jährlich 200 Mark für sich abziehen soll, bis er die 1000 Mark
vollständig erhalten hätte, ungerechnet die 100 Mark, die sie ihm jährlich
zu Burghut giebt. l. c. n. 5.

276   Meran. 1363 Jan. 19.
Dieselbe verleiht ihrem Hofmeister Heinrich von Rottenburg und seinen
Erben die Feste Kanaw (Cagnò) auf dem Nons, wie sie Hans von Staudach
bisher innegehabt. l. c. n. 11. Orig. Statth.-Archiv (Tiroler Lehenreverse,
Lade 13 – 14).

277   Meran, 1363 Jan. 19.
Dieselbe verspricht die Feste Landeck, die Vogt Ulrich von Matsch d. j.
jetzt einnimmt, nicht aus ihrer Gewalt zu geben ohne den Willen Heinrichs
von Rottenburg, wenn sie nicht früher diesem und seinen Gesellen und
Dienern, welche an der That schuld sind, dass der Maracher gefangen und
die Feste Landeck in Margarethas Hand gekommen ist, ihre Feindschaft
ausgetragen gegen den Salzenhofer und gegen des Marachers Feinde.
l. c. n. 12.

278   Meran, 1363 Jan. 19.
Dieselbe verleiht dem Hans von Starkenberg und seinen Erben „waz
er läut hat, die gesezzen sind in den drein gerichten ze Sand Petersperk,
ze Umst und ze Landeck, daz wir die gefreyt und ausgenomen haben für
ander läut mit der peschaiden, daz dieselben vorgenanten läut, die auf seinen
gütern siczent oder sein aigen sein, wa sie in den vorgenanten drein gerichten gesezzen sein, dheinerlay recht tun gen yemand, dann als vil, waz
den tod verboricht hat, und umb all ander sach sullen si recht haben und
tun vor Hansen von Starchenberg und seinen erben" l. c. n. 83.

279   M e r a n, 1363 Jan. 19.
Dieselbe verleiht dem Friedrich von Greifenstein seine Lehen. Beiträge zur Gesch. Tirols 4,252.

280   M e r a n, 1363 Jan. 20.
Dieselbe bestätigt dem Genannten alle Privilegien. k. k. g. A. Diplomatar 970 nach n. 34 extr.

281   M e r a n. 1363 Jan. 20.
Dieselbe bestätigt dem Vogte Ulrich von Matsch d. j. die Hauptmannschaft und Pflege im Gebirge und bei der Etsch, wie er sie vom Markgrafen Meinhard erhalten, und giebt ihm Gewalt, alle Nutzungen in ihrer Herrschaft einzunehmen, davon ihre Bedürfnisse zu bestreiten, sich von allen Amtleuten und Gerichten Rechnung legen zu lassen und ihr alle Ausgaben aufzurechnen, die er in ihrem Dienste haben würde, vor deren Befriedigung sie ihm die Hauptmannschaft nicht sollte wegnehmen dürfen; bei der Rechnungsablegung darf er aus ihrem Rathe vier auswählen, deren Ausspruch für beide Theile genügt. Steyerer 357. Brandis 92.

282   M e r a n, 1363 Jan. 20.
Dieselbe verleiht dem Genannten und seinen Erben die Feste Juval zu Eigen. k. k. g. A. Dipl. 970 n. 29.

283   M e r a n, 1363 Jan. 20.
Dieselbe verleiht der Frau Osann, weil. Emharts von Helm Wirthin für die von ihr zurückgegebene Feste Juval fünf Fuder Weingelts aus der Probstei Tramin. l. c. n. 78.

284   M e r a n, 1363 Jan. 20.
Dieselbe bestätigt dem Heinrich Snellmann alle Briefe der Markgrafen Ludwig und Meinhard und ihrer selbst. Vidimus v. 1424 im Statthalterei-Archiv (Parteibriefe).

285   M e r a n, 1363 Jan. 20.
Dieselbe bestätigt dem Heinrich von Rottenburg seine frühern Privilegien. k. k. g. A. Dipl. 970 nach 12 extr. (Orig. im Statth.-Archiv.)

286   M e r a n, 1363 Jan. 20.
Dieselbe bestätigt dem Petermann von Schenna seine Privilegien. k. k. g. A. Dipl. 970 nach n. 6 extr.

287   B o z e n, 1363 Jan. 20.
Dieselbe schenkt dem Berchtold von Hoheneck 500 Mark Berner, von denen er jährlich 100 Mark aus dem Pfannhaus in Hall erhalten soll. l. c. n. 72.

288   B o z e n, 1363 Jan. 23.
Dieselbe bekennt dem Berchtold von Passeyr 300 Mark Berner schuldig zu sein, die er ihr lieh, als sie ihr „Kleinod, Ross und Maydem" zu München löste, und verpfändet ihr dafür das Gericht Passeyr, doch so, dass er ihr Rechnung legen soll, ausgenommen 30 Mark für obige 300 M. l. c. n. 59.

289   Bozen, 1363 Jan. 25.
Dieselbe giebt dem Genannten 30 Mark Berner. l. c. n. 60.

290   Bozen, 1363 Jan. 25.
Dieselbe verleibt dem Petermann von Schenna und seinen Erben die
Feste Eppan mit Gericht, Stock, Galgen und allen dazu gehörigen Rechten,
wie er sie von den Markgrafen Ludwig und Meinhard lange Zeit innegehabt.
l. c. n. 7.

291   Bozen, 1363 Jan. 25.
Dieselbe verleibt dem Genannten das Gericht auf Schenna, das in das
Burggrafenamt gehört hat mit allen Rechten, wie er es von den Markgrafen
Ludwig und Meinhard innegehabt. l. c. n. 8 (o. D. o. O. die Burglehner
2,1127 giebt).

292   Bozen, 1363 o. T.
Dieselbe erlaubt dem Friedrich von Greifenstein das Burgstall Greifenstein zu bauen und zu mauern. l. c. n. 31.

293   Bozen, 1363 Jan. 26.
Margaretha, Markgräfin von Brandenburg, vermacht für den Fall ihres
Ablebens den Herzogen von Oesterreich Tirol und setzt sie schon jetzt in
Gewere desselben.

Wir Margareta von gotes genaden marggravin ze Brandenburg, herzoginne ze Bayren und in Karnten, grävinn ze Tyrol und ze
Görze etc. veriehen, bechennen und tůn chunt offenlich mit disem
brief allen den, die in sehent, horent oder lesent, nu und hienach
ewichleich. Wie daz sei, daz der almächtig got, in dez willen und
gewalt allew dinch stent, uns laider entsetzet hatt leiplicher erben, so
hat er uns doch von seinen gotleichen genaden gefueget sölich vattermage, lidmag und gesippe, die von natürleicher gepurde und dez ge-
schlächtes wegen unser aller nächsten und rechtisten erben sind, auf
die nach | unserr hinschidung von diser welt, die got durich sein ge-
nad lang bende, billeich und durich recht vor allen andern lawten und
für ander laut erben und gevallen sullen all unsrew väterleichew lant
und erbe und all unser vesten und herscheft, laut, gericht und gueter,
wo die gelegen und wie sie genant sind, und ban wir denselben unsern
landen und lawten, allen unsern getrewen undertanen nach angeborner
fürstleicher guetichait schuldich sein, von sundern genaden und auch
von rechte, daz wir si bey frid und gemache und bey allen irn wirden
und eren, alz si von alter her chomen sind, haben und fristen, halten
und schaffen ze halten, alz bol nach unserr hinschidung von diser
welt, alz bey unsern lebenden zeiten, haben wir gedacht miltichleich
und betrachtet, daz wir daz mit dhainer sachen alz bol getůn mügen
alz damit, daz wir in chunden und zewizzen tun unser nächsten vater-

mage und rechtisten erben und auch die ietzund bey unsern lebenden
zeiten setzen guetichleich in gewalt und in nutzleich gewer der vorgenanten unsrer landen, herscheften und lauten und alles des, so wir
haben, durich daz nach unser hinvart, die got lang wende, von iemand
oder zwischen iemand darumb chain chrieg, zweivel, misshell oder
irung auf sten, noch daz dhain chriegleicher inval nach unsern zeiten
geschäch in denselben unsern landen und lauten, damit si ze schaden
chomen, betruebt oder bechrenchet werden möchten in dhainen weg,
sunder daz dieselben unser vattermage und erben bey unsern lebenden
zeiten uns und alle die egenanten unser land und lawt, und nach unsern zeiten dieselben ir land und laut alz ir selbers aigenleich fürstentum und herschefte, laut und gueter schirmen, versprechen, verant-
wurten und vertreten und uns halten vestichleich bey allen unsern
alten und pebärten freyhaiten, rechten und guetern gebonhaiten für
allen gewalt und unrecht mit aller irer macht wider allermänklich nieman ausgenomen.   Nu offen und chunden wir wissentleich mit disem
brief allen lauten, doch sunderleich allen unsern getrewen undertanen
und allen andern, die es an gehöret, und den es ze bissen durift geschicht, daz die durichlauchtigen hochgeborn fürsten, unser herzen
lieb öheim Ruedolf, Albrecht und Leupolt, gebrueder herzogen ze
Österreich, ze Steyr und ze Kernten, herren ze Chrain und auf Win-
dischen Marich und ze Portenaw, grafen ze Habspurch, ze Phirt und
ze Kyburch, marichgrafen ze Burgaw und lantgrafen in Elsazzen unser aller nächsten vattermage, lidmag und gesippe und unser aller
nächsten und aller rechtisten erben sind für allermanchleich und vor
allen andern lauten nieman ausgenomen. Darumb in dem namen und
der mainunge, alz davor begriffen ist, wir die vorgenant Margaret
gesunt leibs und muetes mit gueter vorbetrachtung wizzentleich und
gern haben nach zeitigem und fürsichtigem rat aller unsrer lantherren
und ratgeben gemainleich doch sunderleich und mit namen der, die
hienach geschriben stent, die wir für die andern an stat und in namen
der andern aller und des landes gemeinleich in disen brief schreiben
hiezzen, die vorgenanten unser lieb öheim die herzogen von Öster-
reiche unser nächsten eriben zue dem rechten, daz si selber daran
habent, genomen von newen dingen und nemen si auch mit disem
brief recht und redleichen ze erben über die vorgenant unser fürstentům, grefscheft, herschefte, lant und laut, vesten und stett, gericht,
vogteyn und gueter, wo die gelegen und wie si genant sind, an alle
gevärde, und darüber ze einer merarn sicherhait haben wir denselben
unsern lieben öheimen von Österreich und irn erben die vorgenanten
unsrew fürstentům, land und herschefte, daz ist ze wizzen die wirdigen
und edeln grafschefte ze Tyrol und ze Görz, die land und gegende an der

Etsch und daz Intal mit der burge ze Tyrol und mit allen andern burgen, chlausen, steten, telren, gepirgen, mārchten, dörffern, weylarn,
lehen, höfen, vogtein, gerichten, münssen, mauthen, zöllen, zinsen,
zehenten, stewren, vällen, hölzern, gevilden, wällden, hueben, wein-
garten, akhern, sewen, fliessenden wazzern, vischbaiden, wildpānne
und allen andern guetern, nutzen und diensten, wo die gelegen und
wie die genant sind, darnach mit allen prelaten, äbten und bröbsten
und gemainleich mit aller pfafhait, darnach mit allen grafen, freyen
dyenstlaüten, lantherren, rittern und chnechten, purggrafen, pflegern,
richtern, amptlaüten, rāten, purgern, holden und allen andern lant-
sazzen und laüten, armen und reichen, mit allen manscheften und
diensten, geistleicher und weltleicher lehenschaft und gemainleich mit
allen andern freyhaiten und rechten, die zu den egenanten grafscheften den landen an der Etsche und dem Intal, und zu allem unserm
väterleichen erib, wo daz gelegen und wie daz genant ist, dhaines
weges gehöret und auch alle unser herschefte und vesten, lāut, gericht und guet, die wir haben in Bayrn mit allen den rechten und wir
daran haben, gefueget, gemacht, geordent, geschaft und gegeben mit
rechter bizzen in einer ebigen unbiderruffleichen gabe, die man nennet under den lebenden, fuegen, machen unde geben auch recht und
redleich mit disem brief den egenanten unsern lieben öhaimen also,
weune wir von diser welde schaiden, daz got durich sein genad lang
verziech, daz danne all unser fürstentum und herschaft, lant und laüt,
alz si davor begriffen sind, erben und gevallen sullen gänzleich an
allew irrung auf dieselben unser lieb öheim, die herzogen von Österreich, und ir erben von der wegen, an der stat und in der namen wir
die vorgenant fraw Margaret alle die egenanten fürstentum und herschefte, land, laüt und gueter gar und gänzleich inne haben, besitzen
und niezzen sullen und mugen nach allem unserm billen ruebichleich
an all irrung, dabey uns auch die egenanten unser ohaim all die weil,
und uns got des lebens gan, schirmen und fristen sullen mit aller irer
macht an geverde wider aller männichleich nieman ausgenomen, der
uns dhains weges daran bechummern, irren oder beswärn wolt unser
lebtag, alz si sich des mit irn ayden und briefen freuntleich und ge-
trewleich gen uns verpunden habent, an alle gevārde. Wan auch wir
disew gegenbürtigen gemächtnüsse und gabe nach rat, willen unde
gunst aller unser lantherren und ratgeben freileich und billichleich
getan haben ze den zeiten und an de steten, da wir ez wol mit recht
tun mochten mit aller der ordenung, beschaidenhaft und chraft, worten, werchen und gepärden, die von dhainerlay recht oder gebonhait
darzu gehörnt, darumb haben wir entwichen und entbeichen gänzleichen mit disem briefe aller der gewer und besitzunge, alz wir die

egenant unser fürstentum und herschefte in nutzleicher und rechter
gewer herbracht und besezzen haben, und darnach haben wir gesetzet
und setzen leibleich aller derselben fürstentum und herscheften in
ruebige, rechte und nutzleich gewer und vollen gewalt die egenant
unser lieb öhaim Ruedolfen, Albrecht und Leupolden, herzogen ze
Österreich, ze Steyr und ze Kernten, zu in und aller irr erben und
nachkomen handen, die nu fürbasser von der vorgenanten unserr gemächtnusse und gabe begen sind und sein sullen billeich und von
recht grafen ze Tyrol, fürsten, erben und herren aller der obgenanten
grafscheften, landen und laüten und aller unserr habe, wo die gelegen
und wie die genant sind, die wir von irern wegen in dem namen alz
da vor alle die weil und wir leben gänzleich mit allen nützen inn halten, besitzen und niessen sullen an all gevärde, und sullen si uns auch
dabey all unser lebtag halten und schirmen ruebichleich wider aller
menchleich, alz si uns daz mit irn ayden, briefen und insigeln gesworn,
verbriefet und versigelt habent, alz vor beschaiden ist. Wir die vorgenant fürstinne fraw Margaret haben auch gelobt und verhaizzen bei
unsern trewn mit unserm gesworn leibleichen ayde und mit den worten unserr furstleichen wirdichait, daz wir wider dise vorgeschriben
sache, gemächtnusse und gabe mit uns selber noch mit andern laüten,
haimleich noch offenleich, mit gericht oder ane gericht, dez rechten
oder der getat, niemer chomen oder getun sullen noch wellen in dhainem wege und daz wir auch beder von dem stuel von Rom, von dem
heyligen Romischen reiche noch dhainem andern geistlichen oder belt-
leichen richtarn, wie die genant sein, nimer dhain gericht, helfe oder
rat gevordern noch gesuchen sullen wider dise vorgeschriben sache
und gabe, wan wir uns gänzleich verzigen haben und verzeihen uns
auch recht und redleich mit disem briefe hilf und rates aller geistleicher und beltleicher richtar, rechten und gerichten, freybaiten, lantrechten und gebonhaiten, gestiften oder ungestiften, funden und unfunden, geschriben und ungeschriben, damit wir selber oder iemand
von unsern wegen wider dise vorgeschriben unser gemächtnüsse und
gabe allegleich oder pei tailen immer getun möchten in dhainen wege
an alle gevärde. Wär aber, da vor got sey, daz wir uns selber ver-
gässen und immer dabider mit uns selber oder mit andern laüten icht
tun wolten, daz sol enhain chraft haben. Wär auch, daz von unsern
vordern oder von uns, dez wir uns nicht versehen, dhainerlay hantfesten
oder brief vormals gegeben wärn, oder ob wir, dez got nicht belle, hienach icht brief gäben, die dhains weges wider die vorgenanten unserr
gemächtnüsse und gabe wärn, die sullen irrig, toet, üppig und ab sein
und chain chraft nicht haben oder immer gewinnen, wan wir si wissentleich nach rat aller unserr lantherren und ratgeben, purger und lant-

sässen, die von recht und gebonhait darzu gehorn, abnemen, vernichten, tötten und biderrueffen gänzleich mit disem briefe. Daruber das der almächtig got, der uns nach seinem willen leibleicher erben entsetzet hat, doch von seinen genaden uns gelazzen hat sölich vattermage an den oft genanten herzogen, die von natur und der geburt wegen des geslächtes und auch von der gegenbürtigen unsrer gabe wegen als unser nächsten eriben pilleich und durch recht erben und besitzen sullen all unser habe, als vor beschaiden ist an all gevärde. Was auch unser vordern und wir von dhainen gaistleichen oder weltleichen fürsten und prelaten ze lehen her pracht und besessen haben, daz sullen die vorgenanten unser öheim und ir erben auch ze lehen von denselben fürsten und prelaten bechennen, enpfahen und haben und auch die an si vordern selber oder mit irn poten und briefen, wenn si bellent an gevärde. Wolt aber in der lehenherre dhainer, dez wir nicht getrawn, wan si daz mit recht nicht getun mügent, dieselben lehen versagen, so mügen und sullen si die vordern an die lehenherren drei stund mit irn briefen, und sullen auch dieselben lehenherren, geistleich und beltleich, wie die genant sein, die egenant potschaft und brief ungevarleich in nemen ane alle irrunge und widerrede. Täten aber si des nicht, su mügen und sullen doch die vorgenanten unser öhaim und erben nach sölicher vordrung, alz ietzund begriffen ist, dieselben lehen von der freyhaiten und rechten wegen, die wir und si haben und sunderleich, die si von Römischen chünigen und chaisern habent in irem lande ze Österreich, inne haben, besitzen und niessen, alz ob si die leibleich empfangen hetten. Wir verzeihen uns auch in der egenanten unserr gemächtnüsse und gabe solicher auszüge und fünde, damit wir hernach chomen und sprechen möchten, daz dieselb unser gabe und gemächtnüsse nicht recht noch redleich wäre, oder daz wir darzue betwungen wärn, oder daz wir gevärleich und betrügenleich darzu bracht wärn, auch verzeihen wir uns wissentleich aller der helfe und rechten, die all heylig vätter und herren, die päbst dez heiligen stuels von Rom, und alle Römisch künige und cheiser vormals gestiftet und erfunden habent, und die hienach gestiftet und erfunden werden möchten durich gunst frawen chünnes und beipleicher gediet, damit wir wider dise vorgeschriben gabe immer getun möchten, und widersagen auch darumb dem rechten, daz da sprichet gemain verzaihunge vervahe nicht, und allen andern auszügen, damit wir dise gegenbürtigew gab und getat immer bechrenchen, widerrueffen oder verirren möchten in dhain wege, die wir alle fürgesundter haben wellen an gevärde. Darumbe enpfelhen und gebieten wir ernstleich und vestichleich bey unsern hulden euch allen unsern gegenbürtigen und chünftigen prelaten, äbten, bröbsten und aller pfafhait, darnach allen unsern gegen-

bürtigen und chünftigen hauptmannen, purggrafen, amptlaüten, pflegern, vögten und richtern ze Tyrol und auf allen andern unsern vesten,
klausen, stetten, gepirgen, telren, märkten und dörffern, danach allen
grafen, freyen, dienstlaüten, lantherren, rittern und chnechten, purgern, lantsessen und holden, frawen und mannen, alten und iungen,
edeln und unedeln, armen und reichen gemainchleich, die in den obgenanten unsern fürstentum, grafscheften, landen und herscheften
sint, daz ir die gegenbürtigen ietzund, die chünftigen hernach in söl-
hen underschaiden und gedingen, alz vor begriffen ist, huldent und
swerent den vorgenanten unsern lieben öhaim und rechten erben, den
herzogen von Österreich und irn erben also, daz ir und all ewer nachkomen und erben ewichleich denselben herzogen und irn erben wider
aller mänichleich nieman ausgenomen trew und wahrhait haltent und
laistent, ir nutze und ir er füdert, irn schaden bendet und in under-
tänig und gehorsam seit mit allen sachen, alz ir ewren rechten wis-
sentleichen herren pilleich und durich recht tun sullent, und sunderleich wenn wir nimer sein sullen, daz dann ir die egenant unser hauptmann, purggrafen, amptlaüt, vögt, pfleger und richtar ze Tyrol und
anderswo mit allen den vorgenanten vesten, purgen, chlausen, ge-
slozzen, steten, telren, märchten, dörffern, gerichten, guetern und
gemainleich mit aller unserr habe, die wir von irn wegen unser lebtag
ruebichleich niezzen sullen, gehorsam und gebärtig seit denselben herzogen in dem name alz davor und in die in antburtet an alles verziehen ungevärleich und an alle irrung oder widerred, wan ir in des von
der obgenanten unsrer erchantnüsse und gab begen schuldich und gepunden seit als ewren rechten herren, doch behalten einem iegleichen
allen seinen rechten an aigen, lehen und an pfantschaft, alz ewer ieg-
leicher besunderleich und ir alle gemainleich die her bracht und besezzen habent bey unsern vordern und bey uns, nach den hantfesten
und briefen, die ir von allen unsern vordern und von uns darumbe
habent. Alz auch wir von der egenanten unserr lieben öhaim wegen
inne haben und niezzen sullen unser lebtage ruebichleich die vorgenanten ir fürstentum und herschefft, lant und laüt, und si uns pei
allen den nutzen, die davon gevallent, halten und schirmen sullen die
weil wir leben mit aller irer macht wider allermänchleich, alz vor geschriben stet, haben wir uns hinbider gen in verpunden und gelobt in
dem namen alz davor, daz wir mit aller macht der egenanten herscheften, landen und laüten, die wir doch von irn wegen inne haben,
beholfen sein sullen und wellen denselben unsern öhaimen wider aller-
männchleich, wo und wenn in dez not beschicht, an alle gevärde. Bey
disen vorgeschriben sachen und tädingen sind gewesen von unsers
gescheftes und haissens wegen die nachgeschriben edeln und erbärn

unser lieb getrewn lantherren und ratgeben, die an stat und in namen
der andern aller geystleicher und weltleicher, edeler und unedeler, ar-
mer und reicher, in steten und auf dem lande, die zu allen den vorgenanten fürstentum, grafscheften und herscheften gehörnt, disew
handlung und getat mit sampt uns volbracht und getan und disen
brief mit uns versigelt habent: dez ersten der erbär und geistleich
graf Egon von Tübingen, lantkomentewr ze Botzen Taütsches ordens,
darnach die edeln und erbärn vogt Ulreich von Mätsche der iunge,
hauptmann ze Tyrol, Heinreich von Rotenburch, genant von Chal-
tarn, hofmaister ze Tyrol, Peterman von Schennan, purggraf ze Tyrol, Ekhart von Vilanders, genant von Trospurch, Johans von Freunts-
perch, Fridirich von Greiffenstain, Johans von Starichenberch, Ruedolf von Ämtze, Ulreich der Fuchs von Eppan, Perichtolt auz Passeyr, Perichtolt von Kuvedaun, Hilprant von Firmian und Gotsch [1)]
von Potzen.   Und darüber ze einen waren, vesten, offen und ewigem
urchund, durich daz all die vorgeschriben handlung und getat, nu und
hienach ewichleich in ganzer stätichait, unverbrochen, war und vest
beleiben, haben wir und die egenanten unser ratgeben, die dise sache
und getat mit sampt andern unsern getrewen gesworn habent, unsrew
insigel gehengt an disen brief.   Darumb gepieten wir allen andern
unsern getrewen undertanen, geistleichen und weltleichen, in steten
und auf dem land, edeln und unedeln, wo die gesessen und wie die
genant sind, die noch nicht gesworen habent, daz si desselben auch
swern und ir versigelt brief dar über geben in aller der masse, alz
vor beschaiden ist an all gevärde.   Wir die vorgenanten lantherren
und ratgeben, ritter und knecht, veriehen auch alles des, so hievor
an disem brief von uns geschriben stet, und daz wir unser guost und
billen in dem namen alz davor darzu gegeben, dieselben handlung gesworn und disen brief versigelt haben mit rechter bizzende billichleich, alz vor geschriben stet.   Dis ist geschehen und ist diser brief
gegeben ze Potzen an sand Policarpen tage, daz ist gewesen an dem
nächsten pfinztage nach sand Pauls tag, als er bechert warde, nach
Christi geburt tausend drewhundert iar, und darnach in dem drew
und sechzigisten iar.

Das Orig. ist in dreifacher Ausfertigung (mit ziemlich abweichender
Orthozraphie) vorhanden, zwei im k. k. g. A., eine im k. bair. Reichs-
Archiv.

Alle fünfzehn Siegel hängen.

— ———

1) Die Urkunde hat in allen Ausfertigungen Gotsch; doch ist das Siegel
das der Botsch, worauf auch der Beinamen „von Bozen" hinweist.

294   Bozen, 1363 Jan. 27.

Rudolf IV., Erzherzog zu Oesterreich etc.. Graf zu Tirol, bestätigt dem Heinrich von Rottenburg, genannt von Kaltern, Hofmeister zu Tirol, der ihn gebeten, er möge „als ein nächster Erbe und rechter Graf und Herr der Grafschaft zu Tirol und des Landes an der Etsch" ihm alle Briefe und Handfesten der frühern Fürsten des Landes bestätigen, nun für sich und seine Brüder Albrecht und Leopold die genannten Privilegien. Orig. im Statthalterei-Archiv (Lebenreverse, Rottenburg).

295   Bozen, 1363 Jan. 31.

Erzherzog Rudolf bestätigt als Graf von Tirol dem Berchtold von Gufidaun die Pflege, das Gericht und den Kasten zu Gufidaun, das Gericht Castelruth, die Pflege zu Enn und zu Neumarkt und das Gericht auf Vilanders, die er von der Herrschaft zu Tirol als Pfand innehat. Sinnacher 5,315 extr. Orig. bair. R. A.

296   Bozen, 1363 Febr. 1.

Herzog Rudolf schreibt dem Dogen von Venedig über die Erwerbung Tirols und andere Angelegenheiten.

Rudolphus dei gratia dux Austriae, Styriae et Karinthiae etc. comes Tirolis etc. magnifico et inclito principi domino Laurentio Celsi, duci Venetiarum amico suo carissimo sincere dilectionis affectum cum plenitudine omnis boni. De compassione vestra amicabili, qua nobis de morte praeclari principis domini Meinhardi, quondam marchionis Brandenburgensis nostri sororii compativum (!) prout ex vestris literis cognovimus, celsitudini vestrae gratiarum referimus uberes actiones, vestrae amicitiae sub singulari confidentia intimantes, quod licet dicti comitatus et terrae Attasi virtute paternae consanguinitatis verus et proximior haeres simus et fuerimus, ad laudes tamen eximias tenemur altissimo, quod eandem haereditatem omnis contradictionis semoto scrupulo sumus tam pacifice assecuti. Nam mox post ingressum nostrum in terram praedictam communitas incolarum tam nobilium quam ignobilium nos dominum suum recognoscentes nobis iuramenta fidelitatis, obedientiae et homagii praestiterunt, et sic dictos comitatum et terram possidemus corporaliter et potenter. Et quia super causa Camini, pro qua nobis discretum virum Minellum de Viterbio cum vestrae excellentiae destinastis literis, vobis ad praesens plenum responsum remandare non possumus, tum propter multa ardua in exordio dicti ingressus nobis incumbentia tum etiam ob defectum fidelium nostrorum et absentiam eorum, quibus condictiones et circumstantiae eiusdem negotii plene constant, nostrae intentionis et voluntatis existit, cum omnes stratae et transitus de Germania ad partes Italiae porrectae nostrae dominationi subsint ex omnipotentis dei munere, ad nos vestros nuntios de causa Camini habentes notitiam destinetis, cum primum volueritis, qui nobiscum et nostris fidelibus earumdem esse habentes experientiam, quos ad hoc assumemus et vocabimus, dictam causam diffiniant et pertractent. Datum Posani in die sanctae Brigide virginis anno m.ccc.lx.iii.

k. k. g. A. Commemoriali 7ª, fol. 52.

297   **Bozen, 1363 Febr. 2.**
Margaretha von Oesterreich, Markgräfin von Brandenburg (Meinhards Witwe), übergiebt alle ihre Güter. Heimsteuer, Widerlage. Heirathsgut oder Morgengabe, in die Hände ihrer Brüder, der Herzoge von Oesterreich.

Wir Margareth von Östereich von gottes gnaden weilent margrefinn ze Brandenburg, herzoginn ze Payrn und grefinne ze Tyrol, chunden allen leuten ewichlich. Seind uns der almecttig got ietzund genomen hat den durchleuchtigen fürsten, margraf Meinharten von Brandenburg, unsern lieben gemahel, dem got genad, so haben wir unser leib und gůt, die uns unser vatter selig und unser brůder, herzog Růdolf von Östereich und ouch der hochgeborn fürst, margraf Ludwig von Brandenburg selig, unser sweher gegeben habent, es sey haymsteur, widerleg, heyratgůt und margengab ze dem egenanten unserm gemahel, margraf Meinharten, geantwurt in die hend und gewalt der hochgebornen fürsten, des egenanten Růdolfs, Albrechts und Leuppolts, herzogen ze Östereich, ze Steyr und ze Kernden, grafen ze Tyrol, unserr lieben brueder, also daz si fürbazzer von disem heutigen tag damit schaffen und tůn mugent, alz mit irem aygenlichem gůt, was si wellent, ez sein vest, stet, dörffer, leut oder gueter, und die mugent si ouch beseczen mit wem, wie oder wo si wellent, und sullent uns damit besorgen mit den nuczen, die davon gevallent, nach irem trewen, wan wir in all unser brief, die wir daruber haben, ingeantwurtt haben. Geben ze Poczen an unser frowen tag ze der liechtmesse, nach Kristes gepürd drenzehenhundert iar darnach in dem dreu und sechzigisten iare.

Das Siegel (mit der Umschrift:
        S' Margarete de Austria, Marchionisse Brandenburgen.)
hängt.   Orig. k. k. g. A.

298   **Bozen, 1363 Febr. 2.**
Margaretha (Maultasch), Markgräfin von Brandenburg, befiehlt den Bürgern von Hall, den Herzogen von Oesterreich zu huldigen.

Wir Margret von gotes genaden marggrefinn ze Brandenburg, herzoginn ze Payern und in Chernten, gravinn ze Tyrol und Görz etc. enbieten den erbarn weisen unsern lieben getrewen, dem richter, dem rat und den purgern, alten und iungen, armen und reichen, gemainclich ze Halle unser genad und allez guet. Wir empfelhen, haizzen

15 *

und gepieten ew ernstleich pei unsern hulden und wellen, daz ir den durchlauchtigen hochgebornen fürsten, unsern lieben öhaymen, Růdolffen, Albrechten und Leupoldn gebrüedern, herzogen ze Österreich, ze Steyr und ze Chärnten und grafen ze Tyrol, und zu irn handen den erbarn poten, die si mit disem brief zu ew sentent, huldent und swerent, gehorsam ze sein, trew und warhait ze laisten und halten, under aller mänkleich alz unsern rechten, wizzentleichen und nächsten erben und ewren rechten herren nach unsrer hinschidung von diser welt, die got durich sein gnad lang wend, und nach weisung und forme der hantfesten und prief, die wir und die lantherren unsers ratz darüber gegeben haben den vorgenanten unsern öhaymen von Österreich, an allez gevärde. Und gebt auch ir in darüber ewren offen prief, versigelten mit ewrer stat gemainem und anhangendem insigel, wan daz ist gänzleich unser meinung und wille. Daruber senten wir zu ew unser lieb getrewe Hansen von Starichenberch und Perchtolden aus Passeyr, unsre mainung völlichleich und beist, pitten wir ew mit allem fleizz, waz si ew ze disem mal von unsern wegen sagen, daz ir in darinne gevolgich seit und in daz gelaubet alz uns selber. Mit urchund ditz priefs, der geben ist ze Potzen an unser frawntag ze der lyechtmesse anno domini M°ccc°lx ᵗᵉʳᵗⁱᵉ.

Das Siegel ist aufgedrückt.　　　　Orig. Haller Stadtarchiv.

299　　　　　　　Bozen, 1363 Febr. 3.
Erzherzog Rudolf IV. bestätigt als Graf von Tirol für sich und seine Brüder und Erben Niklas dem Reiffer von Bozen alle auf Lehen oder Sätze sich beziehenden Urkunden der frühern Landesherrn (Heinrich, Ludwig, Meinhard und der Herzogin Margareth) und verspricht ihn bei den hergebrachten Freiheiten, Rechten und Gnaden zu behalten. Orig. Statth.-Archiv (Tiroler Lehenreverse Lade 9—11).

300　　　　　　　Bozen, 1363 Febr. 3.
Erzherzog Rudolf bestätigt als Graf von Tirol dem Rudolf von Ems und seiner Hausfrau Wandelburg alle Briefe der frühern Landesfürsten. Lichnowsky, Reg. n. 431.

301　　　　　　　Bozen, 1363 Febr. 3.
Die Markgräfln Margaretha tritt anstatt ihres Sohnes Meinhard, den die Herzoge von Oesterreich in ihr Bündniss mit dem Könige Ludwig von Ungarn aufgenommen hatten, diesem Bündnisse bei. Steyerer 644.

302　　　　　　　Bozen, 1363 Febr. 3.
Richter, Rath und Bürger von Bozen huldigen nach dem Befehle der Markgräfln Margaretha, der Landherrn und Räthe, den Herzogen von Oesterreich. Lichnowsky n. 433.

303 Meran, 1363 Febr. 5.
Die Stadt Meran huldigt den Herzogen von Oesterreich als Herrn von Tirol. Lichnowsky n. 436.

304 Meran, 1363 Febr. 5.
Heinrich von Ysin, Kellner zu Tirol, gelobt den Herzogen von Oesterreich mit dem Kelleramte Tirol gehorsam zu sein. Lichnowsky n. 440.

305 Brixen, 1363 Febr. 5.
Erzherzog Rudolf bestätigt der Stadt Bozen ihre Freiheiten. Lichnowsky n. 437.

306 Brixen, 1363 Febr. 5.
Erzherzog Rudolf bestätigt der Stadt Meran ihre Freiheiten (Mittheilung des P. Justinian Ladurner).

307 Brixen, 1363 Febr. 5.
Erzherzog Rudolf bestätigt alle Privilegien des Klosters Neustift. Ferdinandeum I. h, 15 extr.

308 Brixen, 1363 Febr. 5.
Bischof Matthäus von Brixen ertheilt, da jetzt die Grafschaft von Tirol und die Herrschaft an der Etsch und im Innthal an Herzog Rudolf von Oesterreich und seine Brüder „als an die nächsten und rechtesten Erben“, seine und des genannten Gotteshauses rechte und wissenliche Erbvögte gefallen sind und ihnen Margaretha, Herzogin zu Baiern, dieselbe Grafschaft gemacht hat, dem Herzog Rudolf für sich und seine Brüder alle Lehen, welche die frühern Landesfürsten von seinem Stift gehabt haben. Sinnacher 5,316.

309 o. O. 1363 Febr. 5.
Die Ritter Konrad der Frauenberger und Konrad Kunigsbrucker (Kummersbrucker), Jägermeister, versprechen auf nächsten weissen Sonntag (Februar 19) sich nach Wien dem Herzog Rudolf und seinen Brüdern in die Gefangenschaft zu stellen, in der sie dieselben von des Herzogs Meinhard wegen halten sollen, wie Konrad von Freiberg, Vizthum in Oberbaiern sie gehabt hat, geloben ohne ihren Willen sich nicht zu entfernen und stellen dafür neunzehn genannte Bürgen. Steyerer 666.

310 Brixen, 1363 Febr. 6.
Erzherzog Rudolf bestätigt auf Bitten des Grafen Egen von Tübingen, Landcomthurs an der Etsch, der Ballei desselben alle Privilegien früherer Landesfürsten Zeitschrift des Ferdinandeums 3. Folge 10,65 extr.

311 Brixen, 1363 Febr. (?).
Erzherzog Rudolf bestätigt dem Jakob von Vilanders und seines Bruders Niklas Kindern alle Briefe früherer Landesfürsten. Lichnowsky n. 432.

312 Sterzing, 1363 Febr. 9.
Die Stadt Sterzing gelobt auf Befehl der Markgräfin Margareth den Herzogen Rudolf, Albrecht und Leopold als ihren rechten Erbherrn treu und gehorsam zu sein. Lichnowsky n. 441.

313   Sterzing, 1363 Febr. 9.
Herzog Rudolf bestätigt der Stadt Sterzing ihre Freiheiten. Abschrift im Ferdinandeum II. h. 26.

314   Innsbruck, 1363 Febr. 10.
Die Stadt Innsbruck huldigt auf Befehl der Markgräfin den Herzogen von Oesterreich als rechten Herrn und Erben der Grafschaft Tirol. Sinnacher 5,320.

315   Innsbruck, 1363 Febr. (?).
Rudolf IV. bestätigt als Graf von Tirol den Bürgern von Innsbruck, die ihm gehuldigt haben, alle Privilegien früherer Landesfürsten. Copeybuch der Stadt Innsbruck MS. (Am Ende des Datums ist der Tag weggelassen.) Mitgetheilt von Durig.

316   Hall, 1363 Febr. 11.
Die Stadt Hall huldigt auf Befehl der Markgräfin Margaretha den Herzogen von Oesterreich als rechten Herrn und Erben der Grafschaft Tirol. Lichnowsky n. 413. Abschrift Bibl. Tirol. 614,51.

317   Hall, 1363 Febr. 12.
Erzherzog Rudolf bestätigt als Graf von Tirol den Bürgern von Hall alle Privilegien früherer Landesfürsten.

Wir Rudolff der vierd von gottes gnaden erzherzog ze Östereich, ze Steyr und ze Kernden, herr ze Krayn, auf der Windischen Marich und ze Porttnaw, graf ze Habspurg, ze Tyrol, ze Phirt und ze Kyburch, marichgraw ze Purgow und lantgraf in Elsazz veriehen und tůn chunt offenlich mit disem brief allen den, die in sehent, lesent | oder horent lesen. Wan von haizzens und gescheftes wegen der hochgebornen fürstinne, frown Margreten, herzoginn ze Payrn und grefinne ze Tyrol, unsrer lieben mümen, die uns und unser lieb brueder ir nechst und rechtist erben erchant und geoffent hat an der grafschaft ze Tyrol und der herschaft an der Etsch und in dem Intal, und die uns darzu gefügt und gemacht hat dieselben land und all ir hab, als die brief und hantfest weisent, die wir daruber haben, uns die erbern und weisen, der richter, der rat und die purger von Hall, unser lieb getrewn, zu unsern, unserr brueder und erben handen gern und willichlich gesworn und gehuldet habent und habent uns darumb irn und irr stat offen brief geben, haben wir als ein graf ze Tyrol und herre an der Etsch und in dem Intal für uns, unser brueder und erben den egenanten purgern ze Hall, iren nachkomen und irr stat ewichlich vernewet und bestetiget, vernewen und bestetten ouch wizzentlich mit disem brief all hantfest und briefe, all freyhait, recht und gůt gewonhait oder gnad, die si von unserm urenen selig, herzog Meinharten von Kernden, kunig Hainrichen von Behem, margraf Ludweigen

von Brandenburg, unsern lieben ôhemen, von herzog Meinharten, seinem sun, unserm lieben swager, von iczund frown Margreten, herzoginn ze Bayrn und grêfinne ze Tyrol, unsrer lieben mümen, und von
allen fürsten und fürstinn, grafen und grêfinn, herren und frowen ze
Tyrol und an der Etsch, unsern vorvordern habent herbracht, an ge-
vèrd. Und wellen, daz dieselben hantfest und brief bey iren chreften
beleiben in allen artikeln und punten, als si lauttent, und daz in, iren
nachkomen und irr stat werden stêt behalten die egenauten freyhait,
recht und gût gewonhait, und sullen wir, unser brueder und erben si
dabey schirmen. Darumb emphelhen wir allen houptleuten und amptleuten, gegenwurtigen und kunftigen, und allen unsern undertanen,
daz si die obgenanten purgêr bei diser bestêttung beleiben lazzen und
in chain irrung tûn in dhainem weg. Und des ze einem waren und
offenem urchund diser sache haben wir unser grozz fürstliches insigel
gehenchet an disen brief. Der geben ist ze Hall nach Kristes gepürd
dreuzehenhundert iar, darnach in dem drew und sechzigisten iare, unsers alters in dem vier und zwainzigisten und unsers gewaltes in dem
fumften iare, an der phaffen vasnacht, das ist ze merken an dem sunntag, so man singet esto mihi.

† Wir. der. vorgenant. herzog. Ruodolf. sterken. disen. prief.

mit. dirr. underschrift. unser. selbs. hant. †

Das anhangende Siegel ist vortrefflich erhalten.

Orig. im Haller Stadtarchiv.

318   Hall, 1363 Febr. 12.

Erzherzog Rudolf bestätigt als Graf von Tirol dem Heinrich Snellmann
alle Privilegien früherer Landesfürsten und gelobt ihm allen Schaden zu ver-
güten, den er in seinem Dienste nehmen würde. Lichnowsky n. 411.

319   Hall, 1363 Febr. 13.

Herzog Rudolf verspricht Heinrich dem Schnellmann für seine von
jetzt bis Georgi 1364 mit fünf behelmten Mannen an der Etsch und im Innthal zu leistenden Dienste 500 Gulden. Lichnowsky n. 416.

320   Hall, 1363 Febr. 16.

Herzog Rudolf befiehlt dem Johann von Waltpach, seinem Kanzler
Bischof Johann von Gurk einzuantworten seines (des Herzogs) „clainev
silbreine pekh", die er ihm gegeben habe. Orig. k. k. g. A.

321   Brixen, 1363 Febr. 19.

Erzherzog Rudolf verspricht, den Bischof Matthäus von Brixen, der
ihm alle Tiroler Lehen übertragen hat, und sein Stift zu schirmen und bei
allen ihren Gütern und Rechten zu bewahren. Sinnacher 5,317.

322 Brichsen, 1363 Febr. 20.
Herzog Rudolf verspricht Andresen von Hoheneck die ihm für seine Dienste verheissenen 400 Gulden binnen sechs Wochen zu zahlen. Original Statth.-Archiv (Porteibriefe).

323 Hall. 1363 Juli 31.
Margaretha, Markgräfin von Brandenburg, bestätigt dem Kloster Ettal die ihm vom Kaiser Ludwig gestifteten 20 Fuder Weingelt auf der Losung zu Kufstein und befiehlt Konrad dem Frauenberger und Konrad dem Jäger-meister, ihren Pflegern zu Kufstein, aus ihrer dortigen Losung dem ge-nannten Kloster jährlich 20 Fuder Wein zu geben. Orig. bair. R. A.

324 Hall, 1363 Aug. 15.
Hans und Ulrich von Freundsberg, genannt von der Matzen, und Konrad von Freundsberg ihr Vetter, versprechen den Herzogen von Oester-reich und der Markgräfin Margaretha zwei Jahre lang mit 24 behelmten Mannen zu dienen und während dieser Zeit ihre Festen Freundsberg, Schin-delberg und Matzen offen zu halten. Hormayr, Hohenschwangau 1,116 mit falschem J. 1362. Orig. k. k. g. A.

326 Tirol, 1363 Sept. 5.
Herzog Rudolf schreibt den Räthen und Bürgern der Städte Innsbruck und Hall, er wolle sie „der grossen Treue und denkbaren Dienste willen, damit sie jetzt bei seinem Angange der Lande an der Etsch und im Gebirg bei ihm bestanden sind", besonders bedenken, und fordert sie auf, ihm ihre Wünsche schriftlich zu melden. Zoller, Gesch. v. Innsbruck 1.117.

327 Posuni, 1363 Sept. 9.
Derselbe bestätigt für Imst ein Privileg von 1282. Bibl. Tirol. 1038,69 (der Eingang fehlt).

328 Potzen, 1363 Sept. 10.
Derselbe belehnt den Hans von Auersberg und seine Brüder mit einer halben Hofstätte zu Laibach. Mittheilungen des hist. Vereins f. Krain 16,52.

329 Potzen, 1363 Sept. 10.
Erzherzog Rudolf bestätigt, „als wir nu hie die grafschaft ze Tyrol und die herschaft an der Etsch und in dem Intal haben mit gotes hilf inge-nomen und uns lande und leute damit von newn dingen gesworen und ge-huldet haben", seinem Getreuen Niklas dem Reyfer zwei Lehenbriefe des Markgrafen Ludwig von Brandenburg, die Höfe in Andel und in Mülfein mit dem dortigen Gericht und die Feste Mererspanner mit Zubehör betreffend. Orig. Statth.-A. (Tiroler Lehenreverse, Lade 9–11).

330 Bozen, 1363 Sept. 11.
Vogt Ulrich von Matsch d. j., Heinrich von Rottenburg, genannt von Kaltern, Hofmeister zu Tirol, Petermann von Schenna, Hauptmann und Burggraf von Tirol, Eckhart von Vilanders, genannt von Trostburg, Fried-rich von Greifenstein, Berchtold von Gufidaun und vier und zwanzig andere

genannte Tiroler Landherrn und die Landschaft gemeinlich, edel und unedel,
die zur Herrschaft von Tirol gehört, beurkunden, dass die Markgräfin Margaretha, ihre Frau, nach dem Rathe ihres Rathes freiwillig dem Herzog Rudolf und seinen Brüdern und Erben die Herrschaft und Grafschaft zu Tirol,
an der Etsch, im Gebirg und im Innthal aufgegeben und eingeantwortet und
alle Gewalt niedergelegt habe zum Frommen und Nutzen aller, da sie nicht
im Stande gewesen sei, sie alle so wohl zu besorgen, als nothwendig war.
Dagegen entscheiden sie, da Rudolf und Margaretha sich an sie gewendet
haben, dass letztere, um ehrbarlich und fürstlich ihr Lebtag leben zu können,
die Einkünfte, die zu der Feste Strassberg, der Stadt Sterzing und dem Thal
Passeier gehören, dann die vier Ansitze Gries bei Bozen, Amras, St. Martinsberg und die Feste Stein, weiter 6000 Mark Meraner Münz „Gelts“ erhalten solle; Herzog Rudolf soll alle ihre Geldschulden übernehmen und
dafür Klingen und Wasserburg, Kufstein, Kitzbühel und Rattenberg, wie
sie ihr verschrieben sind, erhalten. Kurz, Rudolf IV. S. 381.

331   Bozen, 1363 Sept. 12.
    Erzherzog Rudolf bestätigt den Franziskanern in Bozen mehrere Privilegien. Chmel, Geschichtsforscher 1,577.

332   Bozen. 1363 Sept. 13.
    Derselbe urkundet. Bibl. Tirol. 614, f. 31 citirt.

333   Tridenti in castro boni consilii. 1363 Sept. 17.
    Albriginus, Sohn weiland des Petricotto von Lodron und Erbe desselben für die Hälfte, und Petrocottus, Sohn weil. des Parisius, des Sohnes
des genannten Petricottus, Erbe für die andere Hälfte, bekennen, dass sie
wie ihre Voreltern „vallem Vestini, Bofoni, Cadrie et Derwani“ (südöstlich
von Lodron) von der Herrschaft Tirol zu Lehen haben und nehmen das
alles von Herzog Rudolf von Oesterreich zu Lehen. Orig. Statth.-Archiv
(Tiroler Lehenreverse, Lade 3—5).

434   Trient, 1363 Sept. 18.
    Albrecht, Bischof von Trient, und das Capitel dieser Kirche bestätigen
dem Erzherzog Rudolf von Oesterreich, seinen Brüdern und Erben, weil er
sie in seinen Schutz genommen und ihrer Kirche das frühere Ansehen und
die ihr gehörigen Vortheile wieder verschafft hat, alle Privilegien, welche
der Herrschaft Tirol von Bischöfen oder dem Capitel von Trient je gegeben
worden, versprechen für sich und ihre Nachkommen, denselben als Herrn
zu dienen und Hilfe zu leisten, und räumen denselben die ausgedehntesten
Rechte über das Bisthum ein. Steyerer 367. Brandis, Tirol unter Friedrich
213. Lünig, R. A. spicil. eccl. cont. III 1227.

335   Trient, 1363 Sept. 19.
    Herzog Rudolf übergiebt dem Berchtold von Gufidaun und seinen Söhnen Johann und Caspar bis auf Widerruf die Hauptmannschaft des Schlosses
Persin, wie sie Konrad der Frauenberger gehabt. Lichnowsky n. 509.

336   Tirol. 1363 Sept. 21.
Herzog Rudolf belehnt Lorenz den Sebner und seine Brüder mit mehreren Gütern. Lichnowsky n. 509 b (7. B.).

337   Tirol, 1363 Sept. 24.
Rudolf der Haslanger wird auf vier Jahre H. Rudolfs Diener, besonders mit Feste und Clause Thierberg und verspricht ihm zu dienen mit 12 gewappneten Mannen, „die dazu geboren sind", wo er seiner bedürfe, zu Baiern, im Gebirg oder im Innthal. Orig. bair. R. A. Kürzerer Auszug bei Lichnowsky n. 510.

338   Meran, 1363 Sept. 26.
Herzog Rudolf verpfändet dem Friedrich von Greifenstein von neuem für 2539 Mark und 1 Pfund Berner die Feste Burgstall und das Gericht Mölten, die ihm für obigen Betrag vom Markgrafen Ludwig und seiner Gemahlin Margarethe verpfändet gewesen und der Greifensteiner zu des Herzogs Handen zurückgestellt. Lichnowsky n. 511.

339   Meran, 1363 Sept. 26.
Derselbe empfiehlt und erlaubt dem Greifensteiner die ihm verpfändete Feste Burgstall zu bauen. Lichnowsky n. 512.

340   Meran, 1363 Sept. 26.
Derselbe belehnt Friedrich von Greifenstein und seine Tochter Katharina mit der Feste Greifenstein. Beiträge zur Gesch. Tirols 4,253.

341   Meran, 1363 Sept. 26.
Revers Friedrichs von Greifenstein, dem Herzog Rudolf mit seinen Festen Greifenstein und Haselburg zu dienen. Beiträge 4,254.

342   Meran, 1363 Sept. 26.
Erzherzog Rudolf bestätigt dem Kloster Schnals seine Stiftungsurkunde. Lichnowsky n. 513.

343   Meran, 1363 Sept. 29.
Herzog Rudolf ertheilt für sich und seine Brüder der Stadt Meran mehrere Rechte und Freiheiten. Mittheilung des P. Justinian Ladurner.

344   Meran, 1363 Sept. 29.
Markabrun von Castelbarco gibt dem Herzog Rudolf und seinen Brüdern alle seine Eigengüter auf und empfängt sie wieder zu Lehen, ebenso alle Lehen, die er vom Stifte Trient gehabt hat; und da die Herzoge „solche Rechte und Freiheiten haben, was ihnen jemand Lehen aufgiebt, dass sie die wohl aufnehmen und haben mögen", so sendet er sie dem Bischofe von Trient auf, dass er sie den Herzogen von Oesterreich leihe. Abschrift in Bibl. Tirol. 614,62.

345   Tirol, 1363 Sept. 29.
Margaretha, Markgräfin von Brandenburg, übergiebt den Herzogen Rudolf, Albrecht und Leopold von Oesterreich die ihnen schon früher ver-

machte Grafschaft zu Tirol und Gorz, das Land an der Etsch, im Gebirg und im Innthal, ihr väterliches Erbe, nach Rathe ihres Rathes und der Landschaft gemeinlich, schon bei Lebzeiten zu einer ewigen unwiderruflichen Gabe, fordert alle, die zu obiger Herrschaft gehören, auf, den Herzogen von Oesterreich als Herrn zu huldigen und gehorsam zu sein, und entbindet sie ihrerseits vom Eid der Treue; doch behält sie sich vor, dass, wenn die Herzoge von Oesterreich vor ihr stürben, obige Lande und das Herzogthum Kärnthen wieder an sie fallen sollten. Kurz, Rudolf IV S. 381.

346   Meran, 1363 Okt. 1.
Dieselbe verpflichtet sich, den Erzherzogen Rudolf, Albrecht und Leopold mit allen Festen, Städten, Märkten und Gütern, die sie in Baiern hat, gegen jedermann Hilfe zu leisten und ihnen dieselben stets offen zu halten: nach ihrem Tode sollten dieselben an die genannten Herzoge und deren Schwester Margaretha fallen. Und da die Herzoge ihr eine genügende Ausrichtung und Gabe gegeben haben, so antwortet sie ihnen die Grafschaft zu Tirol und Görz ein und sagt sie ledig der Taiding, die die Landherrn an der Etsch zwischen ihr und ihnen bezüglich ihrer Ausrichtung und Leibgeding gethan haben. Steyerer 365.

347   Meran, 1363 Okt. 1.
Vogt Ulrich von Matsch d. j. verspricht, wenn der Herzog Rudolf ihn für Härtenberg mit einer andern Feste in Tirol und 200 Mark Geltes belehnen würde, jenes zurückzustellen, bis dahin aber damit gehorsam zu sein. Lichnowsky n. 515.

348   Meran, 1363 Okt. 3.
Herzog Rudolf verleiht dem Petermann von Schenna und seinen Leibeserben alle Lehen, die er von der Herrschaft Tirol hat, da derselbe ihn, seit er die Grafschaft Tirol und das Land an der Etsch und im Innthal eingenommen hat und in Nutz und Gewer besitzt, darum gebeten hat, und bestätigt ihm alle Briefe früherer Landesfürsten. Orig. Statth.-Archiv (Tiroler Lehenreverse, Lade 6 — 8).

349   Meran, 1363 Okt. 4.
Herzog Rudolf bestätigt als Graf von Tirol dem Reimprecht von Schenna mehrere Güter, die ihm vorher die Herrschaft von Tirol verschrieben, ausgenommen die Güter in der Pflege Persen, die der Herzog sich selbst vorbehalten. Lichnowsky n. 517.

350   Hall, 1363 Okt. 6.
Derselbe gestattet die Verpfändung der Feste Freudenfels. Schweiz. Regesten 1ᵃ, 35.

351   Innsbruck, 1363 Okt. 9.
Erzherzog Rudolf IV. bestätigt der Stadt Freiburg im Uechtlande ihre Freibeiten. Zeugen: die Bischöfe Albrecht von Trient, Johann von Gurk, Rudolfs Kanzler, Matthäus von Brixen; die Aebte Konrad von Stams, Konrad von Wilten; die Grafen Wilhelm von Montfort-Tettnang, Johann und

Rudolf von Montfort-Sargans, Otto von Ortenburg, Ulrich und Hermann von Cilly: Edle und Ritter Ulrich, Vogt von Matsch, Konrad von Berenfels, Heinrich von Rottenburg, Hofmeister von Tirol, Ottokar von Ror, Heinrich Raspo, Johann von Lozberg, Kammermeister, Heinrich von Rappach, Hofmeister des Herzogs. Hormayr, Archiv 7,479 (Jahrg. 1816). Recueil dipl. de Fribourg 3,162.

352   Innsbruck, 1363 Okt. 9.
Derselbe bestätigt den Leuten und der Gemeinde von Telfs ihre Rechte, Gnaden und Güter. Abschrift im Statth.-Archiv (Urkunden-Copien v. 1300 bis 1525 2,232 (640).

353   Innsbruck, 1363 Okt. 9.
Erzherzog Rudolf befiehlt, dass die Strassen durch die Stadt Sterzing gehen, und die ausserhalb der Stadt gewesen, auf ewig absein sollen. Burglehner 3^d, 916 (cap. 21) extr.

354   Innsbruck, 1363 Okt. 9.
Bonifaz und Thomasin von Castelbarco, Brüder, versprechen dem Herzog Rudolf von Oesterreich und seinen Brüdern zu dienen mit ihren Festen Castelnöf, Castelan und Castelcord, geben diese und ihre übrigen Güter denselben auf und empfangen sie wieder von ihnen zu Lehen. Abschrift in Bibl. Tirol. 614,60 (deutsch) und 67 (lateinisch).

355   o. O. 1363 Okt. 12.
Konrad der Kummersbrucker, Jägermeister in Oberbaiern, verspricht von der Markgräfin Margaretha keine Gülten zu fordern, da er und sein Haus von ihr und ihrem sel. Gemahl Ludwig Verschreibungen auf die Pflegen Kufstein und Kitzbühel besitzen; dagegen soll sie weder ihn noch Konrad den Frauenberger enthausen. Freyberg, Ludwig d. Brand. 231 extr.

356   n. O. 1363 Okt. 14.
Hans von Freundsberg von Lichtenwerd gelobt dem Herzog Rudolf um 1300 Gulden bis Martini 1365 mit 11 ehrbaren Dienern und seinen Festen Lichtenwerd und Schindelberg gewärtig zu sein. Lichnowsky n. 520.

357   Innsbruck, 1363 Okt. 15.
Erzherzog Rudolf nimmt die Domherrn von Trient in seinen Schutz und bestätigt ihre Freiheiten. Sinnacher 5,322 extr.

358   Innsbruck, 1363 Okt. 16.
Erzherzog Rudolf bestätigt den Bürgern von Innsbruck, welche, da ihm bei der Besitznahme von Tirol während seines Aufenthaltes in Hall von etlichen Gästen und Leuten schwere und unbillige Läufe aufstanden, so dass er in Leibs- und Lebensgefahr war, zu ihm nach Hall zogen und ihm mannhaft beistanden, so dass er zugleich mit Hilfe der Bürger von Hall die Gegner überwand, alle Rechte und Freiheiten und ertheilt ihnen neue. Zeugen: Bischof Johann von Gurk, sein Kanzler, Abt Konrad von Wilten, die Grafen Otto von Ortenburg, Wilhelm von Montfort, Hans und Rudolf von Werden-

berg-Sargans und Friedrich von Toggenburg. Vogt Ulrich von Matsch d. j.
und Walter von Hohen-Klingen, Freie, Graf Ulrich von Cilly, Hauptmann
in Krain, Heinrich von Rottenburg, Hofmeister zu Tirol. Johann und Ulrich
von Freundsberg, Rudolf von Embs, Peter der Arberger, Heinrich von
Pottendorf, Ottokar der Rorer, Heinrich der Rasp, Stephan von Toppel,
Heinrich von Ruppach, Rudolfs Hofmeister, Johann Kneizzer, Claus von
Haus, Ullrich Anhanger. Christen der Zinzendorfer, Hofritter. Brandis 102.
Zoller 1,117 extr.

359   I n n s b r u c k , 1363 Okt. 17.
Erzherzog Rudolf befiehlt dem Hans von Walpach, Hauptmann zu
Ensisheim und Tann, von den dortigen Hofleuten ebenso Steuern und Dienste
zu fordern wie von andern. Statth.-A. Urkunden-Copien 3,712.

360   I n n s b r u c k , 1363 Okt. 19.
Herzog Rudolf befiehlt dem Grafen Johann von Froburg, seinem Hauptmann in Schwaben und Elsass, die Stadt Freiburg bei ihren Rechten zu
schützen. Steyerer 370. Recueil diplom. de Fribourg 3,161.

361   I n n s b r u c k , 1363 Okt. 19.
Derselbe giebt den Richtern und Gemeinschaften zu Bozen, Tramin,
Neumarkt und Neuhaus Aufträge wegen Ueberwachung des Weinkaufs.
Brandis 106.

362   T e i s b a c h , 1363 Okt. 21.
Die Herzoge Stephan, Friedrich und Johann von Baiern, Brüder, kommen mit ihrem Vetter, Herzog Albrecht von Baiern, bezüglich seiner Ansprüche auf Oberbaiern überein, diese Sache bis Pfingsten 1365 ruhen
zu lassen wegen der Nothdurft, die ihnen täglich geschieht von dem Herzoge von Oesterreich, der sich unbillig ihres Erbes an der Grafschaft Tirol
unterwunden habe, und versprechen, dass ihr Vater Stephan, sie und Herzog Albrecht zu gleichen Theilen einander beistehen sollen zur Wiedergewinnung Tirols, das dann von Herzog Albrecht und ihrem Vater gleich getheilt werden soll. Quellen zur bair. Gesch. 6,479. (Ein Bündniss Herzog
Stephans d. ä. und seiner Söhne mit Herzog Albrecht zu demselben Zwecke
im tom. privil. 20, f. 20, aber unvollständig, weil ein Blatt herausge-
rissen ist.

363   T e i s b a c h , 1363 Okt. 21.
Herzog Albrechts von Baiern Gegenbrief, der zugleich verspricht, im
Falle kinderlosen Abgangs dem Herzoge Stephan und seinen Söhnen seine
Länder zu vermachen und mit Ludwig dem Römer und Otto, Markgrafen
von Brandenburg, wegen Oberbaiern und mit den Herzogen von Oesterreich
wegen Tirol keine Separatverhandlungen zu führen. Quellen 6,482.

364   T e i s b a c h , 1363 Okt. 21.
Johann Landgraf von Leuchtenberg und der Graf von Hals und die
Stadt Straubing, Herzog Stephan d. ä. und seine Söhne Stephan, Friedrich
und Johann verbünden sich, dem Herzoge Albrecht, ihrem Bruder und Vetter

wider jedermann zu helfen; wollen ihm euch zur Unterwerfung der Grafschaft Tirol verhilflich sein. Originalregesten des bair. R. A. aus Aroden.

365   Innsbruck, 1363 Okt. 24.
Herzog Rudolf stellt für Eberhard von Wallsee, Hauptmann ob der
Enns, eine Vollmacht aus. Lichnowsky n. 521.

366   Innsbruck, 1363 Okt. 25.
Derselbe verpfändet dem Grafen Ulrich und Hermann von Cilly Güter
für 2000 Gulden, die er ihnen schuldig ist „um den Dienst, darmit sie sich
nun zu dem andern mal herein an die Etsch gerüstet und bereitet haben."
Mittheilungen des hist. Vereins f. Steiermark 6,250 extr.

367   Innsbruck, 1363 Okt. 25.
Erzherzog Rudolf bestätigt den Vögten Ulrich d. ä. und Ulrich d. j.
von Matsch alle ihnen von Herzog Meinhard, König Heinrich und den Markgrafen Ludwig und Meinhard ertheilten Freiheiten. Lichnowsky n. 524 b
(7. B.).

368   Innsbruck, 1363 Okt. 26.
Vogt Ulrich von Matsch d. ä. und sein Sohn Ulrich geloben eidlich,
dem Herzoge Rudolf und seinen Brüdern und Erben, die sie in Schutz und
Dienst genommen haben, mit ihrer ganzen Macht und ihren Festen, den
beiden Matsch, Churburg, Tarasp und Härtenberg zu dienen. Lichnowsky
n. 525. Abschrift in Bibl. Tirol. 614.57.

369   Innsbruck, 1363 Okt. 27.
Erzherzog Rudolf IV. ertheilt den Bürgern von Hall für die ihm bei
seinem Eingang in Tirol von denselben geleisteten Dienste viele Rechte und
Freiheiten.

In dem namen der hailigen und ungetaylten dryvalticheit amen.
Wir Rudolff der vierd von gottes gnaden erzherzog ze Östereich, ze
Steyr und ze Kernden, herr ze Krain, auf der Marich und ze Portt-
naw, graf ze Habspurg, ze Tyrol, ze Phirt und ze Kyburg, marichgraf
ze Purgow und lautgraf in Elsazz, allen Christi geloubigen, gegenwürtigen und chunftigen, hail in gotte und chuntschaft diser nachgeschriben dingen. Die ewig weishait der umbgreiffenlichen gothait hat
fürsichtichlich geordent und gesaezet fürstlich wirdicheit nach geleich-
nizze ir selbs mit sälichem gewalt, daz si irer undertanen schirme,
und in frid behalte mit gerechticheit, mit der si irer undertanen güttèt
begabe und ir missetèt pezzer, chestige und abnem, daz von pilde sölicher begabung die güten an irr frumcheit aufnemen und von vorchte
pillicher pene die pösen nidergedruket und gechrenchet werden, und
ouch mit güticheit, mit der fürstliche hochhait igleichen menschen
uberfluzzichlichen anrayeze, willig und berait mache ze danchnèmer
dinstbercheit, ze merung gemaines güt-s und zu understen und wen-

den schedlich und bresthaft sachen. Dieselben guetichait fürstliches
adel im undertanen so vil miltichlicher tailen sol, alz vil si an in merer trew, lauter begir und vester stêticheit innewirdet und enphindet.
Darumb wan an dem anvange unsers inganges in die grafschaft ze
Tyrol und die herschaft an der Etsch und in dem Intal, do wir gen
Hall chomen und ettleich mêchtige und gewaltige umb ir frêvelichen
ubergriffe straften und pezzerten, von derselben straffung herte und
veintlich aufleuffe wurden, daz wir ein weil in zweivel waren unsers
lebens, die purger von Halle ainhellichlich und gemeinlich mit sampt
unsern getrewn lieben, den purgern von Inspruk, wol gerust und ge-
wappent mit mêndlichem mûte und werlichen handen zu uns luffen
und ir gût, leib und leben durch unsern willen auf die wage leyten
und ouch mit irr vesten chünhait uns hulffen, daz wir die frevêlen
aufleuffe, widerspênicheit und ungehorsami von den gnaden des al-
mêchtigen gots, von dem aller sig fleuzzet, uberchamen und uber-
wunden alz völlichlich, daz wir des ewigen frumen und ere genomen
haben. Wan ouch dieselben unser purger von Hall mit uns so stark-
lich, getrewlich und kostlich von unsern wegen in disen gegenwürtigen
krieg wider die herzogen von Payrn getretten sind, dunchet uns pil-
lich und zimlich, daz wir in der trew und vesticheit danchen mit sölichen gnaden, der si, all ir nachkomen und die stat ze Halle ewigen
frumen, nücz und ere haben. Und wan wir nach den freyhaiten und
hantfesten, die wir von Römischen keysern und kunigen haben, in allen unsern landen, stetten und gepieten newe recht, freyhait und ge-
seczde mit keyserlichem gewalte stiften, stôren, aufseczen, abzeczen,
geben und nemen mügen, geben, seczen, verleihen und stiften wir mit
kayserlicher macht für uns, unser brueder und erben den vorgenanten
purgern und der stat von Hall in dem Intal dis nachgeschriben gnade,
stuke und artikel zu stêten, ewigen und ymmerwerenden rechten und
geseczden mit chraft diser gegenwürtigen hantfeste und briefe. Des
ersten geben wir in solich freyhait und recht, daz si aus allen unsern
leuten, si sein unser aygen oder vôgtleut oder herchomen leut, purger
enphahen und nemen sullent und mugent; ouch ze gleicher weise in
ir purchrecht aller andrer goczheuser leut, freylewt und vogtlewt, wo
oder under wem die gesezzen sind, ze purgern enphahen an unser und
mênichlichs irrung und widerred. Darnach seczen wir in dem namen,
alz da vor, und wellen, daz man auz allen unsern gerichten lazz zü
der stat ze Hall füren holz, wiltprêt und visch, und daz ir vischer auf
unsern wazzern vischen an unser und allermênichlichs hindernuzz und
irrung. Wir seczen ouch und wellen, welich man oder weib in derselben stat an leib erben abgab, das des oder der gût und hab gevall
auf die nêchsten erben unz auf die fumften sippe. Was ouch die

egenanten purger von Hall koufmanschaft hinab gen Wienn oder von
Wienn herauf gen Hall fürent auf dem wazzer, die ir alain ist und
nieman anders, und des si der stat offen brief habent, von derselben
kaufmanschaft sullent si chain mautt noch zol geben noch richten ze
Schêrding, ze Neumburg auf dem In, ze Lynz, ze Stayn noch ze
Krems, sunder si sullen an denselben stetten mautt und zolles frey
und ledig sein ewichlich an all wider red und gevêrd. Darnach geben
wir in von besundern gnaden dye freyung, waz si weins in ir stat
ewichlich fürent, den si darinn vertûnt, und der von der stat nicht
chumt, von demselben wein sullent si an dem Lûg und an allen andern
mautten und zöllen zollfrey und mauttfrey sein ewichlich. Was aber
si oder ander lewt weins von der stat verfürent in andrew land, von
demselben sullent si zesampt andern rechten, die von alter davon gevallent, geben zol und mautt an dem Lûg und an allen andern mautten und zöllen, die davon gepürent, und sol das in der stat ze Hall
beseczet werden mit unsers zollneres wizzen und rat an dem Lûg, daz
daran chain untreŵ und gevêrd beschehen mûg. Darzû vernewen und
bestetten wir den vorgenanten unsern purgern von Hall für uns, unser brueder und erben alle die hantfesten, recht, freyhaiten, gnaden
und gût gewanhaite, die in von der herschaft von Tyrol oder von andern fürsten und herren gegeben und verlihen sind, oder die si von
alter und gûter gewonhait gehebt und herbracht habent. Darumb
gebieten wir ernstlich bey unsern hulden allen unsern lantherren, rittern und knechten, allen unsern houptleuten, vögten, phlegern, richtern, mauttêrn, zöllnern, purggrafen und allen andern unsern amptleuten und undertanen, gegenwürtigen und chunftigen, wie si genant
sind, daz si die egenauten unser purger von Hall bey den vorgeschribenen rechten und gnaden und bey diser unsrer bestêttung und ver-
newung gênzlich beleiben lazzen und in chaiu irrung, hindernûzz noch
ingriff daran tûn noch yemant tûn lazzen. Wer ez aber daruber tête und
dawider mit frêvelicher getürsticheit cheme, der wizze, daz er darumb
swêrlich in unser ungenad und darzu funf und zwainzig mark goldes
ze wandel vervallen ist, desselben goldes uns in unser kamer zehen
mark, der egenanten stat von Hall zehen mark, und unserr kanzley
funf mark werden und gevallen sullent ane guate. Diser dinge sind
gezeugen die erwirdigen bischof Albrecht von Trient, bischof Johans
von Gurk, unser lieber kanzlêr, der abt von Luders, Chûnrat abt von
Wiltein; die edeln graf Ott von Ortenburch, graf Wilhalm von Montfort, herr ze Bregenz, graf Rûdolff von Nydaw, unser lieben öhem,
graf Ulreich von Cyli, unser houptman in Krain; unser getrewn lieben
Chûnrat von Aufenstain, Otaker der Rorer, Hainreich von Rotenburg,
genant von Kaltarn, hofmaister ze Tyrol, Fridreich von Greiffenstein,

Hainreich der Raspe, Heinreich von Rappach, unser hofmaister, Johans der Keneuzzer, unser hofmarschalich und vil andrer erberr leute, ritter, knechte und purgère. Und des ze einem offenem ürchünd, warer gezeugnusse und ewiger sicherheit aller der vorgeschriben dingen hiezzen wir unser grozzes, fürstliches insigel henken an disen brief. Der geben ist ze Insprukk an sand Symons und sand Judas abent der zwelfbotten, nach Kristes gepürd dreuzehen hundert iar, darnach in dem drew und sechzigisten iare, unsers alters in dem vier und zwainzigsten und unsers gewaltes in dem sechsten iare.

† Wir. der. vorgenant. herzog Ruodolf sterken. disen. prief.

mit. dirr. underschrift. unser. selbs. hant. †

Et nos Johannes dei gracia Gurcensis episcopus prefati domini nostri ducis Austrie primus cancellarius recognoscimus prenotata.

Vom angehängten Siegel sind nur noch die Schnüre vorhanden.

Orig. Haller Stadtarchiv.

370 Innsbruck, 1363 Okt. 27.
Erzherzog Rudolf meldet seinen Zöllnern in Tirol die den Bürgern von Innsbruck ertheilte Zollbefreiung. Copeybuch der Stadt Innsbruck (Mitgetheilt von Durig).

371 Innsbruck, 1363 Okt. 27.
Herzog Rudolf bestätigt dem Spital zu Innsbruck eine Urkunde des Markgrafen Ludwig v. 1342. Statth.-A. Urkunden-Copien 2,139 (546).

372 Hall, 1363 Okt. 29 (?).
Derselbe versetzt dem Vogt Ulrich d. j. von Matsch für 2000 Florenzer Gulden die Probstei Eyrs. Nach Mittheilung des P. Justinian Ledurner im Statth.-A. ("Am Sonntag (nach?) Simon und Juda.")

373 Hall, 1363 Nov. 4.
Derselbe erlaubt den Bürgern von Hall den an Heinrich Snellmann verpfändeten grossen Zoll zu Innsbruck und Hall, der jährlich 175 Mark Meraner Münze trägt, an sich zu lösen, unter der Bedingung, dass sie den ganzen Ertrag die nächsten zwei Jahre verwenden für ihre Stadt und diese damit bessern und bauen. Orig. Haller Stadtarchiv.

374 Hall, 1363 Nov. 8.
Derselbe schreibt dem Lorenzo Celsi, Dogen von Venedig, in der Angelegenheit eines venetianischen Bürgers. Lichnowsky n. 529.

375 Hall, 1363 Nov. 11.
Derselbe befiehlt dem Heinrich Snellmann, den Bürgern von Hall den grossen Zoll zu Innsbruck und Hall zu lösen zu geben. Original Haller Stadtarchiv.

Huber, Vereinigung. 16

376　　　　　　　　　　　Strass bei der Clause, 1363 Nov. 15.
Stephan von Schwangau giebt dem Herzoge Rudolf und seinen Brüdern einen Dienstrevers, ihnen seine Festen Vorder- und Hinterschwangau, den Frauenstein und den Synwellen-Thurm ein Jahr lang offen zu halten. Hormayr, Hohenschwangau 1,119 extr. Lichnowsky n. 529.

377　　　　　　　　　　　　　　　Hall, 1363 Nov. 16.
Herzog Rudolf weist die Bürger von Innsbruck, welche im gegenwärtigen Krieg gegen Baiern um Kost 150 Mark Berner ausgegeben und verdient haben, darum auf die Probstei zu Innsbruck und Steinach. Innsbrucker Copeybuch (Mittheilung von Durig).

378　　　　　　　　　　　　　　　Hall, 1363 Nov. 22.
Erzherzog Rudolf nimmt die Nürnberger, ihre Mitbürger und Diener in seinen besondern Schutz, so dass sie mit Leib und Gut. Hab und Kaufmannschaft durch alle seine Länder zu Wasser und Land sicher fahren sollen, unverzigen die Mauthen und Zölle, die sie von ihrer Habe und Kaufmannschaft durch Recht zahlen sollen. Orig. bair. R. A.

379　　　　　　　　　　　　　　Steinach, 1363 Nov. 30.
Derselbe bestätigt als Graf von Tirol, Herr an der Etsch und im Innthal dem Friedrich von Greifenstein alle Tiroler Lehen. Beiträge zur Geschichte Tirols 4,255.

380　　　　　　　　　　　　　　Steinach, 1363 Nov. 30.
Derselbe belehnt den Friedrich von Greifenstein mit Greifenstein, Haselburg und den andern Gütern, die derselbe vom Bisthum Trient zu Lehen gehabt und nun ihm aufgetragen. Beiträge 4,257.

381　　　　　　　　　　　　　　　Hall, 1363 Dec. 1.
Herzog Rudolf bestätigt dem Parcival von Weineck einen Pfandbrief H. Meinhards von 1362. Bibl. Pirol. 1184,41.

382　　　　　　　　　　　　　　　Hall, 1363 Dec. 2.
Derselbe bezeugt, dass Berchtold von Gufidaun den Satz zu Eon von Oswald und Cyprian von Vilanders mit seinem Willen gelöst. Lichnowsky n. 530.

383　　　　　　　　　　　　　　　Hall, 1363 Dec. 3.
Derselbe meldet den Mauthnern, Zöllnern und andern Amtleuten zu Schärding, Neuburg am Inn, Linz, Stein und Krems, dass er den Bürgern von Hall im Innthal für die ihnen selbst gehörenden Kaufmannsgüter, die sie zu Wasser von Hall nach Wien oder von Wien nach Hall führen, an den genannten Mauthstätten Zollfreiheit verliehen habe. Original Holler Stadtarchiv.

384　　　　　　　　　　　　　　　Hall, 1363 Dec. 4.
Derselbe meldet seinen Zöllnern, Mauthnern, Richtern und andern Amtleuten in der Herrschaft an der Etsch und im Gebirg, dass er den Bür-

gern von Hall für den Wein, den sie zu eigenem Gebrauch in ihre Stadt führen, am Lug und allen andern Mauthen Zollfreiheit verliehen habe. Original Haller Stadtarchiv.

385   Hall, 1363 Dec. 5.
Derselbe bestätigt dem Eberherd und Konrad von Liebenberg einen Pfandbrief. Lichnowsky n. 531.

386   Hall, 1363 Dec. 6.
Derselbe befiehlt allen Richtern und Amtleuten, das Holz, das zum Pfannhaus in Hall gehört, zu schirmen. Chronik v. Hall MS. fol. 9.

387   Hall, 1363 Dec. 9.
Derselbe verleiht dem Heinrich Schnellmann, Pfleger im Innthal, zur Vergütung des Schadens, den er im gegenwärtigen Kriege gegen Baiern genommen hat, den Zehnten zu Arzel im Taurer Gericht, der als Lehen dem Herzoge von Arnold dem Messenhauser von Tesing, als seinem Feinde, ledig geworden. Sinnacher 5,587.

388   Hall (?) 1363 Dec. 13 (?).
Derselbe giebt der Stadt Zofingen ein Privileg. Zeugen: Bischof Johann von Gurk, Rudolfs Fürst und Kanzler, Abt Konrad von Wilten, Graf Egen von Tübingen, Landcomtbur zu Bozen, die Grafen Eberhard von Görtzy (1?), Otto von Ortenburg, Wilhelm von Alxenfahrt (! Montfort?), Johann und Rudolf von Werdenberg-Sargens, Friedrich von Toggenburg, die Edeln Vogt Ulrich von Matsch d. j., Walther von Hohen-Klingen, Freie, Rudolf (!? Heinrich) von Rotenburg, Hofmeister zu Tirol, Ulrich von Fürstenberg (? Freundsberg?), Rudolf von Büps (?Embs), Peter der Arberger, Heinrich von Poltendorf, Ottacher der Ruwer (! Rorer), Heinrich der Rasp, Stephen von Toppel, Heinrich von Rappach, des Herzogs Hofmeister, Johann Kneussler (Kneizzer), Claus von Hus, Ulrich Jn Hanger (Anhanger?), Christan der Zinzendorfer, Hofrichter. Frickhart, Chronik der Stadt Zofingen 1,113—126 nach einem spätern sehr fehlerhaften Transsumt. (Eine Abschrift der Zeugen vermittelte mir Herr Theodor v. Liebenau.)

389   Brixen, 1363 Dec. 13.
Derselbe ernennt Berchtold von Gulldaun zum Hauptmann von Tirol und bestimmt dessen Vollmachten.

Wir Rûdolff von gotes gnaden herzog ze Östereich, ze Steyr und ze Kernden, graf ze Tyrol, bechennen und tûn chont, daz wir von ber lauttern trewe und ganzer vesticheit wegen, der uns unser getrewer, lieber Berchtolt von Gusidawn mit nuczen und danchbern dinsten stetichlich beweiset und inbringet, nach gûter vorbetrachtung denselben Berchtolte ze ainem gemainen houptman unserr grafschaft ze Tyrol, des landes an der Etsch, in dem Gepirg und in dem Intal geseczet haben und seczen auch unz an unser oder unsrer brueder widerruffen mit solicher beschaidenhait, daz er das alles von unsern wegen erber-

16*

lich und vestichlich innhaben und nach seinen trewen versorgen sol
und ouch allev empter, gericht und phleg beseczen und entseczen als
in dunchet, daz das uns, unsern brüdern, land und leuten aller pest
und füglichist sey. Er sol auch ain rechter richter sein und aim igleichen nach gelegenhait seiner sache ain gemains recht tůn oder fügen ungeverlich, als er uns des und der andern stukhe ainen leiplichen ayd zu den heiligen gesworn hat. Wir haben aber uns selber vorbehebt alle lehen, geistliche und weltliche, die wir selber leihen wellen. Daromb gebieten wir ernstlich allen unsern lantherren, rittern und knechten, allen vögten, phlegern, richtern, purggrafen, rêten, purgern, lantsezzen und allen andern amptleuten, dienern und undertanen, die in unser egenanten grafschaft ze Tyrol gehörent, daz si dem egenanten Berchtolten von Gufidawn an unser stat alz einem houptman sweren, gewertig, gehorsam und im auch geholffen, geraten und beystendig sein, wen und wa im des not geschicht und von im gevordert werdent unz an unser oder unsrer brüder widerruffen. Mit urchond dicz briefs, geben ze Brichsen an sand Luceyn tag nach Kristes gepurd dreuzehen hondert iar darnach in dem drew und sechzigisten iare.

† hoc est verum. †

Hängt Rudolfs kleines Siegel.   Orig. k. k. g. A.

390   Iuchingen (Innichen), 1363 Dec. 14.
Erzherzog Rudolf stiftet eine ewige Messe für eine Kirche bei Bruneck. Sinnacher 5,416. Chmel, Geschichtsforscher 1,580.

391   Oetting, 1363 Dec. 19.
Stephan d. ä. und Friedrich sein Sohn, Herzoge von Baiern, versprechen den Landgrafen Ulrich und Johann von Leuchtenberg und dem Grafen Leopold von Hals, welche ihnen die von denselben in dem Gefechte bei Oetting gefangenen Otto von Stubenberg, Haug den Goldecker, Walter den Hanauer, Dietmar den Weizzenecker und siebzehn andere Genannte eingeantwortet haben, ihnen entweder bis nächsten Michaelstag den Schaden zu ersetzen, den sie jetzt im Gefechte genommen haben oder fortan nehmen würden, oder ihnen die Gefangenen wieder einzuantworten, auch diese ohne ihre Zustimmung nicht frei zu lassen oder in eine andere Hand zu geben, und dieselben, wenn etwa sie in Gefangenschaft gerielhen, zu ihrer Auswechslung zu verwenden. Orig. bair. lt. A.

392   Salzburg, 1363 Dec. 20.
Herzog Rudolf verpfändet den Grafen Ulrich und Hermann von Cilly Güter in Krain für 5000 Gulden, die er ihnen schuldig ist, nämlich 3400 Gulden in Barem, 1600 Gulden „um den Dienst, den sie in diesem gegenwärtigen Krieg gegen Baiern in das Gebirg gethan haben." Mitth. des hist. Vereins f. Steiermark 6,250 extr.

393   Ratenberg, 1363 Dec. 21.

Konrad der Kummersbrucker, Jägermeister in Oberbaiern, und sein Sohn Johann geloben eidlich, dem Herzoge Albrecht von Baiern mit dem halben Theil der Feste und des Marktes Rattenberg, die er als Pfand innehat, gegen jedermann zu dienen und zuzugeben, dass der Herzog Volk in Festung und Markt lege unvergolten solicher rechten und pfandschaft, die die hochgeborn fraw, fraw Margaret die elter marggravinn ze Brandenburg und gravinn ze Tyrol unser genädige fraw über die obgenante vest und markt ze Ratemberg hat"; nach Margarethas Tod verspricht er mit dem halben Theil dem Herzoge Albrecht als seiner rechten Herrschaft dienstbar zu sein und, wenn der Herzog sie an sich lösen wollte, ihm und dem Herzoge Stephan oder ihren Erben die Lösung von Feste und Markt zu erlauben. Tom. privil. 20 f. 56 im bair. R. A.

394   1364 Jan. 9.

Karl IV. verspricht eidlich den Herzogen Stephan und Albrecht von Baiern und des erstern Söhnen Stephan, Friedrich und Johann, die Herzoge Rudolf, Albrecht und Leopold von Oesterreich nie zur römischen Königs- oder Kaiserwürde gelangen zu lassen. Originalregesten des bair. R. A. aus Aroden. (Sollte die Urkunde vielleicht statt „Dienstag" am Donnerstag nach Obristentag — Jun. 11 — datirt sein?)

395   Prag, 1364 Jan. 11.

Die Herzoge Stephan d. ä. und Albrecht von Baiern und des erstern Söhne Stephan, Friedrich und Johann versprechen dem Kaiser Karl an Eides statt, mit aller Macht verhüten zu wollen, dass einer der Herzoge Rudolf, Albrecht und Leopold von Oesterreich je römischer Kaiser oder König werde, oder ihn wenigstens ohne Zustimmung des Kaisers und seiner Erben und Nachkommen, der Könige von Böhmen, nicht anzuerkennen. Kurz, Rudolf IV. S. 387.

396   Prag, 1364 Jan. 11.

Herzog Stephan d. ä. von Baiern und seine Söhne Stephan, Friedrich und Johann kommen mit Kaiser Karl IV. überein, dass sie den gegenwärtigen Herzogen von Oesterreich und ihren Erben und Nachkommen gegen ihn als Kaiser und gegen das Reich mit dem Herzogthum Baiern nie beistehen und dieses auch ihren Unterthanen nie gestatten sollen; dagegen soll der Kaiser, so lange sie mit den Herzogen von Oesterreich wegen der Grafschaft Tirol in Krieg sind, zu verhindern suchen, dass die Markgrafen Ludwig und Otto von Brandenburg sie um Oberbaiern ansprechen, oder soll dieselben gegen sie wenigstens nicht unterstützen; nach Beendigung des Krieges mag der Kaiser beiden Theilen zu ihren Rechten beholfen sein; würde der Kaiser je ihretwegen mit den Herzogen von Oesterreich in Krieg kommen, so würden sie sich mit denselben ohne Wissen und Willen des Kaisers nicht verrichten. Riedel, nov. cod. dipl. Brandenb. II. 2,456.

397   Prag, 1364 Jan. 11.

Kaiser Karl IV. beurkundet in gleichlautender Weise denselben Vertrag. Abschrift im k. k. g. A. Diplomatar No. 819 f. 68. (Wahrscheinlich damit identisch Lichnowsky n. 543.)

398　　　　　　　　　　　　　　P r a g , 1364 Jan. 11.

Herzog Stephan d. ä. und seine drei Söhne versprechen Karl IV. als
König von Böhmen und seinem Sohne Wenzel, den Herzogen von Oesterreich nie gegen sie beizustehen.

Wir Stephan der elter, wir Stephan, Fridreich und Johans gebrüder, sein sün, von gots genaden pfallenzgrafen bei Rein und herzogen in
Bayern, bekennen offenleichen mit disem brief und tun kunt allen lawten, die in sehent oder hörent lesen, das wir für uns, unser erben und
nachkomen herzogen ze Bayren mit dem allerdurchlauchtigisten für-
sten und | herren, hern Kareln Römischen kaiser, zu allen zeiten merer
des reichs und kunig zu Behaim, unserm genädigen herren als mit
einem kunig zu Behaim, und dem hochgeborn fürsten hern Wenzla
kunig zu Behaim unserm lieben öheim, iren erben und nachkomen,
kunigen zu Behaim, mit wolbedachtem mut, mit rechter wizzen und
mit rat unserer freund und manne gänzleichen ainträchtichleich mit
ein ander uberain komen sein in alle der weis als her nach geschriben
stet. Von ersten, das wir, unser erben und nachkomen, herzogen zu
Bayern, nimmermer den herzogen von Östereich, die ietzo sind, iren
erben und nachkomen, herzogen zu Östereich, sullen beholffen sein
wider unsern genädigen herrn den kaiser als einem kunig zu Behaim,
herrn Wenzla seinem sun, unserm lieben öhaim, iren erben und nachkomen kunigen zu Behaim, noch wider das künichraich zu Behaim,
und was darzu gehört, ez sei aigen oder lehen. Auch sullen wir, unser erben und nachkomen, herzogen zu Bayern, allen grafen, herrn,
rittern und knechten, steten, gemainden, und allen unsern undersazzen
in unserm land ze Bayern und was dar zu gehört, es sei aigen oder
lehen, nimermer ewichleichen gestatten, das si mit irem slozzen, vesten, landen, lawten, leib oder gut in dhain weis den egenanten herzogen von Östereich, die ietzo sind, iren erben und nachkomen, herzogen zu Östereich, wider die egenanten unsern herren den kaiser,
unsern öhaim, hern Wenzla, kunig zu Behaim, ir erben oder nachkomen, kunig zu Behaim, helffen süllen oder mügen on arglist und
gevärd. Auch sullen wir, unser erben und nachkomen, uns mit den
herzogen von Östereich, iren erben und nachkomen, herzogen ze Östereich, nimmermer verainen, wir nemen dann in der ainung auz, das wir
den egenanten herzogen von Östereich, iren erben und nachkomen,
herzogen zu Östereich, wider die vorgenanten unsern herren, den kaiser, seinen sun herren Wenzla, unsern öhaim, ir erben und nachkomen,
kunig zu Behaim, nicht sullen beholfen sein. Wär aber, das unser
herre der kaiser als ein kunig zu Behaim und her Wenzla sein sun,
kunig zu Behaim, unser öhaim, ir erben und nachkomen, kunigen zu
Behaim, von unsern wegen in krieg komen gen den egenanten herzo-

gen von Östereich, iren erben und nachkomen, so sullen wir uns mit
denselben nimermer verrichten on willen, wizzen und wort der selben
unsers herren, des kaisers, hern Wenzla seins suns, unsers öhaims,
irer erben und nachkomen, künige zu Behaim. Und alle die egenante
sach und ir iegleichev besunder haben wir für uns, unser erben und
nachkomen herzogen zu Beyern in guten trewen an aydes stat gelobt
und geloben mit kraft des briefes, stät und vest, unzerbrochenleichen
ze behalden und da wider nicht ze tün in dhain weis. Und des zu urchund und ewiger werhait haben wir obgenante herzogen von Bayern
unsreriv insigel an disen brief gehengt, der geben ist zu Prag nach
Kristi geburt dreuzehen hundert iar darnach in dem vier und sechzigistem iar des nächsten donerstags nach dem obristen tag.

Alle vier Siegel hängen.   Orig. k. k. g. A.

399   Brünn, 1364 Febr. 6.
 Bischof Peter von Chur leiht, da die Markgräfin Margaretha von Bran-,
denburg ihm alle Lehen, die sie von seinem Stifte in Tirol hatte, aufge-
sendet und ihn gebeten hat, damit die Herzoge Rudolf, Albrecht und Leopold
von Oesterreich zu belehnen, dieselben den genannten Herzogen. Abschrift
in Bibl. Tirol. 614,70.

400   Brünn, 1364 Febr. 8.
 Kaiser Karl IV. bestätigt die durch die Markgräfin Margaretha gemachte
Schenkung der Grafschaft Tirol, des Landes an der Etsch und im Innthal an
Herzog Rudolf von Oesterreich und seine Brüder und belehnt dieselben mit
allem, was in jenen Gebieten Reichslehen ist. Steyerer 379. Brandis,
Ehrenkränzel 143.

401   Brünn, 1364 Febr. 10.
 Kaiser Karl, König Wenzel von Böhmen und Markgraf Johann von
Mähren einer-, König Ludwig von Ungarn und die Herzoge Rudolf, Al-
brecht und Leopold andererseits schliessen Frieden. Steyerer 382. Lünig,
C. G. D. 2,515.

402   Brünn, 1364 Febr. 12.
 Erzherzog Rudolf von Oesterreich bekennt für sich und seine Brüder,
dass die Grafen von Tirol allzeit Obrist-Schenken des Bisthums Chur gewesen, dass er das Schenkenamt nebst andern Lehen, die ihm wegen der
Grafschaft Tirol rechtlich gebüren, vom Bischofe Peter von Chur empfangen
habe und dafür das Bisthum schützen wolle. Archiv f. österr. Geschichtsquellen 15,351 extr.

403   Wien, 1364 Apr. 11.
 Erzherzog Rudolf bekennt dem Grafen Ulrich und Hermann von Cilly
für den Dienst, den sie ihm in diesem Jahre von Georgi bis Martini gegen
die Herzoge von Baiern mit 100 Mannen mit Helmen und mit eben so viel

Schützen („je den Helm und Schützen zu einander 57½ Gulden") thun sollen, 2150 Gulden schuldig zu sein, und schlägt dieselben auf seine Festen
Hoheneck und Sachsenwort und den Markt Sachsenfeld. Orig. k. k. g. A.

404 Prag, 1364 Mai 1.
Herzog Rudolf bekennt Bruno dem Gussen von Gussenberg 500 Gulden
und 69 Pfund Wiener Pfennige schuldig zu sein für den Dienst, den er ihm
mit sechs Schützen bis nächsten St. Martinstag gegen die Herzoge von Baiern
thun soll, und verspricht obige Summe bis dorthin zu zahlen. Orig. Statthalterei-Archiv (Parteibriefe).

405 Budissin, 1364 Mai 8.
Ludwig der Römer und Otto, Markgrafen von Brandenburg, bekennen,
auf die Grafschaft Tirol, das Land an der Etsch, im Gebirg und im Innthal
keine Ansprüche zu haben von Erbs, Gabs, Gemächte oder eines Anfalls
wegen, und wenn sie Rechte oder Ansprüche hätten, darauf zu Gunsten der
Herzoge von Oesterreich zu verzichten. Steyerer 391. Brandis, Landeshauptleute 111.

406 Budissin, 1364 Mai 8.
Dieselben schliessen mit den Herzogen von Oesterreich ein Angriffs-
bündniss gegen ihren Bruder Herzog Stephan von Baiern und seine Söhne.
Kurz, Rudolf IV. S. 392.

407 Wien, 1364 Mai 21
Herzog Rudolf schreibt den Bürgern von Hall im Innthal, dass er mit
dem Kaiser ein Uebereinkommen geschlossen habe, und dass derselbe und
genannte Fürsten u. a. ihm gegen Baiern helfen werden, bittet sie, sich
seine und des Landes Sache empfohlen sein zu lassen, und verspricht bald
selbst zu kommen oder einen seiner Brüder zu schicken.

Wir Rûdolf von gots gnaden herzog ze Österreich, ze Steyr, ze
Kernden und ze Krayn und graf ze ¦ Tyrol etc, embieten unsern getrewen lieben, dem richter, dem rate und den purgern ze Hall in dem
Intal unser gnad und alles gût. Wir tûn ew ze wizzen ze sunderm trost
und frouden, daz wir von unsern herren dem kayser nu geschaiden
sein nach allem unserm willen, und daz er, die marchgrafen von Brandenburg, die herzogen von Sachsen, der herzog von der Sweidnitz,
der marchgraf von Merhern, unser lieber swager, die grafen von Wirtenberg und von Helfenstain, und die reichs stette von Swaben un[s
gegen die von] [1] Payrn mit grozzer macht helfen wellent. So hat
uns unser herr der kayser gegeben Velters, Sibdat und die grafschaft
Zschimel, die uns und ew nutz sind zû dem land, und bitten ew vleizzig und mit ernst, daz ir ew unser und dez landes sache empholhen

---

[1] Die Lücke im Original ist nach dem Maasse der Grösse derselben und
nach einzelnen Buchstaben, die noch sichtbar sind, ausgefüllt.

lasset sein, als wir ew des wol getrewen, wan wir mit gots hilfe kürzlich zu ew selber komen wellen, oder aber ainen unser prüder senden und ew des schaden, den ir in disem krieg genomen habt, als völleklich mit sundern gnaden ergetzen, daz ir inne werdent, daz ir ainen genedigen herren an uns habt, und daz ir ewren schaden wol verkiesen werdent, wan wir auch ew für andre die unsern, und ewern kindern eweklich raten und helfen wellen und mit hilflicher fürderung zů ew sehen; und waz unser getrewer Hainrich Snellman, phleger in dem Intal, fürbaz von unsern wegen mit ew rede, daz gelaubt im, wan er unsrer mainung in den vorgeschriben sachen wol underweiset ist. Geben ze Wienn, am freitag nach gots leichnams tag anno Lx°iiii°.

Vom Siegel, das vielleicht rückwärts aufgedrückt war, ist keine Spur mehr, weil die Urkunde rückwärts mit Papier überzogen ist.

Orig. im Haller Stadtarchiv.

408 Wien, 1364 Mai 27.

Herzog Rudolf beurkundet die Ueberlassung des grossen Zolles zu Innsbruck und Hall an letztere Stadt.

Wir Růdolff von gotes gnaden herzog ze Östereich, ze Steyr, ze Kernden und ze Krain, graf ze Tyrol etc. tůn chunt, || daz wir den grozzen zol ze Insprugg und ze Hall, den wir ieczund von unserm getrewn lieben Hainreichen dem Snelman, phleger in dem Intal gelöset haben, unsern getrewn lieben, dem rat und den purgern unserr stat ze Hall durch der lautern trewe und stéter dinst willen, die si uns und unsern bruedern erzaigt habent und ouch ze ergeczung irs schadens, den si in disem chrieg genomen habent, ingeantwurtt und empholhen haben, also daz si den mit allen nüczen, rechten und eren, die darzu gehörent, innhaben und niezzen sullent genzlich, unz an unser oder unsrer brúder widerrůffen. Wenne wir ouch denselben zol wider an uns nemen und in den von gnaden nicht fürbas lazzen wellen, so sullen wir in unsern egenanten purgern von Hall für ander leut lazzen umb ainen zeitlichen dinst und zins an all geverde. Mit urchund diez briefs, der geben ist ze Wienn am mentag nach gots leychnams tag, nach Kristes gepürd dreuzehenhundert iar und darnach in dem vier und sechzigisten iare.

† hoc est verum. †

Das angehängte Siegel fehlt. Orig. im Haller Stadtarchiv.

409 Wien, 1364 Juni 6.

Graf Albrecht von Görz verzichtet für sich und seine Erben zu Gunsten der Herzoge von Oesterreich auf alle Rechte und Ansprüche auf Tirol. Steyerer 392. Brandis 112.

410   Ingolstadt, 1361 Juli 17.

Herzog Stephan d. ä. von Baiern giebt für sich, seinen Bruder Albrecht und seine Söhne dem Pfalzgrafen Ruprecht d. ä. und dem Burggrafen Friedrich von Nürnberg Vollmacht, mit den Herzogen von Oesterreich Frieden oder Waffenstillstand zu schliessen.

Wir Sthephan der eltere von gots gnaden pfallenzgref bi Rine und herzog in Beihern ' graf ze Tyrol und ze Górz, vogt der godishuser Aglay, Tryend und Brychsen etc. | bekennen und tun kunt offenbar mit diesem briefe umb solche zweihunge, offleufe und cryege, als zwischen uns, den hochgeborn herzog Albrecht, unserm lieben bruder, Sthephan dem jungern, Frederich und Johannen, unseren lieben sonen, herzogen zů Beihern, allen unsern helfern und dienern an eyme teile und den herzogen von Oysterich, iren helfern und dyenern an deme andern teile gewest biz off diesen hutigen tag und noch sint, daz wir dye gar und ganz in hant und gewalt der hochgeborn fursten Rûprechts des eltern, pfallenzgrafen bi Rine, des Romschen richs obristen truchsezen und herzogin in Beyhern, unsers lieben vettern, und des edeln Frederichs burggrafen zů Niurenberg, unsers lieben swagirs, gesazt und gestalt haben, setzen und stellen unde geben denselben fůr uns macht und craft, frieden und tage und aller ander sache zů machen und zu tedingen. Und wie die obgenanten unsere vetter herzog Ruprecht der eltere und burggraf Frederich solichen crieg friedent, tage machent oder ander sache dar ynne handelent, daz sollen und wellen wir herzog Sthephan der eltere egeschriben und globen dasselbe ouch mit guten trewen für uns und die obgenanten herzogen Albrecht unseren lieben bruder, Sthephan den jungern, Frederich und Johannen unsere lieben sone, und fur alle die unsere und ire helfer und diener desselben cryeges stede unde veste ze halden und dar wieder nicht zů tůn an alles geverde. Mit urkunde dis briefs versiegelt mit unserem ingesiegel. Geben ze Ingelsted des nehsten mitiewochs nach sant Margareten dage nach Cristi geburthe, als man zalte druzehenhundert iare darnach in dem vier und sechzigistem iare.

    Das Siegel hängt.   Orig. k. bair. R. A.

411   Ingolstadt, 1364 Juli 17.

Herzog Albrecht von Baiern stellt eine gleichlautende Vollmacht aus.
Orig. bair. R. A.

412   Enns, 1364 Aug. 2.

Erzherzog Rudolf giebt seinem Kammermeister Johann dem Lazberger für die demselben verliehenen und nun von ihm wieder ledig gelassenen Pfandguter in Tirol und für den Dienst, den derselbe ihm jetzt im Kriege gegen Baiern thut, 1200 Mark Berner Meraner Münz und weist ihn, seinen Sohn Rudolf und des letztern Gemahlin Katharina, Friedrichs von Greifen-

stein Tochter, auf die Herrschaft und Feste in Ulten, die sie mit 150 Mark
jährlicher Gült und mit dem dortigen Gericht inne haben sollen, bis die
1200 Mark ihnen gezahlt werden, doch so, dass sie, was 150 Mark jährlich
übersteigt, abliefern sollen. In einem Vidimus des Herzogs Albrecht von
Oesterreich von 1423 im k. k. g. A.

413   Auf dem veld ze Ettenveld. 1364 Aug. 29.
Die Herzoge Stephan d. ä., Albrecht, Stephan d. j. und Friedrich von
Baiern geben dem Grafen Johann von Ortenberg und den mit ihm Gesendeten Vollmacht, mit den Herzogen von Oesterreich namentlich wegen Tirol
zu taidigen.

Wir Stephan der elter und Albrecht gebrüder, Stephan der iün-
ger und Fridreich auch gebrüder, von gotes genaden pfallzgrafen
bey Reyn, herzogen ze Beyrn und graven ze Tyrol und ze Görz etc. |
bechennen und tun chunt offenlich mit disem brief, daz wir dem edeln
man graven Johan von der Ortemberg und den, di wir mit im gesant
haben, ganz gemacht und gewalt geben haben mit disem brief, von
unsern wegen ze teydingen von söllher stözz, chrieg und auflauf wegen, die sich zwischen unser auf ein seit und herzog Rudolf von Osterreich und seiner brüder auf die andern seit erlauffen und ergangen
haben unz auf disen tag, wie di genant sind, grozz oder chlain und mit
nemen umb di graschaft und herschaft Tyrol und daz Gepirg und waz
dar zu gehört. Und was si von unsern wegen darumb reden und teydingen, daz geloben und gehaizzen wir in allez ganz stät und unzerbrochen ze behalden und ze volfüren bey unsern trewen an allez geverd, und da wider nicht ze tun noch ze chumen in dhein weis. Mit
urchund ditz briefs, der geben ist auf dem veld ze Ettenveld anno
domini millesimo ccc^{mo} Lxiiij° in die beati Augustini.

Hängt nur noch das Siegel H. Albrechts.   Orig. k. bair. R. A.

414   Passau, 1364 Sept. 12.
Stephan d. ä., Albrecht und des erstern Söhne Stephan d. j., Friedrich
und Johann, Herzoge von Baiern, schliessen auf Bitten des Königs Ludwig
von Ungarn mit den Herzogen von Oesterreich einen Waffenstillstand bis
nächsten Georgentag mit der Bestimmung, dass sie, wenn der König beide
Theile auf einen Tag berufen würde, darauf kommen würden, wenn sie
wollten. Steyerer 394.

415   Passau, 1364 Sept. 12.
Herzog Rudolf von Oesterreich beurkundet den Abschluss dieses Waffenstillstandes. Lichnowsky n. 611.

416   Straubing, 1364 Sept. 27.
Herzog Albrecht von Baiern lässt denen von Osterhofen, weil sie sei-
netwegen im Kriege gegen Oesterreich Schaden erlitten, auf zehn Jahre die
Steuer von 10 Pfund nach. Originalregesten des bair. R. A.

417   Luckau, 1364 Nov. 11.

Kaiser Karl IV. beurkundet, dass das, was Markgraf Otto von Brandenburg in Oberbaiern gewinnt, dem Markgrafen Ludwig dem Römer ebenso
zum Nutzen gereichen solle wie jenem.

Wir Karl von gots gnaden Romischer keiser, zu allen zeiten merer des reichs und kunig zu Beheim, bekennen und tun kunt offenlich
mit   diesem briefe allen den, die yn sehen odir horen lesen, daz wir
dem hochgeborn Ludewige genant dem Romer marggrafen zu Bran-
denburg | und zu Lusicz, pfalzgrafen bei Ryn und herzogen in Beyern,
unserm lieben oheim und fursten, gesprochen haben und sprechen mit
diesem briefe, was der hochgeborn Otte marggraff zu Brandemburg
sein bruder unser lieber eydem mit unserm rate, furderunge und hilfe
odir sust in den landen zu obern Beyern gewinnet und erwirbet, wor
ane daz sei und wie iz zukomen mag von ires vetterlichen erbes wegen, daz daz allez dem egenanten Ludewige dem Romer und ob er
nicht enwere, seines libes erben manesgeslechts zu irem teil als hilfen-
lich sein sol und yn zu irem nucze und fromen als wole komen als
marggrafen Otten unserm eydem in allen sachen. Mit urkund diez
briefes versigelt mit unser keiserlichen maiestad insigel. Geben zu
Luckaw nach Crists geburt druzehenhundert iar, dar nach in dem
vier und sechzigistem iare an sant Martinstag unsir reiche in dem
neunzehenden und des keisertums in dem zehenden iare.

                              per dominum de Kolicz
                              Johannes Eystetensis.

Das Siegel fehlt.   ·   Orig. k. bair. R. A.

418   Graz, 1364 Dec. 15.

Margaretha, Markgräfin von Brandenburg, beurkundet, dass die Herzoge
von Oesterreich alles, wozu sie ihr verpflichtet waren und was sie ihr versprochen hatten, besonders wegen der Uebergabe Tirols, vollständig erfüllt
hätten, spricht sie daher von aller Bürgschaft los, gelobt, der Herzoge gute
Freundin zu sein, nur Gutes von ihnen zu glauben, dieselben, wenn ihr
etwas anderes gesagt würde, zur Rede zu stellen und zu verhören, alle
wichtigen Angelegenheiten nur nach ihrem Rathe und Wissen zu verhandeln,
und auf ihren Nutzen bedacht zu sein; würde je gefunden, dass sie den
Herzogen zu schaden, den Feinden derselben „zuzulegen", von ihnen zu
ziehen oder von ihnen sich zu entfernen trachte, so sollten sie aller Verpflichtungen ledig sein: doch sollten ihr, wenn die Herzoge vor ihr ohne
Leibeserben mit Tod abgiengen, ihre Rechte auf Kärnthen und Tirol und
aus besonderer Freundschaft auch auf das Herzogthum Krain vorbehalten
bleiben. Kurz, Rudolf IV. S. 407.

419   Wien, 1365 Jan. 21.

Bischof Albrecht und das Domcapitel von Passau schliessen mit dem
Erzherzog Rudolf von Oesterreich und seinen Brüdern ein Bündniss. Lünig,
R. A. Spic. eccl. pars II. p. 792. Hund, metrop. Salisb. 1,397.

420   Prag, 1365 Febr. 2.
Kaiser Karl IV. ernennt seinen Neffen Meinhard, Grafen von Görz-Tirol
zu seinem Hofgesinde. Rathgeber und Diener, macht ihn aller Rechte und
Freiheiten derselben theilhaftig und verspricht ihn als seinen und des römischen
Reiches Fürsten und Getreuen bei allen Gütern und Rechten zu schützen.
Bair. R. A. tom. privil. 30 f. 4.

421   Wien, 1365 Febr. 6.
Rudolf der Haslanger verspricht dem Herzog Rudolf von Oesterreich
dafür, dass er ihn aus seiner Gefangenschaft freigelassen und zu seinem Hofgesinde genommen, und für die Belehnung mit Amras, den Herzogen die
Feste Thierberg im Innthal und alle Erbgüter in Baiern einzuantworten, sobald dieselben die Zustimmung des Georg von Freundsberg von Lichtenwerd erhalten. Hormayr, Hohenschwangau 1,119.

422   Ze Tyrol, 1365 Febr. 6.
Herzog Leopold von Oesterreich giebt, da er jetzo aus dem Lande
reite, (wohl nach Mailand, wo Febr. 23 die Vermählung mit Viridis von
Visconti stattfand,) für seine Brüder Rudolf und Albrecht und für sich dem
Petermann von Schenna, Burggrafen zu Tirol, Gewalt, in ihrem Namen ihre
Festen Ehrenberg und Stein auf dem Ritten von Chonrad von Freyberg und
seinen Söhnen Bernhard und Walter zu lösen, und trägt diesen auf, die
Lösung ihren Eiden entsprechend zu gestatten. Orig. Statth.-A. (Schatz-
archiv, Lade 53).

423   Landshut, 1365 März 5.
Stephan d. ä., Albrecht und des erstern Söhne Stephan, Friedrich und
Johann, Herzoge von Baiern, verlängern den Waffenstillstand mit den Herzogen von Oesterreich bis nächsten Sonnenwendtag (Juni 24). Kurz, Rudolf IV. S. 412.

424   Bozen, 1365 Apr. 22.
Herzog Leopold von Oesterreich thut einen Schiedspruch im Streite
zwischen der Aebtissin von Chiemsee und Wernlein von Hetting. Originalregesten des bair. R. A.

425   Brixen, 1365 Mai 22.
Erzherzog Rudolf schenkt den Bürgern von Hall zur Huth auf ihrem
Kirchthurm drei Mark Berner jährlich aus dem dortigen Pfannhaus und befiehlt Heinrich dem Snellmann, Pfleger und gegenwärtigem Salzmair, Obiges
richtig auszuzahlen. Orig. Haller Stadtarchiv.

426   Hof-Gastein, 1365 Mai 30.
Meinhard, Pfalzgraf in Kärnthen, Graf zu Görz und Tirol beurkundet,
dass er seine Tochter Katharina, die jüngste, die er jetzt hat, dem Herzog
Johann von Baiern, des Herzogs Stephan Sohn, gegeben habe, setzt Katharina, ihren Gemahl und beider Kinder zu Erben aller seiner Herrschaften
ein, so dass sie dieselben, wenn er ohne Söhne mit Tod abgienge, so besitzen sollen, wie er sie besitze, wie ihnen denn auch jetzt schon seine

Ritter und•Knechto, Städte und Märkte gehuldigt haben; würde er einen oder mehrere Söhne hinterlassen, so sollten jene mit diesen zu gleichen Theilen erben; erhielte aber Meinhard noch eine oder mehrere Töchter, so kann er diesen geben, wie er ihnen gebunden ist. Alte Abschrift im k. k. g. A. Diplomatar No. 819 f. 11.

427   Hof-Gastein, 1365 Mai 30.
Graf Meinhard von Görz schliesst mit Herzog Stephan von Baiern und seinen Söhnen ein Bündniss unter angegebenen Bedingungen.

Wir Meinhart, phallenzgraff ze Kernden, graf ze Görz und Tyrol, vogt der gotsheuser ze Agley, ze Triend und ze Prixen |' bechennen offenleich mit disem brieff und tün chunt allen den, die in sehent, hörent oder lesent. Umb die grozzen freuntschaft | und heyrat, die yetzü beschehen ist zwischen dem hochgebornen fürsten herzog Johansen, des hochgebornen fürsten und herren hern Steffans von gotes genaden phallenzgraff bey Rein und herzog ze Payern jungistem sun an einem tayl, und der edlen unsrer lieben tochter herzogin Katrein an dem andern tayl, haben wir mit wolbedachtem müt mit rechter vorbetrachtung und auch nach rat unsers rats uns unser lebtag mit allen unsern herscheften, landen und leuten verainet und verpunden und verpinden uns auch mit disem gegenburtigem prief zu dem vorgenantem herzog Steffan und auch zu seinen sünen herzog Steffan, herzog Fridrich und herzog Johansen und zu iren herscheften, landen und leuten, also daz wir in getruwleich, als oft und wie dichk in des not beschicht, mit unserm leyb und güt, landen und leuten und aller unsrer macht dienstleich und geholffen sein wider allermännichleich auzgenomen des römischen reichs. Ez ist auch geret und geteydinget umb die stözz und chrieg, die dy obgenanten herren von Payern habent mit den herzogen von Österreich: da mügent si sich wol mit verainen und verrichten nach irem willen unsern rechten an schaden, mit der beschayden, daz die obgenanten freuntschaft, puntnüss und hülf pey allen iren chreften und mächten beleyb zwischen unser, als si oben an dem prieff begriffen ist, getruwleich an allez geverd. Auch ist zwischen unser geteydinget, daz wir an rat und willen der obgenanten herzogen von Payern mit den herzogen von Österreich dhaynen vrid aufnemen süllen. Dar uber zu einem waren und stêten urchünd geben wir vorgenanter graf Meinhart disen prief mit unserm anhangendem insigel versigelten, darunder wir vorgenanter graf Meinhart uns verpinden mit unsern truwen an aydes stat, allez daz stêt ze behalten und ze volfüren, daz an disem prief verschriben stet. Geben ze dem Hoff in der Gastewn, do man zalt nach Christi gepürd dreuzehenhundert iar und in dem fümf und sexzigistem iar des nachsten vreytags vor phinchsten.

Das Siegel hängt.   Orig. k. bair. R. A.

428   Gastein, 1365 Mai 30.

Herzog Stephan d. ä. von Baiern und seine drei Söhne beurkunden ihrerseits das mit dem Grafen Meinhard von Görz gegen jedermann, nur nicht gegen das Reich abgeschlossene Bündniss. „Es ist auch gerett und betaydingt umb die stöss und krieg, die der obgenant graf Meinhart hat mit den herzogen von Oesterreich, da mag er sich wol versinen und verrichten nach seinem willen unser rechten an schaden." Abschrift in Steyerer's Collectaneen 5, n. 79 k. k. g. A.

429   Ze Tyrol, 1365 Juni 4.

Herzog Rudolf von Oesterreich verleiht den Bürgern von Hall zur Ergötzung des Schadens, den sie in diesem Kriege gegen Baiern erlitten haben, auf zwei Jahre den Zoll zu Hall. Orig. Haller Stadtarchiv.

430   Auf Tyrol, 1365 Aug. 30.

Herzog Leopold von Oesterreich beurkundet, dass Berchtold von Gufldaun, Hauptmann zu Tirol und an der Etsch, ihm von Sept. 1 bis nächste Weihnachten mit 150 Gewappneten dienen soll, wofür ihm 8400 Gulden, je einem Gewappneten monatlich 14 Gulden, fallen, und verspricht, da er ihm jetzt nur 1000 Gulden gegeben habe, von den ihm und seinen Söhnen Kaspar und Hans noch schuldigen 7400 Gulden die Hälfte bis Weihnachten zu zahlen, widrigens sie auf die übrigen Pfandschaften gelegt werden sollen. Orig. Statth.-A. (Schatzarchiv, Lade 53).

431   München, 1365 Okt. 3.

Stephan d. ä. Albrecht und des erstern Söhne Stephan, Friedrich und Johann, Herzoge von Baiern, schliessen mit den Herzogen von Oesterreich Waffenstillstand bis nächsten Georgentag. Kurz, Albrecht III. 1,9 citirt. Lichnowsky n. 681.

432   Strass bei der Clausen Rotenburg, 1365 Okt. 7.

Herzog Stephan d. ä. von Baiern verspricht für sich und die übrigen vorbenannten Herzoge, den von Konrad Kummersbrucker, Jägermeister, Georg Waldecker, Heinrich Zengger und Hans dem Jägermeister in ihrem Namen mit den Herzogen von Oesterreich bis nächsten Georgentag abgeschlossenen Waffenstillstand zu halten. Steyerer 395.

433   Trient, 1365 Nov. 5.

Bischof Albrecht von Trient verspricht den Herzogen Albrecht und Leopold von Oesterreich, welche ihm gemäss der zu Mailand gemachten letztwilligen Verfügung Herzog Rudolfs Stadt und Burg Trient und die übrigen Besitzungen seines Stiftes wiedergegeben haben, mit Zustimmung seiner Dienstleute, Räthe, Knechte und Bürger eidlich, den genannten Herzogen und ihren Nachkommen und Erben, Grafen von Tirol, als seinen Erbvögten gehorsam zu sein und ihre Grafschaft Tirol gegen jedermann mit ganzer Macht zu vertheidigen. Brandis, Tirol unter Friedrich S. 217.

434   Salzburg, 1365 Dec. 4.

Herzog Leopold von Oesterreich bekennt dem Berchtold von Gufldaun und seinen Söhnen 883 Gulden schuldig zu sein, und schlägt sie ihnen auf ihre Pflegen und Pfandschaften.

Wir Leuppolt von gotes gnaden herzog ze Östereich, ze Steyr, ze Kernden und ze Krain, graf ze Tyrol etc. |l tůn kunt, daz wir unsern lieben getrewn Perchtolten von Gufidaun, houptmann ze Tyrol und an der Etsch, | und Kasparn und Hansen seinen sunen und irn erben gelten sullen und schuldig sein acht hundert und drey und achzig guldein. Der hat uns derselb houptman berait gelihen funf hundert, die unsern oheimen graf Wilhalmen und graf Hainreichen von Montfort an irm dienst gevallen sind; so hat er dem Zetschẽr unserm wirt ze Brichsen an unsers lieben brůders herzog Růdolfs selig und an unsrer zerung geben hundert und achzig guldein, und an unsrer kost an Meran hat er gegeben hundert guldein, und sibenzig guldein hat er gegeben dacz dem Neunmarkt, die daselbs mit unsers lieben brůders herzog Růdolfs leichnam verzert wurden, und drey und dreizzig guldein, die mit demselben leichnam verzert wurden dacz Chlausen. Davon sol der vorgenante houptman, sein sune und ir erben die egenanten acht hundert und drey und achzig guldein haben auf allen phlegen, behausungen und seczen, die si ieczund innehabent, und sullen wir si da nicht enthausen, si werden ee des obgenanten irs gelts gericht und gewert in aller weis, als si vor ander gelt darauf habent und als die brief sagent, die daruber gegeben sint. Mit urkund dicz briefs gebeu ze Salzburg an phinztag vor sant Nicolai tag, nach Krists geburt dreuzehen hundert iar und darnach in dem funf und sechzigistem iare.

                                        per dominum et consiliarios.
Das Siegel hängt.   Orig. Statth.-Archiv.

435   W i e n, 1365 Dec. 18.
Herzog Albrecht von Oesterreich sagt den Friedrich von Greifenstein, nachdem dieser Trient dem Bischofe Albrecht zurückgegeben, aller Eide und Pflichten ledig.

Wir Albrecht von gottes gnaden herzog ze Östereich, ze Steyr, ze Kernden und ze Krain, graf ze Tyrol veriehen und tůn kunt umb die stat Tryent, die vest Malconsin, die vest Silf und was darzů | gehört, die unser getrewr lieber Fridreich von Greyffenstain von unsern wegen hat inngehabt und die er nach haizzen und gescheft des hochgebornen fürsten herzog Leupolts unsers lieben brůders und nach rat unsers rats an der Etsch dem erwirdigen hern Albrechten grafen ze Ortenburg, erweltem und bestetten des bystůms ze Tryent, unserm lieben öhem, hat zů seinen und seins gotshaus handen ingeben und geantwurtt, daz wir den obgenanten Greiffenstainer haben genzlich ledig gelazzen und sagen ouch ledig und los aller ayde, gelübs und

punt, die er uns mit den vorgenanten vesten und phlegen getan het
in aller weis als die brief sagent, die er von dem obgenanten unserm
brûder herzog Leupolt daruber het. Mit urkund diez briefs, geben
ze Wienn an phinztag vor sant Thomas tag des heiligen zwelfbotten,
nach Kristes geburt drewzehenhundert iar darnach in dem fumf und
sechzigistem iare.

Das Siegel hängt.   Orig. k. k. g. A.

436   W i e n , 1366 Jan. 2.
Bischof Paul von Freising verspricht den Herzogen von Oesterreich
mit allen Festen, Städten etc., die sein Hochstift in ihren Landen hat, beizustehen. Lichnowsky n. 708.

437   W i e n , 1366 Jan. 11.
Die Herzoge Albrecht und Leopold von Oesterreich verpfänden dem
Rudolf von Ems für die ihm bei einer Rechnung im vorigen Jahre schuldig
gebliebenen 228 Mark, 7 Pfund Zalberner nnd 11 Groschen die Feste Neuhaus bei Terlan, das dortige Gericht und was sonst dazu gehört.

Wir Albrecht und Leupolt gebrûder von gotes gnaden herzogen
ze Östereich, ze Steyr, ze Kernden und ze Krain, grafen ze Tyrol etc.
bechennen und tûn kunt offenlich mit disem brief, wan uns unser
getrewr lieber Rûdolf von Empcz unser vest Tyrol, die im der hoch-
geborn furst, unser lieber brûder | herzog Rûdolf, dem got genad,
empholhen het, hat kostlich und erberklich ein ganzes jar und wol
drey manöd hinüber inngehabt und da wir obgenant herzog Leuppolt
vert hinauf komen an die Etsch, verhorten wir nach des egenanten
unsers brûders herzog Rûdolf gescheft und haizzen desselben von
Empcz raittung, und warn dabey unser lieben getrewn Hainrich phar-
rêr ze Tyrol, Peterman von Schenna, purggraf ze Tyrol, Perchtolt
von Gufidaun, houptman ze Tyrol und an der Etsch, Stephan von
Toppel, unser hofmaister, Hans von Lasperg, weilent des egenanten
unsers brûders, herzog Rûdolfs, kamermaister, Fridreich, die weil
pharrer ze der Neunstat, unser oberister schreiber, Hainrich der alt
kellnêr von Aichach, Peter unser kellner ze Tyrol und ander erber
leut; und an der vorgenanten raittung sein wir im schuldig beliben
recht und redlich zway hundert acht und zwainzig mark, siben phunt
zalperner und ainlef grozz Meraner münzz. Davon haben wir die
egenanten herzog Albrecht und herzog Leuppolt bayde nach rat unsers rates den vorgenanten Rûdolfen von Empcz und sein erben umb
dasselb gelt geweiset und weisen ouch mit disem brief auf unser vest
ze dem Neunhaus bey Törlan, auf das gericht daselbs und auf all
recht und ledig nucze, die darzû gehörent und die vor niemann stent,
also daz der egenante von Empcz und sein erben sullen die egenante

vest ze dem Neunhaus mitsampt dem gericht und mit aller zügehörung, als vor geschriben stet, von uns in phandes weis innhaben und niezzen ane abslag der nücze als lang, unz daz wir oder unser erben denselben von Empez oder sein erben des vorgenanten irs gelts gênzlich berichten und gewern. Welich zeit si wir ouch in dem iare mit dem egenanten irem gelt ermanen, so sullen si uns der losung stat tün an alle widerrede und an alles verziehen. Ouch sullen si oder' wer die obgenante vest zu dem Neunhaus von irn wegen innhat, uns und unsern erben damit warten und gehorsam sein, uns und die unsern darin und darauz ze lazzen und ouch darinne ze enthalten, wenn und wie oft uns des not geschicht an irn merklichen schaden und ane alles geverde. Mit urkund diez briefs geben ze Wienn an sunntag nach dem heiligen Prehentag, nach Kristes geburt dreuzehenhundert iar darnach in dem sechs und sechzigistem iare.

Beide hängende Siegel sind sehr beschädigt.

Orig. Statth.-Archiv.

438 o. O. 1366 Febr. 6.
Bischof Ulrich von Seckau verspricht den Herzogen von Oesterreich mit allen seinen in ihren Ländern gelegenen Festen beizustehen. Lichnowsky n. 712.

439 München, 1366 Febr. 21.
Stephan d. ä., Stephan d. j. und Friedrich, Herzoge von Baiern versprechen die ihnen von Konrad dem Frauenberger, Georg dem Waldecker. Heinrich Zengger, Johann dem Jägermeister vorgelegte Taiding wegen der Aussöhnung mit den Herzogen von Oesterreich halten zu wollen mit folgenden Bestimmungen: Kaiser Karl und das Reich sollen in dieser Taiding ausgeschlossen sein, dem Grafen von Görz seine Tochter wieder eingeantwortet werden, das, was dem von Oesterreich und dem von Görz von der Heirath wegen geschrieben ist, absein; Schärding soll den Herzogen von Baiern wieder eingeantwortet werden um 100000 Gulden; Stephan d. ä. soll 100000 Gulden in Barem erhalten; wie viel seine Söhne mehr erhalten sollen als 24000 Gulden, sollen der Burggraf von Nürnberg und der von Schaunberg entscheiden; die Herzoge von Oesterreich sollen ihre Lande zu Schwaben und Elsass schwören lassen, dass sie für den Fall, dass die von Oesterreich ohne leibliche Erben abgiengen, die Herzoge von Baiern und ihre Erben zu Herrn nehmen sollten; die Erbschaft an der Etsch sollten die von Oesterreich für den Fall, dass sie ohne Erben stürben, ihnen vermachen; über den Besitz von Rattenberg sollten der Burggraf und der von Schaunberg entscheiden; die von Oesterreich sollen ihre Helfer sein gegen den von Bern wegen der Ansprüche, die die Herzoge von Baiern ihrer Schwester wegen haben, und sollen mit demselben keinen Frieden schliessen, ausser es erhielte der von Wirtemberg 21000 Gulden; über weitere, etwa vergessene Punkte sollten der Burggraf und der von Schaunberg entscheiden. Quellen zur bair. Gesch. 6,486.

440   Wien, 1366 Mai 12.
Kaiser Karl IV. verleiht dem Vogte Ulrich von Matsch d. j. die zwei
Theile von Kirchberg, die seiner Gemahlin Agnes von ihrem sel.
Vater Wilhelm Grafen von Kirchberg angefallen sind. Originalregesten des bairischen
Reichsarchivs.

441   Landshut, 1366 Mai 13.
Stephan d. ä. und seine Söhne Stephan, Friedrich und Johann, Herzoge
von Baiern, beurkunden die Verlängerung des mit den Herzogen von Oester-
reich abgeschlossenen Waffenstillstandes bis Weihnachten. Lichnowsky n. 737.
Orig. k. k. g. A. (fast wörtlich gleichlautend mit Urk. von 1365 März 5
Reg. n. 423).

442   Straubing, 1366 Mai 13.
Herzog Albrecht von Baiern beurkundet dasselbe. Lichnowsky n. 738.

443   Wien, 1366 Juni 9.
Die Herzoge Albrecht und Leopold von Oesterreich versprechen alles,
wovon ihnen Berchtold von Gufidaun, Hauptmann zu Tirol und an der Etsch,
oder seine Söhne Kaspar und Hans mit redlicher Raitung beweisen, dass sie
es ihnen noch schuldig bleiben, auf deren übrige Pfandschaften zu schlagen.
Orig. Statth.-A. (Schatzarchiv, Lade 53).

444   Wien, 1366 Juni 18.
Die Herzoge Albrecht und Leopold von Oesterreich beurkunden die
Verlängerung des Waffenstillstandes mit dem Herzoge Albrecht von Baiern
bis nächste Weihnachten. Lichnowsky n. 748. R. B. 9,151. Orig. bair.
Reichsarchiv (fast wörtlich gleichlautend mit den vorausgehenden Waffen-
stillstandsurkunden).

445   1366 Aug. 10.
Graf Heinrich von Werdenberg verkauft an seinen Schwestersohn Vogt
Ulrich von Matsch um 5000 Pfund Haller das Drittel der Burg und Herr-
schaft Kirchberg. Originalregesten des bair. R. A.

446   Wien, 1366 Sept. 30.
Die Herzoge Albrecht und Leopold von Oesterreich legen dem Hans
Freundsberger von Freundsberg, der sie gemahnt, dass bei der letzten Raitung, wo sie ihm Feste und Pflege Strassberg für 1000 Mark Berner verschrieben, 230 Mark, die sie ihm noch schuldig sind, vergessen worden
seien, diese und die seither in ihrem Dienst ausgegebenen 15 Mark auf die
nächste Raitung. Orig. Statth.-A. (Schatzarchiv, Lade 53).

447   Wien, 1366 Nov. 11.
Dieselben versprechen den Grafen Ulrich und Heinrich von Schaunberg
für die in das ihnen verpfändete Schärding gelieferten Lebensmittel Entschädigung, mag es mit den Herzogen von Baiern zum Frieden oder Krieg
kommen. Stülz, Gesch. der Herren und Grafen von Schaunberg. Reg.
No. 546 (aus den Denkschriften der kaiserl. Akademie).

17 *

448   Neustadt, 1367 Jan. 26.
Erzbischof Piligrim von Salzburg erneuert die frühern Bündnisse mit
Oesterreich. Lichnowsky n. 784.

449   Neustadt, 1367 Jan. 26.
Gegenbrief der Herzoge Albrecht und Leopold von Oesterreich. Lichnowsky n. 785.

450   Wien, 1367 Febr. 18.
Die Herzoge Albrecht und Leopold von Oesterreich schlagen dem Petermann von Schenna ihm schuldige 400 Mark Berner auf die Feste Ortenstein und das Burggrafenamt zu Tirol.

Wir Albrecht und Leupolt brüder von gotes gnaden herzogen
ze Östereich, ze Steyr, ze Kernden und ze Krain, grafen ze Tyrol etc.
tůn chunt, daz wir unserm lieben getrewn Petermann von Schenna
purggrafen ze Tyrol von des dienstes wegen, den er uns in dem Intal,
do die fried gen Bayrn aufziengen und do wir herzog Leuppolt an der
Etsch waren, getan hat und umb die zerung, die er ze Ernberg, do wir
das losten. und ze Slosperg, das er herwider gewan, und ze Levic in dem
krieg gen Padow gehebt hat, gelten sullen und schuldig sein vierhundert march perner Meraner munz, die wir im geslagen haben und slahen
ouch auf die vest Ortenstain und das purggrafamt ze Tyrol und was
darzů gehöret, also daz er die darauf haben sol an abslag der nůcze
in aller weis, als er vor umb ander gelt darauf gewiset ist. Mit ur-
chunde dicz briefs, geben ze Wienn an phinztag vor sand Peters tag,
als er auf den stůl geseczt wart, nach Kristes gepurde dreuzehenhundert iar darnach in dem siben und sechzigistem iare.

Beide Siegel hängen.   Orig. k. k. g. A. (zerschnitten).

451   o. O. 1367 Apr. 12.
Ulrich der Liechtenecker beurkundet, dass ihm die Herzoge Albrecht
und Leopold von Oesterreich die Feste Landeck im obern Innthal eingeantwortet haben unter der Bedingung, dass er ihnen damit warte, sie ihnen
stets offenhalte und damit gegen sie und ihr Land nichts thue, wofür er
Hans den Freundsberger von Freundsberg, Heinrich den Zenger von Schwar-
zeneck, Hans den jungen Jägermeister und Heinrich den Suelmann als Bürgen setzt. Orig. Statth.-A. (Schatzarchiv, Lade 61).

452   Wien, 1367 Aug. 17.
Die Herzoge Albrecht und Leopold von Oesterreich beurkunden, dass
ihr Getreuer Konrad der Freundsberger [die Feste] Neuhaus bei Törlan mit
dem dortigen Gericht und allem Zubehör mit ihrem Willen gelöst habe
von [Rudolf] von Empz, dessen Pfand dieselbe Feste gewesen ist, um 538
Mark 7 Pfund Zalberner und 11 Groschen Meraner Münz (nämlich [228]
Mark 7 Pfund 11 Groschen sind ihm die Herzoge schuldig geblieben bei der
Raitung über Zehrung und Kost auf der von ihm pflegweis innegehabten

Feste Tyr[ol] und 330 Mark sind an Rudolf gefallen von Wilhelm sel. von Enn, dem sie weiland Markgraf Ludwig zu seiner Hausfrau Wendelburg der Aschauerin gemacht hat); mit dieser Summe und mit 1450 Gulden, die sie dem genannten Freundsberger für seinen Dienst im Krieg gegen Baiern und für seinen Schaden in demselben schuldig geblieben sind, weisen sie ihn auf die Feste Neunhaus mit Gericht und allem Zubehör. Sehr beschädigtes Original im Statth.-A. (Parteibriefe); die Lücken sind verbessert nach Reg. n. 437.

453   Ofen, 1367 Okt. 27.

König Ludwig von Ungarn schickt seinen Rath und Kanzler, Bischof Wilhelm von Fünfkirchen, mit unbedingten Vollmachten an die Herzoge Stephen d. ä., Adolf (!?) und Albrecht und des ersten Söhne Stephan und Friedrich, Herzoge von Baiern. Oefele, S. R. Boic. 2,187.

454   Ofen, 1367 Nov. 2.

König Ludwig von Ungarn verspricht für sich und Philipp, Kaiser von Romanien, und Karl, Herzog von Durazzo, den Herzogen von Baiern, Stephan d. ä., Albrecht und des erstern Söhnen Stephan d. j., Friedrich und Johann gegen jeden, der mit seinen Ländern beiden Theilen benachbart wäre und denselben Schaden zufügen würde, mit ganzer Macht beizustehen, namentlich gegen die Herzoge von Oesterreich, wenn die Herzoge von Baiern mit diesen in Streit geriethen, mit der Bestimmung, dass von den gemeinsam eroberten Gebieten die von der Enns abwärts an Ungarn, die von der Enns aufwärts oder in Kärnthen oder Tirol gelegenen an Baiern fallen sollten; er verspricht auch nie ein Bündniss gegen die Herzoge von Baiern einzugehen. Oefele, SS. 2,188. Quellen zur bair. Gesch. 6,491.

455   In unser vest ze Triend Boniconsilii, 1367 Dec. 27.

Bischof Albrecht von Trient beurkundet, mit Rath und Zustimmung seines Capitels mit Friedrich von Greifenstein unter angegebenen Bedingungen übereingekommen zu sein um seine Feste Castelmani, seine Hauptmannschaft in der Sudigaeri (Judikarien), in Raendein (Rendena) und in Suls (Sulzberg) und das halbe Gericht in Suls, wie es Albrechts Vorfahr Bischof Nikolaus als Pfand für 16070 Pfund und 2 Schilling dem Konrad von Schenna und dessen Erben versetzt, dann Markgraf Ludwig, als er des Stiftes Trient gewaltig ward, von Konrads Erben eingelöst und Ludwig und seine Erben es innegehabt haben, bis Herzog Rudolf die Herrschaft Tirol erhielt, der dann Obiges dem Friedrich von Greifenstein und seinen Erben für seine Dienste eingeantwortet hat. Lückenhafte Abschrift in Bibl. Tirol. 614,90.

456   München, 1368 Febr. 4.

Die Herzoge von Baiern stellen dem König Ludwig einen seiner Urkunde von 1367 Nov. 2 (Reg. n. 454) entsprechenden Gegenbrief aus und nehmen vom Bündnisse Kaiser Karl IV. aus. Oefele 2,191.

457   Wolfsberg, 1368 Febr. 12.

Bischof Leopold von Bamberg verbündet sich mit den Herzogen von Oesterreich bis 1371 Juni 24 zu gegenseitigem Beistand mit allen Leuten

und Festen innerhalb der Gränzen von Kärnthen, Oesterreich und Steier.
Kurz, Albrecht III. 1,208.

458 W i e n , 1368 März 12.

Die Herzoge Albrecht und Leopolt von Oesterreich bekennen dem Rudolf von Ems 500 Gulden Florentiner, die er ihnen geliehen und Heinrich von Meissau, ihr Pfleger zu Tirol, eingenommen hat, schulig zu sein, weisen ihm dafür jährlich 30 Mark Berner Meraner Münze vom Gerichte Schlanders an, empfehlen ihm den Stab des Gerichtes Schlanders, bis obiges Geld gezahlt wäre, und versprechen, so lange er die Feste Fürstenberg von Heinrich von Meissau als Pfand innehat, auch von diesem den Satz nicht zu lösen. Orig. Statth.-A. (Schatzarchiv, Lade 53).

459 P r a g , 1368 März 27.

Kaiser Karl IV. verspricht den Herzogen Albrecht und Leopold von Oesterreich, da der erstere persönlich mit ihm nach Italien ziehen will, für den Fall, dass, während sie in des Reiches Diensten wären, die Herzoge von Baiern oder sonst jemand in Tirol oder ihren übrigen Ländern sie angriffe, ihnen mit aller Macht beizustehen und den Hauptleuten und Amtleuten im Reiche, in Böhmen und Baiern die entsprechenden Anweisungen zu geben. Kurz, Albrecht III. 1,212.

460 W i e n , 1368 Apr. 19.

Die Herzoge Albrecht und Leopold von Oesterreich bitten den Berchtold von Gufidaun, unter angegebenen Bedingungen selbst mit seinen Söhnen und zwanzig Pickelhauben mit dem Herzoge Albrecht in Begleitung des Kaisers auf sechs Monate nach der Lombardei und Rom zu ziehen.

Wir Albrecht und Leupolt gebrüder, von gotes gnaden herzogen ze Östereich, ze Steyr, ze Kernden‖und ze Krain, grafen ze Tyrol etc. embieten unserm getrewn lieben Berchtolten von Gufidawn houptman unserer grafschaft ze Tyrol unser gnad und alles gůt. Wir bitten dich mit ganzem vleizz und begeren ouch, daz du mit dein selbs leib und mit deinen süneu mit zwainzig erbern gewappenten pekchelhauben mit uns, dem egenanten herzog Albrecht, ziehest gen Lamparten und gen Rom und bey uns ze velde beleibest sechs ganze moned nach einander. Darumb wellen wir dir besunder auf deinen leib geben und tůn nach rate unsers rates, alz wir andern herren von iren leiben tůn, in solicher mazze, daz dich des pilleich genügen sol ; und darumb wellen wir dir auf yegleich hauben geben zu dem manod zehen guldein, die wir ouch andern herren von irn dienern geben, und swaz das alles mit einander bringet, daz wellen wir dir slahen auf die secze, die du von uns innhast, swa dir das füglich ist und ez aller gernist hast, und wellen dich darumb mit guten briefen wol versichern. Darumb getrowen wir dir wol, daz du uns mit demselben dienst nicht saumest und ziehest an furzog gen Padow, wan wir uns

mit unserm gesinde hie ze Östereich auf dasselbe gevert erheben von
Wienn an alles verziehen auf den sunntag vierzehen tag nach óstern,
so man singet misericordia domini, daz ist der sunntag vor sand Jó-
rigen tag, und ziehen fursich unserm herren dem keiser nach, so wir
ymmer paldist mügen; getrewn wir dir wol, daz du dich furderest,
daz wir dich dort inne vinden, oder mitsampt uns zu dem egenanten
herren dem keiser ziehest. Geben ze Wienn an mitichen vor sand
Jorigen tag, anno Lxviij.

d. dux per se in consilio.

Von den beiden rückwärts aufgedrückten Siegeln ist das eine vollständig, vom andern Spuren vorhanden.

Orig. Statthalterei - Archiv.

461   Görz, 1368 Aug. 8.
Graf Meinhard von Görz verlängert den mit den Herzogen Albrecht
und Leopold von Oesterreich bis 15. August geschlossenen Frieden bis
29. September „in allen den gelübden und puntnussen, als dy frid vor-
malen zwischen uns herchomen und vervangen" sind. Orig. k. k. g. A.

462   Wien, 1368 Okt. 1.
Schadlosbrief des Herzogs Albrecht von Oesterreich für den Grafen
Ulrich von Schaunberg für den (etwaigen?) Schaden an Rossen und Heng-
sten im Felde, nachdem er versprochen, mit 200 Helmen und 200 Schützen
gegen Baiern zu dienen. Stülz, Gesch. d. Schaunberger Reg. n. 557.

463   Auf Tyrol, 1368 Okt. 26·
Herzog Leopold von Oesterreich versetzt seinem Getreuen Botsch von
Barotschen (oder „Botsch Bombarotschen"?) von Florenz für ihm geliehene
218 Mark Berner Weingärten zu St. Margarethen und Siebeneich im Gericht
Neuhaus. Orig. Statth.-A. (alte Tiroler Lehenreverse).

464   In dem besezz vor den vesten Matray, 1368 Nov. 21.
Herzog Leopold von Oesterreich bekennt für seinen Bruder H. Albrecht
und für sich, dem Rudolf von Ems 2879 Gulden schuldig zu sein — nämlich 1200 Gulden für den Dienst, den ihm derselbe mit 8 Bewaffneten ein
Jahr hier im Gebirg oder wo er seiner bedürfen würde, thun sollte, 400
Gulden für die versessene Burghut zu Grimmenstein, 400 Gulden für
dessen Bruder Ulrich von Ems für Sold und Dienst, den ihm derselbe
selb viert dieses Jahr thun soll, weiter für dessen Bruder Eglolf von
Ems und Hans, Druchsess von Diessenhofen, die dem Herzog mit sechs
Mann dienen, 600 Gulden für Sold und 279 Gulden, die er dem Eglolf besonders geben soll. — Dafür soll ihm der Herzog von den Vinkeneuzzlein
einen Hof lösen um 175 Mark Berner Meraner Münz, „die machent 563 Gulden", 200 Gulden legt er ihm auf die Leute im Gericht Schlanders, für die
übrigen 2096 Gulden will er ihn, falls er sie his nächste Lichtmess nicht
zahlt, auf der Feste Jufal behausen, wo er jährlich 209 Gulden erhalten soll,
bis obige Summe gezahlt wäre. In einem Vidimus von 1422 Nov. 25 im
Statth.-A. (Schatzarchiv, Lade 53).

465   Matray, 1368 Nov. 30.
· Herzog Leopold verleiht Wilhelm, Rudolfs Sohn, und Wilhelm, Sohn
Wilhelms, von End die Wilhelm d. ä. von End durch den herzoglichen
Landvogt Herzog Friedrich von Teck genommene Burg Grimmenstein auf
Bitten des Bischofs Johann von Brixen, der Grafen Johann und Rudolf von
Habsburg, Wilhelm und Heinrich von Montfort, Rudolf von Feldkirch und
Hugo von Werdenberg. Zellweger, Geschichte des appenzellischen Vol-
kes 1,192 extr.

466   Ze Matray, 1368 Nov. 30.
Wilhelm, Herrn Rudolfs Sohn, und Wilhelm, Wilhelms Sohn, von End,
Vettern, Freie geloben, da Herzog Leopold von Oesterreich aus besondern
Gnaden für ihre Dienste und auf Bitten ehrbarer Herrn und vieler Ritter und
Knechte ihnen die Feste Grimmenstein (welche weiland Herzog Rudolf, da
der genannte Wilhelm d. ä. in seiner Ungnade war, ihnen mit Gewalt an-
gewonnen, der dann der seinem Vetter Etzel von End, Chorherrn und
Schulmeister in Brixen, gehörenden Theil kaufte) wiedergegeben hat, gegen
die genannten Fürsten, ihre Lande und Leute nichts zu thun und ihnen die ·
Feste offen zu halten. Orig. Statth.-A. (Tiroler Lehenreverse, Lade 6—8).

467   Ze Matray, 1368 Dec. 6.
Herzog Leopold von Oesterreich bekennt dem Friedrich von Greifenstein für seinen Dienst in diesem Krieg mit ehrbarem Volk zu Fuss und zu
Ross und für Kost und Schäden 4000 Gulden schuldig zu sein, versetzt ihm
für 2000 Gulden und einige andere Gülten die Feste Valier auf dem Nons
und schlägt ihm die übrigen 2000 auf seinen Satz zu Persen. Orig. Statthalterei-Archiv (Schatzarchiv, Lade 53).

468   Kufstein, 1368 Dec. 7.
Die Herzoge Stephan und Friedrich von Baiern versprechen Konrad
dem Schonsteter die 5200 Gulden, um die sie seine Feste Matrai von ihm
gekauft haben, und die 800 Gulden, die er ihnen geliehen hat, bis nächsten
Georgentag zu zahlen. Orig. bair. R. A.

469   Hall in dem Intal, 1368 Dec. 13.
Herzog Leopold von Oesterreich bekennt dem Grafen Berchtold von
Sulz, Commenthur zu Leagmoos für seinen Dienst in diesem Krieg im Ge-
birg 400 Gulden schuldig zu sein, und verspricht sie bis Georgi zu zahlen.
Orig. Statth.-A. (Parteibriefe).

470   Hall, 1368 Dec. 13.
Derselbe antwortet seinem Getreuen Peter dem Arberger für die ihm
schuldigen 1001 Gulden und 1 Pfund Berner (nämlich 1118 Gulden, die der
Herzog ihm für die Burghut zu Visioun auf dem Nons schuldig geblieben,
von denen aber dieser von den Stadtzöllen zu Innsbruck und Hall 135 Mark
Berner oder 450 Gulden erhalten hat, und 100 Mark oder 330 Gulden, die
der Arberger zu Burghut auf Visioun für ein Jahr hätte erhalten sollen)
die Stadtzölle zu Innsbruck und Hall ein. Orig. Statth.-A. (Schatzarchiv,
Lade 53).

471   Hall, 1368 Dec. 13.

Derselbe befiehlt dem Berchtold von Gufidaun, seinem Hauptmann zu
Tirol und an der Etsch, Hansen dem Hackel 12 Mark Berner und seinen
Knechten ebenfalls 12 Mark für ihren Dienst in diesem Krieg im Gebirg zu
geben, und schlägt ihm diese 24 Mark auf seinen Satz zu Rodeneck. Orig.
Statth.-A. (Schatzarchiv, Lade 53).

472   Reichenhall, 1368 Febr. 6.

Stephan d. ä., Albrecht und des erstern Söhne Stephan, Friedrich und
Johann, Herzoge von Baiern, beurkunden mit den Herzogen Albrecht und
Leopold von Oesterreich um die Grafschaft Tirol, das Land an der Etsch
und im Inuthal verrichtet und versohut zu sein und die Entscheidung darüber dem Burggrafen Friedrich von Nürnberg, wie die Herzoge von Oesterreich dem Grafen Ulrich von Schaumberg übertragen zu haben, die bis
nächsten St. Jakobstag den geschlossenen Uebereinkommen gemäss die
Sache zu Ende bringen sollen; wäre dies nicht möglich, so soll einer der
Herzoge von Baiern mit 100 Pferden in Passau Einlager halten. Oefele 2,192.

472 b   Wien, 1369 Mai 11.

Die Herzoge Albrecht und Leopold von Oesterreich geben ihrem Kanzler, Bischof Johann von Brixen, und dem Berchtold von Gufidaun, Hauptmann in Tirol, Vollmacht, die von den Herzogen in Sold Genommenen zu
den Waffen zu rufen und nach Bedürfniss in Tirol zu verwenden.

    Wir Albrecht und Leuppolt geprüder, von gots gnaden herzogen
ze Österreich, ze Steyr, ze Kernden und ze Chrayn, grafen ze Tyrol
etc. tun chunt, daz wir dem erwirdigen unserm lieben freunde und
kanzler hern Johansen, byschofen ze Brichsen, und unserm getrewen
lieben | Berchtolden von Gufidaun, houptmanne unsrer grafschaft ze
Tyrol vollen und ganzen gewalt gegeben haben und geben ouch wizzentlich mit disem brief, daz si paide mit einander oder ir yetwedrer
sunderlich manen und vordern mugent und sullent alle und iekliche
herren, ritter und knechte, die wir versoldet haben, uns ze helfend
und ze dienend mit dem volke und gesind, das si uns versprochen und
gehaizzen habend, wenne und wie oft die vorgenanten unsern kanzler
und unsern houptman oder ir ainen dunket, daz des not sey und wir
des bedurfen in dem Intal, an der Etsch oder anderswa in dem Gepirg,
und daz si und ir yetwedrer dieselben soldner und das gesind legen
und schiken mugend, wa es ye aller nutzest und notdurftigest ist, ane
alles geverde. Mit urchund diez briefs, geben ze Wyenn an freytag
nach dem heiligen auffart tag, nach Christs gepurt dreuzehenhundert
iar darnach in dem neun und sechzigsten iare.

Hängt noch das Siegel H. Leopolds.   Orig. Statth.–Archiv.

                                             Pestarchivs-Urk. I/₄₃₁.

473 P r a u n e c k   i n   u n s e r e r   s t a t , 1369 Mai 19.

Bischof Johann von Brixen, des Herzogs Albrecht von Oesterreich Kanzler, bekennt dem Berchtold von Kufedaun, Hauptmann der Grafschaft Tirol und Pfleger des Gotteshauses Brixen, in rechter Raitung für dessen für den Bischof gemachte Ausgaben wegen der Einfälle der Herzoge von Baiern und für andere Bedürfnisse 3000 Gulden schuldig geblieben zu sein, und weist dafür ihn und seinen Sohn Kaspar für ein Jahr auf alle ihm jetzt von seinem Bisthum ledigen Nutzen und Gülte besonders auf das Amt und die Praustei zu Brixen, das Amt und die Praustei zu Praunekk und auf den Zoll daselbst und den Zoll an der Stange zu Sterzing mit allem, was dazu gehört, es sei Steuer oder Kuppelfutter. Orig. Statth.-A. (Parteibriefe).

474 W i e n , 1369 Juni 16.

Die Herzoge Albrecht und Leopold von Oesterreich geben dem Bischofe Johann von Brixen, welcher zur Zeit des letzten feindlichen Einfalls der Herzoge von Baiern in die Grafschaft Tirol, wobei sie die Burg zu Matrai, die Stadt Sterzing, die Feste Schlossberg und andere Schlösser mit Krieg einnahmen und das Innthal und andere Thäler hart verwüsteten, mit seinen und seines Gotteshauses Edeln und ehrbaren Dienstleuten, Rittern und Knechten, und mit Bürgern aus seinen Städten zu Ross und Fuss und mit anderm grossen Fussvolk aus seinen Thälern und Gerichten gedient hat, den Feinden zu widerstehen. 2000 Mark Berner Meraner Münz und erlauben ihm, von Rudolf von Katzenstein Markt und Gericht Steinach einzulösen und diese Summe darauf zu schlagen. Sinnacher 5,453.

475 B o z e n , 1369 Juli 17.

Herzog Leopold schlägt dem Kaspar von Gufidaun die 200 Gulden, die er ihm für ein von ihm gekauftes und Peter.dem Arberger gegebenes Ross schuldig geworden, auf den Satz zu Rodeneck. Orig. Statth.-A. (Schatz-Archiv, Lade 53).

476 M e r a n , 1369 Juli 19.

Derselbe weist für sich und seinen Bruder Albrecht dem Rudolf von Embs für 175 Mark Berner, um die er ihm einen Hof hätte lösen sollen, was nicht geschen ist, jährlich 17 Mark und 5 Pfund Berner vom Gericht zu Schlanders an (1 Mutt Roggen ist für 9, ein Mutt Gerste für 7 Zwanziger zu rechnen). Orig. Statth.-A. (s. a. O.).

477 H a l l , 1369 Juli 24.

Derselbe setzt den Rudolf von Ems zum Feldhauptmann in Innsbruck gegen die Herzoge von Baiern und andere Feinde.

Wir Leupolt von gotes gnaden herzog ze Österreich, ze Steyr, ze Kernden und ze Krain, graf ze Tyrol etc. || tůn kunt, daz wir für unsern lieben průder herzog Albrechten und für uns nach rate unsers rates ! unsern getrewn lieben Růdolffen von Emptz gesetzt haben und setzen mit disem briefe ze houbtmann in krieglichen sachen uber alle unser dyener, soldner und purger, die wir nu haben und hienach ge-

winnen an unsrer stat ze Inspruk wider die herzogen von Bayrn und
ander unser veynte, und wan der egenante von Emptz von derselben
houptmanschaft wegen mere denne ander unser dyener kost und zerung haben müz von manigerlay sachen wegen, die darüber lauffen
mugen, haben wir im verhaizzen gnediklich und verhaizzen mit disem
brief ze geben und ze tůn von derselben houptmanschaft und kost
wegen, swaz die edeln unser lieben getrewn vogt Ulreich von Metsch
und Perchtolt von Gufidawn, houptman unsers landes ze Tyrol darumb nach gelegenhait der zeit und der lewffe erkennent und sprechent
an alles gever. Mit urchund ditz briefs, geben ze Halle in dem Intal
an sand Jacobs abent des heiligen zwelfpotten nach Krists gepurd
drewzehen hundert iar darnach in dem newn und sechzigistem iare.

> Das Siegel hängt.　　　　　　Orig. k. k. g. A. (durchschnitten).

478　　　　　　　　　　　　　　Innsprukk, 1369 Juli 25.

Bischof Johann von Brixen bekennt dem Berchtold von Gufidaun, seinem Hauptmann, 829 Gulden schuldig zu sein (nämlich 100 Gulden, womit
er Johann von Sengen gen Bononi fertigen soll, — 300 G., die er bei Johann von Ravensburg für den Bischof nach Rom senden soll — 40 G. dem
von Enn für zwei Pferde — 50 G. dem Dompropst für ein Zelterpferd —
40 G. dem Wartekker für seinen Dienst — 20 G. dem Johann von Ravensburg zur Zehrung für ein Gefährt nach Oesterreich — 50 G. für des Bischofs
Kost und Zehrung zuletzt zu Brixen — 100 G. dem Bischofe jetzt zu einer
Fahrt nach Schwaben — 65 G. dem Häcklein dem Diener für ein Ross —
9 G. für den Bischof zu Bruneck — 16 G. darnach für den Bischof zu
Brixen — 7 G. fahrenden Leuten zu Bozen — 16 G. dem Tschetscher für
die Kost des Bischofs von Augsburg — 16 G. Clausen von Rheinfelden zu
Zehrung); davon soll Berchtold für des Bischofs wegen auf Ibano dessen
Zöllner zu Bruneck 35 Mark Berner haben, und 29 Gulden, damit erfüllet
werden die 3000 G. von der Raitung zu Bruneck (Reg. n. 473), für das
Uebrige soll der Hauptmann sich selbst aus des Bischofs übrigen Einkünften
bezahlt machen. Orig. Statth.-A. (Parteibriefe).

479　　　　　　　　　　　Ze veld bei Elicurt, 1369 Sept. 9.

Herzog Leopold von Oesterreich erweist auf Bitten Rudolfs von Bon-
stetten dessen Gemahlin Anna von Seun die Gnade, dass sie, wenn sie ihn
überlebt, die vom Herzoge zu Lehen gehende halbe Feste Uster innehaben
soll, so lange sie keinen andern Mann nimmt, worauf dieselbe an Rudolfs
Erben fallen soll. Orig. Statth.-A. (Pestarchiv I/...).

480　　　　　　　　　　　　Wien, 1369 Sept. 17.

Stephan d. ä., Albrecht und des erstern Söhne Stephan, Friedrich und
Johann, Herzoge von Baiern, geloben den wegen des Krieges mit den Herzogen von Oesterreich von den beiderseitigen Räthen geschlossenen und von
dem Landgrafen Johann von Leuchtenberg und dem Grafen Ulrich von
Schaunberg besiegelten Vertrag zu halten. Kurz, Albrecht III. 1,222.

481 Schärding, 1369 Sept. 29.
Stephan d. ä., Albrecht und des erstern Söhne Stephan, Friedrich und Johann, Herzoge von Baiern, beurkunden mit den Herzogen Albrecht und Leopold von Oesterreich bezüglich des Krieges, den sie wegen ihrer Ansprüche auf Tirol mit diesen geführt, unter folgenden Bedingungen sich versöhnt zu haben: 1. Sie verzichten für sich und ihre Erben, Söhne und Töchter, auf Tirol. 2. Sie geloben niemanden zu helfen, der die Herzoge von Oesterreich in Tirol angreifen würde; dagegen sollen diese von Tirol aus Baiern nicht angreifen. 3. Die Herzoge von Baiern nehmen sich eines in Tirol Ansässigen in keiner Sache schirmend an (und umgekehrt). 4. Herzog Johann von Baiern verzichtet besonders für sich und seine Gemahlin, des Grafen Meinhard von Görz Tochter, wenn er sie zur Ehe nimmt, und für beider Erben auf alle Ansprüche, die sie wegen derselben auf Tirol haben könnten, ja der Herzog verpflichtet sich, dieselbe dahin zu bringen, dass auch sie, so lange sie lebe, keine Ansprüche auf Tirol erhebe; überlebt sie ihn, so sollen Johanns Erben und die Herzoge von Baiern sie bei Geltendmachung ihrer Ansprüche nicht unterstützen. 5. Die Herzoge von Baiern geben die Festen Schlossberg, Landeck und Matray, die zu Tirol gehören, zurück, ebenso alles, was sie sonst den Herzogen von Oesterreich abgenommen haben (und umgekehrt). 6. Die Herzoge von Baiern erhalten für ihre Ansprüche auf Tirol 116000 Gulden. 7. Die Herzoge von Oesterreich lassen ihnen weiter frei Weissenhorn und Buch, ledigen sie von Margaretha, der alten Markgräfin von Brandenburg um Kufstein, Kitzbühel und andere Güter in Baiern, auf die sie von ihrer Morgengabe Ansprüche hat, und geben das ihnen von Herzog Albrecht von Baiern verpfändete Schärding zurück. 8. Die beiderseitigen Gefangenen werden freigelassen und eine allgemeine Amnestie ertheilt. Steyerer 396. Fischer, kleine Schriften 1,505. Lünig, C. G. D. 2,791. Brandis, Landeshauptl. 118.

482 Schärding, 1369 Sept. 29
Gegenbrief des Herzogs Albrecht von Oesterreich für sich und seinen Bruder Leopold. Quellen zur bair. Gesch. 6,499.

483 Schärding, 1369 Sept. 29.
Herzog Albrecht von Oesterreich verbürgt sich, dass sein Bruder Herzog Leopold den Friedensvertrag mit Baiern halten werde. Lichnowsky n. 921.

484 Schärding, 1369 Sept. 29.
Die Herzoge von Baiern geloben diesen eidlich bekräftigten Frieden nie zu brechen, vor geistlichen und weltlichen Richterstühlen dagegen keine Einwendung zu machen und sammt ihren Unterthanen mit jenen von Oesterreich in wahrer Eintracht zu leben, als wenn nie ein Krieg geführt worden wäre. Sinnacher 5,458 extr.

485 Schärding, 1369 Sept. 29.
Herzog Johann verzichtet wie die übrigen Herzoge von Baiern auf Tirol und entsagt besonders allen Ansprüchen, die er etwa, wenn er des Grafen

Meinhard von Görz Tochter zur Ehe nehme, im Namen derselben für sich, seine Gemahlin oder beider Erben erheben könnte. (Separatbeurkundung v. Reg. n. 481 §. 4.) Orig. k. k. g. A. Lichnowsky n. 920.

486   Schärding, 1369 Okt. 2.
Herzog Albrecht von Oesterreich verspricht dafür zu sorgen, dass der mit Baiern geschlossene Friedensvertrag bis 2. Febr. 1370 auch von seinem Bruder Leopold, der sich jetzt in den obern Landen, zu Schwaben und Elsass aufhalte, genehmigt werde. Fischer, kl. Schriften 1,510.

487   Schärding, 1369 Okt. 2.
Derselbe verspricht, alle Helfer und Diener der Herzoge von Baiern, denen des Krieges wegen ihre Sätze und ihr Erbe in seinen Ländern genommen wären, bis nächste Lichtmessen in den Besitz derselben wieder einzusetzen. Orig. boir. R. A.

488   Schärding, 1369 Okt. 2.
Derselbe gelobt für sich und seinen Bruder Leopold, bis nächste Weihnachten alle bairischen Gefangenen ledig zu lassen, widrigenfalls sie verpflichtet wären, acht Tage nach erhaltener Aufforderung zwölf Mann selbander mit zwei Pferden nach Passau zur Einlagerung zu schicken. Original bair. R. A.

489   Schärding, 1369 Okt. 2.
Derselbe verspricht für sich und seinen Bruder Leopold dem Herzoge Stephan von Baiern und seinen Söhnen für die Verzichtleistung auf Tirol 76000 Gulden bis Georgi 1371 zahlen zu wollen und dafür Bürgen zu stellen. Lichnowsky n. 923.

490   Schärding, 1369 Okt. 2.
Derselbe verspricht für sich und seinen Bruder Leopold dem Herzoge Stephan von Baiern und seinen Söhnen, seine Muhme Margareth, die alte Markgräfin von Brandenburg, dazu bewegen zu wollen, dass sie bis nächste Weihnachten zu Gunsten der Herzoge von Baiern auf Kufstein, Kitzbühel und die andern in Baiern gelegenen Stücke, auf die sie von ihrer Morgengabe Ansprüche hat, verzichte. Falkenstein, Gesch. v. Baiern 3,353. Vorläufige Beantwortung der sog. gründlichen Ausführung S. 210.

491   Schärding, 1369 Okt. 2.
Stephan d. ä., Albrecht und des erstern Söhne Stephan d. j., Friedrich und Johann. Herzoge von Baiern, geloben den Herzogen von Oesterreich alle während des Krieges gemachten Gefangenen bis nächste Weihnachten ledig zu lassen. Falkenstein 3,354.

492   Schärding, 1369 Okt. 2.
Stephan d. j. und Friedrich, Herzoge von Baiern, versprechen es dahin zu bringen, dass ihr Vater Herzog Stephan und ihr Bruder Johann binnen vierzehn Tagen den mit Oesterreich wegen Tirol geschlossenen Frie-

densvertrag beschwören und bestätigen, wie sie denselben beschworen haben, widrigenfalls sie zur Einlagerung in Braunau verpflichtet wären. Kurz, Albrecht III. 1,223.

493   Schärding, 1369 Okt. 2.

Die Herzoge von Baiern versprichen, dass Herzog Albrecht von Baiern den wegen Tirol geschlossenen Friedensvertrag beschwören und die Verzichtleistung einzeln beurkunden werde, sobald er nach Hause in Baiern würde angekommen sein. Vorläufige Beantwortung S. 135 (Nach Kurz, Albrecht III. 1,68; in den mir vorliegenden Ausgaben findet sich eine solche Urkunde nicht.).

494   Schärding, 1369 Okt. 2.

Herzog Albrecht von Baiern tritt dem Vergleich der andern Herzoge wegen Tirol bei und verspricht, sobald er nach Baiern kommt, denselben in Gegenwart der dazu gesendeten Boten aus Oesterreich zu beschwören. Falckenstein 3,352. Vorläufige Beantwortung S. 212.

495   Schärding, 1369 Okt. 2.

Stephan d. ä., Albrecht und des erstern Söhne Stephan, Friedrich und Johann, Herzoge von Baiern, melden dem Kaiser Karl die Abschliessung des Friedens mit Oesterreich und ihre Verzichtleistung auf Tirol und bitten denselben, die österreichischen Herzoge mit diesem Lande zu belehnen. Kurz, Albrecht III. 1,224.

496   Burghausen, 1369 Okt. 7.

Wernhard der Aysterheimer und Weichard der Pollnheimer bezeugen, dass bei der Sühne zwischen den fünf Herzogen von Baiern und den Herzogen von Oesterreich die Herzoge Stephan d. ä. und Johann von Baiern nicht zugegen gewesen seien, dass sie aber auch geschworen hätten, alles in den Briefen Enthaltene zu vollführen. Orig. bair. R. A. Lichnowsky n. 933 mit falschem Ausstellungsort.

497   Hall im Innthal, 1370 März 6.

Herzog Stephan d. j. von Baiern quittirt den Herzogen von Oesterreich den Empfang der 1500 Gulden von den 76000 Gulden, die ihnen diese wegen der Grafschaft Tirol schuldig sind und die dieselben bis Georgi 1371 zahlen sollen. Gleichzeitiger Abschriften-Rodel im k. k. g. A. Lichnowsky n. 962.

498   Wien, 1370 Okt. 13.

Meinhard, Pfalzgraf von Kärnthen und Graf von Görz schliesst mit den Herzogen von Oesterreich auf vier Jahre ein Bündniss besonders gegen Venedig; während dieser Zeit sollen alle gegenseitigen Ansprüche ruhen. Kurz, Albrecht III. 1,226.

499   Brauneck, 1271 Apr. 6.

Herzog Leopold von Oesterreich trägt dem Borth. (?Berchtold) von Gufidaun, Hauptmann der Grafschaft Tirol, auf, mehrere Zahlungen zu machen, darunter vom Zoll an der Tell der Markgräfin Adelheid von Tirol wochentlich 30 Pfund Berner. Lichnowsky n. 1033.

500   Wien, 1371 Apr. 18.
Herzog Stephan d. j. von Baiern quittirt für sich, seinen Vater und seine Brüder den Herzogen von Oesterreich 6000 Gulden. Abschriften-Rodel k. k. g. A. Lichnowsky n. 1034.

501   Wien, 1371 Apr. 18.
Derselbe erstreckt für sich, seinen Vater und seine Brüder den Herzogen von Oesterreich die Frist zur Zahlung auf zwei Monate. k. k. g. A. Abschriften-Rodel. Lichnowsky n. 1035.

502   Landshut, 1371 Mai 9.
Herzog Stephan von Baiern und seine Söhne Stephan und Johann ersuchen die Herzoge von Oesterreich, noch vor der ihnen zugestandenen Frist Jorgen dem Abeimer und Heinrich dem Tuschel, ihrem Hofmeister, einiges Geld abzuliefern oder doch wenigstens die Fristen richtig einzuhalten, widrigenfalls sie gegen Passau Einlager leisten müssten. Lichnowsky n. 1042.

503   o. O. 1371 Mai 23.
Georg der Ahaimer, Pfleger zu Burghausen, und Heinrich der Tuschel von Saldenau quittiren für die Namens der Herzoge von Oesterreich von der den Herzogen von Baiern schuldigen Summe von 38000 Gulden gezahlten 26000 Gulden. Lichnowsky n. 1043.

504   Landshut, 1371 Nov. 1.
Stephan d. ä. von Baiern und seine drei Söhne versprechen dem Ulrich Pücher, dass ihm Heinrich der Tuschel von dem ihnen von dem Herzogen von Oesterreich zu entrichtenden Geld von nächsten Georgentag und darnach über zwei Jahre 1600 Gulden gut von Gold zahlen soll. Reg. Boica 9,268.

505   o. O. 1380 Juli 20.
Herzog Friedrich von Baiern quittirt dem Herzoge Albrecht von Oesterreich und dessen Bürgen, Heidenreich von Meissau und Hans von Lichtenstein, die dem Hadmar von Laber und Gameryt von Särching an seiner Statt bezahlten 12000 Gulden. Lichnowsky n. 1527.

Anhang.

Bruchstücke

aus dem

Chronicon monasterii montis sanctae Mariae auctore Goswino,
eiusdem loci priore. [1]

Eodem tempore paulo ante pestilenciam [2] quidam episcopi et
alii maiores huius terre dominum de Tirol Ludwicum, filium Ludwici
regis magni, depellere de terra volentes, sicut antea, sed non per epi-
scopos, Johannes filius regis Bohemie expulsus erat ipsis in periculum
et dolorem. Vocaverunt fratrem dicti Johannis, dominum Karolum
ducem Moravie, quorum vocancium nomina adhuc in castro Tyrol
scripta habentur, ut per tradicionem eorum terram Athesis sue sub-
jugaret potestati. Predicto domino Karolo postea in imperatorem
electo et confirmato, veniente in forma mercatoris in civitatem Tridentinam, suos, quorum litteras habuit et sigilla, qui ipsum vocaverunt, secreto convocavit. Illis autem congregatis et de terra trac-
tantibus, cui committi deberet, propositum erat, ut domino Medyola-
nensi. Hiis auditis a dictis traditoribus eorum sensus immutati sunt
et a dicto domino Karolo recesserunt. Postea convocata multitudine
armatorum prefatus dominus Karulus unacum domino Ulrico episcopo
Curiensi et domino episcopo Tridentino terram nostram valde deva-
stavit rapinis atque incendiis. Una autem vice dictus dominus Ulricus
episcopus Curiensis cum magna multitudine armatorum ascendere volens de Tridento ad castrum suum Fürstenburg, quod tunc temporis

---

1) Nach der Abschrift Röggls im hiesigen Ferdinandeum bibl. Tirol.
tom. 1319 p. 150 ff. 167 ff. 250 ff. — Vgl. auch die o. S 121 f. abgedruckte Stelle.

2) Die Pest von 1348.

milicia regis Karuli possidebat, moram noctis facientes in Trameno et incautam securitatem habentes, quod ipsis grave periculum fuit; eadem nocte per dominum Ludwicum marchionem et suam cohortem cesi sunt atque prostrati, multi occisi, plures captivati et dominus Ulricus episcopus Curiensis simul cum aliis captus est. Ductus autem in Tyrol vinculis iniectus plus quam per annum flebilem vitam duxit. Tandem a vinculis absolutus per multa pacta dimissus est. Castrum autem suum supra nominatum dictum Furstenburg obsessum in eodem eventu per dominos advocatos in favorem et amiciciam domini de Tirol, expugnaverunt, ita quod inhabitans milicia tenutam resignavit, ut tuti vita liberi abire permitterentur. Spe autem sua frustrati domini advocati de collacione dicti castri, quam per marchionem sperabant propter expugnacionem factam, domino Chunrado de Friburg prefatum castrum assignatum fuit strenuo militi et acerbo nimis. Qui in brevi tempore post dissensionem cum dictis advocatis pro jure ecclesie Curiensis, que ad advocaciam spectat, movit. Et longa inter se contencione protracta dominus advocatus Ulricus filius domini Ulrici unum de honestioribus famulis dicti de Friburg de genere illorum de Chipphenburg in ipsa villa Burgus interfecit. Cujus interfectionis auctor extitit quidam dux de Tekke, Chunradus nomine, qui tunc temporis vicedominus Tyrolis fuit, cuius sororis filiam dictus dominus advocatus iunior in uxorem habuit. Occiso autem dicto juvene guerra prius iniciata nunc in apertam inimiciciam pervenit . . . . [1]

Sed de dicto duce de Tekke dicere oportet, qualis expugnator urbium et castrorum fuerit, nam castrum dictum Purchstal obsessum funditus destruxit, castrum Griffenstain dilapidavit et plura alia castra sibi subiugavit . . . .

Huius temporibus infinita mala per alienos tam Alamannos quam Bavaros, quos secum induxerat ad terram, fautores suos, terram populabant et devastabant, nec erat, qui verbum contra predictos diceret. Tandem dominus Swikerus de Gundolfingen miles multe audacie et timoris, quem dictus dux de vice dominii de Tyrol dolo supplantaverat et quasi de cunctis suis bonis alienum fecerat, affirmante dicto duce vice quadam, cum ambo in civitate Monacensi unacum domino marchione essent, quod dicto domino Swikero infra paucorum dierum spacio nil tantum de suis rebus ac terra dimittere vellet, quo solus pauper sepelliri posset. Hiis verbis nimium consternatus de nece ducis ut quasi leo fremens cogitare cepit. Nocte ergo subsequente,

---

1) Es wird ein Mordanschlag auf den Vogt gemacht, und folgt eine Fehde, bis endlich der Streit beigelegt wird.

274

cum iam dimissis clientulis solus cum sua familia in solario iam nu-
datus armis in sola tunica deambularet, visis omnibus et apta hora
per exploratorem dicta (! dicti?) de Gundelfingen inventa suum dominum vocavit. Quo intrante gladio evaginato statim ipsum ducem
in suo hospitio hora crepusculi interfecit, ipso autem interfecto fugam iniit.

Et sicut multos in terra nostra offenderat, qui vindicare perpe-
tratas iniurias non poterant, ita hic ab uno prostratus modicum vin-
dicatus erat . . . .

Hic dux dominum Engelmarum, qui unus erat, qui dominum Karolum de Moravia vocaverat, captivavit et eius capud precidit. Hic
terre multa mala fecit aurum et argentum multum nimis de terra
nostra ad suam transmisit. Et pro libito advenas satis servilis con-
dicionis nostros terrigenos nobiles et meliores vexare permisit, sed et
suum premium ob demeritis suis equale recepit.

Anno domini 1361 in die s. Lamperti obiit pius princeps dominus Ludwicus marchio Brandenburgensis et dominus de Tirol.

Eodem anno dominus Meinhardus filius suus a quibusdam nobilibus de Babaria et de Swevia mirabiliter circumductus fuit de civitate ad civitatem, de villa ad villam, de castro ad castrum, pendente
quadam lite et controversia inter ipsum dominum Meinhardum et matrem suam dominam Margaretam pro terra Athesi. Tandem illi de
Ingelstet ipsum de manibus circumducentium eripuerunt et episcopum
de Aysteten cum pluribus aliis captivaverunt et plures occiderunt.
Millesimo CCCLXij eodem Ulricus iunior advocatus de Mathts vicedominus in tota terra Athesi fuit.

Anno domini 1363 in octava epiphanie obiit dominus Meynardus
filius domini Ludwici marchionis de Brandenburg in Merano.

Eodem anno dux Austrie terram nostram sibi hereditario iure
usurpavit et domino Ulrico de Amacia tunc capitaneo terre dedit
iudicium in Nuders cum omnibus proventibus et iuribus et preposituram in Aeurs cum iuribus omnibus et proventibus. Castrum in
Ultimis cum suis iuribus sibi obligavit pro marcis mille xx.

Anno[1]) domini 1363 in crastino kalendarum septembrium incli-
tus ac nobilis princeps Rudolfus dux Austrie comitatum de Tirol cum

---

1) Die folgenden Bruchstücke auch bei Eichhorn, episcop. Curiensis.
Cod. prob. p. 125 ff.

tota terra Athasi ac omnibus appendiciis et iuribus resignante sibi
premissa omnia domina Margareta, relicta quondam domini Ludwici
marchionis, cum consilio nobilium et ignobilum huius terre in suam
potestatem redegit.

Eodem tempore idem dux bona episcopatus Tridentini de manu
domini Ulrici advocati junioris pro tunc capitanei tocius terre, electi
ad hoc per nobiles et ignobiles, abstrahens in suam redegit proprieta-
tem, ipsi episcopo domino de Ortenburg nil preter iura ecclesiastica et
unam mansionem in castro Consilii boni sibi dimisit, alia vero castra
ac jura temporalia omnia sibi reservavit et super illa suos procura-
tores constituit et tamen antea eidem episcopo data fide promisit, se
sibi, cum ad possessionem dicte terre veniret, eandem diocesin Tridentinam cum omnibus suis juribus et libertatibus ac proventibus
restituturum. Procedente aliquo tempore idem dux prefatum dominum Ulricum de Amacia capitaneum captivavit in civitate Hall, tradente
eum prefata domina Margareta relicta Ludwici marggravii ac aliis
nobilibus et ignobilibus huius terre nec ipsum dimittere voluit, quous-
que sibi prefatam dyocesim Tridentinam, ubi pro tunc suos procura-
tores constituerat, libere resignaret et plura alia bona et castra videlicet castrum in Ultimis cum ipsa valle, preposituram in Awrs cum
omnibus juribus et proventibus et propriis hominibus, castrum in Nu-
dors una cum iudicio et proventibus et omnibus liberis hominibus de
Sindes et in Engdina, de quibus omnibus tamen suas patentes habuit
literas, preter de ecclesia Tridentina: quibus omnibus sibi abstractis
tandem liberum de illa captivitate ipsum dimisit. Iis ita peractis dominum Petermannum est aggressus, quem mille ducentis marcarum
redditibus privavit tam in theloneis quam in preposituris in civitate
Inspruka quam aliis possessionibus, olim pertinentibus ad castrum
Tirolis. Similiter dominum Heinricum magistrum curie de Rotenburg
sua severitate invadens 80 carratas vini de Trameno annui census privavit, que etiam olim ad dictum castrum Tirol pertinebant. Similia
autem eodem tempore fecit pluribus nobilibus et ignobilibus in terra
ista, circa quos invenit, bona comitatus de Tirol et indebite ac ultra
debitum occupasse, quorum aliquos ut potuit privavit bonis eisdem
alios vero privandos disposuit.

Interea horrida ac molesta superveniunt nova, omnes duces Bavarie contra dictum ducem Austrie conspirasse et plures alios duces
ac comites, videlicet dominum ducem palatinum Rupertum et Johannem purchgravium Norenburgensem, dominum de Wirtemberg et plures alios nobiles viros potentes, simul suos, ac aliqui eorum in propria persona, armata manu in locum Ratenberg pervenerunt, ubi de
Bavaria congregata multitudine incendio ac spoliis maximum fecerunt

18 *

dampnum in valle Eny citra locum eundem. Captivaverat enim idem
dux Austrie duos milites ante istum eventum videlicet magistrum venatorum et dictum Frawenberger, quorum alter videlicet venatorum
magister callide de dicta captivitate aufugit, reliquus vero per pacta
et multa promissa ac cauciones similiter dimissus fuit. Hii duo quasi
fomitem omnium malorum infra scribendorum ut dicebatur, ministra-
verunt, quia nisi prefatus venatorum magister prefatos duces Bavarie
in castrum suum Ratenberg admisisset, nunquam tanta mala in nostris
confinibus vallis Eny facere potuissent. Hiis itaque omnibus auditis
per prefatum ducem Austrie similiter se sua milicia munivit vocatis
ad se omnibus nobilibus huius terre ac etiam pluribus de Carinthia,
Carneola et Austria et contra prefatos duces usque et amplius in
dictum locum Ratenberg processit, ipsosque Bavaros in fugam con-
vertit et insequens ipsos multa dampna spolio ac incendio perpetravit.
Recedente vero duce Austrie et revertente in civitatem Hall et ducibus Bavarie hanc dissimulantibus vicem et eventum providum scru-
tinium habuerunt, et explorantes post aliquas ebdomadas, prefatum
ducem Austrie populum ad propria remisisse ac eciam in propria re-
cessisse persona, forcius solito usque ad civitates Hall et Insprukk
supervenerunt, cum forti manu nimis, et a villa dicta Cirel et infra per
decem miliaria omnes villas et queque ad comburendum invenire poterant aut ad devastandum in cinerem redigerunt, facientes talem
predam et vastacionem, quam nullus nostris temporibus vivencium
in illa valle audiverunt esse factam, solumque prefate due civitates
in illo incendio remanserunt. Facta sunt autem hec tempore decem-
bris maximo frigore ultra solitum tunc regnante, que frigora in tantum tunc se extenderunt, quod non solum ripe et aque navales in
nostris partibus congelate fuerant, quod transeuntibus per glaciem
iter siccum prebebant, verum eciam mare Venecianum tantam glaciem
habuit, quod de villa Maisters in ipsam Veneciam mercatores sicco
vestigio cum mercimoniis ac alii qui transire volebant, incedebant.
Non erat locus ad conservandas res a frigore tam munitus, quin illo
anno cuncta a frigore lederentur.

Geschichtlicher Verlag

der

WAGNER'schen Universitäts - Buchhandlung

zu Innsbruck.

— —

Vom Herrn Verfasser dieses Werkes ist im gleichen Verlage früher erschienen:

Die Waldstätte Uri, Schwyz, Unterwalden bis zur festen Begründung ihrer Eidgenossenschaft. Mit einem Anhang über die geschichtliche Bedeutung des Tell. 1861. 8. 1 fl.

Geschichte der Margaretha Maultasch und der Vereinigung Tirols mit Oesterreich. 2. Abdruck. kl. 8. 1863. 25 kr.

Bidermann, Dr. H. J., Die ungarischen Ruthenen, ihr Wohngebiet, ihr Erwerb und ihre Geschichte. 1. Theil. gr. 8. 1 fl. 80 kr.

Brandis, J. A. Freiherr v., Landeshauptmann in Tirol in den Jahren 1610—1628, die Geschichte der Landeshauptleute von Tirol. Mit dem Porträt des Verfassers. Lexicon-8. 4 fl. 20 kr.

Fehr, Dr. J., Ueber die Entwicklung und den Einfluss der politischen Theorien. Ein Beitrag zur Würdigung der innern Entfaltung des europäischen Staatenlebens. 1855. gr. 8. 2 fl. 65 kr.

Ficker, Dr. J., Ueber die Entstehungszeit des Sachsenspiegels, und die Ableitung des Schwabenspiegels aus dem Deutschenspiegel. Ein Beitrag zur Geschichte der deutschen Rechtsquellen. 1859. gr. 8. 1 fl. 8 kr.

— Der Spiegel deutscher Leute. Text-Abdruck der Innsbrucker Handschrift. 1859. gr. 8. 2 fl. 20 kr.

— Vom Reichsfürstenstande. Forschungen zur Geschichte der Reichsverfassung, zunächst im 12. und 13. Jahrhundert. 1. Bd. 1861. gr. 8. 4 fl. —

— Das deutsche Kaiserreich in seinen universalen und nationalen Beziehungen. 2. Aufl. 1862. 8. 1 fl. 20 kr.

Ficker, Dr. J., Deutsches Königthum und Kaiserthum. Zur Entgegnung auf die Abhandlung Heinrichs v. Sybel: Die deutsche Nation und das Kaiserreich. 1862. 8. 70 kr.

— Vom Heerschilde. Ein Beitrag zur deutschen Reichs- und Rechtsgeschichte. 1862. gr. 8. 2 fl. 20 kr.

Fischer, Dr. A., pension. k. k. Statthalter von Oberösterreich, Aus meinem Amtsleben. 2. Aufl. 8. 1860. 1 fl. 60 kr.

Flir, Dr. A., Die Manharter. Ein Beitrag zur Geschichte Tirols im 19. Jahrhundert. 8. 1 fl. 60 kr.

Godefredi Viterbiensis carmen de gestis Friderici primi imperatoris in Italia. Ad fidem codicis bibliothecae Monacensis ed. Dr. Jul. Ficker. 1853. 8. 64 kr.

Harum, Dr. P., Die erste Session des österreichischen Reichsrathes. 1863. kl. 8. 40 kr.

Jäger, Dr. A., Tirol und der baierisch-französische Einfall im Jahre 1703. Aus archivalischen und andern gedruckten und ungedruckten Quellen bearbeitet. 1844. 8. 2 fl. 32 kr.

— Die alte ständische Verfassung Tirols. 1848. 8. 36 kr.

— Der Streit des Cardinals Nicolaus von Cusa mit dem Herzoge Sigmund von Oesterreich als Grafen von Tirol. Ein Bruchstück aus den Kämpfen der weltlichen und kirchlichen Gewalt nach dem Concil von Basel. 2 Bde. 1861. gr. 8. 6 fl.

Koch, M., Chronologische Geschichte Oesterreichs, von der Urzeit bis zum Tode Kaisers Karl IV. Mit den gleichzeitigen Begebenheiten. 1846. gr. 4. 2 fl. 80 kr.

Krones, Dr. F. X., Umrisse des Geschichtslebens der deutschösterreichischen Ländergruppe in seinen staatlichen Grundlagen vom 10. bis 16. Jahrhunderte. 8. 1863. 4 fl. —

Moriggl, A., Der Feldzug des Jahres 1805 und seine Folgen für Oesterreich überhaupt und Tirol insbesondere. Mit zwei Karten. 1861. 8. 4 fl. 60 kr.

Schuler, Dr. J., Gesammelte Schriften, mit einem kurzen Lebensabriss des Verstorbenen, herausgegeben von seinen Freunden. 1861. 8. 2 fl.

Stumpf, Dr. K. F., Acta Maguntina seculi XII. Urkunden zur Geschichte des Erzbisthums Mainz im 12. Jahrhundert. Aus den Archiven und Bibliotheken Deutschlands, zum ersten Male herausgegeben. 1863. gr. 8. 3 fl. 40 kr.

Weber, Beda, Tirol und die Reformation. In historischen Bildern und Fragmenten. Ein katholischer Beitrag zur näheren Charakterisirung der Folgen des 30jährigen Krieges vom tirolischen Standpunkte aus. 1841. 8. 2 fl. 40 kr.

— Oswald von Wolkenstein und Friedrich mit der leeren Tasche. In 11 Büchern. 1850. 8. 3 fl. 16 kr.

— Das Thal Passeyer und seine Bewohner. Mit besonderer Rücksicht auf Andreas Hofer und das Jahr 1809. 1852. 8. 3 fl. 16 kr.

— Andreas Hofer und das Jahr 1809, mit besonderer Rücksicht auf Passeyers Theilnahme am Kampfe. Aus dem Werke: „Das Thal Passeyer" besonders gedruckt. 1852. 8. 88 kr.

Zingerle, Dr. J. V., Barbara Pachlerin, die Sarnthaler Hexe, und Math. Perger, der Lautenfresser. Zwei Hexenprozesse. 1858. kl. 8. 42 kr.

— Die Sagen von Margaretha der Maultasche. Erinnerungsgabe zum 29. September 1863. kl. 8. 40 kr.

Demnächst werden erscheinen:

Ficker, Dr. J., Urkunden und Regesten zur Geschichte des Römerzugs Ludwig des Bayern. ca. 18 Bogen gr. 8.

Stumpf, Dr. K. F., Die fünf grossen österreichischen Freiheitsbriefe von 1058—1283 paläografisch untersucht. 3 Bogen Text gr. 8. mit 5 facsimilirten Urkunden aus dem k. k. Haus-, Hof- und Staatsarchive zu Wien.

— Die Reichskanzler. I. Band 1. Theil und II. Band (letzterer Regesten enthaltend).

Tomaschek, Dr. J. A., Der Oberhof Iglau in Mähren und seine Schöffensprüche aus dem 13. bis 16. Jahrhundert. Aus mehreren Handschriften herausgegeben und erläutert. ca. 25 Bogen gr. 8.

Wildauer, Dr. T., Denkbuch des Landesfestes zur Feier der 500jährigen Vereinigung Tirols mit Oesterreich. Mit Illustrationen. gr. 8. Grosse Ausgabe 2 fl. 50 kr., gewöhnliche Ausgabe 1 fl. 25 kr.

Druck:
Customized Business Services GmbH
im Auftrag der KNV-Gruppe
Ferdinand-Jühlke-Str. 7
99095 Erfurt